ĐANSEN OP DE VULKAAN

Van Anthony Capella verscheen eerder:

Het recept voor liefde

ANTHONY CAPELLA

DANSEN OP DE VULKAAN

H&W

VAN HOLKEMA & WARENDORF
Unieboek BV, Houten/Antwerpen

Oorspronkelijke titel: *The Wedding Officer*
Vertaling: Willeke Lempens
Omslagontwerp: Wil Immink
Omslagfoto: Colin Thomas en allOver photography/ALAMY
Opmaak: ZetSpiegel, Best

www.unieboek.nl
www.anthonycapella.com

ISBN 978 90 269 8576 8 NUR 302

Copyright © 2006 by Anthony Capella
Copyright © 2008 Nederlandstalige uitgave: Uitgeverij Unieboek bv, Houten
Oorspronkelijke uitgave: Time Warner Books, an imprint of Time Warner Group UK

'Ik maak me zorgen over het toenemend aantal aanvragen van officieren en andere rangen om met Italiaansen te mogen trouwen. Bevelvoerend officieren dienen zich te realiseren dat al het mogelijke zal worden gedaan om dit soort huwelijken tegen te gaan.'

BULLETIN UITGEVAARDIGD DOOR DE COMMANDANT-GENERAAL, DISTRICT NR. 3, NAPELS, 5 SEPTEMBER 1944

Deel I

I

De dag waarop Livia Pertini voor het allereerst verliefd werd, was de dag waarop haar lievelingskoe Pupetta de missverkiezing won.

Zolang men zich in Fiscino herinneren kon, werd tijdens het jaarlijkse abrikozenfeest niet alleen de meest perfecte vrucht uit de honderden kleine boomgaarden op de hellingen van de Vesuvius gekozen, maar werd tevens bepaald wie de mooiste jongedame van de hele streek was. De eerste jury werd sinds jaar en dag voorgezeten door Livia's vader, Nino, omdat men ervan uitging dat hij als eigenaar van de plaatselijke osteria een verfijndere smaak dan gemiddeld bezat; bij de tweede wedstrijd werd echter altijd uitspraak gedaan door Don Bernardo, de pastoor, omdat men oordeelde dat hij als celibatair over een zekere objectiviteit zou beschikken.

Van de twee competities ging het er bij de missverkiezing meestal het vriendelijkst aan toe. Dit kwam deels doordat deze niet werd gehinderd door de beschuldigingen van valsspelerij, omkoperij en zelfs diefstal uit andermans boomgaard die de beoordeling van de abrikozen altijd achtervolgden, maar ook doordat de meisjes van het dorp opmerkelijk veel op elkaar leken – donker haar, olijfkleurige huid en de weelderige vormen die een menu van buitenlucht en pasta steevast oplevert – waardoor relatief eenvoudig te bepalen was wie deze kenmerken op de meest aangename wijze verenigde. De abrikozen waren een heel ander verhaal. Bij elke uitbarsting van de Vesuvius had deze zijn hellingen overdekt met een dikke, opvallend vruchtbare laag, de zogeheten *potas*, als gevolg waarvan de berg tientallen fruit- en groentesoorten voortbracht die nergens anders in Italië groeiden – een culinair voordeel dat ruimschoots opwoog tegen de sporadisch optredende risico's van dit gebied. Bij de abrikozen ging het om varianten als de stevige *Cafona*, de kruidige *Palummella*, de bitterzoete *Boccuccia liscia*, de perzikachtige *Pellecchiella* en de stekelige maar onvergelijkelijk sappige *Spinosa*. En elk had zijn eigen vurige volgelingen en de gedachte dat de eer aan de verkeerde abrikozensoort zou toevallen, veroorzaakte bijna net zoveel discussie als de beslissing welke boer het lekkerste exemplaar had geteeld.

Livia had het te druk om veel aandacht te besteden aan welke wedstrijd dan ook. Een dorpsfeest betekende immers dat het in de kleine osteria rond lunchtijd nog drukker zou zijn dan anders. Zij en haar zus Marisa waren al voor zonsopgang opgestaan om alle gerechten te bereiden, die zouden worden uitgestald op lange tafels langs het terras, waar de vele wijnranken hun gasten schaduw zouden verschaffen in de nietsontziende middagzon. Maar ze had toch al niet zoveel op met deze verkiezingen: in het geval van de abrikozen hing het maar af van waar je op een bepaald moment trek in had; in het geval van de vrouwelijke schoonheid vond ze dat er al meer dan genoeg naar de meisjes van het dorp werd gestaard. Daarbij wist iedereen dat een van de Farelli-zusjes zou gaan winnen en ze zag niet in waarom ze hun de voldoening zou schenken haar te verslaan. Dus, terwijl iedereen buiten op het plein stond te kibbelen, te juichen, te jouwen of te klappen voor de deelnemers, concentreerde zij zich op het bereiden van de antipasto en verpakte *burrata* behendig in verse leliebladeren.

'Hallo?' riep een mannenstem vanuit de kleine ruimte die zowel bar als restaurant was. 'Is daar iemand?'

Vochtige stukjes burrata en bladeren plakten aan haar handen. 'Nee!' riep ze terug.

Verder bleef het stil. 'Dan moet dit een engel of een geest zijn,' antwoordde de stem toen. 'Want als er niemand is, krijg ík meestal geen antwoord.'

Livia rolde met haar ogen. Een wijsneus dus. 'Ik bedoelde dat er niemand is om u te helpen. Ik heb het druk.'

'Te druk om een glas *limoncello* voor een dorstig soldaat in te schenken?'

'Zelfs daarvoor,' zei ze. 'Maar schenkt u zichzelf maar wat in en leg het geld op de toonbank. Dat doet iedereen hier.'

Opnieuw een stilte. 'Maar stel dat ik niet eerlijk ben en te weinig achterlaat?'

'Dan zal ik u vervloeken en zal u iets heel akeligs overkomen. Als ik u was zou ik dat risico maar niet nemen.'

Ze hoorde dat er een fles werd opengedraaid, waarna haar vaders citroenlikeur royaal in een glas werd geschonken. Toen verscheen er een jongeman in soldatenuniform in haar keuken. Hij had een vol glas in zijn ene hand en een paar munten in de andere. 'Ik bedacht net,' zei hij, 'dat als ik mijn geld op de toonbank leg en er komt de een of andere schurk langs die het vervolgens steelt, dat u dan zult denken dat ík niet eerlijk ben geweest, waardoor me alsnog iets akeligs overkomt, wat natuurlijk vreselijk zou zijn. Daarom wil ik u het geld persoonlijk overhandigen.'

Ze wees met haar elleboog naar het aanrecht. 'Legt u het daar maar neer.'

Ze zag nu dat hij buitengewoon knap was. In het zwarte maatkostuum, dat pas geleden nog door Mussolini was aangepast, waren zijn heupen slank en zijn schouders breed en vanonder de soldatenpet die zwierig schuin op een massa krullen stond, keken twee donkere ogen haar grijnzend aan. Een mokkakleurige huid, opvallend witte tanden en een zelfverzekerde, ondeugende blik maakten het plaatje af. Een *papagallo*, dacht ze minachtend, een papegaai – de plaatselijke benaming voor een jongen die enkel gaf om zijn uiterlijk en met de meisjes flirten.

'Wat doet u eigenlijk hier binnen?' vroeg hij, leunend tegen het aanrecht. 'Ik dacht dat iedereen buiten was.'

'Ik zal tot de Heilige Cecilia voor u bidden,' zei ze.

'Hoezo?' vroeg hij verbaasd.

'Omdat u duidelijk bent getroffen door blindheid... of u bent niet goed wijs. Waar ziet het naar uit dat ik aan het doen ben?'

Dit soort opmerkingen was gewoonlijk genoeg om onwelkome bezoekers uit haar keuken te verjagen, maar de jonge soldaat leek niet in het minst van zijn stuk gebracht. 'Het ziet ernaar uit dat u staat te koken,' zei hij.

'Geweldig,' zei ze sarcastisch. 'De heilige heeft wederom een wonder verricht! U kunt weer gaan: u bent geheel genezen.'

'Weet u,' zei hij en hij kruiste zijn voeten bij de enkels en nam nog een slok, 'u bent veel mooier dan die meisjes bij die schoonheidswedstrijd.'

Ze negeerde het compliment simpelweg. 'Dus daarom bent u hier. Ik hád het kunnen weten: u komt meisjes kijken.'

'Nou, eigenlijk ben ik hier omdat mijn vriend Aldo hiernaartoe wilde én omdat er in deze buurt weinig anders te doen is. Ik ben gelegerd in het garnizoen van Torre El Greco.'

'Dus u bent een fascist,' sprak ze afkeurend.

Hij schudde zijn hoofd. 'Nee, gewoon soldaat. Ik wil wat van de wereld zien. Ik woon mijn hele leven al in Napels en daar heb ik het onderhand wel gezien.'

'O,' zei ze, 'begint u dan maar eens met de wereld aan de andere kant van die deur. Ik heb helemaal geen tijd om te staan kletsen.' Tijdens het praten legde ze steeds een balletje burrata op een paar leliebladeren en weefde deze dan zo dat ze een mandje vormden voor de kaas.

De knappe soldaat bleef onverstoorbaar. 'U bent erg onbeleefd,' sprak hij kalm.

'Nee, erg druk.'

'Maar u kunt toch werken en praten tegelijk?' wierp hij tegen. 'Kijk, u hebt al een stuk of tien van die dingen gemaakt. Ik zou de volle borden kunnen wegpakken en u nieuwe geven.' Hij voegde meteen de daad bij het woord. 'Ziet u wel? Ik maak me nuttig.'

'U loopt me eerder in de weg. En die borden moeten op die andere tafel.'

'Weet u wat?' zei hij. 'Ik ga weg zodra u mij een kus heeft gegeven.'

Haar ogen schoten nu vuur. '*Quanne piscia à gallina, cazzo*, in geen duizend jaar, idioot. En nu wegwezen!'

'Maar mijn bedoelingen zijn volstrekt eerbaar,' verzekerde hij haar. 'Ziet u, ik ben verliefd op u geworden. En wat is er nu mis met het kussen van degene waar je verliefd op bent?'

Ze kon het niet helpen: ze moest even glimlachen. Maar toen trok ze meteen weer haar barse gezicht. 'Doe niet zo raar. We kennen elkaars naam niet eens.'

'Nou, dat is gauw opgelost. Mijn naam is Enzo. En u bent...?'

'Druk,' snibde ze.

'Aangenaam kennis te maken, Druk. Wil je me nu dan kussen?'

'Nee!' Ze was intussen klaar met de antipasto en begon met het snijden van de citroenen voor bij de *friarelli*, een soort bittere broccoli.

'Dan zal ik mijn fantasie moeten gebruiken.' Hij leunde achterover en sloot zijn ogen, een glimlach rond zijn mond. 'Mmm,' zei hij langzaam. 'Weet je, Druk, jij kust erg goed. Mmm... dat doen we nog eens.'

'Zo! Ik hoop dat dat pijn deed,' riep ze ad rem.

'Wat?'

'Ik fantaseerde net dat ik jou een knietje gaf, keihard in je *coglioni*.'

Enzo greep naar zijn geslachtsdelen en liet zich op de grond vallen. 'Au, au! Wat heb je nu gedaan? Nu krijgen we nooit die twintig schattige bambini die ik in mijn hoofd had.'

'Sta op,' zei ze lachend. 'En ga aan de kant: ik moet de pasta afgieten.'

Hij sprong op. 'Vertel me nog één ding, Druk. Heb jij al een vriendje of sta ik hier mijn tijd te verdoen?'

'Het antwoord op één van die vragen is nee,' zei ze, 'en op de andere ja.'

Hij fronste nadenkend zijn voorhoofd. 'Dat kan niet,' besloot hij toen. 'Maar goed, één goed antwoord is genoeg. Aaah!' Hij sprong achteruit. 'Wat is dát in godsnaam?'

Pupetta, die een onbekende stem in de keuken hoorde, had haar kop door het raam gestoken om te kijken wat er aan de hand was. Ze had een behoorlijk grote kop, met twee enorme hoorns die als een fietsstuur naar achteren krulden en aanmerkelijk breder waren dan het raam. Ze had echter lang geleden al ontdekt hoe ze behoedzaam eerst de ene en dan de andere hoorn naar binnen moest werken. En nu had een van die hoorns Enzo's pet afgepakt. De soldaat draaide zich om en keek het dier vol afgrijzen aan.

'Dat is Pupetta,' zei Livia en ze boog naar voren om de buffel vriendelijk over haar voorhoofd te krabben en de pet terug te pakken. 'Heb je nog nooit een koe gezien?'

Enzo schudde zijn hoofd. 'Niet van zo dichtbij. Ik kom uit Napels, weet je nog? In de stad heb je geen koeien.' Hij nam de pet aan en zette hem toen op Pupetta's kop, waar deze er lachwekkend klein uitzag, en salueerde grappend.

'Dan kunnen we zeker niet trouwen en die twintig bambini krijgen die jij wilde. Ik zou Pupetta nooit in de steek kunnen laten.'

'Hmm.' Enzo krabde op zijn hoofd. 'In dat geval,' zei hij tegen Pupetta, 'moet jij dus maar de eerste koe van Napels worden.'

Opeens ernstig zei Livia: 'We moeten zo niet praten. Jij bent soldaat en staat op het punt de wereld te gaan bekijken.'

'Dat is maar voor even. Daarna kom ik terug voor die bambini... en voor de *bufale* natuurlijk,' voegde hij er vlug aan toe.

'En wat als je moet vechten?'

'O, wij vechten nooit,' zei hij nonchalant. 'We marcheren alleen maar en kijken daar heel stoer bij.'

Toen de klok begon te slaan, haastte Livia zich naar het fornuis. 'Kijk toch eens wat je doet: het is al bijna lunchtijd en ik ben opgehouden met koken. Mijn vader vermoordt me!'

'Je hebt me nog steeds niet gekust,' wees hij haar.

'En dat ga ik niet doen ook,' zei ze en begon steelpannen uit een keukenkastje te trekken. 'Maar als je wilt kun je later terugkomen, dan drink ik een kop koffie met je.'

Hij knipte verrukt met zijn vingers. 'Ik wíst het wel!'

'Haal je maar niets in je hoofd,' waarschuwde ze, 'of je krijgt echt een knietje in je coglioni. Ik heb zat geoefend.'

'Natuurlijk niet, waar zie je me voor aan?' Hij dronk zijn glas leeg en zette het bij de gootsteen neer. 'Voortreffelijke limoncello overigens.'

'Vanzelfsprekend. Alles is goed hier.'

'Dat zie ik, ja,' zei hij. En hij gaf een kus op zijn vingertoppen, blies haar deze toe en liep achterwaarts de deur uit.

Het duurde even voordat Livia zag dat Pupetta nog steeds met de pet op haar kop stond.

Kort na het middaguur beëindigden zowel Don Bernardo als Livia's vader ieder hun eigen beraad en stroomde een flinke menigte over het stoffige plein richting de osteria. Binnen enkele ogenblikken zat het daar tjokvol en kon Livia beginnen met het serveren van het eten.

De meeste ingrediënten die zij voor haar gerechten gebruikte waren afkomstig van het boerenbedrijfje direct achter het restaurant. Dit was zo klein dat de Pertini's elkaar van het ene eind naar het andere konden roepen, maar bracht dankzij de rijke bodem een weldaad aan groenten voort, waaronder tomaten, courgettes, zwarte kool, aubergines en een aantal soorten die alleen in deze streek groeiden, zoals de bittere friarelli en de geurige *asfodelo*. Tevens stond hier een donker mannetjesvarken genaamd Garibaldi, dat ondanks zijn geringe omvang met een opmerkelijke ijver een harem van vier, veel grotere vrouwtjes bezwangerde; een eeuwenoude olijfboom waarom een paar wijnranken kronkelden; enkele kippen; en de trots van de familie Pertini: Priscilla en Pupetta, de twee waterbuffels die op een terrasvormig weiland graasden, niet veel groter dan een tennisbaan. Hun melk was wit als porselein en bracht dagelijks na uren zwoegen slechts twee tot drie mozzarella's van rond de kilo voort – maar wát voor mozzarella's: zacht en licht grassig, als de zoete, stomende adem van de twee bufale zelf.

Naast mozzarella werden van de buffelmelk nog een aantal specialiteiten vervaardigd. *Ciliegini* waren kersvormige balletjes voor in de salade, terwijl *bocconcini* druppelvormig waren en bedoeld om in plakjes zachte prosciutto te wikkelen. *Treccia*, haarlokken, werden in vlechten gevlochten opgediend met Amalfi-citroenen en tere broccolischeuten. *Mozzarella affumicata* was licht gerookt en bruinig van kleur, terwijl *scamorza* werd gerookt boven een laagje smeulende pecannootschillen tot hij net zo donker en sterk van smaak was als een kop sterke espresso. En als er dan nog melk over was, maakten ze zelfs een harde kaas, *ricotta salata di bufala*, die gezouten en licht pittig, perfect was om over geroosterde groenten te raspen. Maar de Pertini's stonden vooral bekend om hun burrata: een pakketje van de beste, meest verse mozzarella, gevuld met dikke buffelroom en gewikkeld in leliebladeren. De mensen kwamen helemaal uit Napels om de unieke smaak ervan te ervaren. Soms kochten ze er dan zelfs een paar om mee te nemen naar de stad, maar zoals Nino hun dan altijd vertelde, had dat weinig zin: tegen de tijd dat de asfodelo bruin werden, wat al na een paar uur gebeurde, begon de kaas zijn smaak al te verliezen.

De zaak liep prima, niet in het minst dankzij de wonderbaarlijke eetlust van hun dorpsgenoten. Bezoekers uit de stad mochten dan komen en gaan, de osteria draaide voornamelijk op de dorpelingen zelf. Elke dag om twaalf uur onderbrak werkelijk iedereen zijn of haar werk; van de dorpspastoor Don Bernardo tot aan de dorpsprostituee, de weduwe Esmerelda, kuierde dan naar het schaduwrijke terras van de Pertini's en at zeker twee uur lang als een vorst en dronk wijn van de ranken waarin de druiven boven zijn hoofd hingen te rijpen.

Omdat zij zo hard werkten onder de immer aanwezige dreiging van totale vernietiging, werd wel van de Vesuvianen gezegd dat al hun honger gigantisch was – zowel die naar eten, als die naar wijn en de liefde. Daarbij waren zij zo mogelijk nog bijgeloviger dan de Napolitanen. Daarom begon elke lunch met een dubbele offerande: een gebed naar boven door de priester en een plengoffer door Ernesto, de oudste arbeider van het dorp, die wat wijn op de grond goot, als stilzwijgende bevestiging van het feit dat op de Vesuvius de grond onder hun voeten aanzienlijk dreigender en sterker in hun gedachten was dan de hemel. Zoals elk dorp op de hellingen van deze vulkaan werd Fiscino beschermd door een kleine kring van kapelletjes, sommige met een beeldje van de Heilige Maagd, andere met beeltenissen van San Sebastiano, de heilige die de bewoners van de berg al van het begin af aan beschermde. De Napolitanen mochten dan tegenwerpen dat hij in dat geval zijn werk niet zo best had gedaan – in 1923 had er nog een catastrofale uitbarsting plaatsgevonden – voor de Vesuvianen was juist het feit dat de vulkaan niet nog váker was uitgebarsten het bewijs voor San· Sebastiano's bijzondere krachten. Maar ze deinsden er ook niet voor terug om, voor het geval dat, op twee paarden tegelijk te wedden: veel van die beschermende kapellen droeg tevens het teken van een hoorn, een symbool dat al oud was toen het christendom dit gebied bereikte.

Hiermee te vergelijken was de algemene gedachte dat dokters prima waren voor bepaalde eenvoudige medische problemen, zoals een wond die moest worden gehecht, maar dat ingewikkelder aandoeningen de tussenkomst van een *maga* of heler vereisten. Een maga vervulde veel van de taken van een apotheker, aangezien hij kruiden en recepten voor de behandeling van alledaagse kwalen als kiespijn en de griep verstrekte, maar hij maakte ook drankjes die een vrouw verliefd konden maken of een man trouw konden laten blijven. Op de Vesuvius waren de magische krachten van de *maghe* zelfs nog breder verdeeld dan elders: zo kon één familie het geheim van een middel tegen wratten kennen, terwijl een andere het medicijn voor oorpijn had en weer een andere de remedie tegen het boze oog. Binnen elke familie werd altijd druk gespeculeerd over wie de gave zou overerven. Bij de Pertini's had deze kwestie zich al vrij vroeg opgelost. Zowel Livia als Marisa hielpen hun moeder in de keuken, maar terwijl al gauw duidelijk werd dat Livia haar moeders talent voor koken had geërfd, gaf Marisa de voorkeur aan het brouwen van recepten van een heel andere orde: met het bloed van een jonge haan, met dauw die was verzameld bij het aanbreken van de dag van het feest van de Heilige Johannes of met duistere kruiden die waren geplukt in het diepe naaldwoud op de helling van de berg.

Livia kon zich niet meer herinneren wanneer ze precies had leren koken. Haar moeder Agata was het haar al beginnen te leren toen ze nog maar heel klein was: ze had een houten trapje in de keuken gezet zodat haar dochter bij het fornuis kon. Rond haar twaalfde was ze al gepromoveerd van bijspringen als het erg druk was in het restaurant naar de volledige leiding op zich nemen als haar moeder ziek was – iets wat steeds vaker voorkwam. Ze hoefde niet langer bewust na te denken bij wat ze deed, noch was ze zich er ooit van bewust een recept te volgen. Zoals wel van een wiskundige wordt gezegd dat hij ingewikkelde vergelijkingen kan maken tussen bepaalde patronen of zoals een muzikant melodieën improviseert uit een tiental verschillende toonsoorten, wist zij instinctief hoe ze het allerbeste kon halen uit elk ingrediënt dat ze gebruikte. Maar als haar werd gevraagd hoe ze iets had bereid of hoe het heette, haalde ze simpelweg haar schouders op en zei: 'Het is *sfiziosa*' – een Napolitaans woord dat niet echt een equivalent in andere talen of zelfs in het Italiaans kent, maar dat ruwweg iets betekent als: 'zomaar wat' of 'het viel me zo in'. Haar klanten leerden daardoor al gauw maar niets meer te vragen, maar eenvoudigweg blij te zijn met een dergelijk vroegrijp talent in hun midden, ook al was de bezitster ervan nogal een *scassapalle*, met een fel karakter en een scherpe tong.

Tijdens de maaltijd zag Livia Enzo tussen een stel andere soldaten zitten en vond hem met afstand de knapste van allemaal. Ze zag ook dat de deelneemsters aan de missverkiezing vlakbij zaten en de soldaten vanuit hun ooghoeken niet mis te verstane blikken toewierpen – blikken die door de jongemannen zeker niet onopgemerkt bleven. Zij reageerden met steeds plattere onderbroekenlol, waarop de meisjes deden alsof ze vreselijk beledigd waren. De drie Farelli-zusters flirtten natuurlijk weer het hevigst. Livia zuchtte. Het leek haar erg onwaarschijnlijk dat Enzo straks nog aan dat kopje koffie met haar zou denken. Colomba, de oudste Farelli, trachtte hem duidelijk onder haar hoedje te vangen – een lachwekkend geval vol namaakfruit en veren. Ook goed. Colomba was degene die haar vanwege haar schrielheid de bijnaam *stecchetto*, tandenstokertje, had bezorgd. Al was ze vanaf haar zestiende verjaardag wel iets aangekomen, Colomba's rondingen zou ze nooit krijgen.

Maar toen zag ze Enzo ineens opstaan en op haar af komen. Ze draaide zich snel om. Zonder te stoppen fluisterde hij in het voorbijgaan: 'Dat had ik goed gezien toen ik jou een engel noemde: alleen engelen kunnen zo koken!'

'Bewaar die vleierij maar voor de winnares van de missverkiezing,' beet ze hem toe. Toch bloosde ze van genoegen toen Colomba Farelli haar een vernietigende blik toewierp en grijnsde liefjes naar haar terug.

Toen ze de enorme schaal met abrikozenschijfjes in wijn uitserveerde, de onvermijdelijke *dolce* van elke feestlunch, gebeurde er iets vreemds. Er brak een ruzie uit tussen Colomba en haar zussen Mimi en Gabriella. En niet zomaar een: binnen enkele ogenblikken ging het al van schelden en schreeuwen naar aan de haren trekken en krabben – tot groot plezier van de toekijkende soldaten. Don Bernardo moest er zelfs aan te pas komen om de strijdende partijen te kalmeren: hij schoof zijn stoel achteruit en bonkte met een lege wijnfles op tafel, net zolang tot het stil was.

'Schande, schande!' donderde hij. 'Als straf voor dit afschuwelijke gedrag zal ik de prijs aan geen van jullie drieën toekennen.'

'Wie krijgt hem dan?' riep een stem uit de menigte.

'Niemand.'

'Maar dan blijft de wedstrijd onbeslist en hebben ze eigenlijk allemaal gewonnen,' opperde de stem. Er klonk een instemmend gemompel bij de onweerlegbare logica hiervan.

'Dan ken ik de schoonheidsprijs toe aan...' Don Bernardo's blik ging zoekend over het terras en bleef rusten bij Livia. 'Dan geef ik hem aan iemand die hem werkelijk verdient, omdat zij dit feestmaal mogelijk heeft gemaakt.'

O nee, dacht Livia: meedoen en niet winnen was al erg, maar niet meedoen en toch winnen, omdat de pastoor de Farelli-zusters terecht wilde wijzen, was de totale vernedering. Colomba zou haar nooit meer met rust laten.

Dat was ook wat Don Bernardo inmiddels moest hebben bedacht. Hij probeerde Livia's boze blik te ontwijken. 'Eh...' mompelde hij.

En toen stond Enzo ineens op. 'Hij bedoelt Pupetta,' riep hij. 'Pupetta de wonderkoe, die de melk voor deze overheerlijke burrata heeft geleverd.'

'Exact,' zuchtte Don Bernardo opgelucht. 'Ik bedoelde Pupetta. Waar is zij eigenlijk?' De koe hoorde haar naam vallen en keek op aan het andere eind van het terras, waar ze zich net stond af te vragen of ze kon doen alsof ze een geit was en de pet van die soldaat opeten.

'Viva Pupetta!' schreeuwde iemand. Er werd instemmend geantwoord, een paar mensen begonnen te klappen. De Farelli-dames zetten hun hoedjes recht en vervolgden hun flirtpartij met de soldaten. Het was tenslotte geen schande om te verliezen van een buffel.

2

Na de lunch kwamen de accordeons en castagnetten tevoorschijn, zoals op alle feestdagen. Iemand ontlokte een laag, kloppend ritme aan de *tammurro*, een trommel met een geitenvel die eruitzag als een enorme tamboerijn, en iedereen, jong en oud, begon te dansen. Kinderen dansten met hun grootouders (kleine meisjes zetten hun voeten op de schoenen van hun grootvader tot ze de passen zelf konden), moeders zwaaiden hun baby op hun heupen en de soldaten en de deelneemsters aan de missverkiezing namen de kans waar om tegen elkaar op te bieden: de meisjes met hun lenigheid, de jongens met acrobatische toeren.

'Zeg Druk, dans jij met mij de tarantella?' vroeg Enzo aan Livia toen ze hem met een stapel vuile borden passeerde.

'Geen denken aan! Dan wordt er maar gekletst. Trouwens, hou nu eens op mij zo te noemen: ik heet Livia.'

'Dus je bent niet echt Druk?'

'Dat weet je best.'

'Nou... als je niet druk bent,' merkte hij slim op, 'heb je dus ook tijd om even te gaan zitten en die kop koffie met mij te drinken.'

Met een glimlach draaide ze zich om en nam plaats. 'Bedankt dat je Pupetta die prijs hebt bezorgd.'

'Geen dank. Zij was beslist de beste koe van de hele wedstrijd.'

Livia's jongere zus Marisa bracht hun twee kopjes espresso en grijnsde er veelbetekenend bij. Toen ze weg was, keek Enzo Livia met zijn grote donkere ogen strak aan en zei ernstig: 'Wat wil jij met je leven doen, Livia?'

Dat had iemand haar nog nooit gevraagd! Overrompeld – ze had gedacht dat ze gewoon weer wat gekkigheid zouden maken – zei ze: 'Heb ik wat te kiezen dan?'

'Dat heeft elk meisje,' zei hij. 'Zeker eentje zo mooi als jij. Er zijn vast tientallen kerels die jouw vrijer willen zijn.'

Ze was erg blij met zijn compliment, maar besloot er niets van te zeggen. Ze haatte het hoe Colomba Farelli altijd gemaakt lachte en een gilletje slaakte wanneer een man haar wat aandacht schonk. 'Er zijn er wel wat geweest,' gaf ze toe, 'maar niemand die mij echt beviel. Maar dat je uit meerdere mannen kunt kiezen, betekent nog niet dat je kunt kiezen wat je met je leven wilt. Wie het ook wordt, ik zal toch zijn huis moeten schoonhouden en voor hem moeten koken.'

'Dan moet je zorgen dat je trouwt met iemand die echt van je houdt,' zei hij.

'Ja,' zei ze aarzelend. Het was niet wat ze had bedoeld. Ze probeerde het hem uit te leggen: 'Ik ben hier in het restaurant gewend voor veel mensen te koken. Dat wordt allemaal anders als ik eenmaal getrouwd ben.'

'Aha,' zei hij. 'Nu begrijp ik waarom je eerder zo onbeleefd tegen me was. Jij wilt helemaal niet trouwen, omdat je dit alles dan moet achterlaten.'

'Misschien...' zei ze schouderophalend. Maar ze was verrast dat hij haar zo snel had begrepen.

'Ik ben hetzelfde,' zei hij, naar voren leunend. 'Alleen met een andere reden: ik wil niet trouwen omdat ik hier wél weg wil. Als ik trouw, moet ik het leger verlaten en bij mijn vrouw gaan wonen, net als mijn oudere broer Ricardo.'

'Hoe romantisch,' zei ze lachend. 'We kennen elkaar nauwelijks en nu al vertellen we elkaar dat we niet willen trouwen.'

Hoofdschuddend zei hij: 'Ik sta net zo te kijken als jij. Ik was helemaal niet naar iemand op zoek. Maar ja, als je de ware tegenkomt moet je het ijzer smeden als het heet is.' Hij reikte over de tafel naar haar hand. 'Jij bent het mooiste meisje dat ik ooit heb gezien, Livia.'

Het was het soort opmerking dat ze, was hij gemaakt door een van de jongemannen die ze gewoonlijk in de osteria bediende, met een sneer had afgedaan. Maar nu voelde ze een warme gloed van haar nek naar haar oren trekken.

'Ik laat je blozen!' riep hij opgetogen. 'Dat is een goed teken. Want je weet wat ze zeggen: als je een meisje kunt laten blozen, lachen of huilen, dan kun je haar ook laten...'

'Dat gezegde ken ik, ja,' onderbrak ze hem gauw. 'Je hoeft heus niet schunnig te worden!' Maar terwijl ze het zei, stelde ze hun tweeën stiekem even in bed voor. Ze bloosde opnieuw.

'Wacht,' zei hij en sprong overeind. 'Ik ga bij Alberto Spenza een lint voor je kopen.' Hij liep naar een mollige jongen die bij het groepje soldaten stond. Livia zag dat hij hem een muntje gaf, waarop de jongen een korte blik op haar wierp, zijn jas opensloeg en een tiental gele en rode linten onthulde. Laat hij alsjeblieft rood kiezen, dacht ze, dat staat het mooist bij mijn haar. Ze was vervolgens overdreven blij toen ze hem over het plein zag terugkomen met een lange rode slinger tussen zijn vingers. 'Voor jou!' zei hij en overhandigde haar het lint met een buiging, een saluut en een klak van zijn hakken – allemaal tegelijk.

Precies op dat moment loeide Pupetta treurig in haar weitje achter het huis. 'Dank je wel,' zei Livia, nam het lint van hem aan en bond het meteen in haar haar. 'Maar nu vrees ik dat ik weer druk ben, hoor.'

Hij fronste zijn voorhoofd, bekeek haar onderzoekend en gluurde toen opzichtig achter haar rug. 'Da's vreemd, Druk: je ziet er anders nog steeds uit als Livia.'

'Ik moet Pupetta en Priscilla melken,' verklaarde ze.

'Dan help ik je,' zei hij.

'Haal je maar niets in je hoofd,' waarschuwde ze hem. 'Dat je een lint voor me hebt gekocht, wil nog niet zeggen dat ik je ga kussen.'

'Ik beloof je, op mijn erewoord als soldaat, dat ik niets zal uithalen.'

'Hmm,' zei ze. Het verbaasde haar dan ook niets dat hij haar, zodra ze alleen in de schuur waren, toch probeerde te kussen. Maar aangezien ze dat eigenlijk ook had gehoopt, liet ze zich kort omhelzen en mocht zijn tong de hare zelfs even aanraken (wat haar naar adem deed snakken van genot) voor ze hem vastberaden van zich af duwde en zei: 'Er moet gemolken worden.'

'En ik ben degene die dat gaat doen,' zei hij en trok een melkkrukje naar zich toe. 'Laat me maar zien wat ik moet doen.' Ze waren allebei nog een beetje buiten adem.

Livia pakte een emmer en een andere kruk en zette zich naast Priscilla, die minder geduldig dan Pupetta was en altijd als eerste wilde. 'Je hebt dit zeker nog nooit gedaan, hè?'

'Nee,' zei hij, schoof dichterbij en legde zijn hoofd tegen de flank van de koe, zodat hij Livia's profiel van heel dichtbij kon bestuderen. 'Maar ik ben erg goed met mijn handen.'

Ze giechelde. 'Toe dan maar, maestro. Laat maar eens zien of je het kunt.'

Onwennig legde hij zijn handen rond Priscilla's spenen en kneep erin. 'Niet zo!' zei ze. 'Je moet haar melken, niet strelen.'

Hij keek haar glimlachend aan. 'Ik weet van geen van beide wat.'

'Dat vind ik fijn om te horen, al geloof ik er helemaal niets van. Soldaten hebben altijd veel liefjes, daar staan ze om bekend.'

'Nietes!' protesteerde hij. Maar toen hij zag dat ze niet boos was, voegde hij eraan toe: 'Nou ja, een beetje waar is het wel.'

Ze legde haar handen over de zijne en liet hem zien hoe het moest. 'Zo,' zei ze. 'Knijpen, trekken, draaien... en weer loslaten.' Met een zingend geluid spoot een dun straaltje melk op de bodem van de emmer. De volle, pure geur ervan kroop in hun neusgaten.

'Maar dit is toch niet hoe een vrouwenborst wil worden aangeraakt?' vroeg hij zich hardop af, met een uiterst onschuldige blik in zijn ogen.

'Daar geef ik geen antwoord op,' zei ze. 'Pas nou maar op, straks gooi je de emmer nog om.'

Hun hoofden zaten nu heel dicht bij elkaar en ze vond het gevoel van haar eigen hand over de zijne, beurtelings knijpend en weer ontspannend, best prettig. Hij draaide zijn hoofd om opnieuw naar haar gezicht van opzij te kijken. Het rode lint trok haar haar strak naar achteren en hij zag waar de haargrens bij haar oren zachter en donsachtiger werd en overging in het dons van haar huid, als een abrikoos. In een opwelling boog hij zich naar voren en drukte een kus op haar wang. Ze draaide haar gezicht naar hem toe. Ze had haar lippen vaneen en hij zag een schittering in haar ogen.

Die dag werd die arme Priscilla niet zo goed gemolken, terwijl het een van de langste melksessies was die het dier ooit had meegemaakt.

3

Er was iets gebeurd dat nog nooit was voorgekomen: Livia had de uien laten aanbranden. En ook nog niet de eerste de beste, maar die voor haar beroemde *sugo genovese*, die verrukkelijke saus van ingekookte uien gekruid met runderbouillon, selderij en gehakte peterselie, die tezamen met *pummarola* en *ragù* de heilige drie-eenheid van de Napolitaanse pastasauzen vormt. Voor een echte genovese moeten de uien een uur of vijf sudderen op een heel laag vuurtje, terwijl er zo nu en dan in wordt geroerd om te voorkomen dat ze aan de bodem van de pan kleven en ze besprenkeld moeten worden met water zodra ze dreigen uit te drogen. Uien zijn merkwaardige dingen: zo klaargemaakt verliezen ze bijna al hun vertrouwde smaak en veranderen ze in een uitgesproken zoete, aromatische gelei. Echter, wanneer één enkel stukje tijdens dit hele proces verbrandt, zal de bittere smaak daarvan in het hele gerecht trekken.

Livia had de uien voor haar genovese al sinds haar kindertijd niet meer laten aanbranden, maar vandaag waren de gasten van het restaurant zich tijdens het naar binnen werken van hun pasta maar al te bewust van een vage nasmaak aan de saus. Ze wisselden enkele blikken met elkaar uit, maar niemand zei er iets van.

'Hoe was het vlees?' vroeg Livia toen ze de keuken uit kwam om een paar vuile borden af te ruimen. Het antwoord niet afwachtend begon ze de borden al op haar arm te stapelen.

'Livia,' zei een oude boer genaamd Guiseppe vriendelijk, 'we hebben nog helemaal geen vlees gehad.'

'Nee?' zei Livia verbaasd. 'O, en u ook nog niet. Ik zal het gauw gaan halen.' En ze liep terug de keuken in.

Tien minuten later hield iemand Livia's vader staande toen deze nog wat wijn bracht. 'Nino, wat is er toch met Livia? Ze doet zo vreemd. Die pasta smaakte helemaal niet goed. En ze heeft de *secondo* nog steeds niet opgediend.'

Nino zuchtte. 'Ik zal eens even met haar gaan praten.'

Hij trof zijn dochter in de keuken, waar ze afwezig uit het raam starend in een steelpan stond te roeren. 'Livia, gaat het wel met je?'

'Hè? Ja hoor, tuurlijk.'

Hij wierp een blik in de pan. 'Ik wist niet dat je in kokend water ook moest roeren.'

'Wat? Zeker wel. Nou ja, ik ben een ei aan het koken... ik ben alleen vergeten het ei erin te doen.'

Nino tikte tegen zijn voorhoofd. 'Als je het mij vraagt, is het jouw hoofd dat oververhit is. Er zitten daarbuiten mensen op hun eten te wachten, hoor!' En toen viel hem ineens op dat haar haar, dat was opgebonden met een lint dat hij niet kende, naar rozemarijn rook en dat er een rododendronbloem in stak. 'Sta je soms te wachten tot die jongen terugkomt?' wilde hij weten.

Livia bloosde. 'Natuurlijk niet.'

'Livia,' zei hij zacht, 'het is een soldaat. Hij komt waarschijnlijk nooit meer terug. En als hij dat wél doet, wat gebeurt er dan als hij ergens ver van hier wordt gestationeerd?'

'Waar hij ook naartoe gaat,' zei ze, 'eens keert hij terug bij mij.'

Nino trok één van zijn wenkbrauwen op. 'Dus je meent het serieus met hem?'

'Misschien.'

Een ogenblik lang bekeek hij zijn dochter aandachtig. 'Ik geloof dat ik,' zei hij, 'áls die knaap hier weer opduikt, maar eens een hartig woordje met hem moet wisselen.'

Toen Enzo de volgende dag inderdaad terugkeerde naar Fiscino, de hele weg vanaf Torre El Greco ploeterend door de brandende zon, schrok hij even toen hij erachter kwam dat hij eerst naar Livia's vader moest voor hij naar Livia mocht en dat dit onderhoud ook nog eens plaatsvond in de wei waar deze toezicht hield op Priscilla's paring met de stier van een andere boer.

'Kom maar, jongen; kun je me mooi even helpen,' zei Nino en hij sloeg het touw van de stier rond zijn pols en begon te lopen. Enzo volgde op naar hij hoopte veilige afstand. Hij had Pupetta en Priscilla al gigantisch gevonden, maar zij waren nog rank vergeleken bij deze buffelstier met zijn brede, gespierde schouders, bedekt met een ruige vacht als de manen van een leeuw, en een kop als een massief rotsblok met twee ontzagwekkende hoorns erop.

Nino klopte waarderend op de gezwollen spierbundels in de nek van de stier. 'Zijn naam is Dynamiet,' vertelde hij Enzo. 'En hij levert het beste buffelsperma uit de hele omgeving van Caserta.'

Enzo knikte kalm en probeerde erbij te kijken als een ware buffel-zaadkenner. Maar in werkelijkheid vond hij het al moeilijk genoeg om zijn weg tussen de enorme runderpootafdrukken te vinden zonder zijn uniform vies te maken.

Nino leidde de stier de wei in en riep naar Enzo het hek te sluiten. Op datzelfde ogenblik kwam Dynamiet verrassend sierlijk naar voren, trok zijn bek open en loeide luid. Enzo keek angstig rond toen het ko-lossale geluid tegen de bomen om hun heen echode.

'Hij heeft ze al geroken,' sprak Nino tevreden. 'Mooi zo.'

'Hoe vaak doet u dit?' vroeg Enzo, in een poging een goede indruk te maken.

Nino keek hem verbluft aan. 'Eens per jaar natuurlijk. De vrouwtjes geven geen melk als ze niet drachtig zijn.'

Dat er een direct verband bestond tussen melkproductie en kalveren was nog nooit bij Enzo opgekomen. 'En wat gebeurt er dan met de kalfjes?' vroeg hij.

'Die eten we op,' zei Nino onverbloemd, 'nog voordat ze zelfs maar gras hebben geproefd. Ik snij ze zelf de keel door en laat ze dan doodbloeden, in de schuur: dan zijn ze op hun malst. Goed zo, hij is geïnteresseerd.'

Enzo keek met licht ontzag toe hoe Dynamiets interesse zich maar al te duidelijk onder diens ruwharige buik openbaarde. Met een oor-verdovende brul werkte de buffel zich vervolgens bovenop Priscilla's rug en begon met zijn reusachtige bullenpees in de richting van haar achterste te poken, net zolang tot het hem eindelijk lukte – meer geluk dan wijsheid – zich in haar te persen. Priscilla gromde, deed haar kop naar beneden en begon in het gras te bijten.

Terwijl de stier stond te stoten richtte Nino zijn aandacht op Enzo. 'Dus jij bent de knaap die mijn Livia het hoofd op hol heeft gebracht,' zei hij.

'Ja, meneer,' zei Enzo en zijn hart maakte een sprongetje bij deze bevestiging dat Livia werkelijk om hem gaf.

'Ga je met haar trouwen?'

'Eh...' zei Enzo, 'ik ken haar nog maar net, maar ik hoop van wel. Aangenomen natuurlijk dat zij míj ook wil... en dat u ons uw zegen geeft.'

Nino keek de jongeman doordringend aan. 'Jij denkt vast dat het in een huwelijk enkel dáár om draait,' zei hij, met zijn duim naar Dynamiets hevig pompende achterwerk wijzend.

'O nee, meneer.'

'Tuurlijk wel! Dat doet elke jongen van jouw leeftijd. Maar moet je zien wat er nu gebeurt.'

Dynamiets voorpoten schraapten langs Priscilla's flanken en toen, met een almachtige brul die de vogels in de bomen van schrik deed opvliegen, trilden zijn billen en gleed hij traag van haar rug. Een paar tellen later stonden de twee dieren innig tevreden op de malse weide te grazen, waarbij Dynamiets roede slap naar het groene gras wees.

'Duurt niet erg lang, hè?' merkte Nino op. 'Eigenlijk best een stomme reden om met iemand te trouwen, als je er zo over nadenkt. Als dat het enige is waar je op uit bent, kun je beter een bezoekje brengen aan de weduwe Esmerelda.'

'Dat is absoluut niet waar ik op uit ben, meneer,' zei Enzo, die met zijn vrienden al vaker bij de weduwe Esmerelda was geweest. 'Ik hou van Livia.'

'En wat een bruidsschat betreft, die kun je ook mooi vergeten. Ik ben maar een arme boer met een cafeetje op het platteland.'

Enzo krabde op zijn hoofd. 'Geen bruidsschat?'

'Nou ja, misschien alleen een soort symbolische, van laten we zeggen duizend lire.'

'Wat dacht u van tweeduizend?' opperde Enzo in een wanhopige poging tot onderhandelen.

'Ik dacht dat je zei dat je van haar hield,' merkte Nino op.

'Dat doe ik ook! Alleen...'

'Als het ware liefde is, wat heeft geld er dan mee te maken?' daagde Nino hem uit.

'Daar draait het ook niet om,' verzekerde Enzo hem. 'Eh... duizend lire is prima.'

Nino bekeek de jongeman nu een beetje bezorgd. Hij zag er goed uit, dat wel, maar van onderhandelen had hij totaal geen kaas gegeten. En hier op het platteland, waar zelfs het bepalen van de prijs van een kip al een dag kon kosten, telden dat soort dingen. Hij vermoedde dat in deze relatie Livia uiteindelijk degene zou zijn die de broek aan had. Hij kende zijn dochter echter goed genoeg om te weten dat het geen enkele zin had te proberen haar op andere gedachten te brengen.

'Ik zal er eens over nadenken,' sprak hij met lichte tegenzin. 'Maar als je het ooit in je hoofd haalt haar vóór jullie trouwdag te onteren,' voegde hij eraan toe, de jongen strak in de ogen kijkend, 'denk dan aan wat ik met de kalveren doe.'

Enzo en Livia brachten de hele middag samen door. En die avond hoorden de vroege gasten van de osteria haar tot hun genoegen zingen in de keuken.

Livia was zo gelukkig, dat ze zich nauwelijks bewust was van wat ze stond te koken. Maar iedereen vond haar citroenpasta nog zoeter dan anders en haar gebakken mozzarella met geroosterde paprika een ware triomf. Toegegeven: verstrooid als ze was at Livia zelf de hele kwarktaart op die ze als dessert had bedoeld, terwijl ze stond te dagdromen over Enzo. Maar zoals alle gasten het later met elkaar eens waren: het was het waard om haar zo gelukkig te zien, al hadden ze het maar niet over het verhoogde risico op nog meer verbrande uien.

4

De regels van Fiscino waren zowel uiterst ruimdenkend als uiterst streng. Eenmaal officieel verloofd, accepteerde iedereen het dat Livia en Enzo af en toe samen wegglipten om in de hooischuur te gaan stoeien, zoenen en elkaar helemaal gek van opwinding maakten; tegelijkertijd werd van hen verwacht dat ze op hun huwelijksnacht allebei nog maagd zouden zijn. Alles daar tussenin was een grijs gebied.

Een van de vele voordelen van deze beproefde methode was dat hij de jongeman dwong vele malen inventiever te zijn, dan wanneer hij de liefde op de traditionele manier bedreef en erna uitgeput in slaap viel. Enzo ontdekte al gauw dat onder Livia's nuchtere buitenkant een bijzonder hartstochtelijke dame school.

'Luister,' zei ze de eerste keer dat ze samen naar de hooischuur gingen. 'Ik wil één ding duidelijk maken: ik ben hier, omdat ik niet wil dat mijn zus telkens als ze ons samen ziet giebelend met haar ogen gaat rollen, niet omdat ik wil dat jij je tong in mijn keel steekt. En ik zou het zeer op prijs stellen als je je handen thuishield.'

'Geen tong en geen handen dus,' ging hij akkoord. 'Zijn er soms nog andere lichaamsdelen die je geamputeerd zou willen zien? Mijn benen misschien?'

'Je benen kunnen ermee door,' zei ze, 'zolang je maar niet probeert me ermee te vangen.'

'Dat lijkt me niet erg logisch,' wees hij haar. 'Als ik dat doe, val ik immers om!'

'Goed, dat is dan afgesproken.'

Enzo zuchtte. Hij was dol op Livia, maar het leven met de Pertini's

29

leek wel één grote onderhandeling waarin hij altijd aan het kortste eind leek te trekken. 'Mag ik je nu dan kussen?'

'Als je dat wilt.' Ze kwam in zijn armen en hij drukte zijn mond op de hare. Ze hapte naar adem. Niet veel later voelde hij hoe haar tong zich tussen zijn lippen perste. Behoedzaam legde hij zijn handen op haar rug en liet ze rond haar middel glijden. Ze begon meteen te kronkelen, maar dat leek eerder van instemming dan van afkeuring. Dus kuste hij haar hals van boven naar beneden en toen ze daarop begon te kreunen van genot, bedacht hij dat hij net zo goed kon doorgaan richting haar borsten. Tot zijn verbijstering leken ook deze voor het grijpen te liggen. Nadat hij ze enkele minuten door de stof heen had gekust en gestreeld, begon ze duidelijk ongeduldig te worden. Dus trok hij de jurk over haar schouders naar beneden en ging verder.

'Ik dacht dat je zei dat ik mijn handen niet mocht gebruiken,' mompelde hij terwijl hij haar prachtige kleine tepels overlaadde met aandacht.

'Dat was voordat ik wist hoe fijn dit was,' zei ze huiverend, toen hij iets bijzonder prettigs met zijn tanden deed. 'Bij Pupetta ziet het er altijd nogal saai uit, maar dat is het zeer zeker niet.'

Livia vermaakte zich dus uitstekend in de hooischuur en tegen de tijd dat ze ging trouwen, wist ze zo goed als zeker dat dat ene nieuwe aspect van het huwelijk haar ook wel zou bevallen. Echter, tot die tijd mochten Enzo en zij elkaar in het openbaar absoluut niet zoenen en als ze samen op een *festa* de tarantella dansten, moesten ze een zakdoek zo tussen zich in houden dat hun handen elkaar niet direct raakten. Livia vond dit vooral nogal komisch omdat Enzo's grote blauwe zakdoek vaak ook een belangrijke rol speelde bij sommige van hun geestdriftiger ontmoetingen in de schuur.

Twee weken voor de bruiloft nam Enzo haar mee naar Napels, om kennis te maken met zijn familie. Ze had uit zijn verhalen nooit begrepen hoe arm zij eigenlijk waren en in welke benauwde omstandigheden ze leefden. Ze sliepen met zijn drieën of zelfs vieren in één bed in een piepklein driekamerappartement in een sloppenwijk van de oude stad. Maar Livia was verliefd en vastbesloten het beste van haar nieuwe leven te maken.

Enzo's moeder, Quartilla, was een typische Napolitaanse: sluw en met een scherpe blik. De eerste keer dat ze elkaar zagen vroeg zij Livia haar te helpen bij het maken van een *sugo*, tomatensaus. Daar had ze natuurlijk niet echt hulp bij nodig, maar er was haar verteld dat dit boerenmeisje goed in de keuken was en ze wilde weten wat daar van waar was. 'Neem maar wat je nodig hebt,' zei ze en begon de *fagioli* schoon te maken. Dus kookte Livia terwijl Quartilla haar in de gaten hield, als een hagedis die op een vlieg jaagt.

Ze kon blindelings een sugo maken – dat deed ze immers al jaren dag in, dag uit. Het enige lastige was dat er net zoveel sugo-soorten waren als dagen in de maand. Zo had je de alledaagse variant, die niet meer hoefde te behelzen dan een handvol rijpe tomaten die met de punt van een mes werden ingekerfd om het sap eruit te knijpen en dan snel in olie werden gebakken; dan was er de klassieke variant, waarbij je de tomaten met wat knoflook en uien liet inkoken tot een dikke brij; een machtiger variant, waarbij enkele stukken vlees uren-lang werden gekookt om alle smaak eruit te trekken, enzovoort enzo-voort... tot helemaal bovenaan: de *ragù di guardiaporte*, poortwach-terssaus. Deze heette zo omdat er de hele dag iemand bij moest blijven om af en toe een scheutje water toe te voegen, om te voorko-men dat de vleesrolletjes gevuld met peterselie, knoflook en kaas uit-droogden.

Livia wist dat Enzo's moeder het recept waarvoor zij koos zou zien als een soort schets van haar karakter. De machtige variant verwierp ze daarom al gauw: te overdreven. De klassieke variant zou het echter kunnen doen lijken alsof ze er nauwelijks over na had gedacht, terwijl de eenvoudigste – hoewel die haar eigen favoriet was – zou kunnen doen voorkomen dat ze niet al te veel moeite wenste te doen. Dus be-sloot ze maar af te gaan op haar instinct.

'Hebt u ansjovis?' vroeg ze.

Enzo's moeder keek haar aan alsof ze elk moment kon ontploffen. 'Ansjovis?' In Napels werd dit ingrediënt alleen aan tomaten toege-voegd bij het maken van *puttanesca*, een saus die van oudsher in ver-band werd gebracht met prostituees.

'Ja, dat zou erg fijn zijn,' zei Livia met een uitgestreken gezicht.

Quartilla keek alsof ze nog iets wilde zeggen, maar toen trok ze haar schouders op en pakte een potje ansjovis uit een keukenkastje.

De saus die Livia wilde maken was geen puttanesca, maar wel minstens zo uitgesproken en pittig. En opmerkelijk eenvoudig; een waar eerbetoon aan de smaak van alle hoofdingrediënten. Ze deed de ansjovis met de aanhangende olie in een pan en voegde er drie geplette knoflooktenen en een royale lepel chilisnippers aan toe. Toen dit een glad papje was geworden, deed ze er een flinke hoeveelheid gezeefde tomaten bij en een scheutje azijn. Ze liet dit mengsel vervolgens even traag sudderen, waarbij zo nu en dan een rode klodder de lucht in spatte, alsof het een pan vol lava betrof. Na drie minuten gooide ze nog wat in stukjes gescheurde basilicumbladeren in de saus. 'Zo, klaar!'

Quartilla stond meteen naast de pan en stak er een lepel in om te proeven. Heel even was er verrassing in haar ogen te zien; toen herstelde ze zich en begon ze overdreven met haar lippen smakkend over haar vonnis na te denken.

'Mmm,' zei ze ten slotte misprijzend. 'Een tikje schreeuwerig en veel te heet – moet een beetje ingetoomd worden. Veel mannen zullen hem best smakelijk vinden, maar zo zijn mannen nu eenmaal: die zien iets met veel peper en een uitgesproken smaak al gauw aan voor goede, degelijke kost, zeker als het een beetje leuk op een bord wordt gedrapeerd. Maar eh... hij kan ermee door.'

Ouwe heks! dacht Livia.

Quartilla moest haar gedachten geraden hebben, want fijntjes voegde ze eraan toe: 'Als jij mijn Enzo niet gelukkig maakt, meisje, dan leg ik je over de knie en zal ik je er eigenhandig met die houten lepel van langs geven.'

Napels, besefte Livia, was heel anders dan het platteland. Ze ontdekte tevens dat Enzo, wanneer ze samen de straat op gingen voor een *passeggiata*, de traditionele avondwandeling voor verloofde paartjes over de Via Roma, erg veel genoegen leek te scheppen in de bewonderende blikken die hij met zijn uniform ontving, terwijl hij wanneer er een blik of glimlach háár kant op kwam uiterst ongelukkig begon te kijken en haar snel met zich mee trok.

De avond voor de trouwerij droeg Livia groen en toen ze naar de kerk wandelde, bedekte een sluier haar gezicht, opdat de kwade geesten haar geluk niet konden zien; Enzo droeg een stuk ijzer in zijn zak om het boze oog af te weren. Hun families liepen met hen mee en de kinderen renden langs het gezelschap om de suikeramandelen op te vangen die in de lucht werden gegooid. Na afloop was er een groot feest, waarvoor Livia zelf alle traditionele gerechten had klaargemaakt, elk met hun eigen symbolische of bijgelovige betekenis. Zo betekenden de bruids-suikers dat hun leven samen zowel bitter als zoet zou kennen; de cichoreisoep met balletjes waarmee het feest begon, symboliseerde het samengaan van twee elkaar aanvullende ingrediënten; en het gebak, gefrituurde en in suiker gedoopte deegkrullen, moest zorgen voor vruchtbaarheid. De twee families toostten op het gelukkige paar met de uitspraak: 'Per cent'anni!' en Enzo moest officieel uitspreken dat Livia nu niet langer haar vaders dochter was, maar zijn vrouw. Toen pas werd er luid: 'Baci, baci, baci!' gescandeerd, om hen aan te moedigen elkaar voor het eerst publiekelijk te kussen, wat ze vervolgens onder groot applaus deden.

Nu ben ik dus signora Pertini, dacht Livia. Een Italiaanse vrouw behoudt namelijk na haar huwelijk haar vaders achternaam: haar gewijzigde status wordt enkel duidelijk doordat ze niet langer signorina wordt genoemd.

Een ander zeer oud gebruik was dat wanneer het bruidspaar naar bed ging, de bruiloftsgasten met hen meegingen naar de slaapkamer, waar ze overal hun cadeaus deponeerden – voornamelijk geld, maar ook stoffen, porselein en zoetigheid – zodat bruid en bruidegom wanneer ze eindelijk alleen werden gelaten (waarbij de vertrekkende gasten hun tal van schunnigheden toewierpen) eerst nog eens alle muntjes en bruidssuikers van het bed moesten vegen. Livia klapte een beetje dicht door al die dubbelzinnige opmerkingen en was erg blij met het zelfvertrouwen dat dat gerollebol in de hooischuur haar had gegeven. Maar ze was ook blij dat ze nooit te ver waren gegaan. De volgende ochtend moest ze immers, naar oud Napolitaans gebruik, het beddengoed naar haar schoonmoeder brengen om het te laten wassen, zodat deze met eigen ogen kon zien dat haar schoondochter nog maagd was geweest.

Quartilla porde haar bij die gelegenheid in de ribben en zei schalks: 'Van nu af aan moet er nog veel vaker gewassen worden, hoop ik: ik wil een kleinkind.'

Livia bloosde. 'Daar is nog tijd genoeg voor.'

'Deze maand anders niet meer: Enzo moet volgende week weer naar zijn garnizoen.'

'Volgende week alweer?' Livia had niet beseft dat haar wittebroodstijd zo kort zou duren. Maar Enzo verzekerde haar dat hij over twee weken weer thuis was en dat ze dus niet zo lang op hem hoefde te wachten.

Echter, toen hij weer thuiskwam leek Enzo iets dwars te zitten. Hij onderwierp Livia aan een soort kruisverhoor over met wie ze had gepraat, wat ze had gedaan en wie van zijn vrienden ze op de markt was tegengekomen.

De dag erop kondigde Quartilla aan dat de boodschappen van nu af aan werden gedaan door een van haar dochters.

'Maar waarom dan?' vroeg Livia ontzet. Nu ze niet langer voor de gasten van de osteria hoefde te koken, was de markt zo'n beetje haar enige pleziertje als Enzo er niet was.

'Omdat er wordt gekletst: je bent blijkbaar wat te vriendelijk geweest.'

Livia groef diep in haar geheugen. Ze was beleefd geweest, dat zeker, en omdat ze zich zo gelukkig voelde, had ze vast ook naar de kraamhouders geglimlacht. Maar er was geen sprake geweest van flirten, dat wist ze absoluut zeker.

Ze protesteerde, maar Quartilla zei simpelweg: 'In de stad is alles anders. Trouwens, je bent Enzo's echtgenote en die wil het nu eenmaal zo.'

Dus accepteerde Livia het onontkoombare en wachtte opnieuw een week op Enzo's volgende verlof. Ditmaal was het echter niet anders: ze werd opnieuw door hem ondervraagd over wie ze had ontmoet, wat ze had gedaan, of ze nog de deur uit was geweest en zo ja, wat ze toen had aangehad.

'Enzo,' riep ze uit, 'dit is echt belachelijk! Ik ben met je getrouwd omdat ik jóú wilde en niemand anders. Waarom zou ik dan naar andere mannen kijken?'

Hij weigerde aanvankelijk te antwoorden, maar uiteindelijk wist ze het uit hem te persen: 'Als ík je kon verleiden,' zei hij met een mistroostige stem, 'is het alleen maar logisch dat een ander dat ook kan.'

Ze lachte, hoewel zijn stelling dat hij háár had uitgekozen – en niet zij ook hem – haar eigenlijk een beetje irriteerde. 'Doe niet zo mal! Jij bent degene op wie ik verliefd ben geworden en er is in heel Napels niemand zoals jij.'

Hij glimlachte en keek al wat vrolijker. 'Ja, dat is wel waar, hè?' Maar toen betrok zijn gezicht weer. 'Maar ik ben er de meeste tijd niet.'

'Nou,' zei ze, 'als je je werkelijk zorgen maakt dat ik me verveel als jij er niet bent, dan weet ik denk ik wel een oplossing. Ik ga een baantje zoeken in een restaurant, als kokkin.'

Hij keek haar vol afschuw aan. 'Jij? In een restaurant? God verhoede!'

'Waarom niet? De meeste van je zussen werken ook.'

'Ja, in een fabriek! Daar wordt alles strikt gescheiden gehouden: de mannen aan de ene kant, de vrouwen aan de andere. En ze houden elkaar allemaal in de gaten, zodat er niet kan worden gerommeld. In een restaurant kan van alles gebeuren.'

Ze wilde eigenlijk uit haar vel springen, maar voelde wel aan dat ze dit heel voorzichtig moest aanpakken. 'Geloof me,' zei ze, 'ik kan heus mijn eigen eer wel verdedigen. Ik ben niet zo'n type dat gemaakt lacht, flirt en lonkt naar elke man die naar haar kijkt.'

Het duurde even, maar toen knikte hij. 'Dat is een van de redenen waarom ik vanaf het allereerste begin op je viel. Ik zou nooit hebben kunnen trouwen met een van die meisjes die in die schoonheidswedstrijd met hun lichaam pronkten.'

Opnieuw voelde Livia een lichte ergernis – niet omdat ze zelf zo'n hoge dunk van deelneemsters aan missverkiezingen had, maar omdat hij volgens haar met twee maten mat. Ze beperkte zich echter tot: 'Weet je wat? Als ik nu eens gewoon boodschappen blijf doen op de markt, maar altijd een van je zussen meeneem? Dan is toch iedereen tevreden?'

Enzo vond dit een uitstekend plan en Livia besloot de kwestie van werken in een restaurant voor een volgende keer te bewaren. Het was hun allereerste meningsverschil en ze wilde er even goed over nadenken hoe ze dit moest aanpakken.

Bij nader inzien besloot ze dat het zó belangrijk ook weer niet was. Deze karaktertrek van Enzo zag je wel meer bij Napolitaanse mannen en ze vond dat hoe zij deze situatie hadden afgehandeld een goed voorbeeld voor een vredig huwelijk was. Alles ging vast beter als hij het leger eenmaal had verlaten, zoals hij had beloofd voor het eind van het jaar te doen.

Al met al pakte het allemaal dus prima uit. Zelfs Quartilla bleek niet zo'n heks als je haar wat beter kende, afgezien van haar onophoudelijke gezeur om een kleinkind dan – wat zich overigens snel genoeg zou aankondigen als ze zo vaak bleven vrijen. Hoewel Livia soms wat heimwee had naar de opwinding van voor veel mensen tegelijk koken, was ze best gelukkig. En haar leven zou waarschijnlijk zo'n beetje dezelfde koers hebben gevolgd als dat van Quartilla of haar eigen moeder, als er niet een reeks van gebeurtenissen tussen was gekomen die nog desastreuzer dan een vulkaanuitbarsting bleek te zijn.

Deel II

Februari 1944

'... De aandacht moet echter vooral uitgaan naar hamstervoorraden in de handen van boeren en zwarthandelaren. Dit probleem is reeds uitvoerig besproken, maar met uitzondering van wat verspreide pogingen in enkele gewesten, is er nog geen algehele positieve en krachtdadige actie ondernomen. De huidige situatie duidt er echter op dat deze kwestie thans de allerhoogste urgentie moet worden toegekend.'

MEMO, AMGOT-HOOFDKWARTIER, 15 OKTOBER 1943

5

'Verder ga ik niet,' zei de chauffeur terwijl hij de vrachtwagen aan de kant van de weg zette. Hij wees: 'De Riviera is die kant op, als u door het puin heen weet te komen.' Hij keek hoe James van zijn hoge troon van munitiekisten naar beneden klom en salueerde opgewekt, voor hij de grote K-60 weer in zijn één zette. 'Veel succes, sir!'

James Gould pakte zijn plunjezak en ransel en probeerde deze zo te schikken dat hij er zo min mogelijk last van had. De zware ronde plunjezak zette hij op zijn ene schouder, de ransel zwaaide hij over de andere. 'Dag!' riep hij, in een poging de groet van de chauffeur over de plunjezak heen te beantwoorden. 'Heel erg bedankt.' Toen de vrachtwagen wegreed, verscheen achter een raam vlakbij ineens het gezicht van een oude vrouw, getekend als dat van een bokser, dat hem angstig bespiedde. Hij knikte beleefd. *'Buona sera, signora.'* Het gezicht verdween meteen weer.

Ze hadden hem al gewaarschuwd voor de stank. Bij hun terugtrekking uit Napels hadden de Duitsers namelijk het riool opgeblazen – althans dat deel dat nog niet was vernield in de weken van Engelse en Amerikaanse bombardementen. Voor een aantal huizen stonden brandende stoven om de geur te neutraliseren, maar dit had erg weinig effect. In de smalle, schemerige straten, met aan beide zijden dreigend boven hem uittorenende, half ingestorte ruïnes, maakten de inktzwarte vlammen de sinistere sfeer alleen nog wat erger. Omzichtig zijn weg zoekend tussen de brokstukken zag James een huis, inmiddels teruggebracht tot niet meer dan een berg stenen, dat zelfs nog leek te smeulen. Pas toen hij dichterbij kwam, zag hij dat wat hij aanvankelijk had aangezien voor rookpluimen, wolken van vliegen bleken te zijn die bedrijvig tussen het puin heen en weer gonsden. De stank was hier uitzonderlijk sterk.

Hij knikte naar alle Italianen die hij tegenkwam: een oudere man die zich met afgewende blik voort haastte, ondanks James' beleefde 'Buona sera'; een stel *scugnizzi*, straatschoffies, die bleven staan om hem aan te gapen, de armen brutaal over elkaars schouders; een oude vrouw die er precies eender uitzag als degene die hij eerder achter dat raam had gezien – hetzelfde gegroefde gelaat, hetzelfde gezette lichaam, dezelfde vormeloze zwarte jurk. Hij hield haar staande om de weg te vragen: '*Scusi, signora. Dov'è il Palazzo Satriano, per cortesia?*' Op het troepenschip uit Afrika had hij hard op zijn Italiaans geoefend, maar de vloeiende medeklinkers voelden nog steeds vreemd taai aan in zijn mond. De vrouw keek hem aan met een mengeling van paniek en onbegrip. Hij probeerde het nog een keer: 'Het Palazzo Satriano. Het moet aan de Riviera di Chiaia liggen.' Het had geen enkele zin; hij had het net zo goed in het Swahili kunnen zeggen. '*Grazie mille*,' zei hij daarom maar gauw en liep gelaten door.

Omdat hij wist dat zijn bestemming aan zee lag en aldus redenerend dat hij er nooit ver naast kon zitten als hij heuvelaf bleef lopen, vervolgde hij zijn weg. Overal om hem heen zag hij bewijzen van de recente geschiedenis van de stad. Dwars over een gigantische muurschildering van Mussolini's *fascio*-symbool, een bijl met een bundel stokken, was een Duitse swastika geschilderd, met daar weer overheen een haastig neergekalkt vak met een slordige *Stars & Stripes* en de woorden *Vivono gli Alleati*, welkom geallieerden. De tekening was verder opgesierd met een regen aan kogelgaten, al kon hij niet zeggen op welk moment in de artistieke evolutie van de muur deze waren toegevoegd.

Er kwamen twee jonge vrouwen op hem af. Ze hadden donker haar, een donkere huid en donkere ogen – van die echte schoonheden die je altijd op vooroorlogse foto's uit dit land zag, hoewel hij ook opmerkte dat ze Amerikaanse legerjassen droegen die hier en daar waren opgefleurd met kleurige lapjes. Bij beiden stak een bloem achter het oor. Ze keken hem aan en het meisje aan zijn kant glimlachte schuchter.

Dus probeerde hij zijn zin maar eens op hun uit: '*Scusate, signorine. Dov'è il Palazzo Satriano?*'

De reactie van de meisjes was heel anders dan die van de oude vrouw. Degene die naar hem had gelachen kwam vlak voor hem staan, begon met de knopen van zijn uniform te spelen en mompelde zo zacht iets voor zich uit dat hij zijn hoofd heel dicht bij haar mond moest brengen om het te kunnen verstaan.

'Trie bliek razzoen. Zeer skoon, zeer skoon.'

Te laat begreep hij dat ze prostituees waren. Het meisje streelde met haar zachte vingers over zijn hand. Toen hij deze wegtrok, voelde hij dat er nog steeds een slank been tegen hem aan duwde. 'Jij willen?' fluisterde ze gretig, en wees daarbij eerst op zichzelf en toen op haar vriendin. 'Baide trie bliek razzoen.' Drie blikken rantsoen: dat was niks, minder dan vijf shilling.

'Het spijt me,' zei hij en deed een stap achteruit. '*Sono un ufficiale inglese*'. Hij aarzelde even. Had hij nu gezegd dat hij een Engels officier was of een officiële Engelsman? '*Mi sono perso*, dat is alles.'

Ze glimlachte een tikje teleurgesteld, als om te zeggen dat ze hem dolgraag nog eens tegenkwam op een avond waarop hij noch een officiële Engelsman noch *perso*, verdwaald, was. Hij was natuurlijk wel vaker hoeren tegengekomen – de stug kijkende vrouwen thuis, die kaartjes achter hun raam zetten met 'Wij doen soldatenwas'; de zwaar opgemaakte karikaturen die op Piccadilly en Regent Street naar hun prooi liepen te loeren; de goedgevulde *lucciole* van zijn laatste standplaats – maar nooit tevoren was hem zoveel schoonheid zo spotgoedkoop aangeboden en had hij bij zijn afwijzing zo'n droefgeestig, gelaten schouderophalen gezien.

Toen hij de hoek omsloeg, bevond hij zich ineens in een straat die barstte van de bars en restaurants. Dit verraste hem, want volgens de informatie die hij had gekregen waren dit soort zaken officieel nog steeds gesloten. 'Napels is de eerste grote stad die door de geallieerden is bevrijd. De gehele vrije wereld zal daarom over onze schouders meekijken hoe wij ons daar gedragen', hadden zijn aantekeningen gezegd. Maar van wat hij nu voor zich zag, zou de vrije wereld best wel eens kunnen schrikken, dacht hij. De straat was nog smaller gemaakt dan hij al was, amper breder dan een bureau, en de alomtegenwoordige stoven zorgden voor een verstikkende hitte. Toch zag het in de nauwe doorgang zwart van de mensen. Uniformen van elke kleur en nationaliteit persten zich langs hem heen – Engels kaki en Amerikaans olijfgroen, maar ook een mengelmoes van Polen, Canadezen, Nieuw-Zeelanders, Vrije Fransen, Hooglanders en zelfs een paar miniatuur-Gurkha's zochten vrolijk hun weg tussen de brokstukken. En dan waren er nog de vrouwen: overal waar hij keek zag hij donkerharige, donkerogige meisjes met bloemen achter hun oor, die twee aan twee rondslenterden, aan de arm van een soldaat hingen of loom tegen de deur van een bar stonden geleund, wachtend op klanten. Jurken gemaakt van leger-dekens of vermaakte soldatenuniformen leken hier aan de orde van de dag, wat het smalle straatje de sfeer van een bizar soort legerkamp gaf.

Het was moeilijk om zich door deze menigte heen te worstelen met die plunjezak over zijn schouder: bij elke beweging raakte hij wel ie-mand – hij voelde zich net Charlie Chaplin met een lange ladder en bood constant links en rechts zijn excuses aan. Er leek hier geen specia-le achting voor zijn rang te bestaan, wat misschien maar goed was ook: het zou best lastig zijn om al dat gesalueer boven die plunjezak uit te moeten beantwoorden. Hij dacht te voelen dat er iemand aan zijn ran-sel zat. Toen hij omkeek zag hij nog net een *scugnizzo* in de drukte wegrennen. Hij wierp James over zijn schouder een hatelijke blik toe, alsof hij het niet erg sportief van hem vond dat hij zijn bagage zo stevig had dichtgeknoopt.

Op een kruising rammelde een trolleytram vlak langs hem heen. Hij zat onvoorstelbaar vol: drie nonnen hingen zelfs half op de treeplank. Met een loeiende claxon probeerde hij zich een weg door de wirwar van verkeer te banen. Vrachtwagenkonvooien kregen aanwijzingen van een Amerikaanse militaire politieman met een witte blikken helm op en recht tegenover hem een gendarme, een Italiaanse *carabiniere* in een excentriek tamboer-majoorspak. De Amerikaan had een fluitje in zijn mond en schrille signalen begeleidden zijn ongeduldige, strenge hand-gebaren; de Italiaan daarentegen leek zich haast te verontschuldigen, zoals hij schouderophalend naar het verkeer stond te wijzen. Runde-ren met lange hoorns, die in paren voor houten karren stonden ge-spannen die zo van een Egyptische aquarel konden zijn gereden, poep-ten traag terwijl ze apathisch op hun beurt stonden te wachten. Kleine jongens renden tussen deze chaos door om lippenstift en amuletten te verkopen.

Uiteindelijk werd James de weg gewezen door een erg aardige Engelse fuselier. Via een zijstraat, amper breder dan een steeg, moest hij over een duizelingwekkend aantal zigzag lopende stenen treden.

Het was zo'n opluchting eindelijk weg te zijn van al dat kabaal en drukte, dat het even duurde voor hij zich realiseerde dat hij niet langer aan beide kanten werd omsloten door huizen. Hij stopte, gegrepen door het uitzicht: recht voor hem zakte een enorme, knaloranje zon in de Golf van Napels; de zee eronder was zo glad als een pan gekookte melk. Langs de hele boulevard stonden palmbomen te knikkebollen in de avondbries en aan de overkant rees, geheel onaangekondigd, de kolossale massa van de Vesuvius op een ver schiereiland op, als een ei in een eierdop. Erboven hing een piepklein vraagteken van rook.

'Wauw!' zei hij hardop. Toen werd hij zich er weer van bewust dat hij hier niet was om van het uitzicht te genieten, maar om een oorlog af te ronden. Hij liep verder de treden af, richting het grote gebouw dat hij onderaan al kon zien liggen.

6

e Field Security Service had goed voor zichzelf gezorgd, dat was
duidelijk. James' nieuwe hoofdkwartier was een klassiek *palazzo*,
lichtelijk verwaarloosd maar met nog alle kenmerken van zijn oude
luister. In de indrukwekkende entree toonde een verschoten fresco nimfen en saters die waren verwikkeld in een soort voedselgevecht. James
liep naar de binnenplaats, waar een citroenboom en vier fonkelnieuwe
jeeps stonden.

'Hallo?' riep hij voorzichtig.

Door een van de ramen die uitkeken op de binnenplaats zag hij een
soldaat in Amerikaans uniform zich met een armvol dossiers van de
ene ruimte naar de andere reppen. 'Pardon,' zei James en leunde door
het raam naar binnen. 'Ik ben op zoek naar de FSS.'

'Probeer boven maar eens,' riep de soldaat ongeïnteresseerd over zijn
schouder.

Prachtig voorbeeld van informatie-uitwisseling tussen de bondgenoten, dacht James. 'Enig idee waar precies?'

'De derde verdieping misschien.'

Dus hees James zijn plunjezak weer op zijn schouder en sjokte de
kolossale trap op die een hele hoek van de binnenplaats innam. De spij-
kers in de zolen van zijn laarzen weergalmden op het steen – de rub-
beren zolen van de Amerikaan hadden nauwelijks geluid gemaakt.

Op de derde verdieping trok hij een willekeurige deur open en stapte
een enorme, schaars gemeubileerde salon binnen. Bij het raam zat een
elegant geklede vrouw in een al even elegante stoel, aan een poot waarvan een uitgemergelde geit met een ketting was vastgebonden. Ernaast

44

op de vloer zat een kind de uier van de geit in een emmer leeg te knijpen. Ze keken alle drie op toen de deur openging, maar alleen de geit leek echt verrast. 'Scusi,' mompelde James en trok zich gauw terug. Hij was vergeten dat als een Amerikaan het over de dérde verdieping heeft, hij de twééde bedoelt.

Op de verdieping eronder gaf het getik van een schrijfmachine aan dat hij zich nu wel in de nabijheid van een kantoor bevond, een indruk die werd bevestigd door het bordje op de deur: 312 FIELD SECURITY SERVICE (BRITISH ARMY). Daaronder meldde een getypte tekst: HUWELIJKSOFFICIER. ALLEEN OP AFSPRAAK. KANTOORUREN 15.00-16.00, waarna dezelfde informatie in het Italiaans werd herhaald. Het briefje leek ooit nijdig van de deur te zijn gerukt, in stukken gescheurd en later weer opgeplakt. James zette zijn plunjezak neer en klopte op de deur.

'*Avanti!*' riep een stem.

Hij opende de deur en zag een grote ruimte met in het midden een lange tafel, hoog volgestapeld met dossiers en losse papieren. Een donkerharige man zat aan het hoofd van de tafel papieren van de ene immense stapel naar de andere te verplaatsen. Hij droeg een kleurige halsdoek onder de kraag van zijn overhemd, wat zijn uniform een wat lichtzinnig tintje gaf. 'Ja?' zei hij, opkijkend naar James.

'Hallo, ik ben kapitein Gould.'

'O.' De man leek verrast. 'We verwachtten jou eigenlijk morgen pas.'

'Ik kon een lift krijgen vanuit Salerno: een voorraadtruck op weg naar het front.'

'Aha, juistem.' Hij wees naar de papierwinkel. 'Ik zat toevallig net wat dingen voor je uit te zoeken. Ik ben trouwens Jackson.' Hij stond op en stak zijn hand uit.

James deed een stap naar voren en schudde hem de hand. 'Lijkt me een hele klus,' zei hij met een blik op de stapels.

'Dat kun je wel zeggen, ja.' Jacksons vingers gleden door zijn haar. 'Eigenlijk loop ik een tikje achter; daar wilde ik je nog een briefje over schrijven. Maar nu je er al bent, zullen we het dan maar tijdens het diner bespreken?'

James had al heel lang niets meer gehad dat kon worden omschreven als een 'diner'. 'Hebben jullie hier dan een mess?' vroeg hij hoopvol.

Jackson lachte. 'Niet echt. Dat wil zeggen, ene Malloni maakt onze rantsoenen voor ons klaar, maar zijn culinaire kwaliteiten stellen niet veel voor. Wij verdenken hem er zelfs van dat hij het vet van onze cornedbeef schept en op de zwarte markt verkoopt – de plaatselijke bevolking is er op de een of andere manier van overtuigd dat dat een soort afrodisiacum is... ik vermoed vanuit het idee dat iets zó smerigs welhaast goed voor je móét zijn...' Jackson bleek een lichte tic te hebben: bijna elke zin was doorspekt met hyperkorte haperingen. 'Nee, ik dacht meer aan een restaurant. Er zit een tent bij de haven, Zi' Teresa. Zwarte markt natuurlijk en dus aan de prijs, maar daar hoeven wij ons geen zorgen over te maken. Dat is een van de leukere kantjes van dit werk: vraag de eigenaar gewoon of hij de rekening even wil ondertekenen en hij doet er meteen de helft vanaf.'

'Maar... is dat niet juist het soort praktijken waar wij hier een eind aan moeten maken?'

'Geloof me,' zei Jackson met een scheve grijns, 'de moffen eruit schoppen is nog niks, vergeleken met wat voor klus het zou zijn te trachten de Napolitanen te scheiden van hun warme hap. En er zijn wel ergere dingen om ons druk over te maken. Nou, wat dacht je ervan?'

'Als je tijd hebt, moet je eens goed naar die plaatjes kijken,' zei Jackson, toen ze over de stenen trap naar beneden liepen. 'Sommige zijn behoorlijk gewaagd. Althans, als je van dat soort dingen houdt.' Toen James wat beter keek, zag hij inderdaad dat de nimfen en saters op de muurschildering niet alleen om eten vochten. 'Je vervoermiddel!' Jackson wees naar een Matchless-motor die tegen een standbeeld van Persephone stond, haar blote billen pokdalig van de kogelgaten. 'Wat je ook doet, laat hem nooit op straat achter. Van de yanks zijn al drie jeeps gestolen – om het nog maar niet te hebben over meerdere vrachtwagens, een goederenlocomotief en een stel oorlogsschepen.'

'Waarom delen jullie eigenlijk een hoofdkwartier?'

'De theorie daarachter is dat hun Counter Intelligence Corps en onze Field Security Service zo'n beetje hetzelfde werk doen. Dus heeft de een of andere slimmerik bedacht dat we het ook maar samen moesten doen.'

'En doen jullie dat ook?'

Toen ze buiten het palazzo stonden, sloeg Jackson linksaf en begon kordaat de boulevard af te marcheren. James paste zich automatisch aan hem aan, zodat hun ledematen al gauw onbewust in militaire harmonie voortbewogen. 'Nou ja, we proberen niet te veel op elkaars tenen te gaan staan. Zij hebben een fantastische organisatie – een staf van vijfentwintig man tegenover drie van ons en een archiefsysteem dat een hele zaal beslaat. Trouwens, hoe is jouw Italiaans?'

James bekende dat hij tot dusver amper een woord had verstaan van wat er tegen hem was gezegd.

'Dat komt vast doordat het Napolitaans was: dat is bijna een heel andere taal en vooral oudere lui doen soms alsof ze niks anders verstaan. Maak je geen zorgen, dat heb je zo onder de knie. Het CIC daarentegen ondervindt behoorlijke hinder van het feit dat niet één van hun zelfs maar het gewone Italiaans verstaat.'

'Maar dat is toch raar?'

Jackson stootte een rauwe lach uit. 'Ik zou het eerder een gelukkig toeval noemen. Er zitten aardig wat Italiaanse Amerikanen in het Vijfde Leger, met allemaal een dikke vinger in de pap in de handel. Het laatste dat die willen, is dat het CIC daar zijn neus in steekt.'

'Je bedoelt... dat ze van hun eigen voorraden stelen?' vroeg James ontzet.

Jackson bleef staan. 'Weet je, ik geloof dat we even een omweggetje moeten maken. Ik moet je iets laten zien.'

Hij nam James mee heuvelop, naar het oude centrum – een verzameling donkere, opeengestapelde middeleeuwse huizen. Dwars door dit labyrint zigzagde een grillige steeg, die eerder door zijn lengte dan door zijn fraaie uiterlijk de hoofdroute leek te zijn geworden. Het leek nog het meest op een Afrikaanse soek, vond James: smal, chaotisch en ongelooflijk vol, met zowel kopers als verkopers. Marktstallen, ruwweg opgezet van een paar koffers met een plank erop, lagen hoog opgetast met elk stuk legeruitrusting dat je maar bedenken kon: ransels, van dekens vervaardigde jurken en jassen, laarzen, sigaretten, medicijnflesjes met penicilline, wc-papier en zelfs enorme rollen telefoondraad. Voorbijgangers bogen zich over legerondergoed of pingelden luidruchtig over snoeprepen die waren gejat uit Amerikaanse noodrantsoenen. De kraamhouders keken wantrouwig naar de twee officieren die zich door de mensenmenigte heen persten, maar afgezien van een schichtig kijkende heer die toen zij voorbijkwamen gauw een paar Engelse bajonetten uit het zicht schoof, deed niemand een poging zijn waren te verbergen.

'Vroeger pakten we er af en toe een paar op,' zei Jackson, 'maar de volgende dag waren die dan weer vervangen door andere figuren. Penicilline is natuurlijk het spul waar het grote geld in omgaat. Daar raakt de laatste tijd zoveel van zoek, dat onze artsen soms hierheen moeten om het terug te kopen van de zwarthandelaren om de voorraad van de veldhospitalen op peil te houden.'

James knikte. Penicilline was het woord dat op ieders lippen lag. Voordat het bestond, was er geen effectieve behandeling geweest voor infecties door kogels en granaatscherven en kon zelfs een vrij onbeduidende wond nog leiden tot het verlies van ledematen of zelfs de dood. Maar toen had een Amerikaans bedrijf, Pfizer, een manier gevonden om het wondermiddel in gigantische hoeveelheden te produceren. Ze adverteerden er zelfs in kranten en tijdschriften mee en pochten over wat hun product voor de oorlog kon betekenen.

'Waarom hebben de Italianen daar eigenlijk nog zoveel van nodig?' wilde James weten. 'Die vechten nu toch nauwelijks meer?'

'Ze gebruiken het niet voor oorlogswonden maar voor geslachtsziekten: die tieren hier nu welig.'

'O. Natuurlijk.' James dacht aan de twee meisjes die hem hadden benaderd: Zeer skoon, zeer skoon! 'En er is nogal wat sprake van... verbroedering, neem ik aan?'

Ze hadden de straatmarkt inmiddels verlaten en liepen nu heuvelaf door de oude stad. Als om zijn woorden te illustreren, kwam er een groepje onbehouwen soldaten de hoek om. Ze hadden allemaal een fles in de ene hand en een lachend meisje aan de andere.

Jackson trok zijn schouders op. 'Da's pure economie, vrees ik. De moffen hebben alle gezonde Italiaanse mannen ingelijfd en verscheept naar werkkampen of naar Rusland om te vechten. Daarna is de boel hier ingestort – prostitutie en zwarte handel zijn zo'n beetje het enige dat nog draait. Volgens het laatste bulletin van het Bureau telt Napels meer dan 40.000 prostituees – op in totaal 90.000 vrouwen. De oudjes en de jonkies niet meegerekend, zit dus haast elke vrouw die je hier tegenkomt in het leven.'

'En is er helemaal niets dat wij daartegen kunnen doen?'

Jackson keek hem even aan. 'Nou... de oorlog winnen zou een beginnetje kunnen zijn,' zei hij lachend.

'Nee, ik bedoel letterlijk iets doen, hier in Napels.'

'Ach, we doen wat we kunnen.' Jackson wees naar een bord boven een winkel. Over de oorspronkelijke belettering heen was het woord CONDOOMPOST geklodderd. 'Officieel is prostitutie illegaal en gedogen wij het absoluut niet... maar we delen wel gratis condooms uit aan elke soldaat die ze maar wil. En er is een soort schimmeldodend middeltje waar de meisjes zich mee kunnen reinigen – 'pornopoeier' noemen de mannen het. Maar verder gaan we niet. Als puntje bij paaltje komt, gaat het er de Allied Military Government alleen maar om dat de soldaten op de been blijven. Na een paar weken hier gaan de meesten toch weer terug naar het front. Als ze maar kunnen staan en een geweer kunnen afschieten, da's genoeg.'

Toen ze weer bij de zee waren aangekomen, leidde Jackson James een restaurant binnen. Achter de verduisteringsgordijnen zat het er afgeladen vol. De meeste klanten waren officieren, maar er was ook een handvol gewone soldaten met Napolitaanse meisjes en een aantal tafels met verrassend welvarend uitziende Italianen, van wie sommigen met Amerikaanse of Engelse stafofficieren zaten te eten.

'Je zou bijna vergeten dat het oorlog was, hè?' zei Jackson, grinnikend om James' verbijstering.

'Signore Jackson, wat heerlijk om u te zien.' De ober-kelner laveerde tussen de tafels door naar hun toe.

'Een rustig plekje, alsjeblieft, Angelo. Mijn collega en ik hebben zaken te bespreken.' Glimlachend bracht de Italiaan hun naar een tafeltje achterin.

'De vrouwen zien er hier best goed uit, vind je niet?' merkte Jackson op terwijl hij ging zitten. 'Dat noemen ze het moffendieet: allemaal op het randje van verhongering.' Er werd een handgeschreven menukaart op hun tafel gelegd. 'Maar pas op met wat je bestelt: d'r lopen steeds minder zwerfkatten in Napels rond.'

Een kelner liep tussen de tafels door en liet de gasten enkele vissen op een schaal bewonderen. Jackson hield hem staande. 'En kijk hier eens goed naar,' zei hij tegen James. 'Valt je niets vreemds op?'

'Ik vind ze er prima uitzien.'

'De koppen passen niet bij de lijven.'

Toen James wat beter keek, zag hij dat elke vis inderdaad uit twee losse delen bestond, die bij de nek zorgvuldig tegen elkaar waren gelegd. De naad was zo goed als niet te zien. 'Waarschijnlijk hondshaai,' zei Jackson minachtend. 'Eetbaar, maar niet bepaald een delicatesse.' Hij voegde de kelner bits iets toe in rap Italiaans, waarop deze schouderophalend antwoordde. Het viel James opnieuw op dat hij bijna geen enkel woord kon verstaan. Jackson knikte. 'Het schijnt dat ze vandaag zee-egel op het menu hebben, hoewel ik je die eveneens moet afraden.'

'Hoezo?'

'Zee-egel heeft een nogal vervelend neveneffect.' Toen hij zag dat James absoluut niet begreep waar hij op doelde, liet hij zijn stem zakken en zei: 'Op je libido. Dus tenzij je van plan bent later op de avond nog een van die kamers daarboven te bezoeken, zou ik me er maar verre van houden.'

'Dit is dus een eh... bordeel?'

Zijn tafelgenoot haalde zijn schouders op. 'Niet als zodanig. Maar bij elk zwartemarktrestaurant horen wel een paar meisjes. Zo kent dit etablissement een nogal roemruchte schoonheid, met een glazen oog en een vermaard buigzame keelholte – als dat je ding is.' Hij leunde achterover en schonk James een wat zorgelijke blik. 'Ben je getrouwd, Gould?'

'Eh,' stamelde James overrompeld. 'Niet precies.'

'Maar je hebt wel een vriendin? Thuis, bedoel ik?'

'Jazeker.' En omdat Jackson op meer bijzonderheden scheen te wachten, voegde hij eraan toe: 'Ze heet Jane, Jane Ellis. Ze is oorlogsvrijwilligster.'

'Zijn jullie verloofd?'

'Zo goed als.'

'Mooi zo. Je zult zien dat dat nog van pas kan komen... bij de huwelijksgesprekken.'

'Ja, dat wilde ik je nog vragen...'

'Mijn advies aan jou, Gould,' zei Jackson opeens met opvallend veel nadruk. Hij boog zich erbij naar voren: 'Mijd zeevruchten, blijf uit de zon en denk aan je meisje!'

'Eh, natuurlijk. Maar wat ik nog niet helemaal begrijp...'

'Bij de eerste tekenen van problemen vertel je ze gewoon dat je *fidanzato* bent, verloofd.'

'Ik zal het onthouden,' zei James, totaal perplex.

'Jij moet het goede voorbeeld geven; jij bent nu de huwelijksofficier, begrijp je?' Er ging een lichte huivering door Jacksons lijf.

'Nou, eigenlijk begrijp ik het dus niet,' zei James. 'Ik las dat woord voor het eerst op jouw deur...'

'Niet míjn deur, ouwe jongen: het is nu jouw deur!' Hij leek meteen weer helemaal opgevrolijkt. 'Weet je wat? Ik denk dat ik toch maar zeeegel neem. Het is tenslotte mijn laatste avond.' Hij wenkte de kelner. 'En jij? De uitsmijter met worst is hier ook lang niet slecht.'

'Klinkt verrukkelijk.' Toen de kelner hun bestelling had opgenomen, drukte James door: 'Maar vertel me nu eens: wat ís een huwelijksofficier precies? Daar zeiden mijn aantekeningen namelijk helemaal niets over.'

'Aha.' Jackson leek even niet te weten waar hij moest beginnen. 'Tja, het is een beetje een vreemd verhaal. Sinds de geallieerden hier zitten, heeft een aantal soldaten aangegeven met een Italiaans meisje te willen trouwen. Een vrij groot aantal zelfs: het zag er op een gegeven moment uit alsof het een beetje uit de hand ging lopen. Goed, natuurlijk moet elke trouwlustige militair eerst voor toestemming naar de bevelvoerend officier. En daarom heeft deze, in een poging het tij te keren, besloten dat elke potentiële verloofde eerst gescreend moet worden, om te bepalen of ze geschikt is en over een goede naam beschikt.'

'Wat verstaat men daar in godsnaam onder?'

'In wezen dat ze geen hoer is,' zei Jackson met een schouderophalen. 'Het punt is echter dat ze dat waarschijnlijk wél is, gezien wat ik je eerder vertelde. Welnu, jouw taak bestaat simpelweg uit het vergaren van bewijsmateriaal. Als ze genoeg te eten heeft of nog meubilair in haar appartement heeft staan, is ze een slet. Als ze zich zeep kan veroorloven in plaats van zich te moeten wassen met houtskool, is ze een slet. Als ze olijfolie, witbrood of lippenstift kan kopen, is ze een slet. Of je vraagt haar simpelweg waar ze van leeft: negen van de tien keer zal ze je vertellen dat ze ergens een oom heeft, maar zo'n verhaal blijft na kritisch doorvragen nooit lang overeind.'

'Klinkt niet zo moeilijk.'

Jackson staarde hem aan. Heel even hadden zijn ogen die wezenloze, lege blik die James enkel kende van slachtoffers van de blitzkrieg en het slagveld. Pas toen hij met zijn hand over zijn gezicht was gegaan leek hij weer te weten waar hij was. 'Ja, zo klinkt het waarschijnlijk wel.' De kelner bracht een karaf rode wijn. Jackson schonk voor hun allebei een groot glas vol en morste daarbij wat op het tafelkleed. 'Per cent'anni!'

'Proost!'

Toen hij zijn glas weer neerzette, zag James dat een man aan een tafeltje vlakbij hun geamuseerd zat te bekijken. Uit diens chique pak leidde hij af dat het een gewichtig burger moest zijn. Hij zat te dineren met een groep Amerikaanse stafofficieren. Toen de man zag dat James naar hem keek, zwaaide hij spottend.

'Wie is dat?' vroeg hij.

'Wie? O, hij. Dat is Zagarella. Hij is apotheker, maar het is eigenlijk een rat: hij is het brein achter de meeste penicillinediefstallen.'

'Kun je hem dan niet arresteren?'

Jackson glimlachte vreugdeloos. 'Dat héb ik al eens gedaan, maar ik bereikte er helemaal niets mee. Zoals je ziet, heeft meneer zeer invloedrijke vrienden.'

Hun eten werd gebracht. Het spiegelei met worstjes was, zoals beloofd, best te pruimen. Het leek zelfs gemaakt met verse eieren, geen gedroogde, en echt vlees in plaats van ingemaakt. Na maanden van rantsoenen uit blik verslond James het gretig.

Jackson pakte een zee-egel en begon er, behoedzaam de paarse stekels vermijdend, de felgekleurde binnenkant uit te lepelen. James had nog nooit zoiets gezien. Het was vast weer iets dat was bedacht vanwege de voedselschaarste, zoals je in Engelse cafés nu pastei van walvisvlees kon bestellen. 'Mag ik eens proeven?' vroeg hij nieuwsgierig.

'Best,' zei Jackson weinig toeschietelijk en gaf hem er ook een.

James stak zijn mes in het zachte, vettige binnenste en hield het toen tegen zijn tong. Hij proefde zeewier, maar ook iets machtigs, pittigs en romigs tegelijk, vreemd maar niet onaangenaam. Hij spande zich in om iets te bedenken dat hij ooit had gegeten waar hij dit mee kon vergelijken. 'Het lijkt op... slakken met custardvla,' probeerde hij.

'Als jij het zegt.' Jackson at de rest van de zee-egels vervolgens snel op, zonder aan te bieden er nog een te delen.

Terwijl ze dooraten begon Jackson James uit te leggen wat zijn andere taken behelsden. In feite was de fss verantwoordelijk voor alles dat de veiligheid van de Allied Military Government in gevaar kon brengen. 'In theorie betekent dat het verzamelen van zo veel mogelijk geheime informatie. Maar in Napels ís helemaal geen informatie meer, alleen wilde geruchten. Afgelopen week nog kwamen de Amerikanen met een stel zogenaamd betrouwbare rapporten, over een Duitse zelfmoordpantserdivisie die zich zou schuilhouden in de Vesuvius en zat te wachten om ons in de rug aan te vallen. Het heeft me drie dagen gekost om te verifiëren wat ik allang wist: dat dat één groot nonsensverhaal was.'

'Je lijkt niet erg onder de indruk van onze bondgenoten,' zei James.

'Ach, wij hebben gewoon veel meer ervaring met dit soort zaken; door Afrika, India en zo.' Jackson schonk nog wat wijn in zijn glas. 'Een wereldrijk runnen gaat ons gewoon wat natuurlijker af.'

James mompelde wat over dat de Duitsers hetzelfde idee hadden gehad, maar Jackson weigerde de ironie van zijn bewering te erkennen.

'Eigenlijk hebben de moffen de boel hier best goed gerund. Zij hadden bijvoorbeeld totaal geen problemen met geslachtsziekten. Ze gooiden gewoon elke meid die een infectie had doorgegeven in het gevang en stuurden de betreffende soldaat als straf naar het slagveld – wegens ondermijning van de reinheid van het superieure ras of iets dergelijks. Van ons wordt echter verwacht dat we ons wat beschaafder gedragen, waardoor wij danig in de penarie raken.'

Toen Jackson uiteindelijk om de rekening vroeg, gebeurde er iets merkwaardigs. Nog voordat deze werd opgesteld schuifelde ober-kelner Angelo naar hun tafel en deelde hun mede dat 'de heren van de Engelse geheime politie' niets werd berekend. Toen maakte hij een buiging naar James en zei: 'Hartelijk welkom, kapitein Gould. Ik hoop dat wij u hier nog vaak mogen begroeten.'

'Hoe weet hij mijn naam?' vroeg James toen Angelo weer weg was. Jackson trok zijn schouders op. 'Het is zijn taak al zijn gasten te kennen.'

'Ik ben hier niet blij mee,' zei James.

'Hoezo niet?'

'Dit is mijn eerste avond in Napels en ik vind niet dat ik meteen kan beginnen met het aannemen van... nou ja, wat zou kunnen worden opgevat als steekpenningen.'

'Zo gaat het hier nu eenmaal, vrees ik: de ene hand wast de andere. Angelo heeft echt geen kwaad in de zin.'

'Maar technisch gesproken zou deze zaak niet eens open mogen zijn.'

'Ze schakelen langzaam terug naar het normale leven. Dat is alleen niet hetzelfde als óns normale leven, meer niet.'

'Toch betaal ik mijn helft liever gewoon,' hield James vol en hij riep de kelner, die meteen wegrende om de rekening te halen.

'*Il conto*,' zei hij toen en legde glimlachend een bon op tafel. James keek ernaar: het kwam neer op ruim twee weken soldij.

'Mag ik je nog één goede raad geven, Gould?' zei Jackson toen James klaar was met afrekenen.

'Natuurlijk.'

Jackson aarzelde even, maar toen sprak hij traag: 'Het is hier niet zoals thuis. Er zijn hier geen regels, alleen bevelen. Als je die maar gewoon opvolgt, is er niks aan de hand. Maar als je alles probeert te begrijpen... dan draai je compleet door.'

Even nadat ze het restaurant hadden verlaten, liepen ze tegen een handgemeen op. Twee Engelse soldaten stonden een Italiaanse jongen van hoogstens vijftien in elkaar te slaan: eentje hield zijn armen in bedwang, terwijl de ander hem met een stoelpoot ervan langs gaf. Het bloed stroomde over zijn gezicht. Op een paar meter afstand stond een iets ouder, knap en donkerharig meisje hulpeloos toe te kijken.

'Wat doen jullie daar?' riep Jackson scherp. 'Hou daar onmiddellijk mee op!' Onwillig deinsden de soldaten achteruit, waarna de FSS'ers op hun af renden om uit te vinden wat er precies aan de hand was.

Het joch bleek de twee Engelsen eerder die avond aan zijn zus te hebben gekoppeld. Er was een prijs afgesproken, maar toen de jongen het geld had aangepakt – of beter: de drie pakjes sigaretten die ze als betaling waren overeengekomen – waren hij en zijn zus er meteen vandoor gegaan. Toen de soldaten hun even later opnieuw tegenkwamen, wilden ze hem daarom een lesje leren. Met veel ophef noteerde James hun namen en nummers, maar veel meer kon hij niet doen. Dus liet hij ze weer gaan, waarna ze al bedreigingen mompelend wegliepen.

Terwijl James met de soldaten bezig was, had Jackson op zachte toon met het meisje en haar broer staan praten, die daarna eveneens in het duister verdwenen. 'Geen vrolijk verhaal,' zei hij toen James zich weer bij hem voegde. 'En niet zo simpel als het op het eerste oog lijkt. Het zijn scugnizzi die hun ouders al meer dan een jaar niet hebben gezien. Het meisje heeft syfilis, dus dat was deels de reden dat ze ervandoor ging: ze wil die ziekte niet aan iemand doorgeven. Ik heb haar het adres gegeven van een kliniek die wellicht wat penicilline voor haar kan bemachtigen, hoewel ik betwijfel of ze die dan kan betalen. Het is de klassieke vicieuze cirkel: ze zal met nog zeker tien soldaten naar bed moeten om het geld bij elkaar te krijgen om zichzelf te genezen en tegen die tijd hebben al die mannen weer zeker tien andere meisjes besmet.'

'Jij zult wel blij zijn dat je naar huis mag,' zei James. 'Lekker terug naar Engeland, na al dit gedoe.'

'Ach, ik weet het niet,' zei Jackson. Hij keek omhoog naar de vervallen huizen om hen heen – de ruiten door de vele bombardementen eruit geblazen, de balkons versierd met wasgoed en geraniums, de muren pokdalig van de manoeuvres van drie verschillende legers. Toen keek hij naar de stroom van mensen die hen in beide richtingen passeerden. 'Het is gek, maar je gaat er toch aan hechten.'

7

$\mathcal{L}$ivia Pertini rammelde met de pannen en keek haar vader boos aan. 'Hoe kan ik nu koken zonder eten?' riep ze.

Nino trok zijn schouders op. 'Alberto Spenza is er en die wil een hapje eten.'

'Die schurk! Die hangt al zo lang met zijn snuit in de trog, dat het een wonder is dat er nog wat in die vette pens van hem past.'

'Niet zo hard!' siste Nino, hoewel Livia zoveel herrie met het keukengerei maakte dat er buiten toch niets van hun gesprek kon worden verstaan.

'Zeg hem maar dat hij een andere keer terug moet komen.'

'Zodat hij ergens anders naartoe gaat? Hij is een van onze beste klanten – op dit moment zelfs onze enige.'

Livia zuchtte. 'Ik kan misschien wel een sugo maken,' zei ze nors. 'Maar u zult hem wel moeten vertellen dat we geen vlees hebben.'

'En wat *melanzana farcite*?' vroeg Nino hoopvol. 'Je weet dat Alberto dol is op jouw gevulde aubergine.'

'Vooruit dan maar.'

'Brave meid! En voor na wellicht een *budino*?'

'Nee nee, daar heb ik echt geen tijd voor. En er is ook nog maar één ei.'

'Dan misschien...'

'En ik heb ook geen tijd om hier met u staan kletsen,' voegde ze er bits aan toe, terwijl ze de tomaten voor de sugo begon te snijden. Nino trok zich glimlachend terug. Hij wist dat zijn dochter, als ze klaar was met de pasta, op de een of andere manier met slechts één ei toch nog een *budino di ricotta*, kwarktaartje, zou weten te fabriceren. Dat kwam doordat Livia een brave meid was, die ook naar haar vader luisterde als ze dééd alsof ze haar eigen plan trok én omdat ze weinig anders om mee te koken had. Drie weken geleden hadden ze hun voorraad voor het laatst kunnen aanvullen. Tijdenlang had iedereen van alles geruild met zijn buren, maar sinds al het voedsel moest worden verkocht via door de regering goedgekeurde bureaus, waren de spullen die je nodig had niet langer op legale wijze te verkrijgen.

De saus die Livia nu bereidde was eenvoudig, maar dankzij de hoge kwaliteit van de ingrediënten ook bijzonder smakelijk. Ze hakte een handvol *pomodorini da serbo* fijn, een kleine tomaatsoort die enkel op de hellingen van de Vesuvius groeit, en bakte deze snel met wat knoflook in een scheut olijfolie van de Pertini's eigen oogst. Op het allerlaatste moment gooide ze er nog wat versnipperde basilicumblaadjes bij, van het struikje naast de keukendeur. Nog voor de pasta gaar was, was haar saus klaar.

Marisa diende het gerecht vervolgens op, zodat haar zus verder kon met de volgende gangen. Eerst goot ze echter de hete olie uit de koekenpan in een metalen bak – een oude granaathuls die ze op een akker had gevonden en zorgvuldig uitgewassen – en zette deze onder een laagje koud water. Ze deed dit uit zuinigheid: de onzuiverheden van het bakken zouden samen met het water naar de bodem zinken, waarna ze de waardevolle olie steeds opnieuw kon gebruiken.

Toen ze even later de vuile pannen stond af te wassen, merkte ze opeens dat ze niet langer alleen was in haar keuken.

'O,' zei ze, 'ben jij het.'

Alberto Spenza stond haar in de deuropening te begluren. Dat gebeurde wel vaker – haar keuken stond altijd open voor gasten die wilden zien wat er was, voor ze hun keuze maakten. De voormalig lintjesverkoper kwam echter vaker dan de meesten.

Sinds Enzo vier jaar terug naar het slagveld was vertrokken, had Alberto zelden een gelegenheid overgeslagen om bij haar langs te wippen. Hoe langer de oorlog duurde, hoe meer hij zich verrijkte – iedereen wist dat hij een boef was, mogelijk zelfs een *camorrista*, maffialid – hoe vaker hij kwam. Livia zag hoe hij naar haar keek; het maakte haar bang.

Alle Italiaanse mannen staarden, maar de blikken die Alberto haar schonk als hij dacht dat ze niets in de gaten had, hadden iets onbehaaglijks: als een slokop die naar het bord van zijn buurman loerde.

Maar vandaag leek hij zich van zijn beste kant willen laten zien. 'Prima maaltje,' zei hij glimlachend, terwijl zijn enorme lijf traag door de keuken bewoog. 'Heb je toevallig ook nog wat koffie voor me?'

'Alleen van eikeltjes,' zei ze vinnig en schoof wat met de pannen op het fornuis. Ook al was er niemand meer om voor te koken, toch deed ze alsof ze het druk had, zodat ze hem onder het praten niet hoefde aankijken.

'Dan is het maar goed dat ik zelf wat heb meegebracht.'

Ze keek verrast op. Alberto haalde een opgerold papiertje uit zijn zak en begon het open te vouwen. Een aroma dat ze sinds het uitbreken van de oorlog niet meer had geroken, vulde de ruimte. Ook al wilde ze het niet, toen ze de volle, rijke geur opsnoof verzachtte haar gezicht meteen.

'Ze noemen het Nescafé,' zei Alberto. 'De Amerikanen hebben het in hun rantsoen. Om eerlijk te zijn is het geen echte koffie, maar wel beter dan eikeltjeskoffie. Je moet er suiker bij doen, anders smaakt hij niet.' En hij grijnsde zijn tanden bloot onder het streepsnorretje dat hij liet staan om de aandacht van zijn onderkin af te leiden. 'Maar gelukkig heb ik ook daar wat van bij me.' Hij legde nog een papierrolletje op het aanrecht. 'Heb je soms zin om een kopje mee te drinken?'

Livia had al meer dan een jaar geen suiker meer geproefd. Voor recepten waar zoet in moest gebruikte ze een likje honing. 'Ik pak wel even een koffiepot,' zei ze en zocht al in de keukenkast naar een *napoletana*, de traditionele zandlopervormige kan waarmee in deze streek koffie wordt gezet.

'Niet nodig: er hoeft alleen maar kokend water bij. Heel eenvoudig!' Schouderophalend zette ze een pan water op het vuur.

'Goh,' ging Alberto verder. 'Toch zonde dat je geen klanten meer hebt. Als het nog lang duurt, kún jij straks niet eens meer koken.'

Die gedachte was ook weleens bij haar opgekomen. 'Ik heb anders nog geen klachten gehoord. Trouwens, die oorlog is zo voorbij,' zei ze nors.

Hij trok één wenkbrauw omhoog. 'Is dat zo? Mijn bronnen beweren iets heel anders: nog zeker een jaar, misschien wel drie. De Amerikanen hebben geen haast om zich te laten vermoorden, de Duitsers niet om zich over te geven.'

Livia dacht aan Enzo. Mijn god, zou ze hem echt nog drie jaar moeten missen? Het was al vier jaar geleden dat ze hem voor het laatst had gezien.

Alsof hij haar gedachten kon lezen zei Alberto: 'Dat is nog een hele tijd om deze tent draaiend te houden. Jullie moeten vreselijk veel verlies lijden.'

'Wij redden ons wel,' zei ze strijdvaardig.

Hij peuterde met de punt van een mes tussen zijn tanden. 'Maar...' zei hij peinzend, 'je zou natuurlijk ook voor mij kunnen komen koken.'

'Voor jou? In jouw *casa*?'

'Ja, waarom niet?' Hij sloeg zijn dikke armen over elkaar. 'De oorlog is goed voor mij geweest. Ik heb geld zat voor een...' – hij aarzelde even – '... huishoudster. En dan heb ik veel liever jou dan een ander.'

Ze concentreerde zich even op de koffie en schonk hem in twee piepkleine espressokopjes. Het rook heerlijk, maar toen ze haar neus in het kopje stak was het aroma alweer vervlogen en restte er slechts een vaag chemisch luchtje. Ze nam een slokje. De koffie was slap en bitter en bood veel minder smaak dan zijn geur had beloofd. 'Huishoudster...' herhaalde ze. 'Dus niet alleen als kokkin?'

Hij haalde nogmaals zijn schouders op. 'Ik heb nog wel meer behoeften.'

Ze wierp hem een snelle blik toe. 'Zoals?'

'Een beetje wassen, een beetje poetsen... alle dingen die mijn vrouw voor me zou doen – als ik die had,' zei hij nonchalant.

Ze voelde hoe een hete blos haar gezicht knalrood kleurde.

Alberto roerde in zijn koffie. 'Alle dingen die jij ook voor Enzo deed,' voegde hij er zacht aan toe. 'Hij vertelde zijn vrienden altijd dat jij nogal een... een vangst was.' Hij grijnsde er veelbetekenend bij. 'Hoewel... als ik er zo over nadenk, was dat misschien niet het exacte woord dat hij gebruikte.'

Haar hart sloeg een slag over. Wat had Enzo allemaal voor stoms gezegd? Dat deel van hun leven was privé! Had hij niet gewoon zijn mond kunnen houden? Ze bloosde opnieuw, ditmaal van schaamte.

'Ik heb gehoord dat hij een heel bijzondere bijnaam voor jou had,' zei Alberto. '*Vesuvietta*, zijn kleine vulkaan.'

'Enzo is mijn echtgenoot,' zei ze trouwhartig.

'Natuurlijk. En dat is hij nog steeds als hij terugkomt. Maar in de tussentijd moet je ook zíjn belangen in het oog houden. Want wie weet... hij kán natuurlijk terugkeren zonder benen, blind of met beide handen eraf geschoten.' Livia legde haar handen over haar oren om al dit afschuwelijks niet te hoeven horen, maar het hielp niet. 'Zou het niet beter zijn als hij bij zijn terugkeer ontdekt dat het jou is gelukt iets opzij te leggen, dan dat je enorme schulden hebt moeten maken? Ik zal je genoeg betalen om alles wat je bent kwijtgeraakt terug te winnen. Niemand anders zal je helpen. Je vader werkt zich nog het graf in en wat je zuster betreft... niemand wil met Marisa trouwen; daar is ze te zonderling voor en ik geloof ook niet dat zij zo nodig aan de man wil. Maar wie zorgt er voor haar als het restaurant moet sluiten?'

'Ik kan toch niet...'

Hij schudde zijn hoofd. 'Dat gebeurt tegenwoordig aldoor, hoor. Jij bent zeker lang niet meer in Napels geweest: de meisjes daar verkopen zichzelf al voor een hap brood; ook in Boscotrecase trouwens. En na de oorlog doen we met zijn allen alsof er nooit iets is gebeurd.'

'Maar dit is toch belachelijk...'

'En als door de een of andere droeve rampspoed Enzo niet terug-keert... tja, dan heb jij toch een echtgenoot nodig om voor je te zor-gen.'

'Hou op!' riep ze. 'Ik kan onmogelijk doen wat jij nu voorstelt.'

'Jawel, dat kun je wel. Vraag maar aan je vader.'

'Wíst mijn vader dat jij me dit ging vragen?'

'Hij is een verstandig man. En we hoeven hem natuurlijk niet van álle details op de hoogte te stellen.' Hij begon zijn nagels schoon te maken met de punt van zijn mes. Op dat ogenblik wist ze weer hoezeer ze van hem walgde. Omwille van haar vader probeerde ze echter haar kalmte te bewaren.

'Alberto Spenza,' beet ze, 'ik zou nog niet met jou naar bed gaan, al was je de laatste man in Italië – wat, aangezien je nu al de dikste man van heel Italië bent en alle anderen lopen te verhongeren, nog niet eens zo'n gekke gedachte is. En nu mijn keuken uit!'

Schijnbaar onverschillig trok hij zijn schouders op. 'Benieuwd of je nog steeds zo kieskeurig bent als je een paar weken honger hebt geleden.' Toen opende hij de deur en verliet de keuken. 'Nino, die koppige dochter van jou wil mijn baantje niet,' hoorde ze hem zeggen. 'Sterker nog: ze deed zo onbeschoft tegen me, dat ik denk dat je me hier voorlopig niet meer ziet. Probeer jij haar maar eens tot rede te brengen. En als ze wil langskomen om haar excuses aan te bieden... dat zou natuurlijk het beste zijn voor alle betrokken partijen... hoewel ik tegen die tijd natuurlijk ook al iemand anders kan hebben gevonden.'

Toen Alberto was vertrokken, kwamen Marisa en Nino de keuken in. Livia was nog zo woest dat ze niets kon uitbrengen. Ze smakte een paar borden in de gootsteen en begon ze af te wassen. Pas toen een ervan doormidden brak, zei Marisa op vlakke toon: 'Dus Alberto heeft je een baan aangeboden?'

'Als je de hoer voor hem spelen een baan noemt!'

'Juist.'

'Livia, ik wist niet...' begon Nino.

Livia lachte bitter. 'Kon u dat niet raden dan?'

Behoedzaam zei Marisa: 'Livia, we moeten allemaal zien te overleven.'

'Wat bedoel je daar nu weer mee?'

'De Farelli's hebben alle drie hun dochters naar Napels gestuurd. Wist je dat? Zij sturen elke maand wat geld. Waar denk je dat dat geld vandaan komt? Alberto heeft gelijk: alles is tegenwoordig anders. Niemand zal het je kwalijk nemen als je besluit op zijn aanbod in te gaan.'

'Jij biedt je anders ook niet aan om met dat vette varken de koffer in te duiken.'

'Nou, als het zou moeten...'

'Niemand van ons doet zoiets!' sprak Nino resoluut. 'Laat anderen maar doen wat ze willen: zolang wij nog te eten hebben, kunnen lui zoals Alberto zich voor mijn part verhangen.'

Die middag draaide een vrachtwagen de weg naar Fiscino op. Doordat hij eerst heel langzaam om het dorp heen reed, kon Livia de zes soldaten achterin goed bekijken. Ze hielden allemaal een geweer vast. Hij stopte recht voor de osteria. De soldaten sprongen uit de laadruimte, een officier in een korte kaki broek en de schuine baret van een Australisch regiment klom uit de cabine.

'Wij hebben vernomen dat u hier voedsel hamstert,' zei hij tegen Nino. 'Dat zal ik voor mijn manschappen moeten opvorderen.'

'Livia, Marisa: naar boven,' zei Nino kalm. 'Ga naar jullie kamer en doe de deur op slot.'

Livia voelde hoe de hongerige blikken van de soldaten haar volgden. 'Hier zit Alberto achter,' zei ze bitter tegen haar zus.

'Dat moet haast wel.'

'Alsof ik nu wél met hem mee zou gaan! Die kerel is net zo stom als hij dik is.'

'Nee, stom is hij niet,' zei Marisa zacht. 'Hij weet dat je van hem walgt, dus doet hij ook geen moeite om te zorgen dat je hem leuk gaat vinden. Hij probeert je gewoon zo wanhopig te maken dat je geen andere keuze meer hebt.'

Drie uur lang doorzochten de soldaten de osteria en de boerderij van boven naar beneden. Ze namen zo'n beetje alles mee: alle tomaten, zowel de rijpe als de onrijpe en alle courgettes en aubergines, zelfs de kleinere. Ze trokken de aardappelen uit de grond, schudden de meeste aarde er vanaf en gooiden ze dan achter in de vrachtwagen. De kippen gingen er gewoon achteraan: die pakten ze bij hun poten en smeten ze bij de groenten, zo achteloos alsof het bloemkolen waren. Toen ze hiermee begonnen, sputterde Nino toch even tegen. Zonder een woord te zeggen trok de officier daarop zijn pistool, richtte het onverschillig op de oude man en keek hem er vragend bij aan, alsof hij wilde weten of hij hierom nu werkelijk wilde worden neergeschoten. Als hij Nino een sigaret had aangeboden had hij er waarschijnlijk hetzelfde bij gekeken.

De soldaten werkten intussen gewoon door. Ze trapten de deur van de schuur in en pakten al het fruit dat daar in het hooi lag opgeborgen. Toen liepen ze naar de bijenkorf, maar omdat ze geen beschermende kleding hadden, noch enig idee hoe ze bij de honing kwamen zonder te worden gestoken, duwden ze hem simpelweg omver en braken alle raten. In de melkschuur vonden ze in een emmer de dagvoorraad mozzarella, die ze eveneens meenamen, net als de emmer melk die na het kaasmaken was overgebleven. En toen zag Livia, die boven aan het raam stond te kijken, dat een van de soldaten het hek naar de koeienwei begon los te maken.

'Nee!' riep ze uit. Marisa legde een waarschuwende hand op haar arm.

De soldaten probeerden Pupetta en Priscilla naar hun vrachtwagen te drijven, maar natuurlijk hadden de twee koppige, oude melkkoeien absoluut geen trek om in een voertuig te worden geduwd. Daarop pakte een van de mannen zijn pistool en twee anderen grepen het meest nabije dier, Pupetta, bij de hoorns. Toen zette degene met het wapen de loop tegen Pupetta's voorhoofd en riep: 'Vanavond biefstuk, jongens!'

'Dit kan ik niet aanzien,' zei Livia ademloos van afschuw.

'Wacht!' zei Marisa. 'Doe nou niks stoms...'

Maar Livia had de slaapkamerdeur al van het slot gedraaid en haastte zich naar beneden. Terwijl ze het erf op rende, hoorde ze een schot. Ze zag nog net hoe Pupetta's grote kop met een ruk naar achteren ging, de ogen van het dier wild in hun kassen rolden, haar enorme lichaam trilde op zijn poten – maar omvallen deed ze niet.

Toen pakte een van de soldaten een geweer en schoot in Pupetta's zij. Daarna begonnen alle mannen in het wilde weg te schieten; hun kogels scheurden kleine stukjes vlees uit Pupetta's huid en rond haar ribben verschenen donkere plekken. De mannen juichten en schreeuwden, herlaadden hun wapens en schoten opnieuw. Toen pas zakte Pupetta vermoeid door haar knieën en bleef daar liggen, trekkend met haar poten, als een hond die droomt dat hij rent. En toen bewoog ze niet meer. De plotselinge stilte werd slechts verbroken door de echo van de schoten uit de omringende bossen.

'We hebben een zaag nodig!' gilde een van de mannen naar Nino. Hij maakte er een zagend gebaar bij. 'Een zaag, *capice*?'

'Stelletje schoften,' snikte Livia, schuddend met haar vuist. En ze rende naar voren en knielde bij Pupetta's lichaam.

'Livia, terug naar binnen!' riep haar vader. Maar het was te laat: een van de soldaten had haar al beet en tilde haar lachend op. Ze had niet verwacht dat hij zo sterk zou zijn: toen ze hem met haar vuisten bewerkte, was het alsof ze tegen een boomstam beukte. En toen pakte nog een paar armen haar vast en werd ze door twee mannen achteloos in de vrachtwagen gegooid, bij het gestolen voedsel. Ze krijste woest en alle mannen begonnen te joelen. Toen klom een van de twee die haar achterin hadden gesmeten naar binnen, trok haar armen op haar rug en klemde haar beide vuisten in één van zijn sterke handen.

'Laat me los!' gilde ze, maar daarop juichten de soldaten alleen nog wat harder. Voor het eerst voelde ze iets van angst.

'Oké jongens, zo kan ie wel weer,' riep de officier luchtig. 'Gooi haar er nu maar weer uit.'

'Ik heb maar vijf minuutjes nodig!' lachte degene die haar beethield. 'Ik denk zelfs dat vijf secónden al genoeg zouden zijn, maar daar gaat het niet om. Als je een wijf wilt, zijn er daar in Napels zat van. We moeten weer verder.'

Met tegenzin liet de soldaat haar los, nadat hij eerst nog even snel zijn hand onder haar rok had laten glijden.

Een van de andere mannen was inmiddels begonnen met het afzagen van Pupetta's achterpoten. Toen deze alle vier achter in de vrachtwagen lagen, samen met alle andere onderdelen van de koe, trok de officier zijn portefeuille tevoorschijn en haalde er een paar biljetten uit, die hij Nino zonder iets te zeggen overhandigde. Het was honderd lire – in de verste verte geen redelijke vergoeding voor wat ze allemaal hadden meegenomen.

De hand van de officier aarzelde even. 'Hoeveel voor die meid?' bromde hij.

'Zij is niet te koop,' zei Nino.

De officier trok zijn schouders op en stopte de portefeuille weer weg. Met een spottend saluut klom hij vervolgens weer voor in de vrachtwagen. Bij het wegrijden sprong een van de kippen, die blijkbaar was geschrokken door de plotselinge beweging, in een wolk van veren over de laadklep naar buiten. De vrachtwagen stopte niet meer. Weldra bestond het enige geluid uit Livia's snikken terwijl ze Pupetta's grote kop wiegde, die nog steeds warm maar volkomen levenloos was.

'We mogen nog van geluk spreken,' zei Nino somber toen de truck eenmaal uit het zicht was verdwenen.

'Noemt u dit geluk?' huilde Livia. 'Ze hebben alles afgepakt dat we hadden.'

'Niet alles.' Nino hurkte naast haar en begon zacht haar haar te strelen. 'Begrijp je het dan niet? Het had nog veel erger kunnen zijn.'

8

In slechts vier jaar tijd was alles totaal veranderd. Toen Mussolini de oorlog afkondigde, zeiden sommige vrouwen dat hij net als alle Italiaanse mannen gewoon een beetje een haantje was, die uit pure branie een gevecht had uitgelokt. Dat konden ze echter niet zeggen tegen de mannen, van wie de meesten vonden dat *il Duce* het land van de ondergang had gered. Zijn verbond met Hitler betekende voor hen nóg meer bewijs dat hij enkel het belang van zijn land voor ogen had.

Enzo was vertrokken met een kus en een zwaai, in het volste vertrouwen dat hij over een paar maanden terug zou zijn. Maar toen kwamen de eerste berichten van tegenslagen; uit Afrika, Griekenland en toen Rusland kwam het nieuws: *Geachte signore en signora, het is met het diepste leedwezen dat de regering de eer heeft u te informeren over het heldhaftige offer van uw zoon....* Maar in zekere zin nog erger was de onzekerheid: als de stroom van brieven van een dierbare simpelweg stokte, zoals in Enzo's geval. Marisa schreef Livia dat de dorpelingen in Fiscino haar soms smeekten haar gaven aan te wenden om hun te vertellen of hun echtgenoot of zoon nog leefde. Zij weigerde dit echter altijd, met de mededeling dat haar waarnemingen zo ver niet reikten – hoewel ze Livia soms wel toevertrouwde dat die-en-die nooit meer terug zou keren.

Duitse soldaten hadden nu het garnizoen van Torre El Greco betrokken: de allereerste blauwogige mannen die Livia zag. In eerste instantie leken ze, ondanks hun uniformen en wapens, best aardig – tenslotte stonden ze met zijn allen aan dezelfde, winnende kant. Maar Italiaanse jongens die zich niet uit zichzelf aanmeldden, werden tijdens

66

grote *rastrellamenti*, arbeidsrazzia's, opgepakt. Diep in de nacht doorzochten de Duitsers dan elke woning, trokken kasten open en klopten op muren, op zoek naar geheime schuilplaatsen en trapten deuren in met hun kaplaarzen, terwijl hun honden als waanzinnigen tekeergingen en de hele buurt wakker blaften.

Het witbrood dat de plaatselijke bakkers voor de oorlog altijd bakten verdween. Voor je distributiebonnen kon je nu alleen nog een donkere broodsoort krijgen met een bikkelharde korst, die moest verhullen dat binnenin alleen wat draderig deeg met heel veel luchtgaten zat en een voedingswaarde van nul-komma-nul. Toen alle mannen weg waren, zaten ze nog maar met zijn vieren in het appartement van Enzo's ouders. Maar zelfs als ze al hun voedselbonnen bij elkaar legden, kregen ze per week nog maar één brood, een beetje pasta en wat bonen.

Op een nacht werd Livia wakker van een vreemd licht en een oorverdovend gegons. Ze liet zich uit het bed glijden, dat ze tegenwoordig deelde met Concetta, Enzo's jongere zus, om te zien wat er aan de hand was. Toen ze naar buiten keek, stokte haar de adem in de keel. Onder een zwarte zwerm van vliegtuigen werd de lucht schitterend verlicht door een spookachtige, zilverig sprankelende gloed die werd veroorzaakt door honderden neerbuitelende lichtfakkels.

Ze wist meteen wat haar te doen stond: ze moest zich in veiligheid zien te brengen in de grote verkeerstunnel onder de heuvels van Napels. Ze schoot een jurk aan en schudde Concetta wakker. De verkenningspijlen hadden hun werk echter al gedaan: toen ze de heuvel op renden, richting de tunnel, vielen de eerste bommen al. Huizen braakten grote wolken steen en hout uit, de hele hemel was gevuld met fluitend neerkomende voorwerpen en beneden bij de haven was het zilveren licht van de vuurpijlen verruild voor het vettige oranje van tientallen branden. Toch barstte het op straat van de mensen, die van hot naar her renden alsof het gewoon dag was. Toen ze langs een gat tussen een paar huizen renden, werden ze bijna omver geblazen door de hete vlaag van een explosie vlakbij. Livia hoorde metaal tegen de muur achter haar ketsen. Het was alsof ze door een zwaar noodweer moest – een storm van staal en springstof waar je je voorovergebogen doorheen moest werken, als tegen een orkaan.

Toen ze eindelijk bij de tunnel aankwamen, zagen ze dat deze al stampvol zat. Een paar mensen hadden dekens meegenomen, maar de meesten stonden simpelweg in het druipende, droefgeestige duister te wachten op de dageraad, want zelfs toen de vliegtuigen weg waren, was het nog veel te gevaarlijk om je weer buiten te wagen.

De volgende ochtend troffen ze een totaal van gedaante veranderde stad aan: het zag eruit alsof Napels door een paar reuzenvuisten was verpulverd. Ook de straten die geen schade hadden geleden waren bedekt met een dikke laag rood stof. Op sommige plaatsen was zelfs het wegdek in brand gevlogen en smeulden de beroete kasseien nog na in het zonlicht. Onder hun voeten knarste glas. Ze kwamen langs een etalage, waarin vier blikken tot één massief blok waren versmolten. Twee vrouwen probeerden het mee te nemen en moesten de stof van hun jurk om hun handen wikkelen, omdat het metaal nog steeds te heet was om aan te raken. Even verderop stond een hond aan een stoeptegel te likken, waar een paar Duitse soldaten bezig waren lijken in een vrachtwagen te laden.

Vanaf deze nacht sleepten de vier vrouwen hun matras elke avond naar de tunnel om daar te slapen. Het was er stikdonker, bedompt en het stonk er afschuwelijk – een mengeling van uitwerpselen, zwetende lijven en god weet wat nog meer – maar het was er wel veilig. Tegen de duizend mensen deden exact hetzelfde, terwijl er zich zelfs nog meer verdrongen in de oude aquaducten en catacomben die ooit waren uitgegraven in het tufsteen onder de stad. Langzaam wende Livia aan het onophoudelijke rumoer – het gesnurk, de vechtpartijtjes, de vrijende stellen, de huilende kinderen en zelfs af en toe een geboorte. Ze raakte gewoon aan de manier waarop de bodem onder haar bewoog als ze sliep en de grillige regen van cement tussen de bakstenen boven haar hoofd wanneer er weer eens vlakbij een bom was neergekomen. Stukken hinderlijker waren echter de luizen: grote, dikke, witte beesten waar elke deken, matras en elk kledingstuk van wemelde en die – althans dat werd gezegd – werden verspreid door de in het donker rondscharrelende ratten, die van de honger ook weleens aan een babyteentje schenen te knabbelen. Elke nacht kwamen de geallieerde vliegtuigen terug: het geronk van hun motoren drong tot diep in de tunnel door, gevolgd door de slagen, knallen en drukgolven van hun bommen, die geleidelijk aan van de stad één grote ruïne maakten.

En terwijl de oorlog maar voortduurde, werd de verhouding van de Italianen met de Duitsers steeds slechter. Mensen werden onder valse voorwendselen of vanwege een minieme overtreding van de krijgswet neergeschoten. Er waren dan wel geen mannen meer in de buurt om hier iets tegen te doen (op een paar fascisten en van dienstplicht vrij-gestelde ambtenaren na), maar de scugnizzi, straatschoffies, begonnen een soort officieuze ondergrondse te vormen. In zwermen vielen ze aan op Duitse tanks en staken flessen met brandende benzine in de gleuf onder de geschutkoepel. De Duitsers openden dan op hun beurt met hun machinegeweren het vuur en lieten de lijken gewoon liggen.

Quartilla raakte door de constante bombardementen helemaal op van de zenuwen. Toen er voor haar eigen voordeur een lijk werd gevon-den, zei ze Livia naar huis te gaan, terug naar Fiscino, omdat het daar veiliger was. Livia stelde voor haar en haar gezin mee te nemen, maar daar wilde Quartilla niets van horen. 'Ik ben geboren in Napels,' zei ze beslist, 'en in Napels zal ik sterven, als dat is wat God van mij wil.'

Ook het spoor was op diverse plekken gebombardeerd, waardoor de reis erg lang duurde. Maar op het platteland leek men inderdaad lang niet zo te hebben geleden als de Napolitanen. Livia moest haar gerech-ten echter in elkaar flansen van allerlei armzalige ingrediënten en meer dan eens diende ze een maaltijd op waar ze zich eigenlijk voor schaam-de. Zelfs het varken, Garibaldi, zag er uitgemergeld uit nu de aanvoer van kliekjes tot het absolute minimum was geslonken. Er zat niets an-ders op dan worst van hem te maken, maar zelfs daar deden ze maar een paar weken mee.

En de zorgen om Enzo bleven maar knagen. Livia smeekte haar zus haar te vertellen of hij nog leefde of niet. Maar Marisa trok dan altijd haar schouders op en zei: 'Het is net een signaal van een heel ver radio-station: soms weet ik het zeker, soms twijfel ik, maar meestal is er ge-woon niet meer dan een soort ruis. En zo is het bij Enzo ook. Waar hij ook is: het is ver, ver van hier.'

De Duitse soldaten, die nu de grootste klantenkring van het restau-rant vormden, gedroegen zich meestal beleefd. Op een avond hoorden ze echter dronken Duits geschreeuw ergens in het dorp, gevolgd door een salvo van schoten. De volgende ochtend lag de weduwe Esmerelda morsdood voor haar eigen huis op straat. Die avond pakte Marisa wat van de motorolie die in het zand van het plein was gedruppeld, vermengde deze met het bloed van een hanenkam en een verpulverde eierschaal en sprak er een vloek over uit. En of het nu toeval was of niet, daar kwam Livia maar niet uit, maar toen de Duitsers in hun tanks het dorp door reden begon er een ineens te sputteren, waarna hij er in een grote wolk van vuile rook de brui aan gaf.

En uiteindelijk kwam dan de dag waarop iedereen had gewacht. Een enorm aantal oorlogsschepen verscheen in de golf, hun kanonnen knallend en flitsend als tijdens een zware onweersbui. Pupetta en Priscilla begonnen nerveus te loeien en met hun poten te stampen. De dag erop weerklonken er nog veel meer explosies – uit de richting van Napels ditmaal, waar de Duitsers alles bleken op te blazen wat ze niet konden behouden. De geallieerde invasie was eindelijk een feit.

Heel even hing er toen een sfeer die bijna deed denken aan carnaval of zoiets. Er werd gezegd dat de nazi's zich met duizenden tegelijk overgaven, dat de geallieerden overal langs de kust landden, dat Rome zelfs al was gevallen. Maar geen van deze geruchten bleek ook maar in de verste verte op waarheid te berusten. De Amerikanen en Engelsen moesten voor elke vierkante centimeter hevig strijd voeren. En was er eerder dat jaar tenminste nog íéts te eten geweest, toen de herfst plaatsmaakte voor de winter begonnen de mensen overal om te komen van de honger. De osteria kon enkel openblijven dankzij de klandizie van een paar zakenlieden met goede connecties, zoals Alberto Spenza, die de gewenste ingrediënten vaak van tevoren lieten bezorgen. Voor de andere klanten beperkte het menu zich tot wat de Pertini's te pakken wisten te krijgen, zoals soep van het water waarin de dag ervoor de pasta was gekookt, op smaak gebracht met verse kruiden, of een salade van in melk geweekte korstjes oudbakken brood. Het kostte Livia al haar culinaire vaardigheid om van deze schrale ingrediënten nog iets eetbaars te fabriceren. Tegen de kerst was echter zelfs pasta moeilijk te bemachtigen en kostte een zak meel al meer dan een weekloon.

Nog voordat de geallieerden de restanten van de voedselvoorraad van de Pertini's kwamen opeisen, was duidelijk dat het na de bevrijding niets beter en in veel opzichten zelfs vele malen slechter zou worden dan tijdens de Duitse bezetting. Italië was nu een strijdtoneel, met aan geen van beide zijden Italianen. En voor de strijdende partijen was het winnen van de oorlog veel en veel belangrijker dan de behoeften van de plaatselijke bevolking.

9

en kleine hagedis die zag dat James wakker werd, vluchtte razendsnel in een scheur in de muur. Het was voor het eerst in maanden
dat hij weer eens had mogen genieten van de luxe van alleen op een
kamer slapen – en dan ook nog eens in zo'n enorm bed! Heel even wist
hij niet waar hij was. Toen zag hij de beschilderde blinden voor de hoge
ramen en stapte uit bed om ze open te trekken. Het was een soort trom-
pe-l'oeil en het tafereel aan de binnenkant was precies hetzelfde als het
uitzicht over de Golf van Napels buiten, al dartelden er naakte nimfen in
de zee in plaats van platgebombardeerde schepen. Aan de overkant van
de golf blies de Vesuvius een perfect rond rookkringetje uit.

James trok zijn uniform aan en schoor zich in de vlekkerige zilveren
spiegel, onder de nieuwsgierige blik van een cherubijn. Het ergerde
hem dat hij dat nog steeds maar eens per week hoefde te doen. Met
half toegeknepen ogen keek hij naar zijn spiegelbeeld. Met zijn kin vol
scheerzeep kon hij zich er een beetje een voorstelling van maken hoe
hij er mét baard uit zou zien: ouder, gewichtiger. Maar toen hij alle
zeep had weggeschraapt, was het weer een jongen die hem aanstaarde.
Wel had hij het idee dat zijn roodbruine krullen bovenop wat dunner
begonnen te worden. Er waren er die beweerden dat je haar uitviel van
de shampoo die het leger uitdeelde. Hij kon toch nog niet al kaal worden: hij was pas tweeëntwintig!

Op school was hij een echte classicus geweest. Hij vond zowel de geschiedenis als de taal van het oude Rome rustgevend, omdat ze hoorden bij een rijk dat niet eens zoveel verschilde van dat waarvoor zijn
school was opgericht, maar met het bijkomende voordeel dat er hele-

maal niets meer aan veranderde. Latijn was net cricket, of zelfs nog onweerlegbaarder: als je eenmaal een bepaalde reeks grammaticaregels onder de knie had, was het verder volkomen logisch – al vond je dan nergens meer een Romein om die logica aan te toetsen. Op het moment dat hij werd opgeroepen, waren zijn taalvaardigheden dusdanig dat hij meteen bij een inlichtingenkorps werd ingedeeld – om precies te zijn de Field Security Service – waar hem de keuze werd gegeven zich te verdiepen in Italiaans, Frans of Arabisch. Hij had voor Italiaans gekozen omdat die taal hem de meeste overeenkomsten met Latijn leek te hebben. Vervolgens had hij een paar uiterst aangename weken doorgebracht onder het toeziend oog van een sombere Toscaanse graaf, die hem net zolang Dante had laten voorlezen tot hij de taal vloeiend beheerste. En toen, met die typische FSS-logica, hadden ze hem naar Afrika gestuurd. Zijn bevelvoerend officier had eraan te pas moeten komen om te zorgen dat hij werd overgeplaatst.

Hij ging eerst eens kijken of Jackson er nog was. Deze had gister laten vallen dat hij vroeg op moest en het zag er inderdaad naar uit dat hij al was vertrokken. Dus besloot James zijn nieuwe huisvesting maar eens te inspecteren. Op deze verdieping bevond zich een tiental grote ruimten, allemaal gegroepeerd rond de binnenplaats beneden. De eerste ruimte die hij betrad was een keuken, waar tevens een tinnen badkuip in stond. Dit moest het domein zijn van Malloni, de huisknecht. Hij keek in de kastjes. Deze waren allemaal leeg, op een paar ingeblikte legerrantsoenen na. De moed zonk hem in de schoenen: overal stond op: VLEES MET GROENTEN – een smakeloze smurrie die hij in de afgelopen anderhalf jaar maar al te goed had leren kennen. Verder leek er bar weinig waar deze Malloni mee aan de slag kon.

De volgende ruimte was een stuk groter. Twee mannen in burger keken op van hun werk toen hij er binnenstapte. 'Hallo,' zei hij, enigszins verbaasd hen hier aan te treffen. Jackson had het wel over een paar burgers in zijn staf gehad, maar James had niet verwacht dat zij zo vroeg al zouden beginnen. 'Ik ben kapitein Gould.'

De twee Italianen leken niet bijster onder de indruk van deze mededeling. 'Carlo,' zei een van hen kortaf. En met een hoofdknik naar zijn kamergenoot: 'En Enrico.'

Volgens James' horloge was het nog niet eens acht uur. 'Waar zijn jullie mee bezig?' vroeg hij beleefd.

Carlo leek nogal overdonderd door deze vraag. 'Archief,' antwoordde hij zuinig.

'Van wat?'

'Uitgaven.'

'Mag ik?' zei James en pakte het papier waar Carlo op had zitten schrijven. '"Kapitein Teodor Benesti, informant, tweehonderd lire",' las hij op. '"Maarschalk Antonio Mostovo, contactpersoon, tweehonderd lire. Carla Loretti, gift, een kaas en een deken, waarde vijftig lire." Wat zijn dit allemaal?'

'Betalingen,' zei Carlo, het papier terug pakkend.

'Betalingen waarvoor?'

'Informatie.'

James voelde zich even draaierig worden. 'Je bedoelt steekpenningen?'

Carlo haalde zijn schouders op. 'Zo u wilt.'

'Nee, dat wil ik juist helemaal niet,' sprak James ferm. 'Ik weet niet hoe Jackson de boel hier runde, maar het betalen van informanten is geheel tegen de regels.'

Carlo keek hem uitdrukkingloos aan. 'U begrijpt het verkeerd: deze cijfers hebben geen betrekking op de betáling van steekpenningen, het is een overzicht van de steekpenningen die ons zijn aangeboden.'

'Juist,' zei James opgelucht. Het was natuurlijk wel correct dat elke poging om FSS-personeel om te kopen werd bijgehouden, zelfs als er niets was uitgewisseld.

'En al het geld dat we ontvangen,' vervolgde Carlo, 'stoppen we in een koektrommel in de kast – zodat we altijd precies weten hoeveel er is.'

Het draaierige gevoel keerde terug. 'En wat gebeurt er met dat geld uit die trommel?'

'Dat gebruiken we weer voor de steekpenningen die we uitdelen,' zei Enrico. De twee mannen keken James onbewogen aan.

Deze haalde diep adem. 'Van nu af aan mag er geen enkele betaling meer plaatshebben – van welke soort dan ook: uitdelen of ontvangen. Is dat duidelijk?'

'Si,' mompelde Enrico.

'Natuurlijk,' zei Carlo, zonder op te houden met het bijwerken van zijn overzicht.

'Zolang ik hier ben...' James deed zijn best een geschikte metafoor te bedenken. 'Spelen we met een recht slaghout,' opperde hij. Nee verdorie, dat was niet goed: nu had hij vast gezegd dat ze met een slagboom of misschien wel met slagroom gingen spelen! 'Eh... met een rechte hamer,' zei hij en maakte er behulpzaam het bijbehorende gebaar bij.

'O, uw Engelse cricket,' zei Carlo bestudeerd onverschillig. 'Wij kunnen vandaag helaas niet spelen: we hebben het veel te druk.'

Vervolgens zwegen de twee Italianen minutenlang. Pas toen James de kamer uitliep, bromde Enrico zacht: *'Ogni scupa nova fa scrusciu'*, elke nieuwe bezem veegt weer anders.

Tegen het middaguur had James de warboel van papieren herschikt in drie hoge stapels, die hij in zijn hoofd de labels 'fascisten', 'criminelen' en 'idioten' had meegegeven. Maar het belangrijkste was wel dat hij het Zwarte Boekje had gevonden: het logboek van alle bekende criminele elementen in de omgeving. Helaas leek Jackson ook hierbij niet erg nauwgezet te werk zijn gegaan. Het begon best redelijk met een keurige lijst van namen en adressen, met daarnaast de aantekening 'fascist' of 'boef' en een korte samenvatting van alle bewijzen tegen die persoon. Maar hoe verder hij bladerde, hoe kariger de informatie werd. Zo had Jackson naast de naam van één man genoteerd: 'schijnt drie tepels te hebben', naast die van een ander stond: 'verwijfd'. Ene Annuziata di Fraterno was 'aristocratisch en bekend om haar nymfomane neigingen', terwijl een zekere Giorgio Rossetti een 'ziekelijke angst voor wespen' had.

Gegeneerd en gefascineerd tegelijk was James gaan zitten om nog meer te lezen, toen de deur was opengevlogen en er drie mannen binnenkwamen. Omdat een van hen majoor was en daarom vermoedelijk zijn nieuwe bevelvoerend officier, sprong hij op en salueerde keurig. Carlo en Enrico keken even laatdunkend op en gingen toen weer verder met hun werk.

Majoor Heathcote was een gekweld kijkende man van tegen de

veertig. 'Om eerlijk te zijn geef ik geen reet om die spaghettivreters,' bekende hij James, 'maar ik wil dit district gewoon min of meer onder controle zien te krijgen. We dachten allemaal dat we onderhand allang in Rome zouden zitten, maar helaas hebben de moffen zich zo'n honderd kilometer noordelijker ingegraven, bij Monte Cassino, waar het intussen behoorlijk grimmig begint te worden. Kom gerust naar mij toe als je iets niet aankunt, maar eigenlijk hoop ik dat dat niet nodig zal zijn.'

James stemde met de majoor in dat hij hem vast maar weinig zou hoeven lastigvallen, waarop de bevelvoerend officier zich weer klaarmaakte om te vertrekken. 'O, en wat die bruiloften betreft...' zei hij, zich plotseling omdraaiend en James met een staalharde blik aankijkend. 'Probeer te voorkomen dat onze mannen trouwen. Dat geeft alleen maar een bak ellende en maakt de soldaten week. Want wie wil er nou sterven als honderd kilometer achter de vuurlinie een Italiaanse señorita zijn bed ligt warm te houden?'

'*Signorina*, sir.'

'Pardon?'

'*Señorita* is Spaans.' Toen hij zich realiseerde dat majoor Heathcote hier waarschijnlijk niet naartoe was gekomen om zijn Italiaans te laten verbeteren, zei James vlug: 'Maakt u zich geen zorgen, sir. Jackson heeft me uiterst grondig gebrieft over dat huwelijksgedoe.'

'Blij dat te horen!'

Toen vertrok de majoor, samen met een van zijn begeleiders. De andere, een kapitein met griezelig blauwe ogen, stak zijn hand uit. 'Tom Jeffries, A-force,' zei hij opgeruimd. 'Maar mijn vrienden noemen me Jumbo. Mijn kantoor is hier recht boven... hoewel ik daar natuurlijk niet vaak zit,' zei hij met een samenzweerderige knipoog.

Het A-force, dat waren de spionagejongens. Waarschijnlijk bedoelde Jeffries dus dat hij meestal weg was, vanwege strikt geheime opdrachten achter de vijandelijke linies. 'Natuurlijk,' zei James. 'Aangenaam kennis te maken.'

'Zeg, heb jij toevallig trek in een hapje? Verderop in de straat zit een tent waar ze een puike kalfslap serveren.'

En zo werd James voor de tweede keer in vierentwintig uur tijd bij

Zi' Teresa binnengeloodst. Áls de ober-kelner daar al verbaasd was hem opnieuw te zien, dan liet hij dat in ieder geval absoluut niet merken. Alleen keek Jeffries wel wat verbaasd toen Angelo hen met een discrete knipoog naar 'kapitein Goulds vaste plekje' leidde.

Onder het eten voelde Jeffries James aan de tand over diens gevechtservaring, die tot op dat moment op zijn minst minimaal moest worden genoemd.

'Geen zorgen! Misschien kunnen wij je er af en toe wel even tussensmokkelen,' zei hij. 'Er zijn altijd wel een paar van ons die vbg binnenwippen om een stel moffen om te leggen. Om je de waarheid te zeggen, is iemand die Italiaans spreekt meer dan welkom: onze jongens komen vaak gigantisch in de problemen omdat ze de taal niet machtig zijn.'

James maakte wat vage enthousiaste geluiden, om de indruk te wekken dat hij het erg jammer vond dat hij het veel te druk had om Vijandelijk Bezet Gebied binnen te wippen met een zootje bloeddorstige maniakken die geen woord over de grens spraken. In een poging gauw van onderwerp te veranderen, zei hij zacht: 'Balen hè, wat majoor Heathcote zei over onze opmars?'

'Hoe bedoel je?'

'Nou, dat de boel bij dat Monte Cassino muurvast schijnt te zitten.'

Jeffries' ogen begonnen te glinsteren. 'Hangt er vanaf hoe je het bekijkt. Denk eens goed na: waarom zijn wij hier?'

'Om de Duitsers te verslaan?'

Jeffries schudde zijn hoofd. 'Om zo veel mogelijk Duitsers bezig te houden, terwijl de hoofdmoot in Frankrijk voort kan – daarom! Het laatste dat Churchill wil, is wel dat de moffen met hun Italiaanse divisies weer de Alpen over glippen om hun verdediging daar te versterken. Dus terwijl zij denken dat ze óns tegenhouden, lopen ze eigenlijk mooi in onze val! Luister Gould, mag ik jou eens wat goede raad geven?'

Zi' Teresa moest dé plek zijn voor het geven van goede raad, dacht James. 'Natuurlijk.'

'Deze hele vertoning,' zei Jeffries, 'dit hele land, is in feite één grote afleidingsmanoeuvre. Dus als ik jou was zou ik mezelf maar eens lekker láten afleiden. Geniet ervan zolang het nog kan!'

Er kwam een vrouw naar hun tafel. Ze was groot en opvallend knap, had lang donker haar dat kunstig was opgestoken en gekruld en droeg een strakke, sluik vallende jurk die in een Mayfair-danszaal beslist niet uit de toon zou zijn gevallen. Maar, zo zag James, ze had ook een glazen oog, dat hem strak aanstaarde toen ze zich boog om Jeffries' wang te kussen. Hij rook een zweem van een duur parfum.

'Over genieten gesproken: mag ik je even voorstellen, dit is Elena... mijn vriendin,' zei Jeffries. 'Lieveling, dit is kapitein Gould.'

'Aangenaam kennis te maken,' zei James, opstaand.

'Ze spreekt eigenlijk niet zo goed Engels,' zei Jeffries. 'Maar ze is bijzonder charmant. Ze is schooljuffrouw.'

'Buongiorno, signorina,' zei James. '*Molto piacere di conoscerla.*'

Elena glimlachte. '*Voi parlate Italiano?*'

'Minder goed dan ik dacht, blijkbaar,' antwoordde hij in het Italiaans. 'Ik moet nog wat wennen aan het plaatselijke dialect.'

'U beheerst het anders al een stuk beter dan Jumbo. Zou u hem misschien even willen zeggen dat ik naar het toilet ga?'

'Maar natuurlijk.'

'Wat zei ze allemaal?' vroeg Jeffries toen Elena wegliep.

'Dat ze haar neus gaat poederen. Zeg, weet je zeker dat zij onderwijzeres is?'

'Waarom zou ze dat niet zijn?'

James dacht er even aan te herhalen wat Jackson hem de avond tevoren had verteld over Zi' Teresa's beroemde medewerkster met het kunstoog, maar Jeffries keek hem zo doordringend aan dat hij zich bedacht. Het kon natuurlijk best dat Napolitaanse schooljuffen zich zo kleedden. 'Misschien verwar ik haar met iemand anders,' maakte hij zich er gauw vanaf.

'Eigenlijk,' zei Jeffries, 'wilde ik het net met je over Elena hebben. Wij hebben een beetje last van een taalbarrière, zie je.'

James probeerde te kijken alsof deze mogelijkheid nog maar net bij hem was opgekomen. 'Werkelijk?'

'Ik wil een paar zinnen vertaald hebben. Alleen... een deel daarvan ligt nogal gevoelig.'

'O, dat geeft niet,' zei James wat onzeker.

'Hoe zou jij bijvoorbeeld zeggen: Eerlijk gezegd ben ik een beetje moe?'

'*Mi sento stanco, veramente.*'

'En wat is dan: Allemaal leuk en aardig, maar ik heb liever dat je dat niet doet?'

'Da's een beetje lastig zonder de juiste context, maar het zal iets moeten zijn in de trant van: *È molto bene ma non farlo, grazi.*'

'En hoe zit het met: Het begint nu zelfs best pijnlijk te worden?'

'*Mi fa male quando lo tocca.*'

'En: Hou op, alsjeblieft?'

'*Smettila, per favore.*'

Geluidloos gingen Jeffries' lippen op en neer terwijl hij de hem onbekende zinnen oefende. 'Nou, dat moet toch afdoende zijn,' zei hij ten slotte.

Toen Elena's neus genoeg gepoederd was, kwam ze terug. Jeffries en zij glimlachten flirterig naar elkaar en hielden elkaars hand over de tafel heen vast.

'Zeg, James,' zei zij toen in het Italiaans. 'Hoe vertel ik hem: *Aspetta?*'

'Eh... ik zou zeggen: Wacht.'

'Wakt?' probeerde ze.

'Nee: wacht.'

'Wag... wag! En hoe zeg ik: *Non smettere?*'

'Niet ophouden.'

'En: *Facciamolo ancora ma più piano?*'

'Dat zou moeten zijn: Laten we dat nog eens doen, maar dan iets langzamer.'

'Lanksam,' herhaalde ze. 'Laanksame. Mooi zo. En: *Svegliati, caro?*'

'Wakker worden, lieveling.'

'Wakke wodde, lieflienk. Oké, dan denk ik dat ik alles wel heb.'

'Jumbo?'

'Ja?'

'Is er nog iets waar jullie mij voor nodig hebben?'

'Nee, ik geloof dat ik nu helemaal goed toegerust ben. Dank je zeer.'

'In dat geval,' zei James, 'moest ik maar weer eens teruggaan. Vind je het goed dat ik míjn deel alvast betaal?'

Jumbo rolde zijn linkermouw op. Er zaten maar liefst zes polshorloges om zijn onderarm, elk indrukwekkend van afmeting. 'Niet nodig, ouwe jongen,' zei hij, gespte er een los en legde hem op tafel. 'Ik ben onlangs in Abruzzo tegen een paar Duitsers op gelopen: die trakteren vandaag.'

Toen James het Palazzo Satriano betrad, galmden er allerlei geluiden over de marmeren trap naar beneden. Het klonk alsof er een feest aan de gang was – of nee, geen feest: de stemmen die hij hoorde waren luid van boosheid en ontzetting, sommige zelfs schril.

Toen hij op de overloop de hoek omsloeg, werd de doorgang hem versperd door een groep vrouwen: jonge vrouwen, die allemaal tot in de puntjes waren gekleed. Ze stonden te duwen en te dringen, blijkbaar met de bedoeling de deur van het FSS-kantoor te bereiken. Vooraan was zelfs een kleine vechtpartij uitgebroken, waardoor degenen die er niet direct bij betrokken waren de kans grepen zich langs de strijdende partijen trachten te wringen en diens plek in te nemen, wat op zijn beurt voor nog meer onenigheid zorgde. Met enige moeite worstelde James zich door golven van geur, krijsende stemmen en glanzend zwart haar heen.

'Wat is hier in godsnaam aan de hand?' vroeg hij toen hij zijn veilige kantoor eindelijk had bereikt.

Carlo trok zijn schouders op. 'Het is drie uur.'

'Ik weet hoe laat het is, Carlo. Maar waarom staan er zoveel vrouwen voor de deur?'

'Dat zijn de *fidanzate*: de dames die willen trouwen met geallieerde militairen.'

'Wat, zoveel?'

'Nee, dit zijn alleen de laatsten: zij die nog geen tijdstip voor een vraaggesprek hebben.'

'Maar dan... mijn god, met hoeveel vrouwen hebben we nu dan al een afspraak?'

Carlo rommelde wat in een kastje en haalde er een enorme stapel papieren uit. 'Een stuk of veertig, vijftig.'

'Hoelang gaat dit al zo?'

Carlo trok maar weer eens zijn schouders op. Dit gebaar van hem, zo begon James te begrijpen, kon van alles betekenen; het was bijna een dialect op zich. Soms betekende het dat hij het antwoord op wat je hem had gevraagd niet wist; veel vaker betekende het echter dat hij zich niet wenste te verwaardigen over het betreffende onderwerp te discussiëren.

Geen wonder dat Jackson niets aan de zwarte handel heeft kunnen doen, dacht James: al zijn tijd moest zijn opgegaan aan het afhandelen van al die aanvragen van toekomstige oorlogsbruiden. Er vloog een gemene gedachte door zijn hoofd: misschien had hij zelfs expres een achterstand laten ontstaan voor zijn opvolger, toen hij eenmaal wist dat hij naar huis mocht. 'Goed dan,' zei hij. 'Het eerste dat we moeten doen is een overzicht maken. Carlo, stap jij even naar buiten om de dames te vertellen een nette rij te vormen?'

Met een uitdrukkingloos gezicht zei Carlo: 'Dat kán ik doen... maar dan zult u ze toch eerst moeten uitleggen wat een nette rij is.'

Het kostte hun bijna drie uur om alle namen en adressen van de vrouwen op te nemen. Aan het eind voelde James zich volledig uitgewoond.

Om stipt zeven uur stapte een kleine Italiaan James' kantoor binnen. Hij droeg een ouderwetse smoking met een vlinderdasje, dat bijna exact dezelfde maat en vorm had als de snor op zijn bovenlip.

'Diner zij opgediend,' sprak hij geheimzinnig, op een toon alsof hij de dood van een dierbaar huisdier aankondigde.

'Aha,' zei James. 'Jij moet Malloni zijn.'

'Iek eb de eer, ja. Wakt hiere!'

Even later verscheen hij weer, met een dampende terrine in zijn handen. 'Ies diner.'

'Juist. En waar zet je dat gewoonlijk...?' zei James, wijzend op de tafel die nog steeds vol lag met Jacksons papieren, hoewel nu gesorteerd. Hij keek toe hoe Malloni alles achteloos naar het midden van de tafel schoof, om plaats te maken voor zijn terrine. Toen haalde hij achter de deur een bronzen gong tevoorschijn en sloeg er plechtig driemaal op.

Een voor een verschenen daarop een aantal Engelse officieren, die zich voorstelden als zijn tafelgenoten Kernick, Walters, Hughes en

French. Zij hielden kantoor in andere delen van het gebouw, waar ze zo mogelijk nog vagere bureaucratische handelingen verrichtten dan hij. Ze keken allemaal afgetobd en verwilderd voor zich uit.

Malloni kwam met wat groen uitgeslagen tafelzilver en stokoud serviesgoed en zette voor iedereen een bord neer. Ook was er een kandelaar met kaarsen, die hij echter niet aanstak, en zette hij enkele dekschalen op tafel. James voelde aan het bord voor hem. Het was ijskoud.

Ten slotte drapeerde Malloni een witte doek over zijn linkerarm, als de cape van een stierenvechter, en tilde met zijn andere hand triomfantelijk het deksel van de terrine op. Hierin lag, zoals James al had gevreesd, een aantal porties 'Vlees met Groenten' – uit het blik gehaald, doorgeroerd en opgewarmd. Voorzichtig tilde hij het deksel van een van de schalen met bijgerechten op: eveneens 'Vlees met Groenten'. Hij probeerde er nog een: alweer 'Vlees met Groenten'. Hij keek hoe Malloni zijn ronde om de tafel maakte. Hij ging steeds keurig links van elke gast staan en hield hem de terrine voor, zodat hij er wat van kon opscheppen.

'Jackson had me al gewaarschuwd dat hij er niet zoveel van bakt,' bromde hij tegen Kernick.

'Hij is anders nog beter dan de vorige,' fluisterde Kernick terug. 'Die deed er altijd een enorme hoop knoflook in. Dat maakte het volgens hem Italiaanser... maar we gingen er alleen maar van stinken.'

'Maar waarom zoeken jullie niemand anders?'

'Omdat hij aan prima whisky kan komen. Zo nu en dan weet hij zelfs wat sigaren te bemachtigen!'

Zo mogelijk nog plechtiger zette Malloni nu een fles Vat69 op tafel, toverde een stiletto tevoorschijn, sneed het zegel met een nonchalant gebaar door en schonk toen iedereen royaal in. James nipte aan zijn glas. Hij was beslist geen kenner, maar dit leek hem een bijzonder geniepig brouwsel, met een onmiskenbaar petroleumachtige nasmaak.

Hij prees zich gelukkig dat hij zijn maag reeds bij Zi' Teresa had gevuld en schepte zo weinig mogelijk op. Zijn tafelgenoten verorberden hun portie echter vol enthousiasme – wat even later deels werd verklaard door de gretigheid waarmee ze hun bord opzij duwden en overgingen tot het ware doel van dit samenzijn: kaartspelen. Ook Malloni leek helemaal op te leven toen hij een groot kasboek opensloeg om alle weddenschappen in bij te houden.

'*Scopa*,' verklaarde Kernick. 'Speelt iedereen hier; behoorlijk verslavend ook nog. Je doet toch zeker mee, hè Gould?'

French zette de radio aan. De afgemeten stem van een BBC-presentator zei: 'En nu enige boodschappen voor onze vrienden in Noord-Italië. Mario, de koe van je moeder is ziek. Guiseppe, tegen zonsopgang kan het gaan regenen.'

'Zo, Guiseppe krijgt het vannacht dus druk,' merkte Kernick op. Toen hij James' blanco blik zag, lichtte hij toe: 'Instructies voor de partizanen; allemaal in code.'

'Ik had vandaag iets mafs aan de hand,' vertelde Hughes terwijl hij de kaarten schudde. 'Ik moest een heel orkest arresteren omdat ze de moffencultuur hadden gepromoot. Iemand had geklaagd dat zij Beethoven speelden.'

'En? Heb je ze gepakt?' vroeg Kernick terwijl hij ingespannen zijn kaarten bestudeerde.

'Nee: Malloni hier blijkt het een en ander van klassieke muziek te weten en Beethoven is dus eigenlijk een Belg.'

'Bravo, Malloni!' De kok haalde bescheiden zijn schouders op.

Opeens klonk er een oorverdovend kabaal beneden, gevolgd door een soort schrijnende gil. En er echode nog veel meer geraas de stenen trap op, vergezeld van nog meer gekrijs.

'Wat ís dat in vredesnaam?' vroeg James.

'De Amerikanen,' zei Walters. 'En ze noemen het jazz.'

Toen James wat beter luisterde kon hij inderdaad een soort melodie uit de verstikte kreten halen, waarschijnlijk afkomstig uit een klarinet, maar het drumstel klonk hem nog steeds in de oren alsof het eerder werd gebruikt als boksbal dan als muziekinstrument.

'Ze doen het nog niet zo lang,' voegde Walters er ietwat overbodig aan toe. 'Maar ze zijn behoorlijk fanatiek: ze oefenen elke avond.'

Toen hij dankzij een paar potjes scopa een halve crown kwijt was, besloot James naar bed te gaan. De jazzmuziek ging echter tot in de kleine uurtjes door, wat hem het slapen behoorlijk belette. Toen hij eindelijk was ingedommeld, droomde hij van Napolitaanse verloofdes.

Hij schrok wakker op het moment dat de klarinet beneden weer een opgewonden kreet slaakte. Maar dat was niet wat hem had doen ontwaken. Hij luisterde scherp. Daar had je het weer: een zacht geklop op zijn kamerdeur. Hij stapte uit bed en deed de deur open.

Er stond een kind voor zijn neus. Haar haveloze kleding, groezelige blote voeten en verwarde haren kenmerkten haar meteen als een *scugnizza*. Zijn eerste gedachte was dan ook dat ze liep te stelen. Maar toen dacht hij aan het geklop. Zelfs in Napels kondigden dieven zich niet eerst aan voor ze je beroofden. '*Buona sera*', zei hij daarom vriendelijk. '*Come sta?*'

Het meisje leek niet te kunnen kiezen tussen dichterbij komen of wegrennen, als een hert dat tijdens het grazen is gestoord.

'Ik kom voor mijn deken,' zei ze, met een zo zwaar Napolitaans dialect dat hij haar amper verstond.

'Welke deken?'

Ze wees naar zijn bed. 'Ik krijg ze van de man die hier woont.'

Omdat dekens in elk bezet land als erkend betaalmiddel dienden, begreep James dat er sprake moest zijn van de een of andere transactie. 'Waarvoor geeft hij je die dan?' vroeg hij. Toen ze hem daarop aankeek, voelde hij zich opeens vreselijk dom: haar blik was niet die van een kind, maar van de vrouwen die arm-in-arm de bars af liepen. 'O,' zei hij.

'Geeft u mij ook een deken?' vroeg ze.

Hij pakte alle dekens die hij missen kon. 'Hier, neem maar mee,' zei hij, zo hartelijk als hij kon. 'Ik vrees alleen dat er niet meer komen.'

Ze knikte en begon de dekens zorgvuldig uit te kloppen en opnieuw te vouwen, waarna ze net zo geruisloos verdween als ze was gekomen. James dacht aan wat Jackson de avond voor zijn vertrek had gezegd: *Er zijn hier geen regels, alleen bevelen.*

Omdat hij wist dat hij nu toch niet kon slapen, pakte hij zijn overhemd en maakte het borstzakje open op zoek naar een sigaret. Zoals iedereen had hij de Engelse Bengal Lancers inmiddels verruild voor de veel betere Camels en Chesterfields die in de Amerikaanse noodrantsoenen zaten. Hij stak er een op; de rook vermengde zich met de geur van jasmijn en bougainville die door het open raam binnen zweefde.

Achter het pakje sigaretten zat een brief. Na een korte aarzeling trok hij hem eruit. Deze reisde al zo lang met hem mee en was al zo vaak nat geworden en weer opgedroogd, dat hij bij de vouwen begon te scheuren. Het was net zo'n kanten zakdoek, die je krijgt als je een krantenpagina opvouwt en er kleine stukjes uit scheurt. De tekst was echter nog best te lezen.

Wendover Farm,
Wendover,
Bucks
14 november 1943

Lieve James,

Dit is een akelige brief – akelig om te schrijven en nog akeliger om te krijgen, lijkt me. Ik wilde dat ik je dit persoonlijk kon zeggen, maar ik heb er erg vaak over nagedacht en het lijkt me gewoon beter om je nú te vertellen hoe de zaken ervoor staan, dan te wachten tot we elkaar weer zien – wat nog wel maanden kan duren. Daarbij wil ik niets achter jouw rug om doen. En het zou ook niet eerlijk zijn tegenover Milo om hem tot jouw volgende verlof te laten wachten – wanneer dat ook mag zijn.

Liefste James, wees alsjeblieft niet boos. Natuurlijk is je trots gekrenkt omdat je de bons krijgt (stomme uitdrukking, maar ik kan even niets beters bedenken), maar los daarvan heb ik het gevoel dat jij het wel zult begrijpen. Sinds ik weg van huis ben en het met andere meiden over hun vriendjes heb (ik heb niet over jou geroddeld, echt niet, maar het werk is erg saai en sommigen kletsen gewoon graag), ben ik gaan inzien dat wat wij samen hadden eigenlijk meer een warme vriendschap dan een liefdesverhouding was. In wezen voel ik nog steeds hetzelfde voor je: ik vind je lief & hou van je als van een broer – een lievelingsbroer ook nog. Maar nu is er ook nog een hele reeks van nieuwe gevoelens – die voor Milo bedoel ik. Als de oorlog er niet tussen was gekomen, had ik hem waarschijnlijk nooit ontmoet. Dan waren jij en ik zonder veel nadenken met elkaar getrouwd, was jij me 'ouwetje' gaan noemen – net zoals je vader altijd bij je moeder doet – hadden we een stel kinderen gekregen en was het nooit bij ons opgekomen dat er iets miste. En dan heb ik het dus over hartstocht.

Denk alsjeblieft niet dat ik jou iets verwijt, James. Ik probeer alleen maar uit te leggen dat het goed is dat onze wegen zijn gescheiden, voordat we nog sterker met elkaar verbonden waren en uiteindelijk toch ontdekten dat...

Er was nog veel meer – een bladzijde of drie, vier – maar het kwam erop neer dat ze een Poolse vliegenier had leren kennen, die haar kon geven wat hij nooit had gekund: hartstocht dus. En het was waar: hun gevrij, als hij Jane meenam naar een diner dansant of de achterste rij van de bioscoop, was altijd wat stuntelig gegaan. Hijzelf had dat toegeschreven aan hun beider onervarenheid: in zijn onschuld had hij aangenomen dat een keurig opgevoed meisje tot haar huwelijksnacht helemaal niet wílde worden verleid – een gebeurtenis waar hij overigens altijd met een warm gevoel naar had uitgekeken. Had hij dat soms met haar moeten bespreken? Maar zij had nooit laten doorschemeren, dat ze zich niet helemaal dood zou schamen als hij het betreffende onderwerp te berde had gebracht. Jazeker, de zeldzame directheid van deze brief was een schok voor hem geweest: alsof deze ander niet alleen in staat was een reeks van nieuwe gevoelens bij Jane los te woelen, maar ook een geheel nieuwe openhartigheid. Of misschien kwam dat wel doordat ze oorlogsvrijwilligster was geworden.

Het was hem echter zonneklaar dat één reden voor haar brief was dat ze een zuiver geweten wilde, voor ze met haar nieuwe vriendje de koffer in dook. Dat was dan ook zo'n beetje het eerste dat bij hem opkwam toen hij de brief las: ze zal intussen wel met hem hebben gevrijd – misschien al de avond nadat ze deze brief had gepost... Nee, hij wilde er niet meer aan denken! Hij stopte de brief weg en ging weer op bed liggen.

'Hartstocht,' zei hij spottend met een mond vol rook. Wat wás dat nou helemaal, als puntje bij paaltje kwam? Het was toch eigenlijk gewoon je belachelijk aanstellen? Je gevoelens waren immers niet anders; je stond jezelf alleen toe ze breeduit te tonen. Wat was daar nou zo geweldig aan? Italianen schenen ook zo hartstochtelijk te zijn. Zoals hij het zag, betekende dat echter gewoon dat ze zich veel te snel opwonden, veel te veel praatten en vrouwen met een enorm gebrek aan respect bejegenden. Des te opmerkelijker dat die vrouwen dat vaak niet eens erg leken te vinden!

Hij zuchtte. Seks was gewoon nóg zoiets dat door de oorlog compleet op zijn kop was gezet. Veel van de mannen vonden dat wie nog geen ervaring had, gewoon even een duwtje in de juiste richting nodig had – zoals worden meegesleept naar het dichtstbijzijnde bordeel. Maar al vóór zijn etentje met Jackson had James telkens ja gezegd, als hem werd gevraagd of hij thuis een meisje had – want dat hield je nu eenmaal buiten allerlei problemen.

10

*N*adat de soldaten Pupetta hadden doodgeschoten en haar achterpoten eraf hadden gezaagd, hadden de Pertini's een probleem: wat moesten ze nu met de rest? Er was geen markt meer om het
vlees op te verkopen en áls het officiële voedselbureau al bereid was geweest kostbare benzine te verspillen om het karkas op te halen, dan
hadden ze er toch maar een paar lire voor gekregen.

Het was Livia die uiteindelijk bedacht dat ze een *festa* konden houden.

'Maar hoe moet iedereen ons dan betalen?' wilde haar vader weten.
'Niemand heeft tegenwoordig nog geld. Zeker niet om vlees te kopen.'

'Ze betalen gewoon wat ze missen kunnen. Tenslotte is alles beter
dan prima voedsel zomaar weg laten rotten. En wie weet herinneren ze
zich na de oorlog wel dat ze ons nog iets schuldig zijn.'

'Maar met wie moeten we dan dansen?' vroeg Marisa. 'Er zijn helemaal geen mannen meer.'

'D'r zijn er nog wel een paar. En als er ergens vlees is, komen ze allemaal.'

Ze tilden Pupetta's karkas op een enorm spit, gemaakt van een paar
balken die gekruist tegen elkaar waren gezet met een berg eikenhout
erop. Het vuur werd bij het aanbreken van de dag aangestoken; tegen
de middag dreef de inmiddels ongewone geur van geroosterd vlees
door het hele dorp. De buren hielpen met het naar buiten sjouwen van
de tafels en stoelen en er was ook geen gebrek aan vrijwilligers die het
vuur brandend hielden en Pupetta draaiend, om te voorkomen dat haar
vlees te droog werd.

Livia en Marisa maakten intussen samen alle andere gerechten klaar: lekkernijen bereid van Pupetta's hart (in blokjes gesneden en op rozemarijntwijgen gespietst), haar tong (gekookt en in een steelpan, onder zware stenen samengeperst), haar hersenen (bereid met tomaten, *pioppino*-paddenstoelen en *munnezzaglia*, verschillende pastasoorten door elkaar) en haar lever (fijngemalen en gebakken met sjalotjes). Geen enkel deel van de buffel werd weggegooid. Groenten waren nog steeds schaars na alle ontberingen van de afgelopen winter, maar toch waren er ook *cannellini*, geserveerd met een beetje rundervet en hele venkelknollen, gaar gekookt in de koelere as aan de rand van het vuur. *Coccozza*, een pompoenachtige groente, en *tenurume*, de tere voorjaarsscheuten van de courgetteplant, waren er in overvloed. En natuurlijk was er verse mozzarella, bereid van de melk van die arme Priscilla – die zich sinds Pupetta's dood zo ellendig voelde dat ze nog maar de helft van haar vroegere melkproductie haalde, maar in ieder geval nog leefde. Al met al was het een feestmaal zoals niemand van hen in jaren had gegeten. En hoewel de omstandigheden verre van ideaal waren, had Livia het gevoel dat dit een soort keerpunt was: van nu af aan ging het misschien allemaal weer de goede kant op.

Alle mannen uit de wijde omgeving kwamen, precies zoals Livia had voorspeld. Het waren er akelig weinig – enkel kreupele, ziekelijke, stokoude en piepjonge, mannen met een beschermd beroep en zij die over genoeg geld of invloed beschikten om aan de rastrellamenti te kunnen ontkomen. Alberto en zijn mede-camorristi waren er natuurlijk ook. Livia had hen graag geweigerd, maar ze wist dat haar vader hun geld niet kon missen. Een stuk boeiender voor de meeste dorpelingen waren echter de Lacino-broers, Cariso en Delfio, die uit een krijgsgevangenkamp in het noorden hadden weten te ontsnappen en de dik driehonderd kilometer naar huis lopend hadden afgelegd, dwars door de Duitse en geallieerde linies heen. Als zíj veilig konden terugkeren, hoeveel zouden er dan uiteindelijk nog komen?

Volgens de Napolitanen is honger de beste saus. Dus pas toen al het eten op was en een waardige rustpoos was verstreken als eerbetoon aan het uitmuntende maal, begon de muziek. Livia knoopte haar schort af. Ze had echt zin om te dansen, maar tot haar grote verbazing kon ze geen partner vinden. Ze keek rond in de hoop dat iemand haar blik zou beantwoorden. Maar het enige dat ze zag, waren ogen die snel wegkeken en steelse bewegingen in de broekzakken van de oudere mannen: telkens wanneer ze iemand aankeek, greep deze naar zijn testikels. Dat zou ze grappig hebben gevonden, ware het niet dat ze heel goed wist wat dat gebaar, dat nog ouder was dan het christendom, inhield: deze mannen trachtten het *malocchio*, het boze oog, af te weren.

'Wie wil er met mij dansen?' vroeg ze en keek ze één voor één recht in de ogen. 'Felice,' besloot ze. 'Jij hebt je maar al te graag te goed gedaan aan mijn lievelingskoe. Dans jij met me?'

De man schuifelde wat met zijn voeten, maar gaf geen antwoord. 'Franco,' zei Livia toen tegen een andere ontstelde dorpsgenoot. 'Jij dan? Wij hebben al honderden keren samen gedanst.'

'Maar dat was voor Enzo's vertrek,' zei Franco stilletjes.

'Wat heeft dat er nu mee te maken?' zei ze bozig, maar toen wendde ook hij zijn blik af. Zo liep Livia alle mannen af, totdat ze tenslotte bij Alberto kwam. Deze lachte zelfgenoegzaam. Híj zat hier natuurlijk weer achter, wist ze opeens.

'Alberto...' zei ze.

Hij knikte. '*Sì?*'

Ze liet hem zo lang mogelijk in de waan dat ze ook hem zou vragen met haar te dansen. 'O... niks,' zei ze na een lange pauze schamper. 'Marisa, jij danst wel met me, hè?'

Er klonk een onderdrukt gegniffel toen de anderen een stiekeme blik op Alberto's woedende gezicht wierpen. Het was een zoet moment. En het werd allemaal nog veel mooier toen Livia en haar zus samen de *tammorriata* begonnen te dansen, een lenige en verleidelijke dans die altijd zonder mannen wordt uitgevoerd. Livia zag de donkere fonkeling van begeerte in de ogen van de toekijkende mannen; toch bleven ze bijgelovig naar hun ballen grijpen als ze te dicht in hun buurt kwam.

'Dat hebben we weer aan Alberto te danken,' bromde ze in Marisa's oor, terwijl de zussen op het ritme van de *tammurro* over het pleintje cirkelden.

Maar toen ze terugliep naar haar stoel bedacht ze ineens een andere verklaring: Enzo!

Ze rende naar de tafel waar de Lacino's bij elkaar zaten. 'Alsjeblieft,' smeekte ze de twee broers. 'Als jullie ook maar íéts weten, vertel het me dan!'

Cariso keek haar hevig verward aan; Delfio nam het woord. 'We weten het niet zeker,' zei hij. Het viel haar op hoe zijn stem was veranderd sinds zijn vertrek – hij klonk gebroken en schor, alsof hij te veel had geschreeuwd. 'Maar in het kamp klampten we natuurlijk iedereen die we tegenkwamen aan om nieuws over mensen uit onze streek. Er waren er ook een paar die samen met Enzo in Rusland hadden gezeten.'

'En?' gilde ze haast.

'Het spijt me, Livia,' zei Delfio en hield haar blik vast. En zij dacht: hij was nog maar een kind toen hij vertrok; nu heeft hij over de dood gesproken, hem gezien en misschien zelfs meerdere malen veroorzaakt. 'Hij is dood,' zei Delfio eenvoudig. 'Hij lag in een stelling die door een Engels gevechtsvliegtuig onder vuur werd genomen. Niemand van hen heeft het overleefd.'

Livia draaide zich naar Marisa. 'Kan dit waar zijn?'

Haar zuster keek haar gespannen aan. 'Livia, het spijt me zo,' fluisterde ze toen.

'Die arme Enzo,' zei Livia als verdoofd. Dit was het dus: dat wat elke vrouw vreesde en wat zovelen al hadden moeten doorstaan, was haar nu dus ook overkomen. Nu was ze *vedova*, weduwe. Het leek onwerkelijk. De rest van haar leven zou ze zwart moeten dragen en bij de mis als een oud vrouwtje voorin de kerk moeten zitten. En Enzo, arme Enzo... was dood. Dat prachtige lichaam, dat lijf dat ze had gekust, waar ze mee had gevrijd, mee geslapen, mee gelachen – dat krachtige jonge lijf lag al tijden onder de grond, waar zijn vlees langzaam uiteenviel, in een graf in een ver land waar zij zich niet eens een voorstelling van kon maken.

Allerlei gedachten tuimelden in haar hoofd over elkaar heen. Waarom hadden ze het haar niet eerder verteld? Ach natuurlijk: vanwege het feestmaal. Niemand had de voorbereidingen met dit afschuwelijke nieuws willen verstoren, voor het geval het hele festa dan zou worden afgelast. Maar waarom had Quartilla haar nooit geschreven? Als Enzo's moeder moest zij de officiële kennisgeving toch hebben ontvangen. Heel even klampte ze zich vast aan de minieme kans dat Cariso en Delfio zich vergisten, dat haar schoonmoeder geen contact had opgenomen omdat zij helemaal geen brief had gekregen. Maar toen ze weer naar hun trieste gezichten keek, wist ze dat het echt waar was.

Ze had in de afgelopen jaren zoveel rouwende vrouwen gezien. Na de eerste grote schok stortte zo'n echtgenote of moeder meestal helemaal in. Dan gilden en jammerden ze, rukten aan haar en kleren als publiekelijke uiting van hun pijn en ellende, riepen krijsend God en alle heiligen aan, vloekten en huilden. Dat vond iedereen volkomen normaal. En als ze zo naar de gezichten om haar heen keek, werd dit nu ook zo'n beetje van haar verwacht.

Maar zij gilde en tierde niet. In plaats daarvan vulde haar hart zich met een diepe, moordzuchtige haat: het was allemaal de schuld van de geallieerden! Geallieerde kogels hadden Pupetta gedood en nu had een geallieerde piloot, vanaf zijn veilige plek hoog in de lucht, haar arme echtgenoot doodgeschoten, iemand die vocht in een oorlog waar hijzelf op geen enkele manier verantwoordelijk voor was. En dan hadden ze ook nog het lef zich de bevrijders van Italië te noemen!

Ze draaide zich abrupt om en begon weg te lopen van het vuur, het donker in – ze wilde alleen zijn. En toen begaven haar benen het: ze viel regelrecht in Marisa's wachtende armen en liet zich door haar zus het huis in helpen. Buiten liep het plein langzaam leeg; iedereen ging stilletjes naar huis.

Toen pas kon Livia huilen – en krijsen en jammeren en vloeken. Maar het was niet enkel Enzo om wie ze huilde. Tot op dat moment had ze kunnen hopen dat, als de oorlog eenmaal voorbij en Enzo terug was, alles beter zou worden. Nu wist ze dat het leven hard zou worden, harder dan ze ooit had gedacht. Livia rouwde om Enzo, maar ze huilde ook om zichzelf.

II

'*W*eet u waarom ik hier ben?'
Het meisje knikte. 'Si, u bent de huwelijksofficier.'
'De Field Security-officier,' verbeterde James haar. Hij had besloten de term 'huwelijksofficier' niet langer te gebruiken: alsof het regelen van huwelijken voor anderen het enige was waaruit zijn werk bestond! 'Ik ben hier om een officieel rapport op te maken, waarin staat dat u geschikt bent om te huwen met soldaat...' Hij spiekte even op zijn notitieblok. '... Griffiths.'

De dame in kwestie heette Algisa Fiore en was zeer knap. James moest erg zijn best doen de verleiding te weerstaan haar aan te staren en alle details van haar gezicht in zich op te nemen – die zachte jukbeenderen, dat zwartglanzende haar, die opvallend grote donkere ogen... Ze keek hem aan en haar reeënogen liepen over van geluk. 'Kent u Richard?' vroeg ze verheugd.

James moest helaas bekennen dat hij soldaat Griffiths nog niet had ontmoet.

Er gleed even een wolk van onbegrip over Algisa Fiores mooie gelaat. 'Maar hoe kunt u dan beslissen of wij geschikt voor elkaar zijn? Ach, geeft ook niet: dan zal ik u over hem vertellen; ik praat graag over Richard. Om te beginnen is hij *molto gentile*,' zei ze. 'Hij houdt van dieren – net als ik.' Ze vouwde haar prachtige lange vingers over haar knie en keek hem aan alsof ze hem uitdaagde te opperen dat een gedeelde liefde voor dieren onvoldoende basis was voor een leven samen. 'U moet echt proberen hem een keer te ontmoeten. Volgens mij zult u het prima met elkaar kunnen vinden. Iedereen is dol op Richard.' Aan een van haar vingers zat een ring. Ze keek er even dromerig naar. 'En hij is zo dapper! Hij heeft ooit drie Duitsers gedood, enkel met zijn blote handen en een lepel.'

'Ik geloof best dat soldaat Griffiths een prima kerel is,' zei James. 'Maar ik vrees dat ik u toch ook wat praktischer vragen moet stellen.'

'U kunt me alles vragen.' Ze leunde achterover en begon met het zilveren kruisje rond haar nek te spelen.

'Spreekt u Engels?'

'Een beetje.'

'Wat moet ik me daarbij voorstellen?' In het Engels zei hij vervolgens, uiterst langzaam en duidelijk: "'Ik had graag twee banen gordijnstof en zes plakjes bacon, alstublieft".'

Algisa Fiores lach was al even verrukkelijk als haar uiterlijk. 'Ik heb geen flauw idee.'

"'Ik geloof dat u mij niet genoeg wisselgeld heeft gegeven".'

Ze trok haar schouders op. 'Nee, het spijt me.'

'En spreekt soldaat Griffiths Italiaans?'

'Niet echt.'

'Hoe communiceert u dan met elkaar?'

'Hij is wel in staat me duidelijk maken wat hij wil,' zei ze met een vage glimlach.

James kuchte. 'Wat weet u van Engeland?'

'Ik weet dat dat het land is waar Richard vandaan komt.'

'Maar weet u bijvoorbeeld ook dat het er een stuk kouder is dan hier?'

'Ik weet dat de vrouwen er lelijk zijn. Tenminste, dat zegt Richard.'

James gaf het op. Zo kwam hij er niet uit. Wat had Jackson ook alweer gezegd? *In wezen is het jouw taak om uit te vinden of ze al dan niet een hoer is.* Hij keek om zich heen. Algisa Fiores appartement was klein, leeg en smetteloos schoon. 'Hebt u werk?'

Haar grote ogen werden opeens totaal onleesbaar. 'Er is in heel Napels geen werk meer.'

'Waar leeft u dan van?'

Ze blies met haar lippen. 'Ik weet me te redden.'

'Ik vrees dat u iets duidelijker zult moeten zijn.'

'Ik heb een oom in Sicilië. Die stuurt me geld.'

Hij herinnerde zich dat Jackson met name over 'ooms' vernietigend was geweest. 'Mag ik dan misschien zijn adres?' vroeg hij, zijn pen al boven het notitieblok. 'Dan neem ik contact op met uw oom en als zijn verhaal klopt met het uwe, is er geen enkel bezwaar.'

Er viel een lange stilte. Algisa Fiore frunnikte aan het kruisje aan haar halsketting en wipte met haar voet. 'Dat weet ik niet meer.'

'U weet niet waar uw oom woont?'

'Hij verhuist nogal eens,' voerde ze ter verdediging aan.

'Wat is dan het laatste adres dat u zich herinnert?'

Opnieuw een lange stilte.

Toen zei James vriendelijk: 'Waar komt het geld werkelijk vandaan, mejuffrouw Fiore?'

Ze sloeg haar benen over elkaar, trok haar jurk over haar knieën en zei uiteindelijk: 'Van soldaten.'

'U neemt geld aan van soldaten?'

'Als ze het me aanbieden, ja.'

Hij noteerde: 'A.F. heeft zo goed als bekend te leven van de prostitutie.' Toen stond hij op. 'Ik zou graag nog even een kijkje nemen in uw appartement.'

'Natuurlijk,' zei ze, eveneens opstaand – een schouderbandje van haar jurk was afgegleden, zag James. 'Ik leid u wel even rond.' En ze reikte langs hem heen naar de deurklink. Hij wist niet of het de honingkleurige huid van haar blote schouder was of simpelweg de ongewone nabijheid van een mooie vrouw, maar hij voelde ineens een ongemakkelijke golf van begeerte door zijn lichaam trekken.

'Laat mij maar,' zei hij bars.

Ze trok haar schouders op. 'Zoals u wilt.'

Hij inspecteerde het hele appartement. Dat was zo leeg dat dit niet erg veel tijd kostte. Wel zag hij een stuk zeep in de slaapkamer en een half witbrood en een flesje olijfolie in de keuken. Hij maakte hier een aantekening van. Toen hij terugkeerde in de woonkamer, stond ze hem bijna geheel ontkleed op te wachten; zijn allereerste naakte vrouw. Haar jurk hield ze in een prop voor zich, om nog iets van haar zedigheid te bewaren.

'O,' zei James alleen maar.

Maar toen ze naar hem glimlachte, baadde ineens de hele kamer in het licht. 'Ik heb het idee dat u mij wel mag.'

'Dat doet niet...' begon hij.

'U kunt het gesprek daar afronden, als u wilt,' zei ze met een oogbeweging naar haar slaapkamer.

'Alstublieft, kleedt u zich weer aan. Dit helpt echt niet.'

Ze trok een pruillip en liet de jurk tot aan haar middel zakken. 'Ik weet zeker dat u nog wel iets kunt bedenken om me te vragen.'

'Als het al íéts doet, dan is het bewijzen wat mijn bevelvoerend officier me al vertelde,' zei hij, een stap achteruit zettend.

'Ben ik soms niet mooi genoeg?' Ze maakte een trage pirouette om hem te tonen wat ze precies in de aanbieding had.

'U bent zeer aantrekkelijk, maar het is absoluut uitgesloten dat...'

'Dit is Napels,' zei ze, wat dichterbij komend. 'Niets is hier uitgesloten.'

Toen James nog een stap naar achteren zette, voelde hij dat hij met zijn rug tegen de muur stond. En toen viel de jurk, kronkelden haar armen rond zijn nek en drukten haar zachte geurende borsten tegen zijn borstkas, terwijl ze hem kuste. Heel even maakte haar nabijheid hem duizelig. Toen herinnerde hij zich Jacksons goede raad.

'Daarbij heb ik een vriendin,' zei hij. '*Sono fidanzato*, ik ben verloofd.'

Het effect was opmerkelijk. Algisa deed meteen een stap naar achteren en begon verrukt in haar handen te klappen. 'Maar dat is fantastisch! Vertel me alles over haar. Is ze mooi? Hoe ziet ze eruit? O, is verliefd zijn niet het mooiste dat er is?' En ze ging weer zitten, er kennelijk van overtuigd dat nu al haar problemen voorbij waren.

James raapte de jurk op en gaf hem haar. 'Hier, trekt u deze gauw maar weer aan.'

In haar ogen las hij verbazing, gevolgd door angst. 'U gaat géén gunstig rapport over mij schrijven, is het wel?'

'Ik vrees van niet.'

'Maar dan bent u ook niet echt verliefd,' zei ze bitter. 'U hebt tegen me gelogen!' Ze smeet de jurk op de grond. 'Ik heb het nooit zo gewild;

dat geldt voor ons allemaal. Maar wat hadden we voor keuze? Ik zal een goede echtgenote voor hem zijn; hem heel gelukkig maken. Kunt u mij echt niet helpen?'

'Het spijt me, ik heb deze regels ook niet bedacht. Als u werkelijk met elkaar wilt trouwen, zult u moeten wachten tot na de oorlog.'

'Wie zegt dat wij dan allebei nog in leven zijn?' Ze zei het zonder enig zelfmedelijden en met een haast onzichtbaar schouderophalen.

'Ik eh... kom er zelf wel uit,' zei hij. En hij klapte zijn notitieblok dicht en stond op. Toen hij de deur van het appartement achter zich dichttrok, dacht hij haar te horen snikken.

12

*D*e volgende ochtend, toen James het rapport van de vorige dag zat uit te schrijven, werd er een keurige heer bij zijn bureau gebracht.

'Een informant,' meldde Enrico summier.

De man stelde zich voor als *dottore* Lorenzo Scoterra. Hij was, zo vertelde hij, een *avvocato*, advocaat, die voor de Engelsen wat informatie had over als fascist bekendstaande personen uit de regio.

James maakte hem allereerst duidelijk dat hij niet voor deze informatie kon betalen, waarop doctor Scoterra hartstochtelijk begon te roepen dat hij helemaal geen geld wilde. Zelfs als James hem wél wat had willen geven, had hij zich verplicht gevoeld dit af te slaan, aangezien de uitwisseling van contanten – hoe onschuldig bedoeld ook – de betrouwbaarheid van de informatie in twijfel kon trekken voor degenen met wie James deze deelde. Hij werd puur gemotiveerd, zo legde hij uit, door zijn eerbied voor recht en gerechtigheid – een roeping waar hij zelfs zijn beroep van had gemaakt – en zijn bewondering voor de Engelsen, om nog maar niet te spreken van het intense verlangen alle fascistische schoften die hadden geprofiteerd van de Duitse bezetting, rekenschap te zien afleggen. Hij liet echter ook doorschemeren dat hij beslist geen nee zou zeggen, als James deze conversatie wenste voort te zetten bij een glas marsala...

Aangezien het inmiddels al vrij laat was en James die ochtend niet had ontbeten, leek dit hem geen onredelijk voorstel. Dus begaven ze zich naar de bar van Zi' Teresa, waar James door ober-kelner Angelo werd begroet met de vluchtige zwaai die men zich bij oude vrienden kan veroorloven.

James bestelde meteen twee glazen marsala, een drankje dat hij nooit eerder had gedronken. Het was zoet maar niet onaangenaam en behoorlijk sterk. Voordat hij het hun voorzette, brak de barman een rauw ei in elk glas – wat James met name opviel omdat verse eieren tegenwoordig schaars waren. Doctor Scoterra pakte het zijne al voordat de barman klaar was met roeren en liet het ei in één teug naar beneden glijden, gevolgd door een respectvol nagenietende stilte, waarna hij zich met een dankbare glimlach naar James toe keerde. Deze zag toen pas hoe pijnlijk mager zijn gesprekspartner eigenlijk was.

In de daaropvolgende minuten somde doctor Scoterra een uitputtende lijst op van mensen die van de Duitse aanwezigheid hadden geprofiteerd. James' oren begonnen al wat te wennen aan de razendsnelle stortvloed van het Napolitaanse dialect, waarin elke adempauze werd opgevuld met *senz'altro, per forza* of *per questo* en elke punt vervangen door komma's. Hij merkte dat hij het zonder al te veel moeite kon volgen. Hoe meer aantekeningen hij maakte, hoe meer bijzonderheden doctor Scoterra zich leek te kunnen herinneren. Er werden dan ook meerdere glazen marsala achterovergeslagen, voor de advocaat eindelijk door zijn informatie heen was.

'Nou,' zei James, terwijl hij zijn pen neerlegde en de barman om de rekening wenkte, 'daar kunnen we beslist wat mee, Dottore. Maar nu moet u vast weer snel naar uw cliënten.'

'Jazeker,' zei de advocaat met enige tegenzin. Maar toen klaarde hij weer op. 'Ach, dat zou ik bijna vergeten: er is nóg iets dat ik u moet vertellen.'

'O? Wat dan?'

De advocaat boog zich wat opzij om James samenzweerderig in het oor te fluisteren. 'Er is een Duitse tankdivisie die zich ín de Vesuvius schuilhoudt.'

James wist bijna zeker dat iemand het in de afgelopen dagen ook al over Duitse tanks had gehad, maar kon zich even niet herinneren wie. 'Hebt u daar bewijzen voor?'

'Ik heb het van een uiterst betrouwbare bron, die al meerdere malen in mijn leven uiterst betrouwbaar is gebleken.'

James stopte met aantekeningen maken. 'Wie dan?' vroeg hij met zijn pen boven het papier.

'Zij willen u in de rug aanvallen. Ook al weten ze dat ze daarbij alle-maal zullen omkomen. Dat is een soort erekwestie: ze willen sterven voor hun Führer.'

Ineens wist James het weer: het was Jackson die hem op het hart had gedrukt vooral niet te luisteren naar verhalen over Duitse pantserdivi-sies die zich in de Vesuvius zouden hebben ingegraven. 'Ik vrees dat uw bron ditmaal toch verkeerd geïnformeerd is,' zei James. 'Daar ís al naar gekeken en het klopte niet.'

Doctor Scoterra keek mistroostig naar de flessen achter de bar.

'Maar er is wel iets heel anders...' begon James.

Doctor Scoterra klaarde alweer op. 'Ja?'

'De penicillinehandel op de zwarte markt. Hebt u enig idee wie daarachter zit?'

Doctor Scoterra lachte. 'Maar natuurlijk; dat weet iedereen.'

'Wie dan?' vroeg James, terwijl hij de barman gebaarde om nog twee marsala-met-ei.

'De apotheker, Zagarella. Die runt dat zaakje, namens Vito Geno-vese zelf.'

'Zou u dat voor een rechter durven herhalen?'

Doctor Scoterra keek hem geschokt aan. 'Als ik zoiets zou wagen, was ik al vermoord voordat ik de rechtszaal had bereikt.'

'Waar kan ik die *signore* Zagarella dan vinden?'

'U overweegt toch niet serieus hem te arresteren?' Doctor Scoterra was zo ontdaan dat hij begon op te staan – terwijl de barman nog bezig was met het inschenken van zijn marsala. 'Ik had geen idee dat u zo'n roekeloze koers in uw hoofd had. Werkelijk, als advocaat moet ik u dit ten strengste ontraden.'

'Maar die man is toch zeker een boef?'

De twee mannen keken elkaar aan over een onoverbrugbare kloof van onbegrip.

'Beloof me dan op zijn minst dat u mijn naam er buiten houdt,' zei doctor Scoterra, zoekend naar de knopen van zijn jas.

'Aangezien u niet bereid bent te getuigen, zal dat niet zo moeilijk zijn.'

'U vindt mij een lafaard?'

'Ik vind dat de zwarte handel in penicilline moet worden gestopt. Het is diefstal en kan het leven van soldaten in gevaar brengen.'

Doctor Scoterra zuchtte. 'Als u wat langer in Napels bent, zult u het wel begrijpen. Om in deze stad te overleven, moet men *furbo*, listig, zijn. Zo gaan de dingen hier nu eenmaal.'

Toen doctor Scoterra zich haastig uit de voeten had gemaakt, gebaarde James opnieuw naar de barman om de rekening.

'*Duecento lire*,' zei deze onbewogen toen hij de bon op een bordje presenteerde.

James staarde hem aan. Tweehonderd lire? Dat kon hij toch niet menen? '*È troppo*.'

De barman haalde zijn schouders op: eieren drinken was duur.

'*Momento!*' Het was ober-kelner Angelo. Hij haastte zich met een zorgelijke glimlach op zijn gezicht op hen af. 'Alstublieft, vandaag zijn ze van het huis.'

'Nee, ik betaal gewoon,' zei James koppig. 'Maar ik wil wel graag een kwitantie.'

Angelo zuchtte, haalde een potlood achter zijn oor vandaan en begon driftig te rekenen op een servet. Het duurde erg lang en er kwamen allerlei ingewikkelde sommen voorbij, compleet met haakjes, percentages en omrekeningen in en uit diverse munteenheden. Ten slotte riep hij: 'Aha!' en gaf de barman een triomfantelijke pets tegen zijn achterhoofd. '*Attenzione, cretino!* Je had het helemaal verkeerd opgeteld.' Het juiste bedrag, zo vertelde hij James met een verontschuldigende glimlach, bleek slechts vijfenveertig lire te zijn.

James gaf hem een briefje van vijftig. 'Alstublieft, houdt u de rest maar.'

'Erg aardig van u.' Maar Angelo bleef nog wat dralen. 'Eh... ik kon het niet helpen, maar ik heb een deel van uw conversatie opgevangen.'

'Van helemaal achter in de zaak?'

'Ik heb een scherp gehoor. Ik zou u dit waarschijnlijk niet moeten zeggen, maar doctor Scoterra had op minimaal één punt gelijk. Het aanpakken van de zwarte markt wordt een zeer zware onderneming, die u vele vijanden zal opleveren.'

Minimaal? dacht James, maar hij zei: 'Dat risico ben ik bereid te nemen.'

Angelo zweeg even. Toen knikte hij. 'Mag ik u dan een goede raad geven?'

'In deze zaak verwacht ik eigenlijk niet anders,' merkte James droog op.

'Wanneer het gaat om iets waarbij de camorra betrokken is, zou u er eens over moeten denken uw bondgenoten in te schakelen.'

'Hoezo?' vroeg James.

Maar een schouderophalen was het enige antwoord dat hij zou krijgen.

Vastbesloten keerde James terug naar het Palazzo Satriano. Jackson had de boel hier duidelijk flink laten slippen, maar er was geen enkele reden dat hij hetzelfde zou doen.

'We gaan een inval doen bij Zagarella, de apotheker,' vertelde hij Carlo en Enrico. 'Ik heb redenen om aan te nemen dat hij betrokken is bij de zwarte handel in penicilline.'

Carlo krabde zich geeuwend op zijn hoofd. 'Natuurlijk is die erbij betrokken: hij beheerst die hele markt!'

'Waarom hebben wij hem dan nog niet in het gevang gegooid?'

Carlo trok zijn schouders op. 'We zijn maar met zijn drieën. En met alle respect, hoor, maar als we de camorra willen aanpakken, hebben we eerder een heel leger nodig.'

Hoe meer hij erover nadacht, hoe beter Angelo's advies over de Amerikanen erbij betrekken hem begon te bevallen. 'Het is misschien aan je aandacht ontsnapt, Carlo,' sprak James koel, 'maar het toeval wil dat wij werkelijk een heel leger tot onze beschikking hebben.'

Hij liep naar beneden en klopte op een van de ramen aan de centrale binnenplaats. Zoals Jackson hem al had verteld, was de organisatie van de yankees absoluut indrukwekkend. Deuren gingen open en dicht en boden een blik op een hele reeks van bedrijvige kantoren: ordonnansen die met stapels papieren van hot naar her renden, parmantige stenografen die nijver achter hun typemachines zaten, mannen in olijfgroene pakken die elkaar bevelen toebeten. James schaamde zich opeens: hierbij vergeleken was het in zijn eigen bedoeninkje boven maar een dooie boel. Enrico en Carlo's humeurige onverschilligheid – hij had de helft van de tijd nog steeds geen helder beeld van wat zij eigenlijk uitvoerden – was geen enkele partij voor dit hier.

Omdat er niemand naar het raam kwam, liep hij maar naar binnen en wachtte tot iemand hem aansprak. Uiteindelijk hield hij maar een passerende ordonnans tegen en vroeg of hij misschien iemand van de leiding te spreken kon krijgen.

'Hebt u een afspraak?' snauwde deze.

'Nee, ik wilde alleen...'

'Ik haal het boek wel even' en weg was hij weer. James bedacht dat hij voor de FSS ook zo snel mogelijk een afsprakenboek moest zien te regelen.

'Hé daar, maat!' klonk een stem achter hem.

James draaide zich om. De spreker was een jongen van zijn eigen leeftijd, achter een van de bureaus. Het montuur van zijn metalen bril was met een koperdraadje gerepareerd. Zelfs toen hij nog zat, zag James al dat het een lange slungel was – een indruk die werd bevestigd toen de Amerikaan opstond.

James salueerde precies op het moment dat de ander zijn hand uitstak. Lachend salueerde de Amerikaan toen ook maar. 'Eric Vincenzo. Jij bent die nieuwe van de FSS, toch?' Hij wees naar een stoel in de hoek. 'Wat is er aan het handje?' Toen hij weer ging zitten, zwaaide hij zijn voeten op het bureau.

Achter hem zag James een klarinet op een plank liggen. Dit was dus een van de makers van die slaapverstorende jazz die elke avond de trap op zweefde!

Vincenzo, die James' blik had gevolgd, keek hem ineens verontrust aan. 'Je bent toch niet gekomen om te klagen, hoop ik? Hou ik de bovenburen wakker?'

James verzekerde hem dat hij hier niet was wegens de herrie en vertelde snel over zijn plan de apotheker te pakken.

De Amerikaan streek bedachtzaam over zijn kin. 'Dus jij denkt aan een gezamenlijke actie? Het eerste dat we dan moeten doen, is die informant van jou checken. Eens kijken...' Hij trok de la van een archiefkast open (wat overigens moeiteloos ging, viel James op) en bladerde langs de dossiers. 'Kan dat dezelfde doctor Scoterra zijn, die secretaris is geweest van de plaatselijke fascistische partij?'

'Dat lijkt me niet erg aannemelijk.'

'Hmm.' Hij duwde de la weer dicht. 'Gelukkig is er een makkelijke manier om daarachter te komen. Kom maar mee.'

James volgde hem door een hele serie ruimten, allemaal even bedrijvig, tot ze bij een enorme salon kwamen, die waarschijnlijk eens de danszaal van het palazzo was geweest. In het midden stond een minstens even enorm archiefsysteem van bijna tweeënhalve meter hoog, waar meerdere secretaresses omheen fladderden als bijen rond een bijenkorf.

'Mijn hemel,' zei James afgunstig.

'O, dat is niet van ons, hoor – hebben we meegenomen uit het Duitse consulaat. Ja, dat moet ik de moffen nageven: ze houden hun boeken onberispelijk bij.' Terwijl hij dit zei, begon Vincenzo al naar de juiste lade te zoeken. 'Hierzo.' Hij gaf James een map.

Het eerste stuk erin was een brief in het Italiaans van een Dottore Scoterra aan de Duitse consul. James ging vluchtig door de tekst heen. De doctor bood de consul zijn diensten als informant aan en verklaarde dat hij daarvoor niet verwachtte te worden betaald. Sterker nog: mócht herr Hitler hem voor zijn diensten willen belonen, dan zag hij zich zelfs genoodzaakt dit aanbod af te slaan, aangezien de uitwisseling van contanten – hoe onschuldig bedoeld ook – de betrouwbaarheid van zijn informatie in twijfel kon trekken voor degenen met wie de geadresseerde van deze brief deze deelde. Hij werd puur gemotiveerd door zijn eerbied voor recht en gerechtigheid – een roeping waar hij zelfs zijn beroep van had gemaakt – en zijn bewondering voor de Duitsers, om nog maar niet te spreken van het intense verlangen alle socialistische schoften die hadden geprofiteerd van de jaren van slapheid en corruptie, rekenschap te zien afleggen. Daaronder volgde een lange lijst van namen, waarvan er vele James akelig bekend voorkwamen van zijn eigen onderhoud met doctor Scoterra, op het feit na dat hij ze bij die gelegenheid omschreven had gehoord als fanatieke fascisten, in plaats van fanatieke communisten. De brief eindigde met de suggestie dat de

Duitsers hem misschien op een rustige plek verder wilden ondervragen, bijvoorbeeld een bar.

'Die kleine smeerlap,' zei hij, werkelijk gekwetst. 'Probeert óns te gebruiken om zijn eigen oude rekeningen te vereffenen. Hij heeft zich zelfs door mij op marsala laten trakteren.'

'Dat is toch dat drankje waarbij de barman een ei...?'

James knikte. 'Weet je, ik vónd hem er al zo uitgemergeld uitzien. Dat was vast het eerste eetbare dat hij die week binnenkreeg.'

Eric Vincenzo lachte. 'Je bent *fottuto*, zoals ze hier zeggen. Dat betekent...'

'Ik wéét wat dat betekent,' zei James kort. 'Genaaid, verneukt.'

'Ja... jij spreekt Italiaans, hè?' zei Eric, hem indringend opnemend. 'Ik merkte al dat die brief geen enkel probleem voor jou vormde.'

'Jij niet dan?'

'Ik ben het aan het leren. Maar het schiet niet echt op.'

'En je heet nog wel Vincenzo!'

'Ik ben van de derde generatie. Mijn ouders wilden dat ik een echt Amerikaantje werd en weigerden thuis Italiaans te praten. Niet dat ze dat veel geholpen heeft trouwens: bij het uitbreken van de oorlog hebben ze een halfjaar opgesloten gezeten, als vijandelijke vreemdelingen.' Hij reikte James de map aan. 'Ruilen?'

'Waarvoor?'

'Nou, zoals ik het zie, kan die informant van jou – ook al blijken zijn beweegredenen iets minder eervol – best nog van nut zijn. We moeten het natuurlijk nog regelen met onze respectievelijke bevelvoerend officieren, maar volgens mij zouden we van een gezamenlijke actie allebei profijt kunnen trekken.'

Beide bevelvoerend officieren gaven hun fiat aan het plan gezamenlijk in actie te komen tegen de zwarte handel, mits het onder één commando gebeurde. Merkwaardig genoeg vond de Amerikaanse bevelhebber dit echt een klus voor de Engelsen, terwijl majoor Heathcote sterk het gevoel had dat deze taak de Amerikanen beter paste. Na wat intern gekibbel werd besloten dat James en Eric voorlopig beiden aan majoor Heathcote zouden rapporteren.

De operatie startte de volgende ochtend bij zonsopgang en bestond uit twee onderdelen. De Italiaanse carabinieri, onder leiding van Carlo en Enrico, hadden als taak toebedeeld gekregen alle zwarthandelaren op de Via Forcella op te pakken. Tot James' grote verbazing hadden Carlo en Enrico deze opdracht met veel enthousiasme aangenomen. Zij kleedden zich voor de gelegenheid als figuranten uit een Al Capone-film, compleet met strohoed, blazer, vlinderdas en slobkousen. Daarbij hadden ze zich uit de een of andere voorraadkast een schrikwekkend arsenaal aan tommyguns toegeëigend, waarvan James hoopte dat ze ze met wat meer terughoudendheid gebruikten dan hun matinee-idolen – hoewel hij daar sterk aan twijfelde als hij zag hoe de Italianen met hun wapens stonden te zwaaien. In de tussentijd zouden James en Eric huiszoeking doen in het pand van de apotheker.

Signore Zagarella zat aan zijn ontbijt, toen zij op zijn deur klopten. Hij reageerde vrij gelaten op de mededeling dat ze voornemens waren zijn woning te doorzoeken op gesmokkelde penicilline.

'Gaat uw gang,' zei hij schouderophalend. 'Jullie vinden hier toch niets.'

Na ruim een uur zoeken hadden ze in Zagarella's appartement niet alleen geen druppel penicilline gevonden, maar ook helemaal geen andere verboden waar. Met een wee gevoel in zijn maag besefte James dat hij had geweten dat ze kwamen. In een prullenbak onder een wastafel vonden ze ten slotte één lege penicillineampul. Toen James Zagarella deze toonde, veranderde deze niet eens van gezichtsuitdrukking.

'U zult met ons mee moeten komen,' zei James. Het lukte hem niet het zonder voldoening te zeggen.

'Waar naartoe?'

'In eerste instantie naar de Poggio Reale,' zei hij, de naam van de stadsgevangenis noemend. 'Daar houden ze u dan vast, terwijl wij het onderzoek voortzetten.'

Op vriendelijke toon zei Zagarella: 'Mijn vriend, als je het leven in ~els zat bent, kan ik wel regelen dat je overgeplaatst wordt, hoor.'

~deel,' zei James. 'Ik geloof zelfs dat het leven in Napels ~n stuk fijner wordt.'

end stak de apotheker zijn handen uit, voor de hand-'

boeien. 'Je mag me best in de Poggio Reale gooien, hoor. Maar ik kan je verzekeren dat als je daar weer komt, ik er allang niet meer zit.'

Het leek niet meer dan redelijk om het welslagen van hun samenwerking met een drankje bij Zi' Teresa te vieren.

'Wat ga jij doen als de oorlog voorbij is, James?' vroeg Eric, terwijl ze samen een fles wijn soldaat maakten.

James haalde zijn schouders op. 'Daar heb ik eigenlijk nog niet zo over nagedacht. Terug naar de universiteit, denk ik. Er is ons beloofd dat we na het beëindigen van de oorlog onze studie mogen afmaken. En jij?'

'Ik word jazzmuzikant. Of spion. Ik heb nog niet besloten welke van de twee.'

'Echt?' Het leek hem allebei een nogal merkwaardige beroepskeuze voor een volwassene. 'Daar moet je toch eerst een opleiding voor volgen, voor spion? En leven van de muziek zal ook niet echt makkelijk zijn.'

Eric schoof zijn twijfels aan de kant. 'Als je maar iets kiest, toch? Daarna ligt de wereld voor je open.'

'Is dat zo?'

'Tuurlijk! Deze oorlog gaat alles veranderen, James; alles wordt opengegooid.'

'Ik hoopte eigenlijk dat alles weer precies zo werd als het was.'

'Kom naar Amerika,' zei Eric hoofdschuddend. 'Daar hoef je helemaal niet naar de universiteit. In Amerika kun je worden wat je maar wilt.'

'Bedankt voor de uitnodiging, maar ik geloof niet dat ik er al klaar voor ben geen Engelsman meer te zijn.'

Lachend schonk Eric nog wat wijn in. De fles was bijna leeg. Grappend deed hij alsof hij de laatste druppels eruit kneep. 'Hierna proberen we de cocktails,' kondigde hij aan. 'Ze maken hier best een goeie Tom Collins.'

'Wie is dat nu weer?'

Eric lachte weer, hoewel James het eigenlijk niet als grapje had bedoeld. Toen keek hij hem ineens ernstig aan. 'James, heb jij een meisje?'

'Jazeker,' antwoordde James automatisch. 'Thuis bedoel ik dan, hè!'
'Naam?'
'Jane, Jane Ellis.'
'Mooie naam,' zei Eric goedkeurend. 'Is ze mooi?'
'Best wel, geloof ik.'
'Shit, ik heb ook een mooie meid nodig,' zei Eric. 'Ik heb er al in geen weken meer een gehad.'
'Zolang al?' hoorde James zichzelf zeggen. 'Mijn hemel!'
'Een Italiaanse, dat lijkt me wel wat. Hoewel het daarbij weer niet echt handig is dat ik de taal niet machtig ben.' Hij stak zijn glas omhoog. 'Op de samenwerking tussen de bondgenoten, het begin van onze vriendschap en... Jane!'

James stak zijn glas ook in de lucht. '*Per cent'anni*, zoals de Italianen zeggen.' Hij voelde zich een beetje rot dat hij de mythe van de verzonnen verloofde ook tegenover Eric had volgehouden. Maar als hij in dit werk íéts had geleerd, dan was het wel dat je niet moest gaan kiezen wie je een bepaalde leugen op de mouw speldde en wie niet.
Toch viel het hem op dat – hier in Zi' Teresa, zich koesterend in de warme gloed van Erics yankee-optimisme, met een succesvolle actie tegen de zwarte handel achter de rug – het verdriet over het eind van zijn relatie, dat hij nu al zo lang met zich meedroeg, opeens een stuk minder verpletterend leek. Hij durfde zich al bijna een toekomst voor te stellen, waarin een verzonnen Jane niet langer nodig zou zijn.

Toen ze naar de bar liepen om een cocktail te bestellen, zag James een bekend gezicht. Het was Jumbo Jeffries, die in zijn eentje een groot bord vol zee-egels zat weg te werken.
'O, ben jij het,' zei hij zonder veel enthousiasme.
'Smaakt het een beetje?' informeerde James.
'Niet echt.' Jumbo wees naar het bord. 'Deze moet ik van Elena eten; schijnen goed voor je libido te zijn.' Toen James wat beter keek, zag hij donkere kringen onder Jeffries' ogen en er hing de een of andere religieuze penning rond zijn nek. Jumbo voelde er schuchter aan. 'Dit ook, schijnt. Dit is allemaal jouw schuld,' voegde hij er toen somber aan toe.
'De mijne? Hoe kan dat nou?'

'Door die verdomde Engelse zinnen die je Elena hebt geleerd! Toen ik nog kon doen alsof ik haar niet begreep, ging alles prima. Nu is het allemaal een stuk ingewikkelder geworden.' Hij duwde het bord van zich af. 'Het heeft geen zin. Ik word misselijk van die kleredingen.'

13

James verkeerde nog steeds in een uitstekend humeur, toen hij de volgende ochtend samen met Eric op pad ging om de gevangenen te ondervragen die waren opgepakt bij de overval op de Via Forcella.

Eerst wipten ze echter langs bij Zagarella in de Poggio Reale-gevangenis. Ze troffen hem aan, onverstoorbaar als altijd, terwijl hij een voortreffelijk ontbijt zat weg te werken. Hij had een cel toebedeeld gekregen – of beter: een suite – ruimer dan het appartement van Algisa Fiore. Een cipier was druk bezig schoon linnengoed op zijn bed te leggen en het viel James op dat de gevangene tevens een frisgewassen overhemd leek te dragen.

'Bent u hier om me vrij te laten?' wilde Zagarella weten.

'Nee, ons onderzoek is nog niet afgerond,' zei James. 'U blijft hier totdat we klaar zijn.'

Zagarella depte zijn lippen met een servet. 'Dat betwijfel ik ten zeerste,' zei hij. 'Ik moet zeggen dat het me verbaast dat júllie hier nog zijn. Ik had me zo voorgesteld dat jullie onderhand naar ergens buiten Napels waren overgeplaatst.'

'U zult zien dat de Allied Military Government nogal verschilt van wat u gewend bent.'

'Waarmee u hoogstwaarschijnlijk verwijst naar uw fameuze onomkoopbaarheid,' zei Zagarella, '... die mij waarachtig al een hele berg geld heeft gekost.'

De cipier was klaar met het opmaken van het bed en kwam nu aandragen met een kom water, een scheerkwast en zeep. Hij begon energiek de wangen van de gevangene in te zepen.

'Vergeet u niet,' vervolgde de apotheker, 'dat wij Napolitanen wel vaker bezet zijn geweest: de Aragonezen, de Oostenrijkers, de Bourbons, de Italianen – ja, zelfs die – de Duitsers... en nu weer de geallieerden. Dus u ziet: ervaring hebben wij genoeg.'

De cipier zette het mes op Zagarella's wang. De apotheker sloot grommend van genot zijn ogen en gebaarde James en Eric dat het gesprek was afgelopen.

'Wat zal het me een genoegen zijn,' zei James toen ze de gevangenis verlieten, 'om die kerel achter de tralies te krijgen!'

'Hij zít al achter de tralies,' wees Eric hem terecht. 'En eerlijk gezegd lijkt hem dat niet eens zo te ontrieven.'

'Ze behandelen hem alleen maar zo goed, omdat hij hen ervan heeft weten te overtuigen dat hij er zo weer uit is. Maar als wij hem veroordeeld krijgen, wordt hij heus een gevangene als alle anderen.'

'James,' zei Eric, 'weet jij hoeveel gangsters wij daadwerkelijk veroordeeld hebben weten te krijgen sinds we in Napels zitten?'

'Nou?'

'Drie,' zei Eric met een diepe frons. 'Papieren raken zoek, getuigen komen niet opdagen of wijzigen op het laatste moment hun verhaal... Eentje kreeg zelfs een epileptische aanval tijdens het afleggen van zijn verklaring, zodat we hem moesten laten gaan! En dan zijn er nog de verdachten die zo'n verbluffend verzetsverleden blijken te hebben, dat ze eerder een medaille dan gevangenisstraf verdienen. En dan heb ik het nog niet gehad over de rechters die belastende verklaringen zeer selectief verkeerd verstaan, of de gevangenissen met ondeugdelijk hang-en-sluitwerk. En jazeker: er zijn ook lui van CIC na een paar woordjes in het juiste oor gewoonweg overgeplaatst!

Die Vito Genovese die de hele boel hier runt, is dikke maatjes met de AMG. En wel op het hoogste niveau – en dan bedoel ik echt het allerhoogste. Er doet een verhaal de ronde dat toen generaal Clark in Napels arriveerde, hij aangaf wel trek te hebben in zeevruchten. Maar ja, alle vissersboten waren vanwege de mijnen aan de ketting gelegd. Toch richtte Vito een groot feestmaal aan om de komst van de generaal te vieren: hij jatte gewoon alle vissen uit het aquarium van Napels! Kort daarop werd hem de post van officieel adviseur van het opperbevel toegewezen. Als zo iemand als Zagarella werkelijk onder de bescherming van Vito Genovese valt, is er verrekt weinig dat wij nog kunnen doen.'

Op het Questura, het hoofdbureau van politie, vertelde James dat ze waren gekomen om de verdachten te verhoren die waren opgepakt bij de overval op de Via Forcella. Na een hele hoop papierwerk werden ze naar de cellen gebracht, waar in een grote cel slechts één stokoude man zat.

'Wat is dít nou?' wilde James weten. 'Waar is de rest?'

De politieman die hen naar beneden had gebracht trok zijn schouders op. 'Welke rest?'

'Er moeten gisteren tientallen handelaren op de Via Forcella hebben gestaan. Waar zijn die allemaal?' Toen hij zag dat de politieman hem niets wijzer zou maken, wendde hij zich tot de oude man. 'Toen u hier werd binnengebracht, met zijn hoevelen was u toen?'

'O, een stuk of twintig, dertig.'

'En waar zijn die nu dan?'

'Ze zijn vannacht allemaal vertrokken,' sprak de oude man treurig. 'Ik was ook allang weggeweest... als ik de boete had kunnen betalen.'

'Boete?'

'Vijftig lire.' De man spreidde zijn armen. 'Ik ben maar een schroothandelaar. Zoveel geld heb ik niet.'

Met een uitgestreken gezicht zei de politieman: 'Hij vergist zich: er heeft helemaal niemand een boete gekregen. Daar kunt u de boeken op naslaan als u wilt.'

James zuchtte. 'Waar wordt hij van beschuldigd?' vroeg hij.

'Het aanbieden van koperen telefoondraad.'

'Maar hij heeft niets van doen met penicilline?'

'Lijkt me niet.'

'Als ik zo vrij mag zijn...' zei de oude man. 'Ik zou er erg graag uit willen. Ziet u, mijn vrouw is al een dagje ouder en wij hebben geen buren. Ik vrees dat als ik niet thuiskom, er niemand is die voor haar kookt.'

De politieman liet hun een rol telefoondraad zien. 'Dit had hij bij zich.'

'Ik heb de Duitse draden doorgeknipt,' sprak de oude man trots. 'Dat willen jullie toch dat ik doe? Wij houden niet van de Duitsers.'

James vertaalde de woorden van de man voor Eric, die daarop op zijn hoofd krabde. 'Dat is nog van voordat de geallieerden hier waren! We hebben toen pamfletten verspreid waarop we de Italianen vroegen zo veel mogelijk schade aan te richten. Maar toen we er eenmaal zelf waren, wilden we natuurlijk dat ze van die draden afbleven, zodat we die zelf konden gebruiken.'

'Hier,' zei de oude man trots. Hij haalde een beduimeld papiertje uit zijn binnenzak en vouwde het open. 'Ziet u wel? Daar staat dat we die draden moeten doorknippen. Krijg ik nu een medaille?'

'U mag geen telefoondraden meer doorknippen,' legde James hem uit. 'Die zijn nu van ons.'

'Maar het is Duitse draad.'

'Ja, maar...' James zuchtte. 'Ach, laat ook maar.'

Ze keken allemaal naar de oude man, die er helemaal niets van leek te begrijpen.

'Kunnen we hem er niet gewoon uit smijten?' opperde Eric.

'Dat is geheel ondenkbaar,' sprak de politieman streng. 'Hij wordt beschuldigd van vernieling van geallieerd militair eigendom. De straf daarvoor kan oplopen tot tien jaar.'

'Wat nu?' vroeg Eric.

'Er is niet veel dat wij kunnen doen,' zei James somber. 'Zijn lot ligt officieel niet langer in onze handen.'

De oude man had James een adres in een dorpje ten zuiden van Napels gegeven. Terug in het hoofdkwartier haalde hij daarom meteen de fss-motor van zijn standaard, duwde hem de stenen trap af en ging op weg. Op de belangrijkste uitvalswegen was het puin inmiddels weggeruimd; er liepen zelfs alweer een paar trams. En het leek erop dat de bestuurder van elk tweewielig voertuig zichzelf het recht had toegeëigend langs de tram te rijden, zich eraan vast te klampen en zich zo onbeperkt te laten meeslepen, om benzine of beenkracht te sparen. James was dan ook blij toen hij eindelijk de stad uit, het platteland op reed. Het was een prachtige voorjaarsdag. Met de zon op zijn gezicht kon hij zich met gemak even duizenden kilometers van de oorlog vandaan denken.

Aan het landschap waar hij doorheen reed, moest sinds de Middeleeuwen niet veel meer zijn veranderd. De akkers waren vrij klein en de vrouwen die er gebukt op stonden te werken, droegen dezelfde vormeloze zwarte jurken en hoofddoeken als ze in de tijd van Boccaccio al deden. Zo nu en dan zag hij een os of muildier die bij het zware werk hielp, maar het meeste werk leek toch nog steeds met de hand te worden gedaan.

Eindelijk kwam hij bij het dorpje dat de oude man hem had genoemd en door hier en daar te vragen, vond hij uiteindelijk ook diens huis. Het stond helemaal alleen, in een veld vol onkruid: blijkbaar was de man te oud geworden om zijn land nog te bewerken. Kleine bergen schroot – een uitgebrande vrachtwagen, een paar verwrongen stukken metaal van een Duitse bom, een lege Amerikaanse munitiekist – waren de stille getuigen van zijn nieuwe professie. Het was griezelig stil op het erf.

Het huis was niet veel meer dan een koeienstal met een paar kamertjes eraan vast. James klopte op de deur. 'Hallo?' riep hij. Er kwam geen antwoord.

Hij duwde de deur open en ging naar binnen. Toen zijn ogen aan het donker waren gewend, kon hij onder het raam een bed onderscheiden, bedekt met lappen. Daar half onder zag hij een lichte verhoging, die al gauw de omtrek van een verschrompeld gezicht aannam. De blinde ogen, spookachtig van de grauwe staar, tuurden zonder knipperen naar het plafond.

'Buongiorno, signora,' zei James zacht, maar de oude dame gaf geen enkel teken dat ze hem had gehoord. Ze leek hem akelig dicht bij de dood. Toen hij de keuken checkte, bleek daar helemaal niets eetbaars te vinden.

'Jij wilt wát doen?' Majoor Heathcote staarde hem vol ongeloof aan.

'Ik wil de Italianen verzoeken hem vrij te laten, sir,' zei James. 'Zelfs áls hij iets fout heeft gedaan – wat nog te betwisten valt – kan hij toch worden vrijgelaten op grond van medeleven?'

'Medeleven?' Het gezicht van de majoor liep rood aan. 'Kapitein, honderd kilometer van hier zitten op dit moment ruim vijfduizend soldaten in schuttersputjes vol ijskoud water, waar ze dag en nacht onder vuur worden genomen door de Duitsers en niet eens kunnen opstaan om te pissen, omdat ze dan een kogel door de kop kunnen krijgen van een sluipschutter. Stel díé maar eens wat vragen over medeleven!'

'Ik ben me er terdege van bewust dat de strijd op het ogenblik behoorlijk zwaar is, sir.' De majoor liet een sceptische grom horen. James ging door: 'Maar de militaire regering heeft toch zeker de plicht zuiver te handelen? En deze man is om de verkeerde redenen opgesloten.'

'Door zijn eigen landgenoten.'

'Als uitvloeisel van een operatie van óns...'

'Waarvan jij me nu vertelt dat het een jammerlijke mislukking is geweest,' beet de majoor.

James zweeg.

De majoor zuchtte. 'En jullie hebben absoluut niets gevonden waar je die apotheker Zagarella van kunt beschuldigen?' zei hij, kijkend van de een naar de ander.

'Nee, sir,' mompelde Eric.

'Mag ik er dan van uitgaan dat hij inmiddels weer is vrijgelaten?'

'Ja, sir,' zei James knarsetandend.

'Jullie hebben dus in ieder geval één onrechtmatige gevangenschap beëindigd,' sprak de majoor scherp.

'Ja, sir.'

'Waarbij jullie de AMG compleet voor schut hebben gezet.' De majoor wees naar de deur. 'Uit mijn ogen, Gould. En jij ook, Vincenzo. Ik wil jullie allebei minstens een halfjaar niet meer zien!'

'Ja, sir.' James draalde nog. 'En die dradenknipper, sir?'

De majoor keek hem woest aan. 'Ik zal er eens een telefoontje aan wagen, hoewel God weet dat ik wel belangrijker zaken aan mijn hoofd heb.'

Die avond verscheen Malloni zoals altijd stipt om zeven uur. Met een air van onderdrukte opwinding luidde hij plechtig de gong voor het diner. Toen hij de tafel begon te dekken werd er al wat meer duidelijk:

in plaats van de gebruikelijke platte borden voor hun 'Vlees met Groenten', kregen de Engelse officieren soepkommen voorgezet.

'Zeg Malloni, wat is dit nou?' vroeg Kernick.

'Ies soepe,' antwoordde Malloni met een zweem van trots. 'Vleesjsoepe.'

En hij liep de kamer uit en kwam terug met een gebarsten soepterrine, die zo groot was dat hij hem amper dragen kon. Hij leek qua omvang en vorm nog het meest op een Duitse scheepsmijn, vond James. Toen Malloni het deksel optilde, zag hij een donkere plas die hem aan Brown Windsor-soep deed denken.

'Weer eens wat anders,' merkte Walters goedkeurend op. 'Goed werk, kerel.'

Malloni wankelde met zijn terrine van de een naar de ander. Maar terwijl iedereen zich opschepte, viel er een verdachte stilte over de tafel.

Kernick inspecteerde de inhoud van zijn kom en mompelde: 'Aha.'

Toen James zijn eigen kom vol schepte, merkte hij dat de vloeistof curieus aanvoelde. Sommige delen ervan waren geleiachtig, andere opvallend dun. Toen hij het goedje nog wat beter inspecteerde, begreep hij het: Malloni had zijn soep verkregen door aan een aantal blikken 'Vlees met Groenten' (flink wat minder dan gewoonlijk overigens) gewoon een fikse hoeveelheid warm water toe te voegen.

'Vleesjsoepe... miet groenballen,' zei Malloni trots toen iedereen had opgeschept. 'Sjmaakliek eten.'

Beleefd tot op het bot pakten de Engelse soldaten daarop gehoorzaam hun soeplepel en staken ze in hun kom.

Het werd hun al gauw duidelijk dat Malloni's 'vleesjsoepe' net zo smerig smaakte als hij eruitzag. Het aanlengen met water had de smaak van de ingeblikte smurrie in het geheel niet verzacht. Sterker nog: de ranzig vettige structuur was er op de een of andere manier zelfs door verergerd. Het was, zo bedacht James treurig, een echt ellendig einde van een echt ellendige dag.

14

$\mathcal{L}$ivia schreef Enzo's familie in Napels over wat ze over het lot van haar echtgenoot had gehoord, maar er kwam geen antwoord.

Toen Pupetta was opgegeten, moesten de Pertini's onder ogen zien dat er bijna niets anders meer was dan de mozzarella die ze elke dag van Priscilla's melk maakten. Onder normale omstandigheden had deze hun genoeg opgeleverd om er de basisbenodigdheden van te kopen – bloem, zout en dergelijke. Maar omdat ze ook geen vervoer meer hadden, moesten ze alle kaas zelf opeten om hem niet te laten wegrotten. Soms leek het nogal zinloos om urenlang hard aan het werk te zijn, om iets te maken dat bleef liggen tot het ranzig was. Maar ja: Priscilla moest toch gemolken worden, anders kreeg zij pijn aan haar uiers.

Het feit dat ze geen tractor meer hadden, zat Livia bijna dagelijks dwars. Anders hadden ze immers wél hun kaas naar de markt kunnen brengen en hun akkers kunnen bewerken, om een beetje terug te winnen van wat ze waren kwijtgeraakt.

Alberto wachtte een week nadat het nieuws over Enzo bekend was geworden. Daarna hervatte hij zijn veldtocht met hernieuwde kracht. Als om de spot te drijven met hun gebrek aan vervoer, kwam hij op een middag aan in een prachtige, gloednieuwe Bugatti. Toen hij zijn kolossale lijf achter het stuur vandaan had gewrongen, stak hij Livia een witbrood toe – het eerste dat ze in jaren zag. Deze wilde het al afslaan, toen ze aan haar vader en Marisa dacht. Ze wist dat ze niet langer in de positie verkeerde om zich zo hooghartig op te stellen. Dus slikte ze haar trots in en stak haar hand uit naar het brood, vastbesloten het uiterst vriendelijk aan te nemen. Alberto grijnsde triomfantelijk en Livia zei scherp: 'Laat me je één ding duidelijk maken, Alberto. Ik neem dit brood aan omdat ik geen andere keus heb, maar het bed zal ik nooit met je delen.'

De grijns op zijn gezicht werd geen millimeter minder breed. Hij trok het brood terug en hield het buiten haar bereik, als een jongen die zijn zusje plaagt door haar speelgoed in de lucht te houden. Toen hij zag hoe haar hand het onwillekeurig volgde, lachte hij en liet het haar uiteindelijk pakken.

'Op een dag zul je beseffen dat je ook daarbij geen keuze hebt,' sprak hij zacht. 'Het is als het vangen van een roodborstje. Eerst leg je een spoor van broodkruimels neer zodat hij zal wennen uit je hand te eten. En dan... pff!' Hij kneep zijn vuist krachtig dicht.

'Alberto,' zei ze vermoeid. 'Waarom ik? Krijg je er onderhand niet eens genoeg van? Er zijn vast wel tien meisjes waar je veel minder moeite voor hoeft te doen.'

Hij bracht zijn gezicht zo dicht bij het hare dat ze zijn adem op haar wang voelde. Hij liet een hand rond haar middel glijden. 'O, natuurlijk. Maar ik heb nu eenmaal besloten dat ik jou wil! En daarbij weet iedereen hier dat. Als het mij niet lukt, lachen ze me allemaal uit. En dat kan in mijn branche fataal zijn. Ik moet jou gewoon hebben, Livia.' Hij drukte zijn vlezige lippen en borstelige snor tegen haar oor, waarna hij zijn tong naar buiten liet glippen om wellustig aan haar oorlel te likken.

Ze huiverde, maar merkte aan zijn gegrom dat hij haar walging haast nog opwindender vond, dan wanneer ze welwillend gereageerd had. Marisa had gelijk, dacht ze. Hij wil niet dat ik naar hem verlang: hij wil me veroveren. Ze dacht aan de soldaat die haar bij haar polsen had gehouden terwijl Pupetta lag dood te bloeden. Hoe harder zij tegenspartelde, hoe hitsiger hij werd, en dat gold zelfs voor de toekijkende officier. Wat was dat toch bij sommige mannen in oorlogstijd, dat ze zo genoten van de hun plotseling toebedeelde macht? En nu ze er eenmaal van hadden geproefd, zouden ze nu ooit nog bereid zijn die macht weer los te laten?

15

ot zijn eigen verrassing trof James toch nog een jonge Napolitaanse met een uitstekende reputatie.

Het adres dat ze had opgegeven, bleek een stijlvol huis in een bui-
tenwijk van Vomero. Toen hij er aankwam voor het onderzoek, werd
James een salon binnengeleid die met veel smaak en een overvloed aan
rijkdom was ingericht. Emilia di Catalita-Gosta was de verloofde van
een stafofficier, zij sprak een klein beetje Engels en had duidelijk een
goede opvoeding genoten. Haar fijne trekken deden James een beetje
aan Jane denken. Emilia's vader was ook bij het gesprek aanwezig – een
voorname heer van rond de zestig in een onberispelijk kostuum. Hij
vertelde James over de Toscaanse landgoederen van de familie – waar
ze op het ogenblik natuurlijk door de frontlinie helaas van waren afgesneden – en de heren ontdekten al gauw dat ze een passie voor de werken van Dante deelden.

James vond het een genot weer eens in het gezelschap van beschaaf-
de mensen te verkeren. Toen het invallen van de schemering ten slotte
aangaf dat het hoog tijd werd om op te stappen, deed hij dat dan ook
bijna met tegenzin. Zo diplomatiek mogelijk liet hij de vader doorschemeren dat hij met zijn rapport signorina di Catalita-Gosta en haar
verloofde geen strobreed in de weg zou leggen en wenste haar alvast
een lang en gelukkig huwelijk. Met evenveel diplomatie knikte de
vader dat hij het had begrepen.

Toen James bij zijn vertrek vroeg of hij misschien nog wat van het
huis mocht zien, aarzelde Emilia's vader even. 'Helaas hebben hier gedurende de bezetting enkele Duitse officieren ingekwartierd gezeten, '

sprak hij kalm. 'Het zou mij hogelijk beschamen u deze vertrekken te moeten tonen in de staat waarin die beesten ze hebben achtergelaten. Ik zou nochtans vereerd zijn u hier over een week of twee te ontvangen voor een diner, wanneer alles er weer uitziet zoals het hoort.'

James zei dat hij dat heel goed kon begrijpen en ze maakten een afspraak voor over veertien dagen.

'Er is nog één ding,' zei signore di Catalita-Gosta toen. 'Een soort van gunst, zou men kunnen zeggen, hoewel ik ervoor wil waken misbruik te maken van uw goedheid.'

James verzekerde hem dat hij zijn uiterste best zou doen het verzoek te honoreren.

'Ik wil natuurlijk niet vooruitlopen op uw rapport, maar mócht dat positief blijken, zoals wij wagen te hopen... Mijn dochter, die zeer gelovig is, heeft er haar zinnen op gezet te huwen op de eerste zondag van de vastentijd. Het is namelijk traditie dat leden van gegoede families op die dag in de echt worden verbonden, en wel in de Duomo.' Hij haalde zijn schouders op. 'Net als ikzelf indertijd, uiteraard. Het is maar een traditie, ziet u, maar ik weet zeker dat dit ook veel zou hebben betekend voor Emilia's moeder – God hebbe haar ziel.'

De eerste zondag van de vasten, dat was over minder dan een week! 'Ik zal zien wat ik doen kan om de toestemming er snel doorheen te krijgen,' beloofde James echter.

Signore di Catalita-Gosta maakte een buiging. 'Zeer vriendelijk van u.'

'Geen dank. Het doet mij genoegen iets nuttigs te kunnen doen, te midden van al deze puinhopen.'

Toen James de heuvel richting het Palazzo Satriano weer af reed, was hij in zo'n goed humeur dat zelfs het vooruitzicht van Malloni's opgewarmde 'Vlees met Groenten' die stemming niet kon verdrijven.

Die zondagochtend werd hij om zes uur door de telefoon gewekt. Het was majoor Heathcote en hij kwam direct ter zake: 'Wat weet jij van die menigte bij de kathedraal?'

'Ik wist niet eens dat er een menigte bij de kathedraal was.'

'De MP is bang dat er een levensgrote rel uitbreekt. Ga er eens gauw kijken, wil je?' En de lijn was weer dood.

James kleedde zich snel aan en liep naar beneden. Hij bedacht dat als er werkelijk een oproer uitbrak, hij dat veiliger vanuit een jeep kon bekijken dan vanaf een motor. En dus ging hij Eric ook maar uit zijn bed halen.

De Amerikaan werd nogal verdwaasd wakker en het kostte James aardig wat inspanning hem ervan te overtuigen dat het belangrijker was om hem naar een mogelijk volksoproer te vergezellen, dan dat hij eerst een kop koffie nam. Maar zelfs zonder die koffie duurde het nog dik een kwartier voordat Eric al mopperend met hem richting Duomo reed.

Vlak bij de kathedraal werd hun de weg versperd door een dichte mensenmassa. Terwijl Eric stapvoets verder reed, werd James zich bewust van een vreemd beladen stemming. Vrouwen trokken snikkend aan hun kleren, oudere mannen staken hun handen dramatisch in de lucht, jonge meisjes met sjaaltjes om het hoofd liepen voor zich uit te brabbelen of gilden hysterisch naar elkaar. Ook zag hij in verhouding veel nonnen en priesters en sloeg iedereen van tijd tot tijd een kruis. Het zag er allemaal behoorlijk geheimzinnig uit.

Opeens zag hij een bekend gezicht. Hij zei Eric te stoppen en zwaaide de deur van de jeep open. 'Doctor Scoterra,' riep hij. 'Stap in!'

De advocaat leek even in verlegenheid gebracht, alsof hij bij iets onbehoorlijks werd betrapt. Toch klom hij in de jeep en trok de deur snel achter zich dicht. 'U moet teruggaan!' zei hij.

'Waarom? Is het gevaarlijk?'

'Voor u? Ja, misschien een beetje. Die massa is behoorlijk opgezweept. Maar ik maak me eigenlijk vooral zorgen over mezelf. Ik word liever niet met u gezien, na die roekeloze poging de penicillinehandel te beteugelen.'

'Aha, daar hebt u dus van gehoord,' zei James.

'Mijn vriend,' zei doctor Scoterra smalend, 'over de gebeurtenissen van die dag is reeds een fraaie ballade geschreven, die men voor vijf lire per bladzij in het stadspark kan bekomen. Uw naam neemt daarin een voorname plaats in – niet alleen in de tekst van elk couplet, maar ook in het refrein, waar deze bovendien wordt vergezeld van bepaalde gebaren die steeds voor veel hilariteit zorgen. Zoals u zich vast nog wel herinnert, was ik degene die u destijds tégen deze operatie heeft geadviseerd. Maar eh... zullen we nu eens gaan?'

'Wat is hier eigenlijk aan de hand?' vroeg Eric terwijl hij de jeep in de achteruit zette.

'Het bloed is weer vloeibaar geworden!' Blijkbaar keken ze daarop beiden zo verbluft, dat de doctor er meteen aan toevoegde: 'Het bloed van de heilige: een beroemd relikwie dat wordt bewaard in een speciale kapel van de kathedraal. Tweemaal per jaar, strikt regelmatig, wordt het opgedroogde bloed opnieuw vloeibaar. Echter, wanneer dat – zoals nu – op het verkeerde tijdstip gebeurt, betekent dat dat Napels zal worden getroffen door een grote ramp.'

'U bedoelt iets ergers dan bezet worden door de Duitsers, alle mannen ingelijfd om te vechten in Rusland en Napels aan stukken geblazen door drie verschillende legers?'

'Vanzelfsprekend,' sprak doctor Scoterra stijfjes, 'betreft het hier slechts een bijgeloof, waaraan een ontwikkeld iemand als ikzelf nooit enige waarde zal hechten.'

'U was gewoon toevallig vroeg op?'

Doctor Scoterra snoof.

Eric zette de jeep aan de kant en de motor uit. 'Ik denk dat we toch maar beter even een kijkje kunnen nemen.'

Met zijn tweeën wrongen ze zich door de menigte heen, richting een zijdeur van de kathedraal. Binnen was het echter niets rustiger: een jeremiërende mensenzee deinde van de ene kant naar de andere, ogenschijnlijk doelloos maar met een voelbare spanning. Uiteindelijk zagen ze ergens een priester en spraken hem aan.

'Het is de heilige,' zuchtte deze. 'Het bloed! Voorwaar, een gruwelijk vuur komt naderbij, waarin velen ten onder zullen gaan.' Na die woorden steeg er een enorm gejammer op uit de groep mensen die dichtbij genoeg stonden om ze te kunnen verstaan. Maar toen klaarde het gezicht van de priester weer op. 'Echter,' sprak hij luid en hij wees naar een priester die uit de sacristie tevoorschijn kwam. Deze droeg een presenteerblad rond zijn nek, als een sigarettenmeisje in de bioscoop. 'Het zou kunnen dat een relikwie van een der christelijke martelaren de werkelijk gelovigen enige bescherming biedt.' Iedereen stormde op de priester met het presenteerblad af.

Toen Eric en James zich door het gedrang heen hadden geworsteld, zagen ze dat het blad van de priester vol lag met kleine witte brokjes. 'Als ik me niet heel erg vergis,' zei Eric en hij pakte een van de stukjes om het van dichterbij te bestuderen, 'zijn dit fragmenten van menselijke beenderen.'

'Relikwieën, signore, relikwieën van de eerste martelaren,' bevestigde de priester. 'Kosteloos voor iedereen die vijftig lire aan de collecte doneert.'

'Zijn hier toevallig ergens catacomben?' vroeg James aan Eric.

'Gangenstelsels van kilometers lang! En allemaal tot aan de nok toe volgestouwd met botten.'

Ze keken weer naar het presenteerblad met botsplinters. 'Ach ja, priesters moeten ook eten,' zei James.

'Kan ik niet mee zitten!' zei Eric en hij pakte de twee priesters bij de hand en sleurde ze mee naar de sacristie. 'Kijk jij eens of je dat bloed kunt vinden!' riep hij over zijn schouder.

Het bloed van de heilige bleek opgeborgen in de schacht van een prachtig zilveren schrijn, dat eerbiedig werd vastgeklemd door weer een andere priester.

'Zeg ze maar dat als ze hiermee doorgaan,' zei Eric, 'er nog een volksopstand uitbreekt!'

James deed wat hem gevraagd werd, maar de priesters haalden slechts hun schouders op. 'Het is de heilige,' herhaalde een van hen. 'Hij probeert ons te waarschuwen!'

'Nu heb ik genoeg van die flauwekul,' zei Eric. En hij trok zijn pistool uit zijn holster en richtte het op de priester met het reliekschrijn. De andere twee sloegen tegelijkertijd een kruis. 'Vertel hem maar dat als dat bloed niet binnen twee minuten weer "onvloeibaar" is, ze er nog een christelijke martelaar bij hebben om in mootjes te hakken en te verkopen.'

'Vind je dat nu wel zo'n goed idee?' vroeg James.

Eric zwaaide dreigend met het pistool. 'Zeg hem ook maar dat ik nog geen koffie heb gehad en daardoor zeldzaam humeurig ben.'

'Ik bedoelde eigenlijk dat ík het een erg slecht idee vind,' zei James nerveus.

'Je gaat me toch niet vertellen dat jij ook denkt dat dit bloed helemaal uit zichzelf vloeibaar geworden is?'

'Misschien niet, maar we zijn hierheen gekomen om een rel te voorkómen,' wees James hem. 'En ik weet bijna honderd procent zeker dat het neerschieten van een priester, in een kathedraal, midden in een mirakel, met tegen de duizend getuigen – waarvan velen nu al in lichtelijk opgewonden toestand – niet de meest doeltreffende manier is om dat te bereiken. Zeker niet gezien het feit dat we slechts met zijn tweeën zijn.'

'Jij vindt dus dat ik mijn wapen weer moet wegstoppen?'

'Dat vind ik, ja.'

'Weet je wat ik denk? Dat dat bloed in een minuutje of twee weer stolt, als die priester het maar zou neerzetten. Doordat hij er zo mee schudt, is het vloeibaar geworden!'

'Zou best kunnen,' was James het met hem eens. 'Maar als de Italianen ervoor kiezen in dit soort dingen te geloven, is dat hun zaak.'

'Hoe stel jij dan voor dat we deze situatie aanpakken?'

'Nou,' zei James, 'het lijkt me dat die priesters dat al voor ons hebben geregeld. Zij hebben ervoor gezorgd dat deze menigte zo werd opgezweept, dat geef ik grif toe, maar ze hebben ook gezorgd voor een oplossing, in de vorm van die relikwieën. Zolang ze daar maar niet doorheen raken – en als ik het goed begrijp, beschikken ze over een onuitputtelijke voorraad – ziet het ernaar uit dat ze iedereen tevreden kunnen stellen.'

Met lichte tegenzin stopte Eric zijn wapen weg.

'Mijn excuses,' zei James tegen de priesters. 'Mijn vriend hier heeft nog niet ontbeten.'

De priesters keken hen meelevend aan. Toen deed een van hen een stap naar voren en liet een stukje bot in James' borstzak glijden. 'Dat zal u beschermen tegen het naderende vuur,' fluisterde hij. 'Net zoals u ons heeft beschermd tegen de Amerikaan zonder ontbijt.'

Daarna schudden ze elkaar vormelijk de hand en werd Eric zelfs gezegend door de priester met het reliekschrijn.

'Trouwens,' zei James toen ze wilden vertrekken, 'ik geloof dat ik iemand ken die hier vandaag gaat trouwen: signorina Emilia di Catalita-Gosta.'

De priesters keken hem niet-begrijpend aan. 'Wie?' zei een van hen. 'Emilia di Catalita-Gosta. Zij trouwt vandaag met een Engelse stafofficier, hier in de Duomo.'

De priester schudde zijn hoofd. 'Niet vandaag; dat is onmogelijk in dit gedeelte van de vastentijd.'

'Maar ik begreep dat het om een soort traditie ging: dochters van gegoede families zouden hier juist op deze dag in het huwelijk treden.'

'Het tegendeel is zelfs waar,' verklaarde de priester. 'Vandaag en de rest van de week vinden er in de kathedraal helemaal geen huwelijken plaats. Als iemand u iets anders heeft verteld, dan moet deze zich echt hebben vergist.'

Toen ze terugliepen naar de jeep zei James traag: 'Ik geloof dat ik opnieuw *fottuto* ben.'

'Hoe dat zo?'

'Dat weet ik niet precies, maar ik denk dat ik die juffrouw di Catalita-Gosta maar eens opzoek om daarachter te komen.'

'O, shit!' riep Eric opeens.

'Wat is er?'

Hij wees: 'Dan kun je daar in ieder geval niet mee gaan.'

Hun jeep stond zeker dertig centimeter lager dan toen ze hem achterlieten, omdat alle vier de wielen er onderuit waren gehaald. Ook de koplampen, de ruitenwissers – ja, zelfs de voorruit zelf – evenals de deuren, de motorkap, de motor en de stoelen: alles was weg. De dieven hadden niet meer voor hun overgelaten dan een skelet.

'Zit er een wapen in die holster van jou, James?'

'Ja, hoezo?'

'Schiet me nu dan maar neer, alsjeblieft. Want als jij het niet doet, doet de kwartiermeester het wel.'

Het kostte uren om vervanging te regelen voor de geplunderde jeep.

James bedankte voor Malloni's aanbod een *colazione inglese*, Engels ontbijt, voor hem klaar te maken – waarmee hij, zo wist hij uit erva-

ring, wéér een blik 'Vlees met Groenten' bedoelde, maar dan niet opgewarmd en doorgeroerd, maar in de koekenpan opgebakken tot een
zwartverbrande plak – en pakte de motor om naar het stijlvolle huis in
Vomero te rijden, waar hij een week eerder signorina di Catalita-Gosta
en haar vader had ondervraagd.

De voordeur bleek niet op slot te zitten, dus liet hij zichzelf maar
binnen. Het was er doodstil. Zachtjes liep hij naar de ruimte waar het
gesprek had plaatsgevonden. Deze zag er een stuk leger uit dan toen:
de indrukwekkende schilderijen, het zware meubilair, de antiquiteiten
– alles was verdwenen en vervangen door nieuwere, opzichtiger art-deco-
stukken.

Over een van de stoelen lag een herenmantel en achter een deur aan
de andere kant van de kamer hoorde hij iemand bewegen. Hij liep ernaartoe en trok de deur open. Op de grond bewoog een mager mannen-
achterste ritmisch op en neer tussen een paar vrouwenbenen.

'O, pardon,' riep James en deed een stap achteruit. En toen verstijfde
hij helemaal: bij het horen van zijn stem keken zowel de man als de
vrouw naar hem op. Degene die daar zo vurig Emilia di Catalita-Gosta
lag te beminnen, was niemand anders dan haar eigen vader.

'We lijken hier te maken te hebben,' sprak majoor Heathcote traag,
'met een ware epidemie van wonderen.' Toen richtte hij zijn aandacht
weer op het rapport in zijn handen, waarbij hij af en toe stopte met
lezen om James een fronsende blik toe te werpen.

James kende de inhoud van dit rapport al. Wat hij in de Duomo
even over het hoofd had gezien, was dat Napels veel meer priesters met
honger kende. Als gevolg daarvan waren nu overal in de stad kruis-
beelden gaan bloeden, zweten, huilen of knarsetanden, hun haar was
gaan groeien of juist gaan uitvallen of ze hadden zichzelf op een andere
manier tot leven gewekt – tot vreugde en verrijking van de priesters
onder wiens zorg zij vielen. Zo was in de kerk van Sant' Agnello onze
Onze-Lieve-Heer in een levendig gesprek verwikkeld geraakt met een
beeld van de Maagd Maria, een feit dat door meerdere onafhankelijke
verslaggevers werd bevestigd. In Santa Maria del Carmine moest Hij
regelmatig door de koninklijke barbier worden geschoren wanneer Zijn

stoppels weer eens te lang waren geworden, terwijl Hij in San Gaudiso naar mooie meisjes was gaan knipogen. Ondertussen had het bloed van de heiligen van de stad een hele reeks van eigenschappen aangenomen, die tot op dat moment de wetenschap geheel onbekend waren. Zo werd het bloed van één Vrouwe elke dinsdag om stipt tien uur vloeibaar, terwijl dat van San Giovanni gedienstig opborrelde telkens wanneer hij uit de Heilige Schrift hoorde voorlezen.

Eindelijk legde majoor Heathcote het rapport neer. 'Maar ik weet zeker dat jij dit alles geheel kunt verklaren,' zei hij, op onheilspellend vriendelijke toon.

'Sir,' begon James ongemakkelijk. 'De Italianen schijnen te geloven dat er een gigantische ramp op komst is en die priesters spelen simpelweg in op hun goedgelovigheid. En wat die toestand in de Duomo betreft: het leek ons toen niet gepast ons te mengen in een overduidelijk interne Italiaanse aangelegenheid.'

'Juist ja,' sprak de majoor beheerst. 'Het feit dat de burgerbevolking nu in een soort hysterisch delirium verkeert, omdat ze ervan overtuigd is dat de geallieerden een niet nader omschreven catastrofe zullen aanrichten, is dus niet iets dat jou enige zorgen baart.'

'Sir...' begon James weer.

'Val me niet in de rede!' In een plotselinge vlaag van woede gaf de majoor een harde klap op tafel. 'Er zijn er die beweren dat de Duitsers terugkomen om de stad met de grond gelijk te maken – wist je dat? Anderen spreken openlijk over een terugkeer naar het fascisme. En ondertussen is de zwarte markt totaal onhanteerbaar geworden; zijn dankzij jou onze eigen legerartsen de enigen die op de Via Forcella niet meer vrijelijk aan penicilline kunnen komen; barsten de straten van de aan syfilis lijdende meisjes, die deze ziekte ook weer doorgeven aan onze soldaten; klagen de Amerikanen dat de FSS hun een jeep schuldig is, en... o ja...' Hij pakte er een ander rapport bij. 'Dankzij jouw goedkeuring heeft een van generaal Clarks favoriete stafofficieren de maîtresse van een voormalig hooggeplaatst fascist weten te trouwen.' Hij keek James woedend aan. 'Heb je daar nog iets op te zeggen?'

'Ik dacht dat de man in kwestie mejuffrouw di Catalita-Gosta's vader was, sir.'

'Heeft hij dat tegen je gezegd?'

'Nu ik er zo over nadenk, sir: niet letterlijk, nee. Maar hij heeft wel opzettelijk die indruk gewekt. Hij zei dingen als eh... "Het zou veel hebben betekend voor Emilia's overleden moeder als zij spoedig met de majoor zou kunnen trouwen." En ze hadden allerlei antieke meubels geleend zodat het eruitzag als een gezinswoning, in plaats van een liefdesnestje.'

'En daar trapte jij in?' klonk majoor Heathcote ongelovig.

James zat met zijn mond vol tanden.

'De officier in kwestie,' zei de majoor, 'is – of beter: was – integraal betrokken bij de voorbereidingen voor op handen zijnde zeelandingen, waarvan we natuurlijk willen dat de Duitsers er zo min mogelijk van weten. We hebben hem op een extra lange huwelijksreis moeten sturen – zonder zijn prille bruid – terwijl iemand anders de scherven bijeen moet rapen.'

'Het spijt me heel erg, sir.'

'Kapitein Gould,' sprak de majoor bars, 'het enige dat mij ervan weerhoudt jou stante pede naar het front te sturen, is de wetenschap dat ze daar fatsoenlijke soldaten nodig hebben en geen lamlendige onbenullen.' Hij zuchtte. 'Mijn god, ik wou dat ik Jackson nooit had hoeven laten gaan. Maar goed, hier volgen je orders. Zorg dat je donders snel vat krijgt op de burgerbevolking van deze stad en zet al wat nodig is in om deze ravage te keren. En wel overeenkomstig de verordeningen en eisen van de Allied Military Government, zonder uitzonderingen te maken of gunsten te verlenen. Begrepen?'

'Ja, sir.'

'Wegwezen dan! En stuur tweede luitenant Vincenzo naar binnen.'

16

Nadat hij bij majoor Heathcote op het matje was geroepen, bestond er bij James geen enkele twijfel meer over wat er van hem werd verwacht en voerde hij al zijn orders punctueel uit. Elke dag werden er nu troepen ingezet om de Via Forcella van smokkelwaar te zuiveren; wonderen van welk type dan ook werden zonder pardon de kop ingedrukt, in de meeste gevallen middels de simpele werkwijze die Eric in de Duomo had voorgesteld: een wapen trekken en daarmee dreigend naar de dichtstbijzijnde geestelijke zwaaien. De meer hardnekkige miraculeuze openbaringen vereisten soms een arrestatie en het was opmerkelijk hoe gedwee een beeld dat had gekletst, geknipoogd, gezweet of zich anderszins vreemd gedroeg, bedaarde zodra zijn aardse bewaarders in het gevang zaten. Tegelijkertijd waren na een hele reeks van invallen alle bars, bordelen, restaurants en andere clandestiene lokalen gesloten, waarmee de zwarthandel zijn belangrijkste afzetmarkt kwijt was en er een eind kwam aan de carnavaleske sfeer die zo kenmerkend was geworden voor Napels in bezettingstijd.

James leidde zelf de inval die de sluiting van Zi' Teresa inluidde. Hij voelde zich even pijnlijk schuldig toen hij de verwijtende blik in oberkelner Angelo's ogen zag, maar dwong zichzelf zakelijk te blijven.

'Hier,' zei hij en gaf Angelo een proclamatie in het Engels en het Italiaans. 'Hang dit maar op uw deur.'

De ober-kelner keurde het ding amper een blik waardig. 'Dit is een droevige dag.'

'Betreurenswaardig doch noodzakelijk.'

'Mag ik vragen hoelang wij gesloten dienen te blijven?'

'Ik zou zeggen tot aan het eind van de bezetting.'

'Dan wil ik u feliciteren, kapitein Gould. In al deze jaren van oorlog is Zi' Teresa nog nooit gesloten geweest, geen dag. U hebt nu gedaan wat de fascisten, de Duitsers en de geallieerde bommenwerpers allemaal hebben nagelaten. U laat me mijn deuren sluiten voor de mensen van Napels.'

'Het spijt me als u hier ongerief van ondervindt,' antwoordde James stijfjes.

'Ik heb het niet over geld,' sprak Angelo kalm. 'Maar over eergevoel.'

Soldaten met bajonetten werden verstopt in elke voorraadtruck, met de opdracht uit te halen naar elke hand die geallieerde goederen probeerde te stelen. Drie dagen lang liep de ziekenhuizen over van de scugnizzi die vingers waren kwijtgeraakt, voordat de boefjes door kregen dat vrachtwagens plunderen niet meer zo'n goed idee was. De straffen voor prostitutie en handel in gestolen goederen werden intussen opgetrokken naar tien jaar gevangenis. Borden langs alle invalswegen waarschuwden voor de in de stad heersende geslachtsziekten. James hield zelfs lezingen over de symptomen en gevaren van syfilis voor uitgeputte groepen soldaten vers van het front. Hij ontdekte al gauw dat zijn publiek alleen maar ging joelen als hij te veel nadruk legde op het aantal syfilitische prostituees in Napels, terwijl enkele weerzinwekkende dia's van door de ziekte aangetaste mannelijke geslachtsdelen (hem geleverd door een kennis bij de medische staf) zelfs de meest geharde soldaat het zwijgen oplegden.

Tot op zekere hoogte hadden alle nieuwe maatregelen effect. De zichtbare tekenen van decadentie en corruptie die in Napels altijd zo blijmoedig waren tentoongespreid, gingen haast van de ene dag op de andere in rook op. Straten waar het had gewemeld van de troepen op verlof, die van de ene bar naar de andere zwierden en zo hun keuze maakten uit de vrouwen van de stad, waren nu grauwe bedaarde plekken.

Majoor Heathcote ging zelfs zo ver dat hij James en Eric in zijn kantoor riep om hen hiermee te feliciteren. 'Let wel, ik zeg niet dat jullie het prima hebben gedaan,' benadrukte hij. 'Maar jullie hebben het ditmaal tenminste niet gigantisch verknald.'

De nieuwe orde was echter in werkelijkheid lang niet zo geslaagd als hij op het eerste gezicht leek. Om te beginnen wist James dat de zwarte markt, hoewel nu ondergronds gedwongen, er nauwelijks enig ongemak van had ondervonden. Zijn informant, doctor Scoterra, vertelde James ietwat besmuikt dat hij aangaande de penicillinehandel enkel had bereikt dat de prijs zeker vijftig procent was gestegen – wat betekende dat degenen die het hebben wilden zich met nog meer illegale praktijken moesten inlaten om de benodigde contanten bijeen te krijgen. Nu ook de bordelen verboden waren, spendeerden de fronttroepen hun verlof niet door zoals voorheen in hun eentje of met zijn tweeën op vrouwenjacht te gaan, maar in luidruchtige dronken groepen, waarbij het opgekropte testosteron zich vaak in knokpartijen ontlaadde. Noch hadden alle nieuwe maatregelen veel effect op de epidemie van seksueel overdraagbare aandoeningen. Ondanks James' lezingen lagen er nog steeds meer geallieerde soldaten in bed met een geslachtsziekte, dan met op het slagveld opgelopen verwondingen.

James trachtte zich intussen nog steeds door de achterstand aan huwelijkskeuringen heen te werken. Deze taak werd echter danig bespoedigd door het feit dat hij op een beleid was overstapt, waarbij álle aanvragen werden afgewezen – tenzij er een onweerlegbare reden bestond om anders te beslissen.

'En tot dusver,' vertelde hij Eric, 'ben ik er nog niet één tegengekomen. In wezen moet je tegenwoordig non zijn, wil je met een Engelse soldaat kunnen trouwen.'

Eric fronste zijn voorhoofd. 'Dat kan toch niet?'

'Bij wijze van spreken dan.'

Eric zuchtte. 'Weet je, James, ik geloof niet dat ik hier erg blij mee ben.'

'Ik ook niet. Maar orders zijn orders.'

Violetta Cartenza, negentien jaar oud, werd genoteerd voor een afwijzing op grond van 'slordig huishouden'; Serena Tivoloni, twintig, was 'te vrijpostig'; Rosetta Marli, vierentwintig, was 'niet in staat stil te zitten'; Natalia Monfredo, negentien, was 'veel te bijgelovig'. Martina Fontanelle zat ingetogen tegenover James en beantwoordde al zijn vragen, terwijl voor hen op tafel een dikke envelop met geld lag, die ze ogenschijnlijk allebei negeerden. James liet hem daar rustig liggen, stond op en schreef in haar dossier slechts één woord: 'corrupt'.

Silvana Settimo, twintig jaar, vertelde James onbewogen dat ze nog maagd was. Het was haar troefkaart: als dat waar was, kon hij immers moeilijk beweren dat ze een slechte naam had, laat staan dat ze prostituee was. Maar iets in haar grote onschuldige ogen deed een waarschuwingsbelletje bij hem rinkelen. Dus zei hij haar dat hij nog wat dingen wilde uitzoeken en zocht haar verloofde op, een jolige korporaal van de Londense artillerie. Deze bevestigde dat ze nog niet met elkaar naar bed waren geweest.

'Wij willen allebei wachten tot we getrouwd zijn,' vertelde hij James. 'Sommige van de jongens verklaren me voor gek dat ik zogezegd "de waren niet van tevoren keur", maar ik weet dat mijn moeder het ook niet goed zou keuren. Noem me maar ouderwets, maar zo ben ik nu eenmaal. En Silvana denkt er net zo over.'

Nog steeds niet helemaal overtuigd, zocht James de officier van gezondheid op die hem de dia's voor zijn troepenlezingen had geleverd.

'Is het mogelijk maagdelijkheid voor te wenden?'

'Goed genoeg om een echtgenoot op zijn huwelijksnacht voor het lapje te houden of goed genoeg om een dokter voor het lapje te houden?'

'Beide.'

De arts dacht even na. 'In het eerste geval waarschijnlijk wel. Wat is het aan haar dat je stoort?'

'Ik weet het niet precies.' Hij dacht aan zijn eigen pijnlijk vage dialogen met Jane en de plotselinge openheid in haar brief. 'Ik denk,' sprak hij traag, 'het feit dat ze niet bijster verlegen leek met de hele situatie.'

'Ik kijk graag een keer naar haar, hoor, als je dat wilt.'

Toen Silvana daarop van harte instemde met een medisch onderzoek, begon James toch te twijfelen of hij het wel bij het rechte eind had.

Na het onderzoek riep de arts hem echter binnen.

'Hier heb je haar maagdelijkheid,' zei hij. Hij overhandigde James een roestvrijstalen schaaltje met daarin een klont wasachtig materiaal zo groot als een kastanje.

'Meen je dat nou?'

'Kijk.' De arts pakte een scalpel en prikte ermee in het voorwerp.

Het bood nog even een beetje weerstand, maar toen gutste er opeens wat donker bloed uit.

'Kaarsenwas, hoogstwaarschijnlijk,' opperde de arts. 'Vermengd met olie om het zachter te maken en toen in de juiste vorm gekneed.'

'Is dat echt bloed?'

'Nee, dat kan nooit; dan was het allang gaan klonteren. Maar ik geloof dat bloed namaken niet al te moeilijk is.'

'O nee, daar zijn ze hier erg goed in,' verzekerde James hem, denkend aan de priesters met hun relikwieën. 'Daar is nogal een markt voor, zie je. Ik vraag me af of dit ook gaat borrelen als je erbij uit de Bijbel voorleest, zoals dat van San Giovanni.'

'Waar ze het ook vandaan heeft, het zal niet goedkoop zijn geweest.'

Nu Zi' Teresa en alle andere restaurants waren gesloten, was er voor James geen respijt meer van Malloni's kookkunsten, wat betekende dat hij ook niet meer onder 'Vlees met Groenten' uit blik uitkwam.

'Zeg, Malloni, weet jij echt zeker dat je kok bent?' vroeg Horris hem op een keer. Hij was recentelijk aan de afdeling toegevoegd, nadat majoor Heathcote had besloten dat James wel wat assistentie had verdiend.

'Natuurlijk. Ik ben met het mes in de hand geboren,' was Malloni's duistere antwoord. Wat, zo bedacht James later pas, net zo goed iets heel anders kon betekenen.

De restaurantsluiting viel met name Jumbo Jeffries zwaar. Beroofd van zijn zeevruchtendieet, was hij voor zijn opgevoerde libido nu afhankelijk van talismannen. Telkens wanneer James hem zag, leek hij weer getooid met een andere religieuze halsketting, amulet of broche, hem opgedrongen door de ongeduldige Elena. Somber liet hij James doorschemeren dat hij niet erg gecharmeerd was van bepaalde eisen die de laatste tijd aan hem werden gesteld.

'Zij doet dingen waar Engelse meisjes niet eens van durven dromen,' vertrouwde hij hem toe. 'Sommige daarvan zijn een ware openbaring, dat kan ik je wel vertellen. Maar, verdomd als het niet waar is: vervolgens wordt er dus van jou verwacht dat je de rollen omdraait en net zoiets bij haar doet!'

James maakte wat, naar hij hoopte, meelevende geluiden.

'Weet je wat het ook is?' vervolgde Jumbo droefgeestig. 'Elena heeft ineens veel meer tijd, omdat de school waar ze lesgaf is gesloten of zoiets. Toen ze nog werkte, was ze tenminste vaak nog te moe; nu barst ze echt constant van de energie.'

'Als je er echt genoeg van hebt,' opperde James, 'dan kun je haar natuurlijk ook gewoon de bons geven.'

Jumbo streek met een afwezige blik in zijn ogen over zijn snor. 'Da's makkelijker gezegd dan gedaan, ouwe jongen, makkelijker gezegd dan gedaan.'

Er werd een regeling getroffen. Op die zeldzame dagen dat Malloni hun menu wist aan te vullen met cornedbeef uit blik, kreeg Jumbo een extra portie. Inmiddels was namelijk in heel Napels onomstotelijk vastgesteld dat dit gerecht werkte als een afrodisiacum. Op die avonden at Jumbo in zijn eentje, vastberaden voor zich uit starend, waarna hij zich onmiddellijk weg spoedde, om bij zijn geliefde te kunnen zijn op het moment dat het effect van de maaltijd op zijn hoogst was.

Op een avond nam hij James voordat hij de deur uit rende, nog even terzijde. 'Gould, hoe zeg ik: "Ik geloof echt dat het nu ver genoeg is gegaan"?'

'Iets als: *Penso che dovremo fermarmi adesso*.'

'En wat is: "Ik vind het niet erg om te kijken, maar doe zelf liever niet mee"?'

'*Non mi dispiace guardare ma preferisco non partecipare*.'

'Bedankt!' En Jumbo knikte, rechtte zijn schouders en marcheerde naar buiten, de avond in. Het leek James dat hij net zo onverschrokken keek, als wanneer hij tijdens een van zijn geheime missies vijandelijk gebied binnendrong.

Op een enkele tegenslag na, kon James zichzelf toch wijsmaken dat hij zijn district min of meer onder controle had gekregen. De van zijn voorganger geërfde papieren achterstand was teruggebracht tot hanteerbare proporties; de koektrommel in de kast die ooit zat volgepropt met bankbiljetten in kleine coupures die dienden als steekpenningen, bevatte nu een verzameling geslepen potloden; en er was een afsprakenboek, dat Carlo en Enrico nog steeds zo goed mogelijk probeerden te negeren. Het was hem zelfs gelukt een grijsmetalen archiefkast te bemachtigen, een wapenfeit waar hij stiekem best trots op was. In weerwil van beperkte middelen en lastige werkomstandigheden was hij een succes.

En toch, met het verstrijken van elke dag kreeg hij steeds sterker het gevoel dat waar hij zo hard voor had gewerkt, uiteindelijk toch niet de moeite waard was. Als een leraar die worstelde om een klas vol onhandelbare kinderen in bedwang te houden, hun aandacht te vangen en vervolgens te ontdekken dat hij ze niets te vertellen had, ontdekte James dat hij het spoor eigenlijk een beetje bijster was. Het feit dat hij over de zwarte markt heen was gewalst, had het leven van de gewone Italiaan er niet moeilijker op gemaakt, maar ook niet veel makkelijker; en dat hij een paar militairen had verboden te trouwen, had ook niet voor een doorbraak aan het front gezorgd.

James werd zich ervan bewust dat hij zich rusteloos voelde; ja, haast verveeld. Dat was vreemd, want hij werkte vaak veertien uur per dag en kón zich dus niet eens vervelen, althans niet in de gebruikelijke zin van het woord. Maar telkens wanneer hij een bloeiende citroenboom passeerde, de geur van een onbekend exotisch kruid opving die door het open raam naar binnen zweefde, achter een deur een stukje opera hoorde zingen of zelfs wanneer tijdens het werken opeens een streep Napolitaans zonlicht zijn huid verwarmde, werd hij zich bewust van een vreemde gewaarwording – een beetje als een scherpe steek van honger. En misschien wás het dat ook gewoon, dacht hij. Malloni's onveranderlijke blikvoerkost was zo eentonig, dat hij zich er vaak niet eens toe kon brengen een hap te nemen. Niet dat hij durfde te klagen: vergeleken met de opofferingen die zoveel anderen zich op datzelfde ogenblik getroostten, had hij maar een luizenleventje. Nee, het gaf geen pas te piekeren over wat je wellicht allemaal misliep: het was nu eenmaal oorlog.

17

De volgende keer dat Alberto naar Fiscino kwam, had hij een kip bij zich en hij wilde dat Livia die voor hem klaarmaakte.

'Het is geen jonkie meer,' zei hij, terwijl hij het dier bij de nek hield en aan een kritisch onderzoek onderwierp. De kip klapwiekte en kronkelde in zijn stevige greep. 'En ook niet erg dik. Maar ja, je weet wat ze zeggen: *Gallina vecchia fa buon brodo*, hoe ouder de kip, hoe beter de soep.' Toen gaf hij een zo harde ruk aan de kippennek dat deze brak en overhandigde haar het dier met een buiging.

Livia had sinds het brood op was gegaan niet meer gegeten. Het water liep haar dan ook in de mond toen de kip eenmaal lag te borrelen in de soeppan, samen met de ui, de selderij en de wortels die Alberto ook had meegebracht.

'Eet je met me mee?' vroeg hij.

'Dat kan ik niet maken: ik ben de kokkin.'

'Maar je hebt verder helemaal geen klanten.' Hij zette twee borden op de keukentafel. 'Het is goed vlees,' probeerde hij haar over te halen.

Ze ging bij het fornuis staan. 'Doet er niet toe.'

Toen de soep klaar was, keek hij toe hoe ze de kip uit de pan haalde en op een schaal legde. De soep serveerde ze hem vervolgens direct uit de pan, alleen wat dikker gemaakt met pasta.

'Zo'n eenvoudig gerecht,' zei hij, de bouillon met grote happen oplepelend. 'En toch zo moeilijk om goed klaar te maken. Het is verrukkelijk, Livia.'

Ze kon het niet helpen: dat hoorde ze altijd graag. 'Dank je.'

'Wil je echt niet wat proeven?'

'Nee.' Ze had allang besloten dat zij later zou eten, van wat hij overliet. Want zelfs Alberto kon toch zeker geen hele pan soep op, in deze tijd waarin velen al een jaar geen vlees meer hadden gehad en een kip als deze een heel gezin wekenlang kon voeden.

'Dan moet je het zelf maar weten.' Hij wijdde zich weer aan zijn eten. 'Maar het is echt erg lekker.'

Ze zag dat de soep die prachtige grijze kleur had die je krijgt als je kip echt goed gaar kookt en dat hij hier en daar was bespikkeld met goudkleurige vetbolletjes. Ze was onderhand duizelig van de honger: als ze niet tegen het fornuis had kunnen leunen, was ze misschien wel omgevallen. Ze keek toe hoe hij de soep tot op de laatste druppel opslurpte.

'En nu,' zei hij, zijn hand uitstekend naar de kip, 'de *secondo*.'

Hij brak het gevogelte met zijn dikke vingers open, trok bedreven het borstvlees van de botten en draaide de poten er met een geoefende beweging vanaf, tot het hele dier in stukken op de serveerschaal lag. 'Alsjeblieft,' zei hij en wees naar de stoel aan de andere kant van de tafel.

'Nee, dat kan echt niet,' zei ze nog maar eens. Maar terwijl de geur van gekookte kip de hele ruimte vulde, voelde ze hoe haar knieën opnieuw week werden. En toen ze zo onvast op haar benen stond, mocht ze van zichzelf eindelijk op die stoel neerploffen.

Alberto propte intussen een lange reep kippenvlees in zijn mond en kauwde erop met een extatische uitdrukking op zijn gezicht. Vervolgens zocht hij een kleiner stuk en hield het Livia voor. Gedachteloos reikte ze ernaar, maar voelde hoe hij haar arm zachtjes wegduwde. Ze begreep meteen wat hij wilde: gehoorzaam opende ze haar mond, zodat hij het stukje vlees tegen haar lippen kon drukken.

Ze sloot haar ogen – om de situatie nog enigszins draaglijk te maken – en voelde zijn dikke vingers, glibberig van het vet, tussen haar lippen duwen. Het enige dat ze proefde, was echter kip: een volle vlezige smaak, die haar mond en gedachten vulde en al het andere buitensloot. Toen ze eenmaal had geslikt, kon ze zichzelf niet meer stoppen: ze had haar mond al geopend voor meer, zoals een jonge vogel zijn bek openspert om gevoerd te worden. Ze voelde hoe zijn vingers zich in haar mond wurmden en merkte tot haar eigen verbazing hoe ze het kippen-vet er vervolgens gretig vanaf begon te likken en te zuigen.

Toen hij zijn vingers wegtrok, opende ze haar ogen en schaamde zich diep voor wat ze zojuist had gedaan. Maar Alberto had alweer een stukje vlees in zijn hand: de *sella* nog wel, het zogenaamde sot-l'y-lais-se: twee donkerder stukjes vlees van de onderkant, net achter de vleu-gels – het beste deel van een kip. Dus sloot ze opnieuw haar ogen en opnieuw voelde ze zijn vingers in haar mond, totdat zij ze helemaal had schoongelikt.

Toen hoorde ze zijn stem in haar oor: 'Toen je me laatst vroeg waar-om ik jou per se wil,' sprak hij kalm, 'heb ik gelogen. Het is niet alleen omdat ik het me niet kan veroorloven te worden uitgelachen; het is omdat ik van je hou.'

Livia hield haar ogen nog maar even gesloten, om buiten te sluiten wat er was gebeurd én wat ze zojuist had gehoord. Toen ze bleef zwij-gen, werd er na een poosje opnieuw een stukje kip tussen haar lippen geduwd.

Toen hij eindelijk weg was, voelde ze zich misselijk. Die avond ging ze naar het hoekje van de keuken waar ze al het kippenbloed zorgvuldig in een steelpan had bewaard.

'Ik kreeg ineens een idee,' zei ze tegen Marisa. 'Weet je nog, die tank?'

'Welke tank?'

'Die bezweek nadat jij een vloek over die *tedesco*-soldaat had uitge-sproken. Als we die weer aan het werk weten te krijgen, kunnen we hem gebruiken in plaats van de tractor.'

Marisa dacht even na. 'Maar dan heb ik ook wat hanenbloed nodig.'

Livia stak de steelpan omhoog. 'Is dat van een ouwe soepkip ook goed?'

'Misschien. Maar Livia, geen van ons weet hoe je een tank bestuurt.'

'Ach,' zei Livia schouderophalend, 'zo moeilijk kan dat toch niet zijn? Soldaten kunnen het ook en moet je zien hoe stom de meesten zijn!'

Die middag togen ze naar het veld achter het dorp waar de Duitse tank het destijds had begeven. Marisa pakte de fles die ze bij zich had en goot een stinkend goedje in de benzinetank. Toen legde ze haar handen op de buitenkant van de tank.

'Probeer het eens,' zei ze.

Livia klom in de tank. Binnen was het aardedonker: het enige licht viel binnen via een paar spleten in de bepantsering. Het rook er naar motorolie, scherp mannenzweet en een rokerige stank waarvan ze begreep dat het cordiet moest zijn.

Ze nam plaats op de bestuurdersstoel en keek naar het bedieningspaneel. Het zag er niet zo ingewikkeld uit. Links en rechts van haar zaten twee grote hendels, die waarschijnlijk de rupsbanden bedienden; een kleine spleet op ooghoogte gaf een uiterst beperkt zicht op de weg voor haar; en aan haar rechterhand zag ze een stel hendels en schakelaars waarvan ze niet zo gauw kon bedenken waarvoor ze dienden. Maar ze zag ook een zwarte knop die weleens de startmotor kon zijn, dacht ze. Toen ze erop drukte, gebeurde er echter helemaal niets. Dus zette ze alle hendels om en probeerde het opnieuw. Ditmaal begon de hele tank te schudden – ze dacht even dat ze het kanon had afgevuurd, maar toen realiseerde ze zich dat de motor vlak onder haar voeten was aangeslagen. De benauwde ruimte vulde zich met dikke zwarte rook en toen Livia tegen de stuurhendels duwde, begon de machine vooruit te rollen.

18

ames was onderhand wel gewend aan telefoontjes van lichtge-
raakte officieren met wilde verhalen over vijandelijke invasies en
andere bedreigingen van de veiligheid. Dus toen er een kapitein belde
vanuit Sant' Anastasia om te vertellen dat er in de omgeving van
Boscotrecase een Duitse tank was gesignaleerd, dacht hij aan Jacksons
waarschuwing en zei: 'Maakt u zich geen zorgen, dat gerucht ís al gecheckt en het klopt gewoon niet.'

'Nou, dan weet ik niet hoe goed u het hebt gecheckt,' klonk de stem
van de kapitein, 'maar degene die het mij meldde, heeft nog in Afrika
gevochten, overdrijft niet gauw en is bovendien bekend met Duitse
tanks. En hij beweert dus een onbetwistbaar Duitse pantserwagen te
hebben zien rijden, ergens boven Cappella Nuova.'

James keek op de kaart. Cappella Nuova lag tegen de helling van de
Vesuvius, op slechts een paar kilometer afstand van het geallieerde
vliegveld van Terzigno. Als zich werkelijk een hele divisie pantservoer-
tuigen in dat gebied schuilhield, kon die een hoop schade aanrichten
als men eenmaal besloot aan te vallen.

Dus belde hij majoor Heathcote en legde hem de situatie voor. 'Ik
geloof dat we maar beter het vliegveld kunnen bellen om hun te zeggen
waakzaam te zijn, sir,' zei hij. 'En misschien moeten een paar van onze
eigen tanks er eens een kijkje gaan nemen.'

'Tanks? Waar moet ik die in godsnaam vandaan halen?' beet de majoor. 'Elk pantservoertuig dat we hebben, is in Cassino. Nee, je zult zelf
een verkenningsexpeditie op touw moeten zetten. Als het werkelijk
waar blijkt te zijn, kun je om luchtsteun vragen.'

'Eh... is dat niet meer iets voor de infanterie, sir? Of op zijn minst iemand die over antitankwapens beschikt?'

'Neem maar een paar carabinieri mee. En als er íémand moet worden opgeblazen, probeer er dan voor te zorgen dat jullie dat zijn, niet zij.'

Carlo en Enrico leefden zichtbaar op bij het idee van een nieuw uitstapje. De volgende ochtend verschenen ze met een stuk of zes van hun vrienden, opnieuw in hun mooiste Al Capone-filmkostuum: vlinderdas, slobkousen, strohoed en blazer. En weer begonnen ze bij het uitdelen van de tommyguns allemaal lollige poses aan te nemen. Ze maakten zelfs foto's van elkaar, tot James hen tot de orde riep.

'Geen heldhaftig gedoe!' benadrukte hij. 'Zodra we iets zien, roepen we de luchtmacht erbij. Absoluut niemand gebruikt zijn wapen, tenzij ik daar bevel toe heb gegeven. En als het enigszins mogelijk is, observeren we ze van een afstand, zodat we niet worden opgemerkt.'

Het was de eerste keer dat James de Vesuvius bezocht. Van de overkant van de baai was niet goed te zien geweest hoe kolossaal de vulkaan eigenlijk was. Het bleek zelfs niet om slechts één berg te gaan, maar om een hele reeks van heuvels en hellingen, die vrij abrupt overgingen in de reusachtige tweelingtoppen Monte Somma en Monte Conna – de eigenlijke vulkaan. De rookwolk die er altijd boven hing en die in Napels zo sierlijk en ijl had geleken, hing nu dreigend donker boven hun hoofd. Als een smeulend vuur dat weigerde te doven, dacht James.

Terwijl ze in konvooi de berg op reden, zag James (die de motor had gepakt, omdat hij liever geen jeep deelde met een stel zwaarbewapende Italianen) een gehavend bordje, dat aangaf dat ze de overblijfselen van Pompeï passeerden. Hij probeerde voor zichzelf te onthouden dat hij daar beslist nog eens voor moest terugkomen.

Ze kronkelden zich de berg op en overal zagen ze lange tongen van afgekoelde lava als littekens in het landschap liggen, sommige glinsterend alsof ze van gesmolten donker glas waren. Niettemin lagen er zeker tien dorpen en gehuchten verspreid over de uitlopers van de vulkaan. Een ware overwinning van optimisme op langetermijnplanning, vond James. Maar herinnerde Pompeï de mensen er dan niet genoeg aan, dat het eigenlijk gekkenwerk was om je huis hier neer te zetten?

De hele ochtend zigzagden ze over de hellingen, waarbij ze zo nu en dan stopten om wat dorpelingen te ondervragen. In San Sebastiano kreeg James te zien waar de lava van 1923 in twee stromen uiteen was gedreven en precies om het dorp heen was gestroomd – een wonder dat volgens zijn gids was teweeggebracht door een houten beeld van Sint-Sebastiaan, dat de withete lava niet had kunnen verbranden. Datzelfde beeld stond nu, lichtelijk geschroeid, in een kerkje op een paar honderd meter van de rand van de lava. Het was expres niet aan de muur bevestigd, voor het geval deze heilige in de nabije toekomst nog eens nodig zou blijken.

Toen James informeerde of er in de buurt soms tanks waren waargenomen, trok de man zijn schouders op. 'Die hebben zich in de vulkaan verschanst,' sprak hij fatalistisch. 'Dat weet iedereen. Op een dag komen ze eruit en nemen ze Napels weer in.' James vond het meer klinken als een gemoderniseerde volkslegende, dan als iets dat werkelijk op waarheid berustte.

Aan de andere kant van de berg werden de waarnemingen echter steeds betrouwbaarder. Een schaapherder had nog maar twee dagen geleden op een landweg een tank in volle vaart voorbij zien komen; diverse anderen beweerden een pantservoertuig te hebben waargenomen in de akkers boven Boscotrecase. 'In de buurt van Fiscino,' leek men het met elkaar eens te zijn. En omdat de middag inmiddels ten einde liep, leek het James het meest logisch om koers naar dat dorpje te zetten.

Omdat ze nog steeds in konvooi reden, werd het grootste deel van James' zicht door de jeep voor hem belemmerd. Dus pas toen deze abrupt naar de berm stuurde en daar knarsend en piepend tot stilstand kwam, begreep hij dat er iets mis was. En ja hoor: toen hij naar links keek, zag hij daadwerkelijk een pantservoertuig, zijn hakenkruis op de zijkant duidelijk zichtbaar. Ze jaagden hier nu al zo lang op, dat hij bijna opgelucht was – het ding begon bijna een onwezenlijk fabeldier te worden – maar nu wisten ze tenminste zeker dat de dreiging echt was. Het bakbeest reed over een veld zo'n vijftig meter hogerop en kwam schokkend en schuddend op hen af. De gendarmes sprongen al uit de jeep, hun tommygun in de hand.

'Denk aan wat we afgesproken hebben,' riep James nog. 'We trekken ons terug en vragen om luchtsteun!' Maar niemand schonk ook maar de minste aandacht aan hem: ze renden allemaal op de tank af, met hun geweer op heuphoogte alle kanten op schietend. Vonken spatten van de romp van de tank, waar de kogels afketsten op het metaal.

En toen voelde James opeens een venijnige steek in zijn linkerschouder. 'Sodeju!' riep hij welgemeend uit. Een verdwaalde kogel had hem geraakt. Voorzichtig voelde hij aan de wond. Het leek gelukkig niet erg ernstig. Hij verhief zijn stem: 'Nee, terugtrekken!'

Ditmaal gehoorzaamden de carabinieri maar al te graag. Ze hadden zich namelijk net gerealiseerd dat hun kogels geen schijn van kans maakten op de bepantserde zijkanten van de tank. Met evenveel bezieling als ze eerder bij hun charge hadden laten zien, trokken ze zich daarom halsoverkop terug naar de schijnveiligheid van de jeep. En James werd zich er ineens pijnlijk van bewust dat hij nu de enige was die, geheel onbeschut, recht voor de loop van de Duitse tank stond.

De tank hobbelde over een lage aarden wal schuin de weg op, waarbij hij een deel van een muurtje omverreed. En toen leek het kanon James' kant op te draaien – of schokte de loop slechts door de ongelijkmatige bodem? Zich er terdege van bewust dat alle carabinieri naar hem stonden te kijken, trok James zijn pistool. 'Stop!' schreeuwde hij, al besefte hij dat – zelfs al hoorden ze hem boven het lawaai van de motor uit – dit waarschijnlijk weinig indruk zou maken op de bemanning van een tank. 'Hált!' voegde hij er voor de goede orde nog maar aan toe en stak er zijn vrije hand met de palm naar voren bij omhoog.

Maar de tank stopte niet. Grillig slingerend stampte hij op James af, vermoedelijk volgens de een of andere procedure om antitankraketten te ontwijken. Als hij bleef staan waar hij stond, zou hij worden overreden.

Echter, op het allerlaatste moment kwam de tank toch nog tot stilstand. De loop van het kolossale kanon zakte zover tot hij recht op James wees. Deze voelde plots een onredelijke woede in zich opkomen: hij zou, mijlenver van huis, als maagd sterven – en dat allemaal omdat die klere-Italianen zich niet aan dat klereplan hadden gehouden!

Toen ging het luik open en verscheen er een gezicht. James zag dat het, hoewel vol olievlekken, best een vriendelijk gezicht was – met grote ogen, zachte jukbeenderen en donkere wenkbrauwen. Nu keek het echter verschrikkelijk kwaad.

'Wat doet u in naam van alle heiligen midden op de weg?' riep het gezicht in het Italiaans. 'Ik had u wel dood kunnen rijden, stomme idioot!'

'Ik heb u het bevel gegeven te stoppen,' antwoordde hij.

'Waarom zou ik dat doen? U kon toch makkelijk opzij?'

Toen legde de vrouw haar handen boven op de tank en drukte zich uit het luik omhoog, een paar slanke bruine benen onthullend. De carabinieri hielden allemaal tegelijk hun adem in. Toen ze zich over de zijkant van de tank naar beneden liet glijden, sprong een van de vlottere types naar voren en bood haar zijn hand aan.

Nog steeds wat beduusd vroeg James: 'Is dit uw tank?'

'Nou, oorspronkelijk niet, zoals u ziet,' antwoordde ze vinnig. De carabinieri, die hun eerdere doodsangst blijkbaar alweer waren vergeten, lachten luid. Degene die haar naar beneden had geholpen, leek haar hand nu niet meer los te willen laten, tot de vrouw hem een oogverblindende glimlach schonk met een dankbaar: '*Grazie mille.*'

'Hij is dus gestolen,' concludeerde James.

Ze trok haar lange haar uit haar kraag, waar ze het voor het gemak even in had weggestopt. Het was glanzend en zeer donker. 'Nou en?'

'Ik vrees dat u hem niet kunt houden.'

De jonge vrouw keek van de tank naar James en trok toen één wenkbrauw op. 'Wilt u soms dat ik een paar Duitsers zoek en hem teruggeef?' vroeg ze ongelovig. De carabinieri grinnikten verrukt.

'Nee, u moet hem aan óns geven.'

'Maar dan heeft ú hem gestolen.' De carabinieri knikten als één man en draaiden zich toen naar James, om te zien hoe die hierop reageerde.

'Daar hebben wij min of meer het recht toe,' legde hij uit. 'Als winnende partij.'

Hier dacht ze even over na. 'Goed,' zei ze. 'Dan verkoop ik hem aan u. Doet u maar eens een bod.'

'De straf voor het in bezit hebben van een militair wapen is tien jaar gevangenis.'

'Echt?' Ze leek werkelijk stomverbaasd. 'O. Maar ik heb helemaal geen militair wapen!'

'Mevrouw,' zei James, 'u reed in een tank rond.'

Ze maakte een minachtend gebaar. 'En?'

James keek naar de zeker tien centimeter dikke loop boven hem.

'O, dat!' zei ze, alsof dit ding haar voor het eerst opviel. 'Er zit toevallig een kanon aan, dat is waar, maar daar doe ik niks mee. Wat mij aangaat, is het een tractor. Kijkt u maar.' Ze wees naar de achterkant van de tank, waaraan, zo zag James nu pas, een primitief soort ploeg was bevestigd.

'Mag ik vragen of u een vergunning heeft voor het besturen van een voertuig?'

De vrouw leek zijn vraag net te willen beantwoorden, toen ze zijn schouder zag. 'U bent gewond!'

'Ik wilde weten of...'

'U bloedt.'

Hij keek nu zelf ook. Het was waar: door de spanning van het moment had hij totaal niet gemerkt dat zijn schouder inmiddels doorweekt was. 'Ik voel me anders prima,' zei hij.

Maar de vrouw had zich al omgedraaid en stond nu de carabinieri de les te lezen: zij stonden daar maar wat te niksen, terwijl hun kapitein doodbloedde! Hadden ze verband bij zich? Nee? Dan moesten ze hem naar haar huis dragen (dat gelukkig net voorbij de volgende bocht lag), waar haar zuster, de *maga*, de wond zou verzorgen. Kijk dan toch: hun kapitein stond te zwaaien op zijn benen; hij was vast helemaal duizelig! En James moest van haar gaan zitten, met zijn hoofd tussen zijn knieën, terwijl er een brancard werd gehaald.

Tot zijn verbazing werd James ineens aan alle kanten bijgestaan door zes carabinieri, die onder het bevel van deze jonge vrouw een stuk efficiënter te werk bleken te gaan dan ze ooit voor hem hadden gedaan – hoewel hij zich wel wat veiliger had gevoeld als ze hun tommyguns hadden afgedaan, voor ze hem met zijn hoofd tussen zijn benen op de grond duwden. In een van de jeeps bleek vervolgens een brancard te liggen, waar hij, voorzichtig alsof hij een baby was, op werd getild en toen met evenveel zorg over het ruwe terrein werd gedragen.

Hij werd op een keukentafel gelegd en een andere jonge vrouw, die erg op de eerste leek en bijna net zo knap was, werd erbij gehaald om naar de wond te kijken. En voor James goed en wel besefte wat er gebeurde, trokken de twee vrouwen zijn overhemd uit en bestudeerden ze zijn schouder, waarbij de jongste bezorgde geluiden maakte. Toen wasten ze de wond schoon en begon de jongere vrouw de huid eromheen met stevige, koele vingers te masseren. In een razendsnel dialect zei ze iets tegen haar zuster, waarna deze zich over James heen boog en haar hand aanbood. 'Knijp hier maar in,' zei ze. Toen hij dit bevel opvolgde, voelde hij iets hards: ze droeg een trouwring.

'Ik geloof dat hij ook nog eens verrekt is,' zei de jongste en ze verliet de kamer.

Liggend op zijn rug staarde James naar de golvende massa geurig zwart haar op het voorhoofd van de tankbestuurster. Ineens besefte hij dat hij nog steeds in haar hand lag te knijpen. 'O, sorry,' zei hij en trok zijn hand gauw terug.

'Wat is uw naam?' vroeg ze.

'Kapitein Gould, James Gould.'

'Tsjeems Goel?'

'James Gould.'

'Dzjems Goeht?'

'Het lijkt erop.' In weerwil van de situatie voelde hij zich opeens best vrolijk. Hij had gedacht dat hij op het punt stond aan stukken te worden geschoten door een kanon... en nu werd hij verzorgd door twee van de mooiste vrouwen die hij ooit had gezien. Zoiets kon je echt alleen in Italië overkomen.

De jongste zuster keerde terug met twee potjes. 'Stil blijven liggen,' zei ze tegen hem. En ze stak haar vingers voorzichtig in het eerste potje en kwam tevoorschijn met een bij. Het insect leek tam of in ieder geval aan haar gewend: onbekommerd liep het als een lieveheersbeestje over haar vingers. 'Dit doet maar heel even pijn,' zei ze. En toen hield ze de bij tegen zijn schouder en voelde James een scherpe prik.

'Wat, in 's hemelsnaam...' begon hij en probeerde rechtop te komen.

'Dat helpt bij het helen van de wond.' Uit het tweede potje lepelde ze vervolgens een kleine hoeveelheid van een goedje dat eruitzag als honing. Ze wreef het op de randen van de wond. 'En dit ook.'

Lariekoek natuurlijk, dacht James, maar ze probeerden hem uiteraard gewoon te helpen. Bovendien waren haar vingers uiterst behendig: ze masseerden de pijn eenvoudig weg... Hij ging weer liggen en sloot zijn ogen.

Toen hij ze weer opende, hadden ze zijn overhemd inmiddels in repen geknipt zodat deze als verband konden dienen. 'Bedankt,' zei hij. 'Jullie zijn erg aardig voor me.'

'O, we doen dit niet uit aardigheid,' sprak de oudste zuster nuchter. 'We willen alleen niet het gevang in.'

'En ik maar denken dat het pure goedheid was,' zei James droog.

'Marisa vindt dat een van ons ook nog met u moet flirten, voor het geval dat. En ze heeft bedacht dat ík dat moet zijn,' voegde ze eraan toe, 'omdat u mij het leukst vindt.'

Hoe wíst ze dat in godsnaam? 'Ik hoop dat u haar heeft verteld dat u zo'n type niet bent,' mompelde hij.

Ze draaide zich om en keek op hem neer. Haar ogen, zo zag hij nu, waren diepgroen van kleur. Er flitste even iets doorheen dat opvallend veel op verachting leek. 'Nee,' zei ze. 'Ik heb haar gezegd dat ik nog liever sterf, dan dat ik met een Engelse officier flirt.'

De jongere zuster begon het verband om zijn bovenarm te wikkelen.

'O, dat vind ik fijn om te horen,' zei James, beduusd door de plotselinge bitterheid in haar stem. Maar hij wist eigenlijk niet of hij dat wel meende.

Tegen de tijd dat de wond was verbonden en hij een geïmproviseerde mitella had gekregen, was de pijn in zijn schouder al niet meer dan een soort wazige warmte. Misschien dat die bijensteek toch iets had gedaan, dacht James. Hij moest zijn vriend de arts eens vragen of dat mogelijk was.

Toen kreeg hij een vork en een bord vol kleine witte bollen voorgezet. 'Eten,' werd hem opgedragen. Hij stak de vork in een van de bolletjes. Het was zo zacht als een gepocheerd ei en toen hij doorprikte, gutste er een crèmekleurige vloeistof uit. Hij nam voorzichtig een hap... en zijn mond werd overspoeld met heerlijkheid: het smaakte fris, bijna alsof hij op gras kauwde, maar tegelijkertijd vol en licht zoetig.

'Goh,' zei hij. 'Wat is dit?'

'Burrata; we maken het zelf.'

Het was een woord dat hij niet kende. Maar toen zette hij een strenge stem op en zei: 'Ik vrees dat ik nog wel wat bijzonderheden nodig heb, over die tank. Om te beginnen: hoe bent u eraan gekomen?'

'Marisa heeft hem betoverd.'

De moed zonk James in de schoenen: hij wist nu al hoe majoor Heathcote zou reageren als hij dát in zijn rapport zette.

Toch luisterde hij geduldig hoe Marisa en Livia vertelden over de weduwe Esmerelda en de vloek die als vergelding voor haar dood over de tank was uitgesproken. Het was een lang en vrij verwarrend verhaal, wat vooral kwam doordat de twee zussen constant door elkaar heen praatten. Hij streek over zijn kin. De situatie bleek een stuk gecompliceerder dan hij in eerste instantie had aangenomen. De tank was rechtstreeks van de Duitsers overgenomen en technisch gesproken dus niet gestolen, maar buitgemaakt. 'Hier moet ik even goed over nadenken,' zei hij. 'Maar in de tussentijd zal ik de tank toch in beslag moeten nemen. En u zult mee moeten, ben ik bang,' zei hij tegen Livia.

'Waar naartoe?'

'Naar onze legerbasis in Napels.'

'Dan hebben we wellicht een probleempje.'

'O? Hoezo?'

'Die tank loopt op mijn vaders grappa. En terwijl wij hier zitten te kletsen, drinken uw mannen alle brandstof op!'

James liep naar buiten om de carabinieri een halt toe te roepen. Zij zaten inderdaad fors in te nemen van de scherpe kleurloze alcohol, die de meisjes voor de tank hadden gebruikt. Op dat moment viel hem pas op dat deze woning, hoewel van buiten niet veel anders dan de andere huizen van het dorp, tevens dienst deed als bar/restaurant. 'En ik vrees tevens dat u uw zaak zult moeten sluiten,' zei hij tegen de twee zusters. 'Alle plaatsen van vermaak zijn tot nader order verboden.'

'En wiens stomme order mag dat wel niet wezen?' wilde Livia weten.

'De mijne, als u het per se weten wilt.'

'Maar wij wonen hier!'

'Tja, toch zult u de keuken en de eetruimte per direct moeten sluiten.'

'Maar het is ónze keuken... en onze eetruimte.'

James krabde op zijn hoofd. Regels die simpel leken toen hij ze in Napels opstelde, waren hier ineens een stuk ingewikkelder. 'Dan stuurt u toch alleen uw klanten weg?' opperde hij.

'Maar we hébben helemaal geen klanten – op uw carabinieri na.'

Dit werd duidelijk zo'n almaar in een kringetje ronddraaiend gesprek, waar de Italianen ware meesters in waren. 'In dat geval... kunt u openblijven,' zei hij, 'totdat u klanten krijgt – op welk moment u de zaak dient te sluiten. Is dat wat?'

Schoorvoetend gaven de vrouwen toe dat ze met dat voorstel wel leven konden, áls ze nu maar betaald kregen voor al die grappa. Er volgde een kort overleg, dat er op de een of andere manier in uitmondde dat James hun een buitensporig hoog bedrag beloofde. Daarna ging Livia haar spullen pakken.

Boven nam Livia Marisa en haar vader terzijde. 'Maak jullie maar geen zorgen over mij,' zei ze. 'Ik red me wel. Maar nu ze me toch mee naar Napels nemen, kan ik daar beter meteen maar blijven.'

'Hoezo?' vroeg Nino ontsteld.

'Zolang ik hier ben, zal Alberto ons nooit met rust laten. Misschien dat als ik wegga, het allemaal weer wat beter gaat. Er is genoeg eten voor twee, als de buren een beetje bijspringen.'

'Maar jij dan?'

'Ik ga naar Enzo's familie en zoek een baantje in een fabriek. Zijn moeder zal me heus niet laten verhongeren.' Vechtend tegen haar tranen zei ze: 'Het is echt het beste. Ik wil net zo min als jullie dat Alberto zegeviert, maar wat hebben we voor keuze? Jullie weten net zo goed als ik dat niemand hier zich tegen hem kan verzetten.'

Marisa omhelsde haar zuster. 'Goed. Ga dan maar, als jij denkt dat het zo moet. Maar kom terug naar ons, zodra je kunt.'

Nino zei: 'Het bevalt me niks dat je met die soldaten meerijdt.'

'Ik doe heus voorzichtig. Trouwens, als deze officier iets had willen uithalen, had hij dat wel eerder gedaan, toen hij ons vanwege die tank nog met de gevangenis kon dreigen.'

'Daar heeft Livia gelijk in,' zei Marisa. 'Hij is niet zoals die officier die onze voorraad heeft meegenomen.'

'Een soldaat blijft een soldaat,' zei Nino. 'Ga maar met hem mee als dat per se moet. Maar moedig hem op geen enkele manier aan!'

'Natuurlijk niet! Het zal me nog genoeg moeite kosten om beleefd tegen hem te blijven.'

De politiemannen vochten bijna om de eer Livia achter in de jeep te helpen. En toen bleek pas dat geen van de carabinieri wist hoe je een tank bestuurde. Toen Livia het een van hen probeerde te leren, bleef deze zich maar vastrijden in de berm. Volgens James was hij simpelweg verlamd door het feit samen met zo'n mooie vrouw in zo'n kleine ruimte opgesloten te zitten. Toen ze eindelijk naar de militaire basis vertrokken, was dat opnieuw in konvooi: Livia bestuurde de tank, James stond in de houding in het commandoluik en de andere voertuigen reden achter hen aan.

Toen ze over de uitlopers van de Vesuvius bergafwaarts reden, werd James zich langzaam bewust van een ongewone ervaring: hij genoot. Hij leefde nog, stond aan het hoofd van een Duitse tank, het landschap was prachtig, de zeelucht warm en zilt op zijn gezicht en de geur van steeneiken kroop in zijn neusgaten. En het meisje dat ineengedoken op de bestuurdersstoel zat, haar dikke zwarte haar golvend over haar rug... ja, er was beslist iets aan haar, dat bijdroeg aan James' geluksgevoel. Nog afgezien van al het andere, vond hij het erg prettig om eens een Italiaanse te ontmoeten die hem niet meteen het bed in probeerde te lokken.

'Ziet u,' verklaarde James majoor Heathcote via de telefoon, 'deze vrouw en haar medepartizanen namen deel aan een plaatselijke verzetsactie. Daarbij veroverden ze die tank, maar hadden vervolgens geen brandstof om ermee te rijden. Toen de Duitsers eenmaal waren vertrokken, bedachten ze dat ze het ding wellicht met grappa konden vullen. Tja, en toen werd hij dus gesignaleerd: net toen ze hem wilden overdragen aan de geallieerden.'

Strikt genomen was niets hiervan gelogen, noch was het strikt genomen de waarheid. Het was, zo maakte James zichzelf wijs, gewoon een kwestie van zorgen dat drukbezette mensen zoals zijn bevelvoerend officier, niet meer tijd dan nodig spendeerden aan dingen die eigenlijk helemaal niet zo belangrijk waren.

'Die partizanengroep,' zei de majoor peinzend. 'Hoe staat die eigenlijk bekend?'

'Eh... de Pertini-bende, geloof ik, sir.'

'Het zijn toch geen communisten, wel?'

James dacht even aan het gehandjeklap over de grappa. 'Nee, sir: van wat ik van ze heb gezien, zijn het zonder twijfel democratische kapitalisten.'

'Mooi zo. Zeg ze dan maar dat wij zeer dankbaar zijn voor hun moedige inspanningen, et cetera, en stuur ze weer weg.'

Tegen de tijd dat James iemand bereid had gevonden te tekenen voor ontvangst van een Duitse tank, was het al behoorlijk laat. Livia, die nog steeds werd omringd door een schare uitsloverige Italianen, zat zelfs al te gapen. Ze kon dan ook moeilijk anders dan James' aanbod van een lift maar gewoon aan te nemen.

Met één arm in een mitella en het gewicht van Livia's tas achterop, kwam James met zijn Matchless maar moeizaam vooruit.

'Sorry hoor,' riep hij over zijn schouder, toen hij midden door een kuil in de weg reed.

Geen antwoord. Toen nog enkele pogingen een praatje aan te knopen op dezelfde reactie stuitten, gaf hij het maar op en concentreerde zich verder op de weg. Na een poos voelde hij haar hoofd tegen zijn rug. Hij vond het best een aangenaam gevoel en bedacht heel even dat ze misschien toch wat belangstelling voor hem had, maar toen realiseerde hij zich dat ze gewoon in slaap gevallen was en zich zacht als een kat tegen hem aan had gekruld.

Napels was stil en werd verlicht door een reusachtige maan. Terwijl hij behoedzaam over de geplaveide straten reed, voelde James een onverwachte genegenheid voor deze stad: ze was gekmakend onvoorspelbaar, maar kon tevens voor verrassingen zorgen als een slapend meisje achter op je motorfiets – midden in de nacht, midden in een oorlog.

In feite was Napels die avond helemaal niet zo stil. Achter de verduisteringsgordijnen van Zi' Teresa diende het gesloten restaurant als locatie voor een samenkomst van een aantal ontevredenen.

Angelo, die de bijeenkomst had georganiseerd, was er, net als de beeldschone hoer Elena Marlona met haar glazen oog. Onder de andere vrouwen in de ruimte waren er meerdere die kapitein James Gould ook zou hebben herkend: Algisa Fiore, Violetta Cartenza, de wedergeboren maagd Silvana Settimo, Serena Tivoloni... De zaak zat gevuld met de bloem der Napolitaanse vrouwelijkheid, en de bloem der Napolitaanse vrouwelijkheid was niet gelukkig.

'Hoe kunnen wij nu werken als alle bordelen gesloten zijn?' wilde Algisa Fiore weten. 'Het is toch belachelijk! Nu moeten we van huis uit opereren of de straat op glippen als niemand kijkt.'

'Voor ons is het nog veel erger,' riep een man van middelbare leeftijd en eigenaar van een van de oudste pizzeria's van de stad. 'Júllie kunnen tenminste nog met je gereedschap rondlopen. Maar ik? Zonder mijn oven kan ik niets!'

'Voor mij,' sprak Elena, terwijl ze met haar ene oog hooghartig de zaal rondkeek, 'maakt de sluiting van de bordelen weinig verschil. Voor de oorlog was ik al de beste hoer van Napels en dat ben ik heus ook nog wel als de oorlog voorbij is. Maar die banvloek op het huwelijk, dat is pas een ramp! De hele markt raakt verstopt met amateurs.'

'Het is allemaal de schuld van die Engelsman, die Gould,' zei iemand. 'Daar kunnen we toch zeker wel iets aan doen?'

'We kunnen hem laten vermoorden,' stelde een gemeen uitziende pooier voor. 'Ik wil het best doen, voor een bescheiden vergoeding.'

'Tijdverspilling,' zei Angelo. 'Dan wordt hij gewoon vervangen door een ander. En leer mij de Engelsen kennen: als er één van hun wordt vermoord, zetten ze hun hakken alleen nog wat dieper in het zand.'

'Dan moet hij worden verleid.'

'Heb ik al geprobeerd,' zei Algisa Fiore somber. '*Niente.*'

'Of omgekocht?'

'Hij maakte mijn envelop niet eens open,' zei Martina Fontanelle.

'Misschien houdt hij wel van kleine meisjes, zoals Jackson. Of jongens. Er is altijd wel íéts waarmee je een man kunt omkopen.'

'Niet deze,' zei Angelo. 'Hij betaalt zelfs al zijn eten uit eigen zak! Maar nu ik er zo over nadenk...'

'Ja?'

'Er ís iets waar hij dol op is: eten.' Angelo staarde peinzend voor zich uit. 'Hoewel ik geloof dat hij dat zelf nog niet zo in de gaten heeft.'

'Niet zo verwonderlijk, als zijn kok Ciro Malloni heet.' Iedereen die Malloni kende, begon te gniffelen.

'Malloni zit daar niet voor niets,' zei Angelo. 'Die werkt voor Vito Genovese. Maar ik hoorde dat de Genovese-familie ook niet erg te spreken is over al die verboden... Laat het maar aan mij over. Ik bedenk wel iets.'

Deel III

'Op zoek naar een zeker zinnelijk genoegen voor de tong, kan geen enkel ingrediënt meer voor u doen dan bonen.'

MARCELLA HAZAN, DE ITALIAANSE KEUKEN

'De bescheiden boon (*fagioli*), generaties lang door iedereen behalve de laagste klasse geminacht, is een delicatesse geworden die enkel de rijken zich nog kunnen veroorloven, à 150 lire de kilo, tegen 1 lira of nog minder in normale tijden.'

NOTA, MINISTERIE VAN VOLKSGEZONDHEID, AMG-REGIO 3, 1943

19

Toen ze bij de haven aankwamen, werd Livia wakker. 'Hier mag u me wel afzetten,' zei ze, James op de rug tikkend. Hij stopte langs de kant van de weg en keek hoe ze haar tas losmaakte van zijn bagagedrager.

'Misschien komen we elkaar nog wel eens tegen,' zei hij voorzichtig.

'Misschien,' zei ze, met een stem die liet doorschemeren dat ze eigenlijk hoopte van niet. Toen reikte ze omhoog en kamde met haar vingers de klitten van de rit uit haar haar. 'Bedankt voor de lift.' En ze pakte haar tas op en liep zonder nog iets te zeggen van hem vandaan.

'Redt u zich echt wel?' riep hij haar nog na. Ze reageerde niet meer. Hij vermoedde dat ze nog steeds boos was omdat hij haar tank had geconfisqueerd. Maar wat had ze dan verwacht: dat ze hem gewoon had kunnen houden? Werkelijk, als hij terugkeek op de gebeurtenissen van die middag, vond hij dat hij erg zijn best had gedaan om redelijk te blijven. Dus waarom bleef zij nu zo hardnekkig ondankbaar? En waarom ergerde hem dat zo?

Hij was haar bijna achternagerend, maar toen zuchtte hij en draaide zijn motor weer richting het Palazzo Satriano.

Livia had zich expres veel te vroeg laten afzetten: de rest van de weg liep ze wel. Ze had zich echter niet gerealiseerd hoe erg Napels sinds haar vertrek was toegetakeld. Het bleek een hachelijke onderneming om haar weg te zoeken door de stikdonkere straten. Maar wat nog veel erger was: toen ze in de straat van Enzo's familie kwam, was er slechts een enorm gat waar eens hun huis had gestaan.

'Pardon,' zei ze tegen een vrouw die een paar huizen verderop net haar deur opendeed. 'Kunt u mij misschien vertellen waar de familie Telli naartoe is gegaan?'

De vrouw sloeg een kruis. 'Naar de hemel, zo God wil. Ze zijn allemaal bij een luchtaanval omgekomen.'

Geschokt staarde Livia naar de berg puin. Natuurlijk, er kwamen constant mensen bij aanvallen om, maar dit was anders. Ze realiseerde zich dat als zij niet was teruggekeerd naar Fiscino, ze bijna zeker bij de Telli's was geweest toen deze werden gedood.

'Het was kort nadat Enzo in Rusland was gesneuveld,' voegde de vrouw eraan toe. 'Toen zijn familie dat bericht had gekregen, gingen ze niet langer naar de schuilkelder. Zijn moeder beweerde dat ze het niet erg zou vinden als God haar meenam, om met Enzo te worden herenigd.'

Arme Quartilla, dacht Livia. Ze was een lastige schoonmoeder geweest, maar had haar zoon altijd aanbeden.

'U lijkt behoorlijk van streek,' merkte de vrouw op. 'Kende u de familie goed?'

'Ik ben Enzo's vrouw,' wist Livia uit te brengen.

'*Ai, ai*, iedereen kent wel iemand die familieleden is kwijtgeraakt,' sprak de vrouw. 'Ikzelf heb al mijn broers verloren. En ik dank God op mijn blote knieën dat ik geen zonen heb, anders waren die nu ook vast weg geweest.' Ze keek Livia meelevend aan. 'Dit moet een zware schok voor u zijn. Ik zou u graag wat te eten geven, maar ik heb helemaal niets.' Ze gooide haar handen in de lucht. 'Die ellendige oorlog! Wanneer houdt die een keer op?'

Met haar laatste geld huurde Livia een kamer in een sjofel pension vlak bij de haven. De volgende ochtend ging ze naar de munitiefabriek, om te kijken of ze daar werk voor haar hadden. Maar de munitiefabriek was ook verdwenen. Een oude man die tussen het puin naar oud ijzer liep te zoeken, vertelde haar dat de Duitsers de fabriek vlak voor hun vertrek hadden opgeblazen. Omdat volgens hem het ziekenhuis nog schoonmaaksters aannam, liep Livia drie kilometer dwars door Napels naar het Ospedale dei Pelligrini, waar ze echter te horen kreeg dat alle baantjes een paar dagen geleden al waren vergeven. 'Probeert u de grote hotels aan de Via Partenope eens,' stelde de ziekenhuisbeheerder voor. 'Die zijn pas heropend voor geallieerde officieren en ik neem aan dat ze dan toch ook kamermeisjes nodig hebben.' Ook al wist Livia dat het een gok was, toch liep ze daarom de hele weg weer terug.

De beheerder van het eerste hotel waar ze om werk vroeg, deed erg bot en neerbuigend tegen haar. 'Als kamermeisje of als hoer?' vroeg hij. 'Niet dat het veel uitmaakt: ik heb voor geen van beide een vacature.' Overal waar ze daarna kwam, ging het niet veel anders. Na een tijdje probeerde ze het door direct door te lopen naar de keuken: haar vaardigheden als kok moesten toch ergens gewild zijn? Maar ook daar luidde steeds de boodschap: we hebben meer dan genoeg personeel.

Op de Corso Garibaldi zag ze hoe een meisje dankbaar een rantsoenblik aannam van twee Canadese soldaten, waarna ze met hen een trappenhuis in dook. Hoe slecht het er ook voorstond in Fiscino, besefte ze: hier was alles nog vele malen erger; erger dan ze ooit had kunnen denken.

Uitgeput keerde ze die avond terug op haar kamer. Ook al had ze de hele dag nog niets gegeten: ze was zo moe, dat zelfs haar honger niet kon voorkomen dat ze meteen in slaap viel.

De volgende dag was het precies hetzelfde liedje. Ze hoorde dat er zeker werk moest zijn bij het afladen van pallets in de haven. Maar toen ze er aankwam, was de rij gegadigden al zeker driehonderd meter lang en werd er overal geruzied over wie er al dan niet was voorgekropen. Dus begon Livia maar weer keukens af te sjouwen. Op veel plaatsen werd haar geklop niet eens beantwoord: de restaurants waren dichtgetimmerd en verlaten, na de strafexpeditie tegen de zwarthandelaren.

Toen ze even op een drempel zat uit te rusten, zwaaide aan de overkant van de straat een knap meisje van haar eigen leeftijd naar haar. Dankbaar voor wat menselijk contact wuifde Livia terug. Pas toen ze haar boze blik zag, begreep ze dat zij niet had gezwaaid, maar haar had gebaard van die drempel af te gaan. 'Vai via!' gilde het meisje. 'Opgehoepeld! Daar werk ik, kleine dievegge! Zoek zelf maar een plekje, anders haal ik mijn broer, met zijn mes!'

Hoewel onervaren, was James niet geheel onbekend met het verschijnsel seksualiteit. Zo hadden ze op school eens de voortplantingsorganen van een kikker ontleed (wat hem de indruk had gegeven dat seks minder geschikt was voor iemand met een zwakke maag) en uit een raadselachtig onderhoud met zijn mentor op het internaat, waarin de woorden 'geestelijke hygiëne', 'zelfbeheersing' en 'lichamelijke reinheid' een hoofdrol hadden gespeeld, had hij geconcludeerd dat zelfbevlekking hem voorgoed zou bederven voor het huwelijk. Op een gegeven ogenblik had een van de andere jongens de hand weten te leggen op een exemplaar van Richard Burtons beruchte vertaling van de *Kama Sutra*, maar ondanks de gretigheid waarmee ze het bladzijde voor bladzijde hadden verslonden, leek ook dit eerder te verwarren dan te verhelderen. 'De man wordt verdeeld in drie categorieën,' legde Burton luchtig uit: 'de haas, de stier en het paard, overeenkomstig de lengte van zijn *lingam*. De vrouw is, overeenkomstig de diepte van haar *yoni*, een hert, een merrie of een olifant. Er zijn derhalve drie gelijkwaardige verbintenissen tussen personen van overeenstemmende afmetingen en zes óngelijkwaardige, ingeval de afmetingen níét met elkaar stroken, oftewel negen in totaal, zoals de volgende tabel laat zien:

GELIJKWAARDIG		ONGELIJKWAARDIG	
MANNEN	VROUWEN	MANNEN	VROUWEN
HAAS	HERT	HAAS	MERRIE
STIER	MERRIE	HAAS	OLIFANT
PAARD	OLIFANT	STIER	HERT
		STIER	OLIFANT
		PAARD	HERT
		PAARD	MERRIE

'Hierbij zijn gelijkwaardige verbintenissen de beste, die met de grootste afstand (dat wil zeggen een hoogste en een laagste) de slechtste, en de rest is middelmatig, waarbij de hogere categorieën weer beter zijn dan de lagere.'

Dit alles kwam op James nog zorgwekkender over dan het praatje van zijn mentor. Hoe wist je nu of je een stier of een paard was? En, nog lastiger: hoe kwam je erachter of je aanstaande een hert of een merrie was? Er even van uitgaand dat zij dat zélf wist – wat hem al onwaarschijnlijk leek – kon je haar daar natuurlijk niet plompverloren naar vragen. En wat gebeurde er eigenlijk als, door pure onwetendheid, een paard trouwde met een merrie (niet zo heel vreemd, zou je zeggen, maar niettemin een verbintenis die Burton nadrukkelijk had ontraden) en de twee partijen pas daarná ontdekten dat ze onbedoeld hun leven lang met de verkeerde combinatie zaten opgescheept? Statistisch gezien – er waren immers meer ongelijkwaardige verbintenissen dan gelijkwaardige – leek de kans dat je werd getroffen door een catastrofe zelfs groter.

Bovendien leerde de *Kama Sutra* je, een indrukwekkende lijst van seksuele standjes en variaties ten spijt, erg weinig over de daad zelf, omdat het zeer lastig was je een beeld te vormen bij Burtons tamelijk vage omschrijvingen. 'Wanneer zij haar dijen omhoogduwt, wijd opent en aldus de bijslaap begint, heet dit de "Gapende Positie",' schreef hij. 'Wanneer zij haar onderbenen dubbelklapt tegen haar dijen, heet dit de "Positie van Indrani", die alleen te leren valt door zeer veel oefening.' James kon zich hierbij nog net voorstellen wat de 'zij' met haar benen deed... maar waar was de man gedurende dit hele proces? Bovenop? Onder haar? Toekijkend? En wat waren precies de risico's als je de 'Positie van Indrani' zonder oefening uitprobeerde?

'Auparishtaka of orale bijslaap,' zo waarschuwde Burton, 'mag nimmer worden uitgevoerd door een geleerd brahmaan, een gezant die zich bezighoudt met zaken van staat of een man van onbetwiste verdienste, want hoewel deze toepassing door de sjastra wordt toegestaan, is er geen enkele reden om deze lijn door te trekken en zou hij slechts bij bepaalde gevallen in praktijk moeten worden gebracht.' Onder deze 'bepaalde gevallen' vielen bijvoorbeeld 'onkuise en lichtzinnige vrouwen, vrouwelijke bedienden en serveersters', die experts schenen te zijn in een techniek die 'Zuigen op de mangopit' werd genoemd. Maar omdat James nog nooit een mango had gezien, laat staan een lichtzinnige vrouw, had hij ook aan dit soort mededelingen niet veel.

Over één ding in het bijzonder bleef hij in het duister tasten en dat was de vraag wat een vrouw eigenlijk aan seks had. Zelfs Burton, doorgaans zo stellig in zijn raadselachtigheid, leek over dit onderwerp nogal onzeker. 'Anders dan mannen, scheiden vrouwen niets uit,' schreef hij. 'Terwijl mannen hun begeerte eenvoudigweg afvoeren, ervaren vrouwen vanuit het bewustzijn van hun begeerte een bepaald genot dat hun bevrediging schenkt. Zij kunnen u echter met geen mogelijkheid vertellen hoe dat genot aanvoelt.' Onder de weinige vrienden met wie James over dit soort zaken kon praten, waren de meningen verdeeld. Was seks voor een vrouw simpelweg een plicht of kwam er ook plezier bij kijken? Een jongen die eens iets had gehad met een serveerster – een van Burtons 'lichtzinnige vrouwen' dus – beweerde bij hoog en bij laag dat het dat laatste was, maar er werd altijd geroepen dat hij destijds voor het lapje was gehouden. Terwijl mannen vrouwen begeerden om hun lichaam én hun geest, draaide het vrouwen volgens hen hoofdzakelijk om de bewondering van een man.

Toen hij Jane had ontmoet en een huwelijk tot de mogelijkheden leek te gaan behoren, had James ten slotte de koe bij de hoorns gevat en was naar een kleine boekwinkel aan Charing Cross Road gestapt, waar hij een dun boekje had aangeschaft met de titel *Hij en zij in het huwelijk*. De verkoper had volgens hem schamper gegrijnsd toen hij het ding in bruin papier verpakte. Pas toen hij helemaal alleen was en zeker wist dat hij niet zou worden gestoord, had James het pakje durven openmaken.

Het is in onze maatschappij traditie geworden dat de bekendheid van vrouwen met hun eigen lichaam en dat van haar toekomstige echtgenoot zo groen is als gras...

schreef de auteur,

... iets wat soms tot zulke grote hoogten wordt opgestuwd, dat het niet zelden voorkomt dat een meisje trouwt, zich in het geheel niet bewust van het feit dat het huwelijksleven haar een lichamelijke relatie met haar echtgenoot zal brengen, die wezenlijk verschilt van die met haar broer. Wanneer zij vervolgens de ware aard van zijn lichaam ontdekt en verneemt welke rol zij als echtgenote dient te spelen, kan het zijn dat zij ten enenmale weigert aan de wensen van haar echtgenoot te voldoen. Zo ken ik een stel waarbij de man, galant en liefdevol, jaren heeft moeten wachten tot zijn bruid was bekomen van de schok van het ontdekken van de werkelijke bedoeling van het huwelijk, waarna zij hem pas een natuurlijke verhouding kon toestaan. Een niet gering aantal bruiden heeft de afschuw van die eerste nacht met een minder voorkomend echtgenoot zelfs tot zelfmoord of krankzinnigheid gedreven.

James had het allemaal met bonzend hart gelezen. Dit was exact waar hij ook bang voor was!

Allen die geschokt zijn door de publicatie van een boek als dit, op grond van het feit dat het slechts stof biedt tot het zich verlustigen in onkuise gedachten, zouden zich moeten realiseren dat deze stof reeds in ruime mate wordt verschaft door bepaalde striptijdschriften, in tientallen inferieure romans en maar al te vaak op het toneel en in de film, en dan ook nog in platvloerse, demoraliserende gedaante. Het kan niet anders dan goed zijn voor zulke mensen om de feiten waarmee zij reeds bekend zijn, in een geheel nieuw licht gepresenteerd te krijgen.

En nieuw licht op de zaak wierp dit boekje zeker. Goed, de auteur, een vrouwelijke wetenschapper genaamd dokter Stopes, had erg veel te vertellen over haar eigen ontdekking van bepaalde grondbeginselen inzake de regulatie van de vrouwelijke respons ('Wij hebben de golflengtes van water, geluid en licht terdege bestudeerd, maar wanneer zullen de zonen en dochters van de mens ook de seksgetijden van de vrouw bestuderen en leren van het bestaan van de Wetten van haar Periodiciteit der Terugkeer van het Verlangen?') Over één onderwerp was ze echter behoorlijk duidelijk. Vrouwen waren volgens haar inderdaad in staat te genieten van de echtelijke betrekkingen:

De meeste 'nette' mensen vinden dat een vrouw uit zichzelf geen enkele seksuele aandrift behoort te hebben. En hiermee bedoel ik niet het sentimentele 'verliefd worden', maar de lichamelijke, natuurkun-

163

dige staat van opwinding die spontaan ontstaat, onafhankelijk van welke man dan ook. De opvatting dat slechts verdorven vrouwen dergelijke gevoelens kennen (in het bijzonder vóór het huwelijk) is in ons land zo wijd verbreid, dat de meeste vrouwen nog liever sterven dan dat ze toegeven dat ook zij soms een onbeschrijfelijke lichamelijke hunkering voelen, even heftig als de honger naar voedsel.

Het is waar dat in ons noordelijk klimaat vrouwen over het algemeen minder snel opgewonden raken dan zuiderlingen; het is ook waar dat door de opschorting der rijpheid, veroorzaakt door onze steeds verder opgerekte jeugd, het meer dan eens voorkomt dat een vrouw bijna of zelfs al over de dertig is, eer ze ontwaakt en het bestaan van de diepste signalen van haar eigen wezen erkent.

En dokter Stopes schrok er evenmin voor terug toe te lichten hoe deze opwinding dan wel kon worden opgewekt:

Aan de buitenkant bezit de vrouw een rudimentair orgaantje, genaamd de clitoris, dat morfologisch gezien overeenkomt met de mannelijke penis en net als deze buitengewoon gevoelig is voor aanraking. Deze lichte verhoging, die zich vooraan tussen de kleine schaamlippen rond de vagina bevindt, zwelt op wanneer de vrouw opgewonden raakt en wordt bij verdere stimulering zo intens geprikkeld, dat hij dit gevoel doorseint naar elke zenuw in het vrouwenlichaam. Echter, zelfs nádat de sluimerende seksuele gevoelens van de vrouw zijn geprikkeld en alle complexe reacties van haar wezen op gang zijn gebracht, kan het tijdens de eigenlijke lichamelijke gemeenschap nog gemakkelijk tien tot twintig minuten duren, eer dit gevoel voor de vrouw wordt vervolmaakt – terwijl twee tot drie minuten gemeenschap vaak al voldoende is voor de man, onwetend van de noodzaak zijn eigen reacties in bedwang te houden, zodat ze samen kunnen genieten van de toegevoegde waarde van een gedeelde liefdesclimax...

Dit gedeelde orgasme is buitengewoon belangrijk. Echter, in veel gevallen komt het hoogtepunt van de man zo snel, dat de reacties van de vrouw nog lang niet voltooid zijn en zij vervolgens onbevredigd achterblijft.

Het vrouwelijk orgasme, zo lichtte dokter Stopes kwiek toe (met name 'een volledig afgerond en spiertechnisch krachtig orgasme'), was van essentieel belang voor haar gezondheid, haar zenuwstelsel, haar nachtrust en zelfs haar vermogen om zwanger te raken. Een plichtsgetrouw echtgenoot stond daarom door zelfbeheersing in voor het genot van zijn vrouw; stelde dit zelfs boven dat van hemzelf – hoewel velen of zelfs de meesten dit geheel en al verzuimden.

Zoals de zaken er vandaag de dag voorstaan echter, is het nauwelijks overdreven te stellen dat de meerderheid van alle echtgenotes slapeloos en met gesloopte zenuwen achterblijft, om met tedere, moederlijk tobberige of bitter afgunstige blik naar hun slapende mannen te kijken, die door onwetendheid en onverschilligheid hebben verzuimd erop toe te zien dat ook hun vrouw de noodzakelijke ontlading van spanningen werd vergund.

James had zich onmiddellijk voorgenomen Jane nooit ofte nimmer slapeloos of met gesloopte zenuwen achter te laten. Over één onderwerp was dokter Stopes echter net zo resoluut als destijds zijn mentor: de uitvoering van al deze taken was een kwestie die absoluut moest worden uitgesteld tot ná het huwelijk:

Hoezeer hij het ook probeert te verhullen door geveinsd cynisme, wereldwijsheid of egocentrisme: het hart van elke jongeman smacht en hunkert naar de vervulling van die prachtige droom van een levenslange verbintenis met een partner. Elk hart weet immers instinctief dat alleen een levensgezel alle potentiële grootheid van de ziel volledig zal kunnen bevatten.

Nu kan het zijn dat na jaren van worstelen met zijn hete, jonge bloed, een man het uiteindelijk heeft opgegeven en zo nu en dan voor wat verlichting een prostituee heeft bezocht. Later in zijn leven ontmoet hij dan de vrouw met wie hij op één lijn blijkt te zitten en met wie hij, na berouw te hebben getoond over zijn bezoedelde verleden en haar vergiffenis hiervoor te hebben ontvangen, trouwt. Zo iemand zou, zonder dit te willen, zijn echtgenote veel pijn kunnen doen door haar met deze andere vrouwen te vergelijken of (hoewel dit minder vaak voorkomt) haar geheel boven hen te stellen.

Met betrekking tot wat zijn mentor 'geestelijke hygiëne' had genoemd, was dokter Stopes eveneens van mening dat onthouding het enige juiste pad was, hoewel haar redenen hiervoor een stuk wetenschappelijker waren:

Analyse van de chemische samenstelling van de geëjaculeerde vloeistof heeft onder andere een opvallend hoog percentage aan calcium en fosforzuur onthuld – beide uiterst waardevolle stoffen voor ons lichaam. Het is derhalve een grote vergissing om sperma te zien als iets is waar men regelmatig vanaf moet zien te komen: alle benodigde energie en zenuwkracht die de uitstorting hiervan met zich meebrengt, evenals de nuttige chemische stoffen waaruit deze vloeistof is samengesteld, kunnen veel beter worden omgezet in ander, meer scheppend werk.

James was helemaal bekeerd. Op dat moment nam hij zich voor: ten eerste, om zijn lage lusten tezamen met alle potentiële grootheid van zijn ziel voor zich te houden, op zijn minst tot aan zijn huwelijksnacht; ten tweede, om uit de buurt te blijven van prostituees; en ten derde, om zijn calcium- en fosforzuurvoorraden voor zijn werk te bewaren. Toen Jane hun verkering verbrak, was zijn eerste voornemen zo goed als verzekerd; het tweede had hem toch al niet zo getrokken; maar het derde was beslist niet gemakkelijk geweest, zeker niet nu hij zelf werd onderworpen aan dat opwindende zuidelijke klimaat. Hij had getracht zich verre te houden van zeevruchten, zoals Jackson hem had geleerd, maar de zon was lastiger te ontlopen en er waren dan ook een paar keren geweest, dat zijn werk bij de FSS ietwat had geleden onder een licht calciumtekort. En toen had hij dus ontdekt dat dokter Stopes en zijn oude mentor het over één ding mis leken te hebben. In plaats dat hij lang-zaam veranderde in een ijlende seksmaniak, leken zijn sporadische misstappen eerder het tegenovergestelde effect te sorteren: zijn lage ge-dachten werden er tijdelijk minder opdringerig door, terwijl hij in tij-den van deugdzaamheid juist vaker door gedachten aan vrouwen werd gekweld.

Op dit moment werd hij zelfs enorm gekweld door gedachten aan vrouwen. Of om precies te zijn: gedachten aan één vrouw in het bijzon-der. Telkens wanneer hij zich een blote, verleidelijk wenkende arm her-innerde, een jurk die van een schouder gleed of een schaduw die langs hem streek, was het gezicht dat daarbij hoorde – ondeugend, met een brutale mengeling van uitdagendheid en trots in de ogen – het gezicht van Livia Pertini.

Ja, zij besloop hem op de meest ongelegen momenten. Zat hij net een vraaggesprek af te nemen of een rapport uit te schrijven: het ene moment was zijn hoofd nog volledig bij zijn werk, het andere kondigde een koud, smeltend gevoel onder aan zijn ruggengraat de haast voelba-re schok aan, als Livia haar lippen op de zijne drukte. Hij kon zich de koele huid van haar wang voorstellen, de warme zachtheid van haar oren, het lichte geklop onder in haar nek... En het meest zorgwekkend was nog wel dat zijn lichaam nogal direct op dit soort 'bezoekjes' rea-geerde. Meer dan eens had hij zijn schoot snel met een dossier moeten bedekken, om te voorkomen dat degene die hij zat te ondervragen, dacht dat zíj het was die hem dit ongemak bezorgde.

Ook al had hij eigenlijk nauwelijks meer last van zijn arm, toch leek het hem wel zo verstandig er even door een arts naar te laten kijken.

'Prima verbonden,' merkte deze op toen hij Marisa's verband eraf wikkelde. Toen bestudeerde hij de wond. 'En geen enkel teken van in-fectie. Wat zei je ook weer dat die dame erop had gedaan?'

'Honing,' zei James. 'En ze heeft me door een van de bijen laten ste-ken. Dat kan toch niet echt geholpen hebben, is het wel?'

De dokter trok zijn schouders op. 'Gek, maar toen ik in Nepal zat, heb ik gehoord van genezers die dezelfde remedie toepasten. Mis-schien zit er dus toch wel wat in.' Hij deed een schoon verband om de wond. 'Hoe dan ook: je hebt geluk gehad. Ik heb nog maar één kistje penicilline en ik heb orders dat exclusief te reserveren voor frontslacht-offers. Als die arm was geïnfecteerd, was je hem dus waarschijnlijk kwijtgeraakt. Was er nog meer dat je me wilde vragen?'

'Eigenlijk wel.' James legde hem zijn probleem voor. 'Dus ik vroeg me af of ik misschien een lichte vorm van malaria heb opgelopen of zo,' besloot hij zijn verhaal.

'Hmm. Steek je tong eens uit?'

James deed wat hem gevraagd werd. 'Ziet er gezond uit, hoor,' zei de dokter. 'Mijn advies: veel theedrinken. Dat zal je driften niet vermin-deren, maar ik weet uit eigen ervaring dat het lastig is om aan vieze dingen te denken met een keurig kopje thee in je hand.'

20

*H*et was al laat toen Livia ten slotte de keuken van Zi' Teresa probeerde. Ook al zat het hele restaurant verstopt achter verduisteringsblinden, toch was ook duidelijk dat het was gesloten. Ze klopte eigenlijk alleen maar aan, omdat ze te moe en te hongerig was om iets anders te verzinnen.

Tot haar verrassing werd de deur echter op een kier geopend en tuurde een mannengezicht haar aan. 'Ja?'

Ze herhaalde haar litanie: 'Alstublieft, ik ben op zoek naar werk.'

'Ga weg! We zijn gesloten, we hebben geen werk.' Angelo keek even naar het meisje dat voor hem stond. Ze tolde op haar benen en haar ogen hadden een doffe, wazige uitdrukking. Iets vriendelijker zei hij daarom: 'Heb jij vandaag eigenlijk al iets gegeten?'

Livia schudde haar hoofd.

'Misschien heb ik wel wat voor je,' mompelde hij en hield de deur voor haar open. 'Kom erin. Maar heel eventjes, hoor!'

Hij gaf haar een bordje koude bonen en keek toe hoe ze daarop aanviel. 'Wat voor soort werk zoek je eigenlijk?' vroeg hij.

'Ik ben kokkin. Mijn familie heeft een osteria in Fiscino, maar daar zijn geen klanten meer en geen eten om mee te koken.'

'Aha, ben jij dat?' zei Angelo knikkend. 'Ik heb een keer bij jullie gegeten. Dat is al een paar jaar geleden, maar ik herinner het me nog als de dag van gisteren. Maak je nog steeds van die overheerlijke burrata?'

'Ja, maar we krijgen het niet meer op de markt.'

Ze vertelde hem het verhaal van de in beslag genomen tank en de sluiting van haar eigen restaurant.

'Aha, dus je kent kapitein Gould ook.'

Ze zuchtte. 'Jazeker, die ken ik.'

'Ach,' zei Angelo, 'die jongeman is lang niet zo heftig als hij overkomt. Maar ik vrees dat het geen goede keuze van je was om naar Napels te komen. Je kunt beter terugkeren naar Fiscino en daar iemand zoeken die voor je wil zorgen tot dit alles voorbij is.'

Livia huiverde. 'Er ís al iemand die me een dergelijk aanbod heeft gedaan. Maar daar pas ik voor. Er moet toch íémand in Napels zijn die een kokkin nodig heeft?'

En toen pas kreeg Angelo een idee. 'Nou, nu je het zo zegt...' zei hij. 'Er is inderdaad één iemand.' Hij knikte peinzend: hoe meer hij erover nadacht, hoe beter dit plan hem leek. 'Livia, het zou best eens kunnen dat ik toch iets voor jou kan regelen.'

'Het is een schatje,' vertelde hij Elena. 'Een echt plattelandsmeisje: eerlijk, vlijtig, pittig en nog leuk om te zien ook. En ze kan prima koken – geen chic gedoe, maar pure boerenkost. Ik heb haar wat *pasta e fagioli* voor me laten maken en dat was de beste die ik ooit heb geproefd.'

'Dus jij wilt dat zij hem verleidt?' sprak Elena sceptisch. 'Ik dacht dat dat al eens geprobeerd wás?'

'Nee,' zei Angelo hoofdschuddend, 'daar is zij het type niet voor. Maar dat is bovendien niet nodig. *Panza cuntenti, cori clementi: panza dijuna, nenti priduna*, een tevreden maag geeft een toegeeflijk hart, maar een hongerige maag vergeeft niets en niemand. Weet je, als puntje bij paaltje komt, is seks maar seks: een man kan met de mooiste vrouw van de wereld vrijen, maar als hij uit haar bed kruipt, is hij nog precies dezelfde als daarvoor. Echter, een man die goed gegeten heeft, leeft in harmonie met de wereld, is gelukkig en – belangrijker – gunt ook anderen hun geluk. Hij ziet een verliefd stel en bedenkt hoe fijn het zou zijn als die zouden kunnen trouwen; hij denkt aan de oorlog en bedenkt dat vrede eigenlijk veel fijner is; hij houdt op zich druk te maken over proclamaties en papieren en laat iedereen zich met zijn eigen zaken bezighouden, zonder zich ermee te bemoeien... Kortom: hij wordt een milder en beschaafder mens. Volg je me nog?'

Elena haalde haar schouders op. 'En zij doet het graag?'

'Niet echt,' moest Angelo toegeven. 'Haar familie heeft nogal geleden, door toedoen van de geallieerden. Ze moest wel even worden overgehaald.' Dat was nog zwak uitgedrukt: het had hem al zijn overredingskracht gekost om Livia te doen overwegen voor deze Engelse officier te gaan werken. Hij was daar uiteindelijk enkel in geslaagd, omdat zij besefte dat dit wel eens het enige baantje kon zijn dat ze kreeg aangeboden. 'Maar ik weet zeker dat het gaat werken,' zei hij, optimistischer dan hij zich voelde.

'We zullen zien,' zei Elena. 'Zo niet, kunnen we altijd nóg eens proberen hem te verleiden.'

'Gearresteerd?' zei James onthutst. 'Maar waar kan Malloni in vredesnaam voor gearresteerd zijn?'

'Voor het ontvreemden van eigendom van de geallieerde regering,' lichtte Carlo toe. 'Jullie rantsoenen. Hij blijkt al het goede spul te hebben verdonkeremaand om het op de Via Forcella te verkopen, terwijl jullie kregen wat hij aan de straatstenen niet kwijt kon.'

'Mijn god! Hoewel ik moet zeggen dat het me niet helemaal verrast: die Malloni had altijd al iets vreemds. Maar dat betekent dus dat wij een nieuwe kok moeten zien te vinden?'

'Ik heb reeds de vrijheid genomen daar een oproep voor te plaatsen.'

'Zal toch niet al te moeilijk zijn, wel? Napels stikt vast van de lui die wanhopig op zoek zijn naar werk.'

'Exact. Ik heb al rondverteld dat er vanaf morgenochtend tien uur kan worden gesolliciteerd.'

'*Grazie tante*, Carlo. Ik ben je zeer erkentelijk.'

De volgende ochtend werd James al vroeg wakker. Hij snoof in de lucht: een onbekend aroma dreef zijn slaapkamer binnen. Hij snoof opnieuw. Ja, dat was het: de geur van vers brood – heerlijk! Toen hij zijn uniform aantrok, knorde zijn maag onwillekeurig.

Toen hij de keuken binnenkwam, zag hij het achterhoofd van een vrouw die in een van zijn kastjes stond te gluren. Heel even flitste door hem heen dat het Livia Pertini was, maar dat was natuurlijk belachelijk. Toen de vrouw zich omdraaide, besefte hij echter dat ze het werkelijk was. 'Wat doet ú hier in 's hemelsnaam?' vroeg hij verbijsterd.

'Ik ben uw nieuwe kokkin,' zei ze.

'O?' Hij wreef over zijn achterhoofd, om te voorkomen dat hij haar dommig zou gaan staan aangrijnzen. 'Ik vrees dat u nogal vroeg bent: de sollicitatiegesprekken beginnen pas om tien uur.'

'Nou, zal ik dan maar een ontbijtje voor u klaarmaken? Dan kunt u me daarna wat vragen stellen.'

'Eh...' James had ergens het idee dat dit niet helemaal was zoals het hoorde, maar hij wist ook niet precies hoe dan wel. En hij vond het echt heel fijn om haar weer te zien. 'Ja, dat is volgens mij wel een goed idee.'

'Wat is dit?' vroeg ze en hield hem een blik 'Vlees met Groenten' voor.

'O, dat. Dat is een soort van...' Hij zocht wanhopig naar het Italiaanse woord. '*Stufato*, geloof ik, stoofschotel.'

'Is het lekker?'

'Nee, ronduit walgelijk.'

Ze zette het blik terug in de kast. 'Waarom hebt u er dan zoveel van?'

'Dat is een lang verhaal.'

'Hoe dan ook,' zei ze, 'het is me gelukt om wat van dat goedje met de bovenbuurvrouw te ruilen, voor brood en verse geitenmelk. En ik heb gebakjes, mozzarella en een paar sinaasappels. Hoe klinkt dat?'

'Niet slecht,' moest hij toegeven.

'Waar is uw tafellaken?'

'O, wij doen meestal voor het ontbijt geen moeite om echt te dekken,' zei hij. 'Sterker nog: we doen meestal ook geen moeite om een tafel te gebruiken.'

'Geen wonder dat u dan last van uw maag heeft.'

'Dat heb ik helemaal niet.'

'Natuurlijk wel,' zei ze met een beslistheid die geen tegenspraak duldde. 'Ik mag toch aannemen dat u wel ergens een schoon laken heeft liggen?'

'Eh, ik geloof dat...'

'Zou u dat even willen gaan halen, alstublieft?'

Toen hij terugkwam, zag hij dat ze wat bloesems van de citroenboom van de binnenplaats in een vaas had gezet.

Ze gooide het laken over de tafel en wees op een stoel. '*Prego.*'

'Eet u zelf niet?'

'Later misschien. Toe, gaat u zitten.'

Hij nam plaats en moest toegeven dat het er allemaal voortreffelijk uitzag. Het brood lag op een houten snijplank, de melk zat in een kleine aardewerken kan, de vaas met citroenbloesem stond ernaast.

Livia legde een bal van nat krantenpapier op tafel en begon hem open te vouwen.

'Wat is dat?' vroeg James.

'Mozzarella natuurlijk. Dat lijkt een beetje op de burrata die u eerder heeft gegeten, maar dan anders.'

'Het is zacht,' zei hij, toen hij zijn vork in het stuk stak dat zij hem had gegeven.

'Hebt u soms nog nooit mozzarella gegeten?' vroeg ze ongelovig.

'In Engeland hebben we maar drie soorten kaas,' vertelde hij. 'Cheddar, stilton en wensleydale.'

'Nu houdt u me toch voor de gek!' snoof ze verontwaardigd.

'Echt niet!' Hij stak een stukje van de melkwitte kaas in zijn mond. 'O,' zei hij toen. 'Dát is lekker, zeg!' De kaas was zo zacht dat hij smolt in zijn mond, maar de smaak was explosief: romig, grassig en zurig tegelijk.

Toen ging de deur open en kwam Horris de keuken binnen. 'Nee maar, hier ruikt het wel erg lekker!' Hij keek naar de tafel. 'Wat ís dit allemaal?'

'Ontbijt,' lichtte James toe.

'Voortreffelijk.' Horris trok een stoel bij.

Er werd geklopt en Jumbo Jeffries stak zijn hoofd om de deur. Hij had bloeddoorlopen ogen met donkere kringen eronder, maar hij klaarde helemaal op toen hij de tafel zag. 'Zijn dat sinaasappels?'

'Dat dacht ik wel.'

'Sinaasappels,' sprak Jumbo op gezaghebbende toon, 'zijn precies wat je nodig hebt bij een verzwakt gestel.' Hij trok eveneens een stoel bij. En binnen een paar minuten waren er nog vier of vijf officieren aangeschoven.

Livia zette een schaal gebakjes op tafel. James had nog nooit zoiets bespottelijks gezien: ze waren stuk voor stuk zo overdadig versierd als een dameshoedje, met decoraties van gekonfijte citroen, custardpudding en marsepeinen bloemen. Argwanend pakte hij er eentje van de schaal en nam een hap.

Hij moest toegeven dat het een stuk beter smaakte dan het eruitzag. Naast hem was Horris zelfs al bezig aan zijn tweede en ook de anderen begonnen hem rap in te halen. Al gauw keek James naar een tafel waarop niet veel meer dan wat kruimels lagen.

'Ik zal zorgen dat er morgen meer is,' zei Livia.

'Áls u wordt aangenomen,' benadrukte James.

'Het vreemde is,' zo vertelde hij Livia om halftwaalf, 'dat u de enige sollicitant lijkt te zijn. Althans, de enige die is komen opdagen.'

Ze trok haar schouders op. 'U bent zeker een erg onpopulaire werkgever.'

'Ik denk dat we nog maar eens moeten adverteren. Ik bedoel, ik kan dat baantje toch niet geven aan de eerste de beste die hier op de deur klopt?'

'Hoeveel koks hebt u nodig?'

'Eentje maar.'

'Hoeveel sollicitanten hebt u dan nodig?'

'Eh... ook eentje?'

'Nou dan!'

'Maar hoe weet ik dat uw kookkunsten iets voorstellen?'

'Als het geen oorlog was,' zei Livia, 'zou ik groot bezwaar maken tegen die opmerking. Maar aangezien dit voor iedereen zware tijden zijn, zal ik een lunch voor u bereiden. Als die bevalt, houdt u mij aan. Is dat goed?'

Lunchen betekende voor de Engelse manschappen meestal een snelle hap aan het bureau, maar nog voordat Livia de hele verdieping had afgestruind op zoek naar meer lakens om te dienen als tafellaken, wist James al dat zij daar geen genoegen mee zou nemen. De hele ochtend waaiden er allerlei bijzondere geuren vanuit de keuken zijn kantoor binnen, maar hij kon er niet achter komen waar deze bij hoorden, omdat Livia hun allen streng had verboden de keuken te betreden.

Halverwege de ochtend kreeg James echter een ideetje. Hij liep naar de keuken en klopte op de deur. Toen Livia opendeed, zei hij: 'Nog één ding, mevrouw Pertini. Ik hoop dat het nog niet te laat is, maar geen van ons eet knoflook.'

Ze keek hem aan alsof hij gek was. 'Maar natuurlijk: niemand éét knoflook... het is toch geen groente?'

'Nee, ik bedoel: niemand van ons gebruikt knoflook in zijn eten. We willen naderhand niet lopen stinken, ziet u?'

Ze zette grote ogen op. 'Is er soms nog meer waar u niet van houdt? Peterselie misschien, of oregano?'

'Mij dunkt dat kruiden geen probleem zijn, hetzij met mate natuurlijk. En liever kruiden dan specerijen. Die rode pepersoort die u hier gebruikt bijvoorbeeld...'

'*Peperoncino?*'

'Die, ja. Daar houden wij ook niet van.'

Ze opende haar mond en sloot hem meteen weer. 'Was dat het?'

'Nou, nu we het er toch over hebben... Wij, Engelsen, prefereren aardappels boven pasta; we zijn niet zo dol als jullie, Italianen, op die goeie ouwe *maccheroni*. Maar u zult merken dat wij helemaal niet zo lastig zijn. Genoeg vlees, goed gaar, de tomaten het liefst níét gekookt, brood, jus wanneer u daar zin in heeft... En als u wat boter te pakken kunt krijgen, zou dat helemaal geweldig zijn. En eh... rustig aan met de olijfolie.'

Livia knikte vriendelijk. Toen trok ze, zonder nog iets te zeggen, de keukendeur voor zijn neus dicht.

Even voor twaalven kwam ze de grote werkruimte binnen. 'In die keuken kunnen we niet eten,' zei ze. 'Veel te weinig ruimte.' Ze keek naar de kolossale tafel. 'Maar deze is prima. Kunt u die papieren alstublieft even opruimen?'

'Ik vrees van niet,' zei James. 'Dat is ons werk.'

'Dat is het straks ook nog wel, hoor. De lunch wordt over een kwartier geserveerd.'

Het duurde echter nog een halfuur voor ze konden beginnen. Livia stond erop dat iedereen zat, voordat zij opdiende. 'De mensen wachten op de pasta, niet de pasta op de mensen,' verkondigde ze streng en zette een kan water, een flesje olie, een schaaltje zout en een vaas met verse bloesem op de tafel. Wederom werd James getroffen door haar voortvarende manier van doen, waardoor ze iedereen zover kreeg dat hij precies deed wat zíj wilde. Tegen de tijd dat ze alles geregeld had, was elke Engelse officier uit het hele gebouw razend benieuwd wat Livia zou gaan serveren.

Toen de deur openging, trad zij binnen met een gigantische schaal vol dampende *fettuccine*, met een saus van tomaten, olijfolie, gehakte ui, selderij en knoflook en versierd met stukjes vers geplukt basilicumblad. En ik haar maar tips geven, dacht James. Maar ja, misschien was ze wel beperkt geweest door wat er toevallig voorhanden was.

Terwijl ze voor iedereen opschepte, raspte ze er ook nog wat harde kaas en peper overheen. 'Weet u echt zeker dat niets hiervan van de zwarte markt komt?' vroeg James met een wantrouwende blik naar de kaas.

'Natuurlijk. Ik heb alles geruild met uw blikrantsoenen,' zei Livia. Dat was de waarheid – al zei ze er niet bij dat degene met wie ze had geruild de ober-kelner van Zi' Teresa was.

James stak zijn vork in de pasta en draaide net zolang iets van de kronkelende glibberige massa aan de tanden bleef hangen. Toen bracht hij de hap naar zijn mond.

Het was buitengewoon. Hij had nog nooit zoiets geproefd – zeker niet in al die jaren van rantsoenen, maar ook niet daarvoor, in het decennium van de kleur- en smaakloze kostschoolkost en zelfs niet bij zijn moeders gortdroge zondagse gebraad met de bijbehorende kleffe aardappelen en overgare groenten. Nu hij er zo over nadacht: hij had zelfs nog nooit van zijn leven versgemalen peper gehad, laat staan kaas die zijn eten bedekte als een dikke laag sneeuw... De diepe stilte waarin de anderen aan tafel zich op hun eten concentreerden, deed vermoeden dat zij soortgelijke goddelijke openbaringen ervoeren.

Het was wel erg lastig om de fettuccine op je vork te houden: tegen de tijd dat je bij je mond was, hingen er altijd wel weer een paar verdwaalde slierten naar beneden. Na wat experimenteren, had James geleerd dat het makkelijker was om deze vervolgens naar binnen te zuigen, dan om ze af te bijten – en het voelde nog fijner ook. Hij keek naar Horris: deze zat loensend aan een lang fettuccine-lint tussen zijn lippen te slurpen, als een slang die aan zijn eigen tong likte. Alleen Jeffries leek zo geoefend dat hij zich enigszins wist te redden met de glibberige pastaveters. Maar geen van allen leek van plan te stoppen met eten tot het allerlaatste stukje van hun bord was verdwenen.

Uiteindelijk duwde Horris zijn stoel naar achteren en zei: 'Dat was wel wat anders dan wat die ouwe Malloni ons altijd gaf.'

'Ik zit propvol,' bekende Walters.

'Anders ík wel!' sloot Horris zich bij hem aan. 'Nou ja, aan het werk maar weer,' zei hij en begon al op te staan.

Maar toen vloog de deur weer open en kwam Livia binnen, met een nog grotere schaal dan die waarin ze zojuist de pasta had opgediend.

'De *secondo*,' zei ze terwijl ze de schaal op tafel zette. 'Helaas zijn er niet genoeg borden, dus zullen jullie het met hetzelfde moeten doen.'

'En wat mag dit wel niet zijn?' vroeg Horris.

'*Melanzana alla parmigiana*. Een echt Napolitaans gerecht.'

Er viel een korte stilte. Toen zei Walters: 'Goed, ik wil niemand voor het hoofd stoten, dus neem ik een klein hapje.' Terwijl hij begon op te scheppen, vulde de geur van gebakken aubergine, in lagen afgewisseld met tomaat, knoflook en kruiden en overdekt met gesmolten kaas, de ruimte.

'Zeg kerel,' zei Horris, toen hij zag hoe Walters maar bleef opscheppen. 'Laat ook nog wat voor ons over!'

Livia zette twee kannen rode wijn op tafel. '*Nun c'è tavola senza vinu*,' sprak ze vermanend, geen tafel zonder wijn. James deed zijn mond al open om te protesteren, maar bedacht zich weer.

Hij stak zijn vork in de aubergine-met-kaas-lagen. Enkele ogenblikken later kreeg hij het gevoel alsof zijn mondholte zowat ontplofte. De pasta, zo besefte hij nu, was slechts het voorprogramma geweest: gewoon wat koolhydraten om de scherpe kantjes van zijn honger te halen. Dit nieuwe gerecht was een heel ander verhaal: het schudde zijn eetlust plagerig wakker en bracht papillen tot leven waarvan hij niet eens wist dat hij ze had. De kaas smaakte zoals kaas hoort te smaken; de aubergine was rijk en aards, haast rokerig van smaak; de kruiden barstten zo van het aroma dat er maar één slok wijn voor nodig was om het helemaal af te maken... Hij wachtte even eerbiedig, nam nog een slok en stak toen weer toe met zijn vork.

En deze *secondo* werd nog eens gevolgd door een vrij eenvoudig nagerecht van gebakken perenschijven met honing en rozemarijn. Het vruchtvlees was zo glad en blank als een beeld van Michelangelo, maar toen hij er zijn lepel in stak, bleek het smeltend zacht als roomijs. Toen hij er een hapje van probeerde, werd hij zich eerst bewust van een zalige, maar hem onbekende smaak, die als een waterval van aroma's stap voor stap uiteenviel in zijn afzonderlijke bestanddelen. Eerst was er de zoetheid van honing, met een licht bloemige geur van de weelderige Vesuviaanse bloesem waarvan de bijen hadden gesnoept; dan kwam het bedwelmende, zongevulde aroma van de kruiden; en pas daarna de prikkelende smaak van de vruchten zelf.

Tegen de tijd dat de peren verorberd waren, waren ook beide wijnkannen leeg.

21

$\mathcal{N}$a de lunch ging James naar de keuken, waar hij Livia tot aan haar ellebogen in de vuile vaat aantrof.

'Kom, laat me u daarbij helpen,' bood hij aan.

Uit ervaring wist Livia dat er maar één reden was waarom knappe jongemannen haar aanboden te helpen in de keuken en die had niets te maken met behulpzaamheid. 'Ik red me wel, hoor. Dank u,' zei ze met een stem die alle versiergedachten tot zwijgen moest brengen.

'Laat me dan op zijn minst voor u afdrogen,' zei hij, reikend naar een theedoek. 'Die lunch was trouwens erg lekker,' zei hij daarop welgemeend.

Voor Livia, die gewend was stukken uitbundiger voor haar kookkunsten te worden gecomplimenteerd, klonk zijn reactie lauw, op het beledigende af haast. En aangezien ze wíst dat haar gerechten niet minder dan uitmuntend waren geweest, vermoedde ze dat de gereserveerdheid van deze Engelse officier een simpele onderhandelingstruc was en wachtte argwanend op zijn volgende zet.

'Ik heb net even met de anderen gesproken,' zei James, 'en wij zouden het allemaal geweldig vinden als u de baan zou willen aannemen.'

Ze trok haar schouders op, benieuwd naar het addertje onder het gras.

'Dat wil natuurlijk zeggen, als ú dat ook nog steeds wilt.' Hij dacht dat ze misschien nog wat terughoudend bleef, omdat ze het nog helemaal niet hadden gehad over zaken als loon en huisvesting. 'Natuurlijk zullen we nog iets moeten afspreken aangaande uw slaapaccommodatie,' zei hij. 'En u zult het vast ook nog over de verdiensten willen hebben.'

Aha, dacht Livia, dat is het dus: hij wil dat ik behalve zijn kokkin ook zijn hoer word, net als Alberto. Ze schonk hem een woeste blik.

'Hoeveel had u eigenlijk in uw hoofd?' opende hij de discussie.

'Wát u mij ook biedt,' zei ze bits, 'het zal altijd een belediging zijn.'

'Mm, zou kunnen,' beaamde hij. 'Maar enig idee van wat u eventueel zou accepteren, zou toch wel fijn zijn.'

'Ik zal het nooit ofte nimmer voor geld doen.'

'Eh... kan ik inkomen,' zei hij confuus. Misschien bedoelde ze dat ze zich een soort kunstenares voelde of zoiets. Hij had wel eens gehoord dat koks heel bevlogen konden zijn.

'Zolang dat maar duidelijk is.'

'Zeker, zeker. Ik zal eh... als ik u eens hetzelfde gaf als Malloni? Niet dat zijn kookkunsten het háálden bij de uwe natuurlijk,' voegde hij er vlug aan toe. 'En als u dat acceptabel vindt, kunt u ook zijn oude kamer boven krijgen.'

'Malloni?' herhaalde ze traag. Ze besefte ineens dat dit gesprek waarschijnlijk over iets heel anders ging dan wat zíj had gedacht. 'Ik geloof dat ik me daar wel in kan vinden,' gaf ze zich daarom maar gauw gewonnen.

Toen James even later aan zijn bureau zat en probeerde wijs te worden uit een lange, grotendeels niet ter zake doende brief van het departement over een of ander nieuw gerezen probleem, voelde hij dat zijn oogleden zwaar begonnen te worden.

'Neemt u geen siësta?'

Toen hij opkeek, zag hij Livia in zijn deuropening staan.

'Daar doen wij Engelsen niet aan,' verklaarde hij.

'Maar hoe verteert u uw eten dan?'

Hij trok zijn schouders op. De spijsvertering, zo begon hij te begrijpen, was een van de terreinen waarop Livia zichzelf tot deskundige had gebombardeerd. 'Wij eh... werken ons er gewoon doorheen, denk ik.'

'Belachelijk,' sprak ze beslist. 'Zo wint u de oorlog nooit.' En weg was ze weer.

James wilde niet zo lomp doen om haar erop te wijzen dat wél siësta houden de Italianen ook niet echt had geholpen iets te winnen. Bovendien voelde hij zich inderdaad nogal slaperig. Misschien, dacht hij, zou een heel klein dutje niet eens zo'n slecht idee zijn. Tenslotte: 's lands wijs, 's lands eer – wie in Rome verbleef, moest doen als de Romeinen...

Terwijl hij naar zijn bed strompelde, probeerde er nog een gedachte in zijn hoofd vorm te vatten. Het was iets met het feit dat de geallieerden momenteel niet in Rome zaten en dat dát juist het hele probleem was. Maar voor hij dit voor zichzelf helder had, sliep hij al.

Hij werd helemaal opgefrist wakker en ging naar de keuken voor een glas water. Livia stond er een grote berg courgettes in stukken te snijden.

'U had helemaal gelijk,' zei hij tegen haar. 'Mijn spijsvertering is u dankbaar.'

Ze haalde haar schouders op. 'Allicht.'

'En u? Hebt u ook nog gerust?'

Ze schudde haar hoofd. 'Te druk. Het is zo weer tijd voor het avondeten.'

'Maar dan moet u vreselijke last van uw maag hebben!' zei hij. 'Ik zal gauw iets voor u halen.'

Ze keek hem argwanend aan.

'Al goed, al goed,' zei hij lachend. 'Ik was u maar een beetje aan het...' Wat was het Italiaanse woord voor plagen eigenlijk? Nu hij er zo over nadacht, wás plagen helemaal niks voor de Italianen: die lachten of huilden, schreeuwden of zwegen – er zat niets tussenin. 'Ik nam u gewoon een beetje bij de *naso*, de neus,' legde hij uit.

Ze snoof. 'Nou, doe dat maar niet weer.'

'U kunt er anders maar beter aan wennen. Ik vrees dat dat de Engelse manier van flirten is.'

Ze schonk hem een wantrouwige blik.

Hij voelde zich meteen een idioot. Deze dame was verdorie getrouwd; hij was haar werkgever! 'Niet dat ik nu met ú flirt, natuurlijk,' zei hij daarom snel. 'Mijn excuses, hoor.'

Ze droeg nog wat courgettes naar haar snijplank. 'Hebt u een vriendin, kapitein Gole?' vroeg ze toen op de man af.

Hij aarzelde. Ergens wilde hij dolgraag eerlijk tegen haar zijn, maar deze leugen was zo'n gewoonte geworden, dat hij zichzelf voor hij het goed en wel in de gaten had al hoorde zeggen: 'Toevallig wel, ja.'

'Is ze mooi?'

'Nou... best wel.'

'Bést wel?' Haar wenkbrauwen vlogen omhoog. 'Is dat ook wat u tegen haar zegt: dat ze best wel mooi is?'

'Eh...'

'En gaat u met haar trouwen?'

'Dat moeten we nog maar even afwachten, lijkt me.'

'Als u dat niet zeker weet,' zei Livia, 'dan trouwt u niet met haar.' Ze stopte even met snijden. 'Ik wist meteen toen Enzo mij voor het eerst kuste, dat hij degene was met wie ik zou trouwen.' Er gleed een vage glimlach over haar gezicht.

Even voelde James een scherpe steek van jaloezie. Maar, zo sprak hij zichzelf streng toe, het was natuurlijk prachtig dat zij zo dol was op haar echtgenoot. En maar goed ook: nu wist hij tenminste zeker dat hij zich tegenover haar niet voor gek hoefde te zetten. Aan de andere kant: als hij naar haar profiel keek, terwijl ze gebogen over de snijplank verbluffend behendig sneed en hakte met die tengere handen van haar, kon hij het niet helpen dat het hem speet, dat de enige Italiaanse vrouw die hem zo in vervoering bracht, reeds bezet was.

'Zal ik u daarbij helpen?' zei hij, wijzend op de berg groenten.

'Hebt u dan geen werk te doen?'

'Dat kan wel wachten,' zei hij en pakte een mes. 'Laat me maar zien wat ik moet doen.'

Nú gaat hij me proberen te versieren, dacht Livia, terwijl ze samen courgettes stonden te snijden. De manier waarop hij steeds even naar haar keek als hij dacht dat ze het niet merkte, gekoppeld aan zijn duidelijke weerzin om te praten over zijn eigen burgerlijke staat, kon maar één ding betekenen. Kom maar op dan, dacht ze, terwijl ze in een waas van vlijmscherp staal woest op een courgette inhakte. Ik zal hem leren! En in haar hoofd oefende ze al een hele rits Napolitaanse uitbranders – de meeste over de zuster en de moeder van de Engelse kapitein en zijn eigen tekortkomingen als man. Het vooruitzicht om al die ijver met een fikse dosis krachttermen van tafel te kunnen vegen, was zeer bevredigend en ze begon zelfs al een beetje uit te kijken naar de confrontatie.

Helaas voor haar probeerde James haar helemaal niet te versieren. Hij waagde zich niet eens aan een dubbelzinnige opmerking. Hij was in feite gekmakend respectvol. Tegen de tijd dat het avondeten kon worden opgediend, was Livia dan ook klaar om hem te vermoorden.

22

Na enkele dagen begon James iets op te vallen aan het eten dat ze voorgeschoteld kregen.

'Het is gek,' zei hij tegen Jumbo, 'maar elke maaltijd lijkt op zijn minst één groen-wit-rood gerecht te bevatten. Gister was het die heerlijke salade – tomaten, basilicum en van dat witte mozzarellaspul – vandaag was het een pittige groene kruidensaus op witte pasta met tomaten erbij.'

Jumbo trok diepe rimpels in zijn gezicht. 'Wat is daar zo gek aan?'

'Dat zijn de kleuren van de Italiaanse vlag!'

'O ja.' Jumbo dacht even diep na. 'Vast gewoon toeval. Tenslotte eten ze hier heel veel tomaten, dus dan heb je dat rood er automatisch al bij.'

'Daar zit wel wat in,' was James het met hem eens.

Later die middag verzon hij een smoes om in de keuken over Livia's schouder te kunnen gluren wat ze aan het klaarmaken was. 'Wat is dat?' informeerde hij achteloos.

'*Pomodori ripieni con formaggio caprino ed erba cipollina,*' antwoordde ze zakelijk. 'Tomaten gevuld met geitenkaas en bieslook.'

Terwijl hij het feit dat het water hem al in de mond liep probeerde te negeren, zei hij: 'Maar dat zijn kleuren van jullie vlag!'

Livia deed alsof dit haar voor het eerst opviel. 'Och ja, wat gek!'

'En dat was bij een van de lunchgerechten ook al. Sterker nog: bij elke maaltijd die u tot nu toe voor ons heeft gekookt, was dit het geval.'

Livia, die niet had verwacht dat een van haar nieuwe werkgevers deze kleine verzetsdaad zou opmerken, besloot dat aanval de beste verdediging was. 'Nou ja, er is tegenwoordig door die belachelijke beperkingen van u op de markt amper meer wat te kiezen. En het weinige dát er is, gaat voor schandelijke prijzen weg. De enigen die zich nog kunnen veroorloven fatsoenlijk te eten, zijn buitenlandse soldaten... en hun hoeren natuurlijk. U hebt een stad van bedelaars, dieven en prostituees van ons gemaakt en ik ben benieuwd wat u van plan bent daaraan te doen.'

James knipperde even met zijn ogen. 'Wij doen ons uiterste best om de burgerbevolking te beschermen!'

'Nou, dan bent u daar niet erg goed in!'

Tot haar verrassing klonk zijn antwoord hulpeloos: 'Dat weet ik. Wij stellen jullie danig teleur. Maar... het is een onmogelijke taak en wij zijn met maar zo weinig.'

'Hmm,' zei ze en draaide zich om. Die kapitein Gould was misschien toch niet zo'n slecht mens, besloot ze. Maar het had ook geen zin om hem te laten zien dat ze dat vond.

Gina Tesalli was zwanger. Een bolle bruine halvemaan piepte tussen haar dunne witte bloesje en rok uit. Ze legde haar handen er beschermend overheen en glimlachte.

'Het is van korporaal Taylor, geen twijfel mogelijk,' zei ze. 'Ik heb nooit een andere vriend gehad.'

James krabde op zijn hoofd. Deze dame werd nog een lastig geval. Voor de oorlog had zij aan de universiteit gestudeerd; nu woonde ze bij haar familie. Althans, de vrouwelijke helft daarvan: haar vier broers en vader waren allemaal ingelijfd door de Duitsers. Het was een keurig middenklassegezin dat in deze tijden net zo hard moest worstelen als de rest.

Als hij weigerde haar toestemming te geven om te trouwen, werd er een onwettig kind van een Engelsman geboren. Als hij haar echter op dezelfde gronden wél toestemming verleende, wist hij nu al wat er zou gebeuren. Zo gauw de vrouwen van Napels hoorden dat zwanger raken het enige was dat ze hoefden te doen om zich van een huwelijk te verzekeren, gingen alle voorbehoedmiddelen meteen overboord. De verbreiding van syfilis en gonorroe, die nu reeds epidemische vormen aannam, zou van de ene op de andere dag verveelvoudigen én er zouden tientallen, zo niet honderden baby's worden geboren, enkel en alleen omdat ze hun moeder een plaatsje garandeerden op de beloofde oorlogsbruidenschepen naar Engeland.

Het was een ingewikkeld probleem; een waarvoor zijn orders volstrekt ontoereikend leken. Hij zat ernstig klem tussen de botsende belangen van een goed bedoelde en uiterst zinnige gedragslijn aan de ene kant, en het levensgeluk van drie mensen aan de andere kant.

Dus vertelde hij Gina dat hij nog wat meer onderzoek wilde doen, voor hij zijn rapport kon schrijven. Dat was een leugen: hij wilde haar zaak gewoon voorlopig even laten liggen, in de hoop dat zich uiteindelijk een oplossing zou aandienen.

'Natuurlijk,' zei Gina, duidelijk haar best doend niet al te teleurgesteld te klinken. 'Onze baby wordt pas in de zomer geboren. Er is nog tijd genoeg.'

23

Het uur vóór de lunch was James' favoriete tijdstip geworden. Dan had hij net genoeg werk verzet om tevreden te zijn met zichzelf, maar nog niet zoveel dat hij er al moe van was. Bovendien had hij dan nog het vooruitzicht van een heerlijke maaltijd, gevolgd door een verfrissend dutje. En misschien nog wel het allermooiste: het geluid van Livia die druk in de weer was in de keuken.

Het koken zelf was een opera-achtige vertoning in vijf bedrijven. Eerst was er de ouverture: wanneer Livia met haar aanwinsten terugkeerde van de markt en voor iedereen binnen gehoorsafstand (gezien haar luide stem zo'n beetje iedereen op de hele afdeling) de specifieke kwaliteiten en gebreken van elk artikel besprak, hoelang ze ervoor in de rij had gestaan, hoeveel die oplichter van een kraamhouder haar ervoor had proberen te rekenen en dat het sowieso niet kon tippen aan wat de akkers van haar eigen dorp vóór de oorlog hadden voortgebracht...

Hierop volgde het bereiden van de pasta. Daar werd over het algemeen minder bij gepraat, omdat ze zich moest concentreren; toch maakte het meer herrie. Livia maakte haar pasta namelijk op de traditionele manier: ze voegde eieren toe aan een berg bloem en kneedde dit alles tot een soepele harde deegbal. Deze moest vervolgens zo'n tien minuten met de hand worden afgerost, net zolang tot de structuur licht en luchtig genoeg was. En ze mocht er met haar tengere gestalte dan uitzien alsof ze daar niet erg geschikt voor was: zoals een schriele tennisspeler zijn gebrek aan spieren met gegrom compenseert, zo bracht zij een heel scala aan veelzeggende geluiden voort, terwijl ze het deeg met twee vuisten te lijf ging, zodat er geen enkele twijfel over bleef bestaan hoeveel pure lichaamskracht hieraan te pas kwam.

Dit bedrijf werd soms gevolgd door een kort intermezzo: een gesprekje met Carlo of Enrico over wat ze voor de lunch aan het klaarmaken was, het weer van die dag of de laatste roddels van de markt. Hoe losjes deze gesprekken ook waren, ze klonken James altijd als heftige woordenwisselingen in de oren, dankzij de natuurlijke welbespraaktheid van de deelnemende partijen.

Hierop volgde dan een veel rustiger fase, waarin het vlees werd aangebraden en de groenten gesneden. Een indrukwekkend geroffel van lemmets op marmer, water dat siste in steelpannen, deksels die rammelden, verrukkelijke geuren die de keuken uit dobberden en het hele gebouw onderdompelden in de geur van gebakken tomaten met verse basilicum en oregano.

Ten slotte stak Livia dan haar hoofd om de deur van zijn kantoor, om hem te vertellen dat het tijd was om te stoppen met werken. Als door tovenarij werd de grote tafel ontdaan van alle papieren en veranderde deze van gedaante met behulp van olie, azijn, brood en kannen met bloemen en wijn. Iedereen verzamelde zich, het brood werd gebroken en de tevreden stilte van magen die werden gevuld werd slechts af en toe verbroken door tevreden gemompel.

Livia's houding tegenover James kon nog steeds niet echt vriendelijk worden genoemd. Maar na al dat gekoketteer en geflirt waar hij bij de huwelijksgesprekken aan gewend was geraakt, vond hij het een verademing om nu eens in het gezelschap te verkeren van een vrouw die geen enkele poging deed hem te verleiden. En wanneer haar manier van doen zelfs aan het vijandige grensde, merkte hij dat hij dat eigenlijk alleen maar grappig vond. Haar woest vlammende blikken hadden iets kostelijks, vond hij. Het was zelfs zo, dat hij haar zo nu en dan expres een beetje plaagde, met de simpele reden haar zo'n blik te ontlokken.

Hij was er niet vertrouwd genoeg mee om de symptomen te herkennen, maar het leed geen enkele twijfel: kapitein James Gould was verliefd aan het worden.

Op een avond zat hij te werken, toen hem opviel dat het glas water op zijn bureau zich merkwaardig gedroeg. Een hele reeks van concentrische cirkels rimpelde vanaf de rand naar binnen toe en lieten het oppervlak trillen. Hij keek er een poos gefascineerd naar en nam het glas toen mee naar de keuken. 'Livia,' vroeg hij, 'weet jij waar dit door komt?'

Ze keek er even naar en besloot toen: 'Een aardbeving. Een kleintje maar, hoor. Die hebben we hier aldoor, zeker als het warmer begint te worden.'

James zette zijn vingers tegen de muur. Hij voelde iets heel licht door de oude stenen van het gebouw gonzen. Maar het was een trilling die langzaam sterker werd, voelde hij. Dit kon toch zeker geen aardbeving zijn? Die zou immers opkomen en weer verdwijnen, niet aanzwellen tot een ononderbroken dreun, zoals dit hier.

'Maakt u zich geen zorgen,' zei Livia nuchter. 'Deze gebouwen zijn heel stevig; hier zijn ze heus wel op berekend.'

Toen klonken buiten opeens sirenes. 'Verdorie, het is echt geen aardbeving,' riep hij. 'Het is een luchtaanval! We moeten naar de schuilkelder.'

Ze wees naar de pan waarin ze stond te roeren. 'Ik kan niet weg, anders wordt dat helemaal niks. En ik heb er ruim een uur voor in de rij gestaan. Gaat u maar alvast.'

'Nee nee, dan blijf ik bij u,' zei hij. Hij keek uit het raam. Nu kon hij de Duitse vliegtuigen zelfs al zien: de ene golf potlooddunne Junkers 88 na de andere. Ze kwamen vanuit het noorden en vlogen extra hoog, om de kanonnen van de oorlogsschepen in de baai te ontwijken.

'Blijf dan uit de buurt van het raam,' merkte Livia koel op. 'Als dat glas breekt, wordt u in stukken gesneden.'

Hij deed een stap achteruit. Een luide slag doorkliefde het geluid van de sirenes.

'En we kunnen de ramen beter openzetten. Dan verbrijzelt het glas niet door de luchtdruk.' Toen ze zijn verblufte blik zag, voegde ze eraan toe: 'Ik heb al vaker een luchtaanval meegemaakt.'

Hij gooide alle ramen open en ging toen in de deuropening staan, met zijn rug tegen de deurpost aan. 'Ze bombarderen het kasteel,' zei hij, luisterend naar de explosies. Dit moest het antwoord van de Duitsers op het grote offensief in het noorden zijn.

Opeens leek een oorverdovende knal het hele gebouw op te tillen, gevolgd door het geluid van brekende stenen.

'Die was dichtbij!' zei Livia, die nog steeds courgettes stond te snijden.

'Kom hier!' beet hij haar toe en sleurde haar de deuropening in. Ze keek hem verbaasd aan. 'De latei,' legde hij uit, 'het stevigste deel van een ruimte!' En hij sloeg een arm om haar heen en was niet van plan haar te laten gaan.

'Zijn we samen aan het walsen, kapitein Ghoel?' zei ze met een blik op zijn arm. Maar ze duwde hem niet weg.

Er klonk opnieuw een knal, nóg dichterbij. James voelde de grond onder zijn voeten omhoogkomen, alsof het gebouw een schip was dat door een onverhoedse golf werd opgetild. Livia hapte naar adem; hij trok haar nog wat verder onder de lateibalk. 'Verdomme!' verzuchtte James. Ze zaten er nu echt middenin en konden niets anders doen dan afwachten. Als ze nu nog probeerden een schuilkelder te bereiken, hadden ze buiten een veel grotere kans te worden getroffen.

Ze stonden nu zo dicht tegen elkaar aan, dat hij het bonzen van haar hart kon voelen. En toen sloeg de zwaarste explosie tot dan toe hen met de rug tegen de muur. James voelde zijn oren dichtklappen. 'Dat was hiernaast!' riep hij uit. Áls ze werden getroffen, zou dat zo meteen zijn: de rook van de buren diende immers als baken voor de volgende golf van bommenwerpers.

Toch was het enige waar hij aan kon denken, hoe heerlijk hij het vond om zo dicht bij haar te staan, de bedwelmende rozemarijngeur van haar haren op te snuiven en haar frêle schouder onder zijn arm te voelen. Zou het zo voelen, dacht hij, als we geliefden waren? Hij vroeg zich af of hij het zou wagen haar te kussen en ervoer opeens een duizelingwekkende, maar tegelijkertijd heerlijke paniek, die helemaal niets met Duitse bommen te maken had.

Nee, je mag haar niet kussen, zei hij tegen zichzelf. Natuurlijk niet!

Hij voelde iets hards in zijn borstzak. Hij haalde het eruit: het was het stukje heiligenbot dat de priester hem in de kathedraal had toegestopt. Dat was hij alweer bijna vergeten. 'Wat is dat?' vroeg Livia.

'O, gewoon een talisman die ik van iemand heb gekregen.' Hij stopte het terug. 'Zeg, Livia?'

'Ja?'

'Mag ik jou iets vragen?'

'Dat hebt u net gedaan, kapitein Goeht... dus kunt u net zo goed nóg een vraag stellen.'

'Als je nu zou sterven, is er dan iets waar je spijt van zou hebben?'

Ze dacht diep na. 'Nee,' besloot ze toen. 'En u?'

Ach, er was zoveel – maar niets dat hij durfde uit te spreken. Haar nabijheid bracht hem in een soort roes. Op school hadden ze eens een wedstrijdje gehouden: wie van de hoogste tak van een boom de rivier in durfde te springen. Ze hadden elkaar uitgedaagd steeds hoger te klimmen en hij herinnerde zich nog steeds de zeldzame opwinding van die dag; die wonderlijke mengeling van angst en uitgelatenheid. Hij voelde zich nu precies hetzelfde.

'Hier zal ik in ieder geval geen spijt over voelen,' zei hij. 'Dit zijn de mooiste tien minuten van de mooiste middag van die hele pestoorlog. Maar het zou me wel spijten, als ik de kans niet greep jou te kussen...' En hij boog zich naar haar toe.

Hij zág dat haar ogen flitsten en haar voet op de grond stampte. En toen haar lippen erbij bewogen, begreep hij dat ze schreeuwde, hem stond uit te schelden – maar horen deed hij niets. Op datzelfde moment werd alle lucht uit de kamer gezogen en gaf een gigantische explosie hem een enorme douw. En zijn kus – één seconde voordat hun lippen elkaar raakten afgebroken – veranderde in een klunzige omhelzing toen hij tegen haar aan viel. Een schel gejengel vulde zijn oren (een hersenschudding, dacht hij nog), uit het plafond regende het stof. En dwars door de gedempte nasleep heen, hoorde hij vaag het geratel van tientallen dakleien, die één voor één kapot kletsten op de tegels van het binnenplein.

Door de explosie was één wand van het hoofdkwartier van de Amerikanen ingestort. James bood meteen zijn eigen verdieping als tijdelijke huisvesting aan. Dat was wel het minste dat hij kon doen en hij kon moeilijk beweren dat hijzelf ruimte te kort kwam

Als een van nest wisselende mierenkolonie stroomde de benedenverdieping van de cic leeg. Hutkoffers vol papieren en dozen met apparatuur werden door bedrijvige, doelgerichte ordonnansen de trap op gesjouwd; bureaus, stoelen, typemachines, archiefkasten en talloze meters telefoonkabel verplaatsten zich naar alle hoeken en gaten van James' afdeling. Binnen een paar uur was de verhuizing een feit.

Er was echter nóg een probleem: ook de mess van de Amerikanen was onbruikbaar geworden. Daar waren een paar dakbalken in terechtgekomen, dus ook daar moest een tijdelijke oplossing voor komen.

'Het is maar voor een paar dagen,' zei Eric tegen James. 'Misschien kan die charmante kokkin van jou ons ook uit de brand helpen?'

'Jullie zijn met veel te veel,' zei James resoluut. 'Kunnen jullie zolang geen veldrantsoenen eten?'

'Is er soms een probleem?' klonk Livia ineens achter hen.

James draaide zich om. 'O, deze mensen vroegen zich af of zij met ons mee konden eten. Ik heb gezegd dat dat echt te veel wordt.' Hij durfde haar er niet bij aan te kijken. Toen het allesveiligteken had geklonken, had hij wat gemompeld over 'de schade opnemen' en zich uit de voeten gemaakt, voor zij kon zien hoe diep hij zich schaamde.

'En zij zijn met... Hoeveel? Ongeveer dertig man?' Ze trok haar schouders op. 'In de osteria kookte ik ook elke dag voor zoveel!'

'Zoals je wilt,' zei hij stijfjes. 'Maar hebben we dan genoeg?'

'Ik weet zeker dat ik het wel voor elkaar krijg,' zei ze. 'En dan eten we buiten, op de binnenplaats. Daar is veel meer ruimte.'

'Maar dan heb je toch op zijn minst hulp nodig bij het opdienen.'

'Dan haal ik er toch wat mensen bij? Geen enkel probleem.' Angelo regelde wel een paar tijdelijke serveersters, wist Livia.

Eric maakte een buiging voor haar. '*La quinta forza armata è molto grata, signora*, het vijfde leger is u buitengewoon dankbaar.' Het viel James op dat zijn Italiaans behoorlijk goed begon te worden.

Tot haar eigen verbazing vermaakte Livia zich prima. Ze mocht de geallieerden uit principe bepaald niet, maar ze moest toegeven dat ze als individuen best makkelijk in de omgang waren. Goed, ze waren wat koeltjes en totaal bezeten van hun werk, maar voor wie haar leven lang had moeten doen alsof ze niet hoorde wat de mannen op straat mompelden en bij zo'n beetje elke gelegenheid werd betast, was het best fijn te kunnen ontspannen in het gezelschap van deze verlegen, rustige en welgemanierde buitenlanders.

Maar bovenal was ze blij dat ze weer echt kon koken. Ze had zich niet gerealiseerd hoe belangrijk dit voor haar was. Vier jaar lang had ze van alles bij elkaar gegooid, om maar iets op tafel te kunnen zetten dat in de verste verte op eten leek. Maar nu, dankzij Angelo en zijn contacten op de zwarte markt, kookte ze eindelijk weer met echte ingrediënten én in hoeveelheden waarvan ze eerder alleen maar kon dromen. Een hele tonijn, een rieten mand vol San Marzano-tomaten, een kistje ansjovis, handenvol verse peterselie... Tientallen nieuwe aardappelen, de zwarte vulkanische aarde van Campania er nog aan en geel als goud vanbinnen; een bleke Parmezaanse kaas, zo groot als een vrachtwagenwiel; een zak bloedrode watermeloenen... De hele middag en avond sneed en bakte ze. En tegen de tijd dat het duister viel, had ze een feestmaal in elkaar gedraaid waar zelfs zij trots op was.

Voor veel van de Amerikanen was deze luchtaanval de eerste die ze meemaakten. Die avond klonk hun gebabbel daarom extra levendig en ging er meer wijn doorheen dan normaal. En het decor waarin dit alles plaatsvond, droeg alleen maar bij aan de pret: eten op de binnenplaats, aan een provisorische tafel, onder de citroenboom en de sterren, terwijl onder hun voeten de gebroken dakleien knarsten. Er waren geen kaarsen, maar iemand had een paar petroleumlampen gevonden en ze maakten een vreugdevuur van de gebroken dakbalken. Angelo had Livia van zowel voldoende wijn als voedsel voorzien, dat aan de soldaten werd geserveerd door zes van de mooiste meisjes die de ober-kelner op zulke korte termijn had kunnen vinden.

'Ik zou durven zweren dat ik zojuist Silvana Settimo zag lopen,' zei James tegen Eric, terwijl hij alweer een wijnkan naar een tafel zag worden gebracht.

'Wie is dat?'

'Een van de meisjes die ik heb ondervraagd. Zij deed destijds of ze nog maagd was.' Hij draaide zijn hoofd toen een andere, opvallend aantrekkelijke Italiaanse een schaal pasta bij hem op tafel zette. 'En dat is beslist Algisa Fiore. De laatste keer dat ik háár zag, had ze geen kleren aan.'

'Wat heb jij toch een fascinerend leven, James.'

'Maar het zijn allemaal prostituees!'

'Weet je, dat soort informatie kun je maar beter even voor je houden,' raadde Eric hem aan. 'Anders hebben we hier straks de poppen aan het dansen.'

Het eten was fantastisch: Livia had zichzelf overtroffen. James merkte dat hij, heel egoïstisch, zat te hopen dat de Amerikanen niet zouden beseffen wat een goede kokkin zij eigenlijk was. Hij had er namelijk absoluut geen trek in om Livia's capaciteiten voorgoed te moeten delen. Uit de waarderende geluiden rondom hem begreep hij echter, dat haar kooktalent onmogelijk geheim kon blijven.

Na de maaltijd was het onvermijdelijk dat er zou worden gedanst. Eric haalde zijn klarinet, diverse andere soldaten kwamen met een instrument en toen was er een jazzbandje, dat voor de vuist weg begon te spelen. Het duurde niet lang of de Amerikanen begonnen de serveersters geestdriftig de doowop en de jitterbug te leren.

James zag zijn kans waar en stapte op Livia af. 'Mevrouw Pertini,' begon hij formeel, 'ik wil u graag mijn excuses aanbieden voor mijn eerdere gedrag.'

'Hoe bedoelt u?'

'Wat ik tijdens die luchtaanval tegen u zei.'

'Wat zei u dan?' vroeg ze nieuwsgierig.

Hij aarzelde. 'Hebt u dat dan niet gehoord?'

'Ik hoorde die bom vallen en toen schreeuwde ik tegen u dat u moest gaan liggen. Maar ik heb niet gehoord wat u zei, nee.'

'Ik zei...' Hij stopte. 'Ach, ik sloeg maar wat wartaal uit. Ik zal wel een beetje van slag zijn geweest door die bommen. Maar goed, evengoed mijn excuses.'

'Al goed, hoor,' zei ze, maar ze schonk hem een bevreemde blik.

En toen kwam een van de Amerikanen op haar af gelopen, die haar ten dans vroeg en bij hem vandaan leidde.

Vijf minuten later was ze terug – lichtelijk buiten adem en haar wangen rood van het plezier, de inspanning en alle complimentjes die ze voor haar kookkunsten had gekregen. In een opwelling zei ze: 'Kapitein Goeht, danst ú nu met mij?'

'Dat is goed,' zei hij. 'Maar dan wel een fatsoenlijke dans, niet van die jive-onzin.'

'Ik weet zeker dat alles wat u doet fatsoenlijk is,' zei ze met een zucht.

'Ik bedoelde,' zei hij, terwijl hij opstond en haar naar de dansvloer leidde, 'de foxtrot: de koning der dansen.'

Livia vertelde hem dat ze niet wist hoe die ging.

'Dan is het maar goed dat ik dat wel weet. Volg mij maar gewoon.' En hij vlocht de vingers van zijn linkerhand door die van haar rechter, legde zijn andere hand op haar schouder en duwde haar toen zacht doch beslist in de promenadepositie. 'Langzaam, langzaam, snel, snel,' instrueerde hij. 'Echt, het kán niet simpeler.'

'Ik zie het,' zei ze, haar bewegingen aanpassend aan de zijne.

'En nu gaan we draaien...' Toen ze naar de *conversation step* zwenkten, raakten hun heupen elkaar heel even.

'Kapitein Goel,' zei ze verrast, 'u danst erg goed.'

'Weet ik,' zei hij, terwijl hij haar voorzichtig een *box turn* liet maken. 'En snel... en weer langzaam.'

Ze keek naar hoe haar linkerhand op zijn schouder lag. Het was een stevige, hoekige schouder, zag ze. Ze dacht aan hoe die er zonder overhemd uit had gezien, toen haar zuster zijn wond had verbonden en vroeg zich af of, als ze haar hand een klein stukje naar beneden liet glijden, zijn bovenarm onder dat uniform net zo gespierd zou blijken. Dat deed ze natuurlijk niet, maar ze zocht wel zijn blik en ontspande merkbaar op het ritme van de dans.

Wat James betrof: die was zich vooral scherp bewust van haar nabijheid. Haar glanzend zwarte haar liet nog meer verlokkelijke rozemarijngeuren los, terwijl ze van de ene naar de andere kant zwaaide. Haar handen leken zo fragiel als de vleugels van een vogel en haar grote ogen keken voor het eerst sinds hun kennismaking naar hem op, met iets dat verdacht veel op een glimlach leek. Hij voelde plots een bepaalde spanning in zijn broek, die hem dwong een aantal heupwendingen in te lassen die er eigenlijk niet bij hoorden.

Wat doe ik toch? dacht Livia intussen. Dit zijn de mensen die mijn echtgenoot hebben vermoord; degenen die Pupetta hebben vermoord!

Ze schaamde zich toen ze zich realiseerde dat deze sterfgevallen in haar hoofd bijna evenveel gewicht hadden. Maar tenslotte was ze erbij geweest toen Pupetta werd neergeschoten, terwijl die arme Enzo al bijna vier jaar weg was toen hij overleed – maar liefst viermaal zo lang als ze ooit samen waren geweest.

Maar waarom, vroeg ze zich af, geniet ik hier zo van? Het is maar een dans en niet eens zo'n boeiende.

Het was dan ook voor beide danspartners zowel een opluchting als een teleurstelling, toen het nummer was afgelopen.

James leidde haar terug naar de tafel, waarna er een ongemakkelijke stilte tussen hen viel. Livia wierp zo nu en dan een vlugge blik op James, in de hoop dat hij iets zou zeggen; hij wierp zo nu en dan een vlugge blik op haar en leek dan iets te willen zeggen. Toch bleef hij met zijn mond vol tanden zitten en leek zij voor één keer haar Napolitaanse welbespraaktheid kwijt te zijn.

Ten slotte sprong zij op en zei: 'Ik kan u de tarantella leren, als u wilt?'

James, die nog steeds werd geplaagd door tijdelijke aanwas onder de gordel, schudde zijn hoofd. 'Heel aardig van u, maar dat moest ik maar niet doen. Ik ben even uitgedanst.'

'Maar zo flirten wij Italianen!' zei ze schalks. En ze ging een eindje voor hem staan, stak haar armen boven haar hoofd, spreidde haar vingers en draaide een soepele pirouette naast het vuur.

Heel even kwam hij in de verleiding met haar mee te doen. Maar toen zei hij: 'Toch denk ik dat ik deze maar eens uitzit.'

Ze haalde haar schouders op. 'Jij dan, Carlo?'

Deze stond ogenblikkelijk met kaarsrechte schouders voor haar, waarna hij zijn lichaam simultaan met het hare begon te bewegen. Enrico pakte een gitaar van een van de Amerikanen en begon diepzinnig te tokkelen.

'Bij de meeste Italiaanse dansen,' zei Livia over haar schouder tegen James, 'zit de man achter de vrouw aan. Bij de tarantella is het echter de vrouw die wordt beheerst door passie. Daarom blijft de man op zijn plek en danst de vrouw om hem heen.' Enrico's vingers vlogen nog vloeiender over de snaren, het tempo ging wat omhoog en Livia danste kronkelend op Carlo af. 'Maar dan verandert ze ineens van gedachten: ze heeft hem niet nodig en is net zo lief alleen.' Abrupt draaide ze weer van hem vandaan.

Iedereen keek nu naar Livia: alle andere dansers hadden zich teruggetrokken om haar de ruimte te geven. Terwijl ze van de ene kant van de binnenplaats naar de andere wervelde, wervelden de plooien van haar rok met haar mee. 'Maar dan beseft ze dat ze hem mist en keert terug. Maar... ze wil niet dat hij haar aanraakt: telkens wanneer hij denkt dat hij haar heeft, glipt ze weer weg.' Ze sloot haar ogen, draaide lenig met haar heupen en cirkelde om de nog steeds amper bewegende Carlo heen. Het tempo van het gitaarspel nam nog wat verder toe. 'Nu is ze bevangen: ze is gek op hem, bezeten, haar hele lijf staat in brand,' riep ze. 'Dus laat ze hem uiteindelijk bij haar komen.' Met gespreide armen ging ze vlak voor Carlo staan. Haar schouders waren stil alsof ze elkaar omhelsden, maar haar heupen bleven kronkelen op het onstuimig pulserende ritme van de dans. Nog een laatste kreet... en toen stopte de muziek abrupt. Het was het meest erotische dat James ooit had gezien: bij dit machtige, sensuele ritueel der begeerte leken de jitterbug en de doowop maar gymnastiekoefeningen.

De mannen aan de tafels waren intussen allemaal gaan staan, klappend en juichend. Enrico zette meteen een nieuw lied in, waarna de militairen de Italiaanse serveersters de cirkel van vuurgloed in sleurden en enthousiast begonnen na te bootsen wat ze zojuist hadden gezien.

Toen Livia de cirkel verliet, stond James op, hopend dat ze weer bij hem kwam zitten. Hun blikken ontmoetten elkaar; ze glimlachte. Maar toen werd ze door een andere geüniformeerde man onderschept. Hij sprak haar aan en leidde haar naar een rustige tafel, ver van het vuur en het licht. Livia wierp James nog een meelevende blik toe, als om te zeggen dat hij zijn kans had gehad, maar hem had laten schieten. James draaide zich vlug om, maar zag nog net dat Eric degene was die haar zo gretig meenam.

24

$\mathcal{D}$e naam van de aanvraagster luidde Vittoria Forsese en ze was gekleed in een stemmige zwarte jurk. Haar eerste echtgenoot, zo vertelde ze James, was in Griekenland gesneuveld. Maar nu, een jaar later, had ze het geluk gehad een andere man te treffen die om haar gaf, een korporaal van de genie.

James zag wel wat haar verloofde in haar had aangetrokken. Ze was bijzonder knap en uitermate charmant. 'En waar hebt u al die tijd van geleefd?' vroeg hij, met zijn pen boven zijn notitieblok.

Er viel een korte stilte. 'Van mijn spaargeld.'

'Bij welke bank zit u?'

Opnieuw een stilte. 'De Banco di Napoli.'

Er begon in zijn hoofd een klein belletje te rinkelen. 'Is dat niet die bank die door de Duitsers is overvallen?'

'Ja, om hun oorlog te kunnen betalen. Ze hebben er alles meegenomen.'

'Maar hoe hebt u zich sinds die tijd dan onderhouden?'

'Mijn buren gaven me soms wat te eten,' zei ze aarzelend.

'Mag ik hun naam, alstublieft?'

Alweer een stilte. 'Soms krijg ik wat van de een, dan van de ander.'

'Maar is er iemand die uw verhaal kan bevestigen? Ik moet een naam hebben, ziet u, om het te kunnen natrekken.'

'Ik heb er geen herinnering van,' mompelde ze.

'U kunt zich de namen van uw eigen buren niet meer herinneren?'

Ze haalde ongelukkig haar schouders op.

Hij maakte een rondje door haar bescheiden appartement. Het was smetteloos schoon en niet bepaald luxueus. Toch vond hij ook hier de gebruikelijke verklikkers: een lippenstift in de slaapkamer, een flesje olijfolie in de keuken, een paar schoenen met leren in plaats van houten zolen. 'Het geld komt van soldaten, is het niet?' vroeg hij vriendelijk.

Ze gaf geen antwoord, maar over één wang rolde stilletjes een traan.

James probeerde te bedenken wat hij nu moest doen. Deze vrouw was mooi, ze leek vlijtig, loyaal en lief. En ze had het onwaarschijnlijke geluk gehad op iemand verliefd te worden, die hetzelfde voor haar voelde.

Zijn pen aarzelde boven het notitieblok. Toen nam hij een abrupt besluit. Met een klap sloot hij zijn blok, stond op en stak haar zijn hand toe. 'U mag zich gelukkig prijzen met zulke buren,' zei hij, 'om nog maar te zwijgen over uw verloofde. Gefeliciteerd, ik zie geen enkele reden waarom u tweeën niet zo spoedig mogelijk zou kunnen trouwen.'

Toen hij haar appartement verliet, waren zijn wangen nog vochtig van haar tranen van dankbaarheid. Hij bleef even staan en ademde diep in. Napels ging gewoon zijn eigen gang, zoals altijd: de zon scheen, hoog boven hem ruzieden twee onzichtbare huisvrouwen aan weerszijden van het smalle steegje tussen hun bovenwoningen, twee oude mannen stopten op straat om elkaar met een kus te begroeten. In een donkere deuropening zat een mollige baby als een vorst op zijn troon op zijn moeders schoot de omgeving in zich op te nemen. Met een ernstige blik nam hij alle speelse begroetingen van voorbijgangers in ontvangst. Ergens vanuit een huis dreef het aroma van pruttelende tomaten met knoflook en peterselie majestueus door de straat en vermengde zich met de stoffige geur van warme straatstenen. De moeder van de baby glimlachte schuchter naar James; hij antwoordde haar met een tik aan zijn pet.

Ja, dacht hij, Vittoria Forsese bofte inderdaad met haar buren. Zoals iedereen in deze bijzondere stad.

25

James merkte dat hij steeds vaker een excuus verzon om in de keuken te kunnen rondhangen.

'Moet u geen oorlog uitvechten?' vroeg Livia hem op een keer.

'Ik ben hier niet echt om te vechten,' legde hij uit. 'Daar ben ik niet fel genoeg voor.'

'O? Ik vind u anders behoorlijk fel.'

'Echt?' Hij was overdreven in zijn nopjes met deze opmerking.

'Toen u dat geweer op mijn tank richtte, was ik echt bang, hoor.'

'Niet half zo bang als ik,' verzekerde hij haar. Hij wees naar de tomaten die ze stond te pellen. 'Zal ik u daarbij helpen?'

'Als u wilt.'

Hij keek graag naar haar slanke vingers, hoe ze de groenten om en om draaiden en het vruchtvlees uit het gebarsten vel knepen, en probeerde het precies zo te doen als zij.

'Vertel nog eens wat over dat meisje van u,' zei ze even later.

Hij keek haar even aan, maar kon de verleiding om weer te gaan fantaseren niet weerstaan. 'Nou,' zei hij, 'ze is vrij klein en nogal mager, heeft donker haar, ze plaagt mij vaak en is nogal... heerszuchtig; ze speelt graag de baas.'

'Hmm, ze klinkt een beetje als ik. Niet dat bazige natuurlijk, maar zoals ze eruitziet.'

'Ja,' zei hij. 'Ik geloof inderdaad dat ze wel wat van u weg heeft. Dat was me nog niet eens opgevallen.'

'Als u haar nooit had ontmoet, had u mij misschien wel leuk gevonden. Is dat niet grappig?'

'Livia...' begon hij.

'Ja?'

'Eh, niets.'

Ze werkten een poos zwijgend door.

'Kapitein Goet?'

'Alstublieft,' zei hij, 'ik heb liever dat u mij James noemt.'

'O. Jeems?'

Hij glimlachte. 'Ja?'

'Wat is een "spetter"?'

'Een vlek... zoals daar.' Hij wees naar een spat gemorste tomatensaus op het fornuis.

'Ja, dat dacht ik al.' Ze gooide nog een handvol tomaten in de steelpan. 'Maar hoe kan ík dan een spetter zijn?'

'Wie zei dat?'

'Eric. Hij noemde me een sexy spetter.'

'Is dat zo?' hoorde hij zichzelf zeggen. 'Wanneer dan?'

'Vanochtend. Had ik dat nog niet verteld? Hij leert me Engels!'

Zo zo, die liet er geen gras over groeien, dacht James. Die verdomde yankees! Oversekst en overdreven, dat was alom bekend.

'Hij heeft me al drie zinnen geleerd,' zei ze trots. 'Wil je ze horen?'

'Lijkt me beter van wel,' mompelde hij.

Ze stopte even met snijden om zich beter te kunnen concentreren. 'Ello, Dzjeems. Mai neem ies Livia. Ai lik ferry much to cock.' Ze keek hem triomfantelijk aan.

'*Cook*.'

'Dat zeg ik: *cock*.'

'Nee: *cook*. Jij zei: *cock*.'

'Nou en?'

'Dat is niet zo'n net woord in het Engels.'

Ze zette grote ogen op. 'O? Wat betekent dat dan?'

'Het betekent... nou ja, het geslachtsdeel van een man, zoals *cazzo*.'

'Och, nu breng ik je in verlegenheid.'

'Geeft niet.'

'Ik hoop maar dat je bij je meisje niet zo verlegen bent,' zei ze ondeugend.

'Nou,' zei hij nors, terwijl hij met zijn mes een tomaat doorkliefde, 'eigenlijk ben ik dat dus wel.'

Livia had eindelijk bedacht waarom James zich zo merkwaardig gedroeg. Zoals hij steeds maar heen en weer wapperde tussen vriendschappelijkheid en gewichtigdoenerij; dat gebloos telkens wanneer er iets over seks werd gezegd; dat totale gebrek aan pogingen haar te betasten; dat gelummel en gekeuvel in de keuken; die doorzichtige smoes van die verzonnen vriendin die hij niet eens fatsoenlijk kon omschrijven; die bespottelijke vormelijkheid; plus het feit dat hij zo voortreffelijk danste... dat alles bij elkaar opgeteld kon maar één ding betekenen: kapitein Gould was een *finocchio*, een venkelknol – oftewel een homoseksueel.

Livia's reactie op haar eigen conclusie was uiterst interessant. Als eerste klapte ze in haar handen, verrukt over haar eigen slimheid. Natuurlijk, waarom was ze daar niet eerder op gekomen? Het verklaarde echt alles! Persoonlijk had ze geen enkel bezwaar tegen homo's – in het dorp was ook een jongen geweest die liever met de meisjes optrok, hun lippenstift uitprobeerde en linten in zijn haar deed; en na haar huwelijk en verhuizing naar Napels had ze meerdere jongemannen gekend die voor geld met toeristen meegingen. Het was haar toen opgevallen dat deze vaak makkelijker bevriend raakten met vrouwen, dan met leden van hun eigen sekse – wat natuurlijk ook haar eigen, groeiende vriendschap met de kapitein verklaarde.

Haar tweede reactie was echter een zekere teleurstelling. Dit verbaasde haar nogal en het duurde even voor ze erachter was waarom ze zich zo voelde. Het kwam absoluut niet omdat ze zelf interesse in de kapitein had. Nee, besloot ze, het kwam doordat homoseksuelen over het algemeen vrij sombere, ongelukkige mensen waren, gedoemd tot een onvervuld leven. En aangezien ze de kapitein intussen best was gaan mogen, besloot ze hem te laten zien dat het háár in ieder geval niet uitmaakte wat zijn seksuele voorkeur was, door zo aardig mogelijk voor hem te zijn.

Toen ze zich dit eenmaal had voorgenomen, voelde ze zich een stuk beter. Haar gevoel van teleurstelling nam meteen weer af, door het vooruitzicht er een goede vriend bij te hebben.

James was op zoek naar Eric, toen hem de weg werd versperd door een ordonnans. 'Verboden toegang, sir. Alleen voor CIC-personeel.'

'Doe niet zo belachelijk: ik werk hier!'

'Veiligheidsredenen, sir.'

'In godsnaam, man, we staan aan dezelfde kant, hoor!' Hij probeerde zich erlangs te wringen, maar de ordonnans – die hier werkelijk als een soort schildwacht stond, zag James nu – was zeer standvastig.

'James!' Eric haastte zich naar buiten toen hij zag wie er voor de deur stond. 'Wat is er, maat?'

'Nou, om te beginnen kan ik mijn eigen kantoor niet in.'

'Da's maar een tijdelijke voorzorgsmaatregel,' suste Eric. 'Er liggen hier een paar gevoelige dossiers open en bloot, vandaar.'

'Zo gevoelig dat je eigen bondgenoten ze niet eens mogen zien?'

Eric trok zijn schouders op. 'Bureaucratie. Je kent dat wel, James: iemand windt zich ergens over op, er wordt een order uitgevaardigd... en wij zijn de arme sukkels die het vervolgens mogen uitvoeren. Maar wat zit jou nog meer dwars?'

Hij nam James bij de arm en leidde hem een andere ruimte binnen.

Venijnig zei James: 'Mevrouw Pertini.'

Eric trok één wenkbrauw omhoog. 'De schone Livia? Wat is het probleem dan?'

'Jij hebt haar Engels zitten leren. Of beter,' vervolgde James sarcastisch, 'Amerikaans – wat bepaald niet hetzelfde is.'

Eric besloot de hoon in zijn stem maar te negeren. 'Tussen ons gezegd en gezwegen, James: ik hoop haar nog veel meer te mogen leren,' zei hij met een brede grijns. 'Maar wat is daar eigenlijk zo erg aan?'

'Je hebt haar een spetter genoemd!'

Eric lachte.

'Niet erg betamelijk, Eric,' beet James hem toe. 'Zal ik je een hint geven? Het is mevróúw Pertini: zij is getrouwd!'

'Maar haar echtgenoot is dood,' zei Eric. Toen hij zag hoe James keek, voegde hij eraan toe: 'Wist je dat niet? Hij is gesneuveld in Rusland, vechtend voor de Duitsers.'

'O,' zei James.

'Hoewel zij hem op dat moment al vier jaar niet meer had gezien. Zoals jij ook had kunnen weten, áls je de moeite had genomen haar na te trekken.'

Daar had hij een punt: hij had Livia deze baan gegeven zonder ook maar iets van haar te weten.

'Ze had wel een Duitse spion kunnen zijn,' zei Eric, stiekem genietend van James' onbehaaglijkheid. 'En dat verhaal in haar dossier over dat lidmaatschap van een partizanengroep deed hier meerdere alarmbellen afgaan.'

'Heeft Livia dan een dossier?'

'O, dat heeft iedereen,' sprak Eric vaag. Hij gaf James een klap op zijn rug. 'Zeg, maar nu die Engelse ridderinstincten van jou gerust zijn gesteld, vind je het toch wel goed dat ik die dame wat taallesjes geef, hè? Jij bent tenslotte niet meer in de race.' Hij kneep zijn ogen tot spleetjes. 'Tenzij je iets minder ridderlijks voor jezelf in gedachten had?'

'Natuurlijk niet,' zei James stijfjes.

'Goed zo. Hou jij jezelf maar mooi rein voor... Hoe heette ze ook alweer?'

'Wat? O, eh... Jane.'

'Juist, hou jij jezelf maar rein voor Jane.'

James beende terug naar zijn bureau, de schildwacht die nog steeds buiten de Amerikaanse kamers de wacht hield, nadrukkelijk negerend. Hij werd overspoeld door een hevige blijdschap: Livia was niet getrouwd! Het enige dat hem nu nog te doen stond, was dat kleine obstakel van zijn verzonnen verloving met Jane wegnemen, waarna hij haar het hof kon maken. En, hoe eerder hoe beter, want Eric was hem duidelijk al een stap voor.

Jane uit de weg ruimen werd een makkie. Het gebeurde immers aldoor dat mannen via een brief van thuis de bons kregen. Nee, dacht hij, nog beter dan de bons: een tragisch verlies. Hij kon bijvoorbeeld aankondigen dat Jane door een V-1 aan stukken was gereten of neergemaaid door het boordkanon van een Messerschmitt. Ook de verduistering verschafte voldoende kansen op een dodelijk ongeluk: auto's zonder koplampen die de duistere straten deelden met voetgangers zonder zaklamp, hadden al zoveel slachtoffers gemaakt dat eentje meer of minder geen enkel probleem zou zijn. Of misschien iets nobelers: Jane kon in het kader van een geheime missie per parachute in Frankrijk zijn gedropt en vervolgens gevangen zijn genomen door de nazi's...

Terwijl hij zo voor zich uit zat te mijmeren, werd hij ineens als door de bliksem door een rampzalige gedachte getroffen: hij was de huwelijksofficier!

Hij dacht aan wat Jackson die eerste avond in Napels had gezegd: *Jij moet het goede voorbeeld geven* en kon zich ook maar al te goed voorstellen wat majoor Heathcote te zeggen zou hebben, wanneer hijzélf toestemming vroeg om met een Italiaans meisje te trouwen.

Natuurlijk, er wáren officieren die een relatie met een Italiaanse hadden, zonder per se met haar te willen trouwen. Maar dat was iets heel anders dan een vrouw het hof maken, terwijl je wíst dat een huwelijk uitgesloten zou zijn. Hij vermoedde bovendien dat de toegeeflijkheid die andere officieren was getoond, beslist niet opging voor iemand in zijn positie. Het opperbevel kon moeilijk een huwelijksofficier steunen, die openlijk te koop liep met precies het soort relatie dat hij nu juist moest ontmoedigen.

Terwijl hij daar diep ongelukkig alle opties zat af te wegen, ging de deur open en kwam Livia binnen met een glas vers geperst citroensap.

'Goedemorgen,' riep ze opgewekt. 'Het is zo warm dat ik maar een drankje voor je heb gemaakt.'

'O. Dank je wel.'

Hij pakte het glas van haar aan en nam een slok. Lekker, met die van nature zoete en tegelijkertijd verfrissende citroen! Hij merkte dat Livia draalde: ze wilde blijkbaar nog wat kletsen. Het was hem al eerder opgevallen dat ze de afgelopen dagen veel aardiger tegen hem deed. Had ze dat iets eerder gedaan, dan had die constatering hem in een ware jubelstemming gebracht. Nu leek het zijn ellende alleen maar te verergeren.

'En hoe gaat het nou met jou?' vroeg hij enigszins bits.

'Met mij? O, prima, hoor. Maar weet je...' begon ze zo terloops mogelijk, 'ik bedacht laatst dat ik zat vrienden in Napels heb – mannen bedoel ik dan – waarvan jij er echt een paar zou moeten leren kennen. Dario bijvoorbeeld. Ik denk echt dat je hem zou mogen.'

Hij tilde zijn handen op en liet ze meteen weer plat op het bureau neerkomen. 'Livia, ik heb helemaal geen tijd om jouw vrienden te ontmoeten. Ik heb het veel te druk.'

'Maar je moet toch ook tijd vrijmaken voor plezier! Dario is erg aardig; jullie hebben vast veel gemeen. En...' – ze laste een betekenisvolle pauze in – '... hij heeft een hele hoop vrienden, die net zoals hij zijn.'

Opeens snapte James het: die vriend had haar natuurlijk gevraagd of zij haar contact met de geallieerden niet eens kon aanwenden om hem een baantje als informant te bezorgen. Gewoonlijk wees hij zulke verzoekjes onmiddellijk af, maar het ging hier wel om Livia... 'Misschien kan ik eens op een avond met hem afspreken,' opperde hij mat. 'Maar je kunt hem maar beter waarschuwen dat het wel een vluggertje moet zijn. Ik ben op het moment niet echt op zoek naar een vast iemand.'

'Maar als de juiste persoon toevallig voorbijkomt...'

'En ik betaal er niet voor,' waarschuwde hij. 'Tenzij het iets heel bijzonders is.'

'Vanzelfsprekend,' zei ze zacht. Ze begon zich wat ongemakkelijk te voelen door de openhartige toon van dit gesprek. 'Ik denk niet dat Dario dat erg vindt, hoewel ik toevallig weet dat hij er in het verleden wel geld voor heeft aangenomen.'

'Dat zal dan toch voor een andere positie zijn geweest,' zei hij.

En Livia – het plattelandsmeisje dat had gedacht dat niets haar kon choqueren – was geschokt. Met knalrode wangen trok ze zich terug in de keuken.

James zuchtte. Automatisch keek hij hoe ze naar de deur liep, met dat lichte heupwiegen dat alle Italiaanse meisjes leken te hebben en dat nog één keer schudden met die massa lang zwart haar bij het verlaten van de kamer... Het heeft geen zin het langer te ontkennen, dacht hij: ik ben verliefd. Ik ben verliefd op Livia Pertini.

Het was pure pech, maar er zat maar één ding op. Omdat hij toch niets met haar kon beginnen, moest hij zijn gevoelens verborgen zien te houden, in de hoop dat hij ten eerste zichzelf niet belachelijk maakte, en ten tweede Livia niet onnodig in verlegenheid bracht.

26

James begon steeds nieuwsgieriger te worden naar de reden waarom het CIC hem niet graag in hun ruimten toeliet.

De Amerikaanse kantoren lagen vlak naast zijn eigen slaapkamer. Op een avond wachtte hij tot iedereen sliep en klom toen op de vensterbank van een van zijn gigantische ramen. Na een korte zenuwslopende klauterpartij van het ene raam naar het andere stond hij dan midden in hun heiligdom.

Het barstte er van de documenten: overal waar hij keek, stonden dozen met dossiers. Hij bladerde er wat doorheen, tot hij er een vond met: 'Strikt geheim – uitsluitend CIC-personeel'. Er zat slechts één mapje in. Dit moet het zijn, dacht hij. De titel luidde: 'Operatie Gladio'. Hij sloeg het open en zijn ogen vlogen over de eerste pagina.

Achtergrond
Na de oorlog zal de politieke situatie in het zuiden van Italië waarschijnlijk behoorlijk onrustig zijn. De Engelsen staan achter automatisch herstel van de monarchie. Dit is echter geenszins de enig mogelijke uitkomst. Zo voeren in het zuiden enkele welgestelde individuen actie voor een onafhankelijk 'Koninkrijk Napels'. Van de communisten, die de steun van een meerderheid van de arme bevolking genieten, mogen deze fantasten zichzelf gerust even uitsloven. Zijzelf zullen, zodra de geallieerden zich hebben teruggetrokken, een poging ondernemen tot een stalinistische revolutie, waarbij zij zich zullen aansluiten bij Griekse en Joegoslavische arbeidersbewegingen, met als doel de oprichting van een Europese superstaat, die zich uitstrekt van Moskou tot aan Milaan.

Waarschijnlijk het enige alternatief tegen deze communistische overname van Italië vormt momenteel het restant fascisten uit Mussolini's tijd. Deze zijn meer dan bereid met de communisten af te rekenen, mits ze daarvoor de benodigde middelen in handen krijgen.

De derde machtige groepering in het zuiden van Italië is de maffia, ter plaatse bekend als de camorra. *Deze heeft geen directe banden met de politiek, maar is eveneens fel gekant tegen de communisten – waarschijnlijk omdat ze wel aanvoelen dat deze hun het leven zuurder zullen maken dan de meeste alternatieven.*

De meest onvoorspelbare component van dit hele rijtje zijn de partizanen, waarvan velen thans tegen de Duitsers vechten in goed georganiseerde, krachtdadige groepen, die langs communistische lijnen worden gerund...

En zo volgde er nog veel meer in dezelfde teneur. James begreep er helemaal niets van. Waarom maakten de Amerikanen zich zo druk over wat er ná de oorlog zou gebeuren, terwijl ze niet eens vat konden krijgen op de zwarthandel en corruptie die op dit moment vlak onder hun neus plaatsvonden? En wat was er in godsnaam zo geheim aan een vrij voor de hand liggende opsomming van de politieke situatie in Zuid-Italië?

Toen hij het dossier terugstak in de doos, viel zijn oog op een boekje op een van de tafels. Hij pakte het op. Het was zo'n Italiaanse taalgids die hij op de markt vaak had zien liggen. Deze was getiteld *Toereikend Italiaans - de kleine moderne polyglot.* Hij sloeg het boek open bij de boekenlegger; dit hoofdstuk heette: 'Het begroeten der dames'.

'Goedemorgen, mevrouw. Wat bent u mooi. U hebt een bruidegom? Voorwaar, u hebt het mij zeer aangenaam gemaakt,' las hij. Hij glimlachte. Misschien had hij toch niet zoveel van die Eric te vrezen. Hij legde het boekje terug en vertrok toen via dezelfde weg als hij was gekomen.

27

 et voorjaar was gearriveerd; het was zo warm als een Engelse zomer. Je kon aan de verbrande gezichten precies zien welke mannen vers van het front kwamen. De plantsoenen langs de zee stonden vol met straatventers die eten en drinken verkochten: versgeperst citroensap, waar een theelepel zuiveringszout doorheen was geroerd om het te laten schuimen en waarvan de soldaten hadden ontdekt dat het een fantastisch middeltje tegen een kater was; *spasso*, een mix van zonnebloempitten en andere nootjes; en *pastiera*, een soort cake van graan en honing. De Napolitanen begonnen er langzaam wat minder schriel uit te zien. De Allied Military Government had de voedselmarkten eindelijk weer opengesteld, waarna de verse oogst de stad binnen begon te stromen – nog steeds prijzig, maar vol voedingsstoffen en vitaminen. Als James zijn siësta deed, moest hij de blinden van zijn slaapkamer al sluiten tegen de warme middagzon en in zijn kantoor werkte hij nu in hemdsmouwen.

Zijn gevoelens voor Livia mocht hij dan verborgen houden, ze waren er niet minder hevig om. Telkens wanneer hij haar in de keuken hoorde zingen, zweefde zijn hart met haar stem mee omhoog; telkens wanneer ze een bord voor hem neerzette, laafde zijn hartstocht zich aan de aanblik van haar slanke hand – net zo gulzig als zijn mond haar kookkunsten verslond. Als zij per ongeluk langs hem streek, was het alsof haar zomerjurk van steen was gemaakt, zo heftig ervoer hij zelfs de lichtste aanraking. Als ze glimlachte, kreeg hij het gevoel te barsten van geluk; als ze fronste, schrijnde zijn lichaam letterlijk van de aandrang zijn armen om haar heen te slaan en haar grapjes te vertellen tot ze weer lachte. En 's nachts... dan zweefde ze naar zijn bed en nam haar intrek in een van zijn hoofdkussens. Wanneer hij dan zijn meest koortsachtige waanvoorstellingen de vrije loop liet, zou hij durven zweren dat ze hem terug kuste en haar met veren gevulde lichaam met kleine kreetjes van genot tegen het zijne aan drukte. Echter, meteen nadat deze fantasieën tot een natuurlijke ontknoping waren gekomen, walgde hij van zichzelf als hij bedacht hoe geschokt Livia zou zijn, als ze wist hoe hij haar lichaam voor zijn egoïstische seksuele ontlading leende. Tegen de ochtend werd hij echter opnieuw bezocht door zo'n aanval van onvervulde passie – als een rijpe appel die slechts een tikje nodig heeft om uit de boom te vallen.

Nu de zwarte markt ogenschijnlijk eindelijk onder controle was, had James het niet meer zo vreselijk druk. Maar elk moment dat hij niet met Livia doorbracht, voelde voor hem als verloren. Uren zat hij achter zijn bureau smoezen te bedenken om naar haar toe te gaan. Die ellendige Eric had natuurlijk kansen zat met die Engelse lessen van hem, maar hij moest zich behelpen met een doodgewoon praatje. En hij kon natuurlijk niet al te vaak op een ochtend de keuken binnenwandelen en tussen neus en lippen informeren: 'Wat krijgen we met de lunch?'; terwijl het weer, dat in Engeland altijd een heel scala aan openingszinnen verschafte, hier in Napels een stuk minder gedienstig was, aangezien het zinnetje: 'Warm vandaag, hè?' altijd en eeuwig bevestigend kon worden beantwoord.

Maar toen kreeg hij ineens een ingeving. De volgende keer dat hij met haar alleen was, vroeg James Livia of ze hem wilde leren koken.

Ze stopte onthutst met wat ze aan het doen was. 'Dat is niet niks, hoor,' sprak ze bedenkelijk.

'Niet alles wat jij kunt, natuurlijk,' stelde hij haar gerust. 'Alleen de gemakkelijke dingen.'

Ze dacht na. Er waren in Napels maar weinig mannen die koken konden. Het Napolitaans kende zelfs geen woord voor 'chef-kok', omdat algemeen werd aangenomen dat koken enkel een aangelegenheid voor enthousiaste amateurs was. Maar ja, James was een *finocchio* en hield daarom natuurlijk van vrouwelijke dingen.

'Goed,' zei ze toen ze haar beslissing had genomen. 'Ik zal je een paar dingen laten zien, om te kijken wat voor leerling je bent. Is dat wat?'

Toen James in Engeland zijn basistraining volgde, was daar een sergeant-majoor die er genoegen in schepte een waar schrikbewind uit te oefenen over de jonge cadetten. Op de eerste ochtend had hij hen bij het krieken van de dag in de vrieskou op een rij gezet. 'Ik spreek jullie aan met sir,' had hij hun op dreigende toon meegedeeld, 'en jullie spreken mij aan met sir. Het enige verschil is dat jullie het moeten menen.' Zijn favoriete techniek bestond eruit hun de instructies zo razendsnel en op zo'n oorverdovend volume toe te schreeuwen, dat het haast ondoenlijk was om niet in de war te raken – waarna je kwelgeest nog meer woordenstromen aan scheldwoorden op je losliet.

Aan deze man moest James denken, toen Livia hem de basisbeginselen van het koken begon te leren.

'We beginnen bij het begin,' zei ze, terwijl ze op een paar ingrediënten op de snijplank begon in te hakken, haar mes haast onzichtbaar door de snelheid waarmee ze dit deed. 'Dit is een *battuto*: peterselie, reuzel, uien – de basis voor de meeste van onze sauzen. Tezamen met knoflook natuurlijk, maar die voegen we pas later toe, anders worden de uien te gaar. Alleen een luie kok doet de knoflook er meteen bij. Hier, nu jij. Nee, niet zo! Je moet de peterselie heel fijn hakken, zoals ik je heb geleerd.'

'Maar je hebt nog helemaal niets...'

'En dan laten we dat sudderen in wat olie. Dat is een *soffrito*,' zei ze. '*Battere, soffriggere, insaporire*, een, twee, drie. Wat doe je nu? Nooit in de uien roeren, voor ze de kans hebben gekregen bruin te worden! En vergeet de olie niet. Die pan is te heet: zo verbranden je uien meteen. En je moet de knoflook niet snijden, maar kneuzen. Ai-ai, vlam in de pan!'

'Dit is te moeilijk voor mij, hoor,' zuchtte James, terwijl hij de brandende pan van het vuur pakte.

'Nonsens! Je moet gewoon beter luisteren en minder kletsen.'

Het probleem, zo besefte hij, was dat Livia zelf eigenlijk nooit had léren koken: ze had het simpelweg in zich opgenomen, tegelijk met praten en lopen. Hem leren wat zij wist, was voor haar daarom net zo moeilijk als iemand te moeten uitleggen hoe je ademhaalde. Uiteindelijk kwamen ze overeen, dat zij gewoon zou doen wat ze altijd deed en dat hij dat zou proberen na te doen. Hij mocht haar alles vragen wat hij niet begreep.

De volgende ochtend ging hij met haar mee naar de markt.

'Het eerste dat je moet weten, is dat we hier in Italië geen gerechten klaarmaken, maar ingrediënten,' zei ze. 'Eerst kijken we wat er goed uitziet, dan schaffen we aan wat daarbij past.'

'En waar zoeken we vandaag naar?'

Ze haalde haar schouders op. 'Wie zal het zeggen? Misschien wat vis, tomaten, groente natuurlijk.' Ze pakte een courgette uit een mand en probeerde hem te buigen. 'Deze is gisteren geplukt en daarom vrij slap.' Toen de courgette brak, smeet ze de twee stukken minachtend terug in de mand. De kraamhouder begon luid te protesteren dat zijn courgettes de verste van de hele markt waren. En wie betaalde die courgette die ze zojuist had gemold? Livia negeerde hem gewoon en stortte zich in een menigte van schreeuwende Napolitanen voor een viskraam. Ze duwde en prikte net zolang met haar ellebogen, tot ze midden in het gedrang stond, waar ze na een poos triomfantelijk weer uit kwam, met een moot zwaardvis zo groot als een boomstam.

'Aan de andere kant,' zei ze tegen hem, 'als je iets heel lekkers ziet, moet je bereid zijn ervoor te vechten. Nu moeten we nog wat pepers hebben, voor het maken van een salsa.'

Iets verderop was het haar gelukt wat courgettes op de kop te tikken waar ze wel tevreden mee was. Terug in de keuken keek James toe hoe ze deze in twee stapels verdeelde: een met polsdikke exemplaren met geaderde oranje bloemen aan het uiteinde, de andere met stervormige open bloemen.

'Mooi, hoor,' merkte hij op terwijl hij een van de bloemen bestudeerde.

'En ze smaken ook goed.'

'Eten jullie die bloemen ook op?' vroeg hij verbaasd.

'Jazeker. Die vullen we met mozzarella, halen ze door een beslagje en frituren ze. Maar alleen de mannelijke bloemen: de vrouwelijke zijn te zacht.'

'Ik wist niet,' zei hij, terwijl hij een bloem achter haar oor stak, 'dat je van bloemen ook mannetjes en vrouwtjes hebt – laat staan dat je ze kunt eten.'

'Alles is mannelijk en vrouwelijk en alles is eetbaar. Je moet er alleen om denken dat je het verschillend klaarmaakt.'

'In Engeland zeggen ze: "Het sausje van de vrouwtjesgans is even lekker bij het mannetje".

'Wat stom! Een vrouwtjesgans smaakt immers licht: die bereid je in een zachte wittewijnsaus, met misschien een beetje dragon of oregano. Maar haar mannetje, de gent, heeft een sterke, wildachtige smaak: daar horen rijke smaken bij, zoals rode wijn of paddenstoelen. Hetzelfde geldt voor een *gallina*, een kip, en een *pollastrello*, een haan.' Ze keek hem even schuin aan. 'Maar als de Engelsen een pollastrello hetzelfde klaarmaken als een gallina verklaart dat veel.'

'Wat dan?' vroeg hij nieuwsgierig.

Maar Livia was alweer druk met haar kookwerk. Ze rolde slechts met haar ogen, alsof het antwoord daarop te voor de hand liggend was om uit te spreken.

Iets later keek hij toe hoe ze een van de tere, fluwelige bloemen oppakte en vlug door een bakje met beslag haalde. Ze hield hem even boven de kom om het teveel eraf te laten druipen en liet hem toen in een grote pan met hete olie zakken, waarin de deegbloem vervolgens begon te bruisen en te tollen. Zo deed ze er nog een paar en even later was het eerste rondje baksels klaar. Een voor een tilde ze de bloemen met een schuimspaan uit de olie en legde ze op een stuk krant om het vet te absorberen. Ze pakte er een, strooide er wat zout overheen en beet er toen in, met een kritische uitdrukking op haar gezicht. Blijkbaar kon het resultaat haar goedkeuring wegdragen: ze knikte en stak hem de rest van de bloem toe.

'Proef maar eens. Kom, warm zijn ze het lekkerst.'

Hij pakte haar bij haar pols om de bloem stil te houden. Het beslag was nu een doorschijnend korstje, knapperig en krokant als een delicaat gebakje. De bloem binnenin was helemaal zacht geworden: een onwerkelijke hap smaak die in zijn mond meteen oploste.

Vol verwachting keek Livia hem aan. Maar het enige waar James aan kon denken, was die pols die hij beethad en die prachtige lippen, die slechts een paar centimeter van hem waren verwijderd en net als de zijne waren bedekt met kleine brokjes van dat hemelse beslag. Hij stak zijn tong naar buiten en likte de stukjes van zijn lippen. Zo zou zij dus smaken als hij haar nu zou kussen.

'Verrukkelijk,' gaf hij toe en liet toen met enige tegenzin haar hand weer los. 'Absoluut verrukkelijk.'

28

Livia en James liepen in de aangename ochtendwarmte over de markt, hun armen beladen met spullen. James had een tomaat in zijn hand, zo groot als een grapefruit en zo rood als een Napolitaanse zonsondergang.

'Nog eens,' zei hij.

'Tomieto.'

'Tomééto,' corrigeerde hij haar. 'En dit...' – hij grabbelde in een tas en haalde er een aubergine uit – 'is een aubergine.'

Ze fronste haar voorhoofd. 'Eric noemt dat een "ekplent", een eierplant.'

'Nou ja zeg, wat stom,' zei hij. 'Hoe kan dit nou een eierplant zijn? Een *melanzana* lijkt toch helemaal niet op een ei?'

Ze dacht even na en zei toen: 'O-ber-dzi-ne.'

'Precies,' zei hij, met een zweem van voldoening in zijn stem. Eénnul voor de Engelsen!

Iets verderop stuitten ze op een kraam die James nog niet eerder had gezien. Hij was behangen met kooitjes waar overal één vogel in zat. De lucht werd gevuld met het gezang van lijsters, nachtegalen en roodborstjes. Heel even werd hij teruggevoerd naar Engeland, naar het gezang van een dergelijk lentekoor bij het krieken van de dag...

'Ik begrijp het niet. Verkopen ze die als huisdier?' vroeg hij aan Livia.

'Huisdier?' lachte ze. 'Nee, die zijn voor in de pastei.'

Hij trok een verbaasd gezicht. 'Eten jullie roodborstjes?'

'Natuurlijk, de mensen hier eten alles. Hoewel ik persoonlijk nooit zo de zin heb ingezien van het eten van nachtegalen: hun gezang is beter dan hun vlees, en je hebt er nog veel meer aan ook. Hé, wat doe je nu?'

In een opwelling haalde James een stapel lires uit zijn zak en drukte ze de kraamhouder in handen. Vervolgens trok hij de kooitjes open. Vleugels fladderden rond zijn hoofd toen de piepkleine vogeltjes cirkelend de vrijheid tegemoet vlogen. De kraamhouder stortte zich meteen in een theatrale veroordeling van dit krankzinnige gedrag. Zelfs Livia keek verbluft. 'Kapitein Goel,' zei ze, 'u bent nog vreemder dan u lijkt.'

'Kan me niet schelen. Er is op de wereld pastei genoeg, maar lang niet genoeg roodborstjes.'

Ze haalde haar schouders op. 'Oké.'

Hij keek haar aan. 'Wat?'

'Ik zei: *Oké*, hoezo?'

'Nee, niks.'

De hele dag luisterde hij oplettend naar haar. Het viel hem op hoe vaak ze dat woordje – 'oké' – gebruikte. Toegegeven, het klonk niet erg als 'oké', aangezien zij het meer uitsprak als 'au-kaja', met de klemtoon op de tweede van haar drie lettergrepen. Bovendien had ze de neiging het als een soort krachtterm te gebruiken: elk verzoek als ze net druk bezig was, werd beantwoord met een gepikeerde hoofdbeweging en een gegild: 'Au-kája, ben bézig!'

Ook al was de Amerikaanse stembuiging nauwelijks waarneembaar, telkens wanneer James hem opmerkte, voelde hij een scherpe steek van jaloezie.

'Het zit namelijk zo,' vertrouwde hij Jumbo toe, 'ik ben verliefd op haar.'

'Hoe weet je dat zo zeker?'

'Elke minuut van elke dag denk ik aan haar. Als ik achter mijn bureau zit, hou ik lange denkbeeldige gesprekken met haar. Maar als ik echt met haar praat, kraam ik niets dan nonsens uit. Ik doe allerlei stomme dingen, in de hoop er indruk mee te maken bij haar. Soms merk ik dat ik zelfs stomme dingen doe als ik níét bij haar ben, in de hoop dat ik haar daardoor meer waard zal zijn. Ik leer koken, enkel voor haar. In bed droom ik over haar in een witte trouwjurk, terwijl ze in het dorp van mijn ouders door het middenpad van de kerk loopt. Vervolgens stel ik me voor dat ik die jurk uittrek, ontdek dat ze daaronder helemaal naakt is, waarna ik haar op een groot tweepersoonsbed smijt...'

'Ja ja, ik begrijp het al,' onderbrak Jumbo hem vlug. 'Dat klinkt inderdaad alsof je misschien eh... behoorlijk gehecht aan haar aan het raken bent... óf je hebt een lichte vorm van malaria opgelopen.'

29

'Ik moet naar huis,' kondigde Livia op een avond aan. 'Ik heb kaas nodig en wil ook graag weten of alles goed gaat met mijn vader en zus.'

'Ik kan je wel een lift geven op de motor, als je wilt,' zei James, trachtend niet al te gretig te klinken. 'En eh... Amalfi moet prachtig zijn, is het niet? We zouden er best een dagje uit van kunnen maken.'

'Dank je,' zei ze. 'Dat zou ik heel fijn vinden.'

Ze vindt me leuk! dacht hij, duizelig van geluk. Het móét wel: we trekken er samen op uit!

Het was weer een warme dag. Het zonovergoten platteland wuifde hun de ene na de andere golf van geuren toe, terwijl ze in de richting van de Vesuvius reden: oranjebloesem, mirte, bloeiende tijm en de eigenaardige geur van opgewarmde stoffige wegen. Het wegdek zat vol met kuilen, maar James stuurde daar met opzet pas op het allerlaatste moment omheen, omdat hij dan kon voelen hoe Livia haar greep rond zijn middel verstevigde. Misschien was dat ook wel waarom de Italianen zulke slechte chauffeurs waren, dacht hij. Alles was voor hen één groot spel. Toen hij bruusk om een bijzonder diepe bomkrater heen zwenkte, kneep ze zelfs in zijn zij.

'Au!' protesteerde hij vrolijk.

'Rij toch eens fatsoenlijk,' zei ze in zijn oor.

'Als een Engelsman, bedoel je?' Toch nam hij een beetje gas terug.

Peinzend zei ze toen, in het Engels: 'Wietsj ies de pletforum for de Roma tren, plies?'

Eric had haar zijn *Kleine moderne polyglot* geleend, die zij nu gebruikte om Engels mee te leren, door alle zinnen weer terug te vertalen. Ze miste daardoor natuurlijk alle fonetische aanwijzingen voor het Engelse gedeelte van het gesprek. Om haar uitspraak te verbeteren, barstte ze daarom te pas en te onpas los in een soort vraag-en-antwoordspel, dat meestal slechts zeer oppervlakkig op de huidige omstandigheden sloeg.

'Het perron van de trein naar Rome is daar,' riep hij behulpzaam en hij wees naar de glinsterende zee.

'Plies ken joe help mie wiz mai loeggiedzj?'

'Het is me een waar genoegen u te helpen met uw bagage.'

'Joe ken not bie on de pletform unless joe hef bot a tiekiet,' sprak ze streng.

'Dan koop ik toch een kaartje,' gilde hij jolig. 'Ik koop er verdikkeme een handvol!'

Ze passeerden een afslag naar Pompeï. Het was een paar kilometer van de route af, maar toch vroeg hij haar of ze het erg vond als hij er even een kijkje nam.

Ze volgden de weg richting Torre Annunziata, waar een kleiner bord hun opdroeg een smal pad omhoog te nemen, dat leidde naar een groepje vervallen huizen. Deze waren echter nog redelijk recent. Het Romeinse stadje lag er direct achter, voorbij een lichte helling: vrij slordig uitgegraven, maar zelfs na twee millennia zag het er nog solider uit dan zijn moderne tegenhanger.

James zette de motor uit. Er was nergens iemand te bekennen. In het stof zat alleen een hond vol vuur aan zijn achterwerk te krabben.

'Ben jij hier al eens geweest?' vroeg James.

'Nee,' zei Livia terwijl ze om zich heen keek. 'Ze zijn hier pas de laatste tien jaar gaan opgraven, onder Mussolini.'

Het was vooral de omvang wat hem versteld deed staan. James had niet verwacht dat het zo groot zou zijn: een hele stad in één klap weggevaagd door die berg erachter. Het forum, de grote gebouwen die duidelijk als gemeentekantoren hadden gediend, de woningen waarvan je aan de straatkant enkel een deuropening zag, maar die uitkwamen op grote met zuilen afgezette binnenplaatsen – het leek qua opzet erg op alle andere Italiaanse stadjes waar hij was geweest, maar dan met een forum in plaats van een plein en tempels in plaats van kerken.

Hier en daar stuitten ze op afgietsels van de bewoners zelf. Na al die tijd was de paniek en wanhoop in hun lichaamshouding nog steeds zichtbaar. Eén persoon was stilgezet terwijl hij iets voor zijn gezicht hield, vermoedelijk een lap stof om door te ademen; een ander was tegen een muur op gestrompeld en lag op de grond met zijn armen boven zijn hoofd, om de op hem neerkomende klappen af te weren; weer een ander had geprobeerd zijn metgezel te beschermen en was gestorven met zijn armen beschermend om hem of haar heen.

'Eh, signori!'

De krasserige stem hoorde bij een hele oude man, kennelijk een soort bewaker. Hij riep naar hun vanuit een deuropening. Ondanks een spraakgebrek wist hij hun duidelijk te maken dat hij tegen een kleine vergoeding wel een rondleiding langs de opgravingen wilde geven. James had echter helemaal geen trek in gezelschap. Hij gaf de man een paar lire en zei dat ze liever in hun eentje rondkeken. Hierop trok de man een sluwe grijns en gebaarde hun hem te volgen.

'Hij wil ons per se iets laten zien,' zei Livia. 'We kunnen maar beter meegaan, anders laat hij ons toch niet met rust.'

Ze kwamen langs nog een gipsafgietsel: een lichaam dat gehurkt in een deuropening zat, een vormeloze zak met bezittingen op zijn rug. De oude man lachte kakelend en mompelde iets met die zonderlinge onderontwikkelde stem van hem. Hij wees erbij naar boven en James ving de Italiaanse woorden voor 'lucht' en 'terugkomen' op. Hij begreep hieruit dat deze inwoners niet op de vlucht waren gedood, maar toen ze probeerden terug te keren. Ze moesten hebben gedacht dat het ergste voorbij was, toen de berg plots een nieuwe fase was ingegaan, die zo mogelijk nog dodelijker was dan die daarvoor.

Maar dit was niet wat de oude man hun wilde laten zien. Hij stoof voor hen uit naar een klein huis in een zijstraat. 'Prego, signori,' zei hij. Hij maakte het hangslot open en leidde hen met een zwierig gebaar binnen. '*Di lupanare.*'

James keek Livia vragend aan, maar zij leek even verbijsterd als hij. De man schonk James een overdreven knipoog en trok zich terug.

Toen Livia wat beter naar de muren keek, begon ze te lachen. Ook al waren de fresco's behoorlijk vervaagd, toch was niet moeilijk te zien wat ze voorstelden. Overal lagen mannen en vrouwen op allerlei verschillende manieren te copuleren: er waren vrouwen bovenop, vrouwen onderop, vrouwen die mannelijke genitaliën naar hun mond brachten alsof het een lippenstift betrof, vrouwen die met vrouwen vrijden en zelfs een gemengd gezelschap dat bezig leek met een soort groepsgeseling.

'Het is een bordeel!' riep Livia uit. 'En dit moeten de diensten zijn geweest die je er krijgen kon.'

Toen begreep James het pas: de oude man had gedacht dat hij hem geld toestopte om hun de pornoplaatjes te laten zien. 'Wat afschuwelijk,' zei hij. 'Livia, het spijt me heel erg.'

'Och, ik weet het niet,' zei Livia peinzend. 'Dat daar ziet er bijvoorbeeld best interessant uit.'

Natuurlijk móést hij even kijken wat ze bedoelde. Hij voelde meteen hoe hij bloosde.

Ze begon weer te lachen. 'Als alle Engelsen zoals jij waren,' zei ze terwijl ze haar arm door de zijne stak, 'waren er al gauw geen Engelsen meer.'

'Ik ben blij dat je om me moet lachen,' sprak hij stijfjes.

'Ik vind het eigenlijk wel leuk,' zei ze toen ze weer buiten waren. 'Het geeft me een veilig gevoel.'

'Veilig,' herhaalde hij. 'Geweldig: ik ben veilig én ik ben leuk. Precies waar elke soldaat naar streeft.'

'Er zijn wel ergere dingen,' zei ze opeens somber en ze leek zich even te verliezen in haar eigen gedachten.

James nam aan dat ze dacht aan wat er met haar echtgenoot was gebeurd.

Nadat ze Pompeï hadden verlaten, reden ze over een slingerweg omhoog richting Fiscino. James merkte dat hij zo nu en dan een blik op de top van de vulkaan wierp. De rookpluim leunde vandaag helemaal naar de zee, als een ganzenveer in een gigantische inktpot. Zo ongeveer moest het er ook hebben uitgezien in de dagen voordat die berg Pom-

peï verwoestte, nam hij aan. Er kon niet veel waarschuwing zijn geweest, anders waren de inwoners nooit blijven zitten waar ze zaten.

'Denk je er nou nooit aan dat hij ooit opnieuw de lucht in kan gaan?'
vroeg hij.

'Natuurlijk wel.'

'Wil je daardoor dan niet weg hier?'

'Nee,' sprak ze ernstig. 'Daardoor leef ik juist alsof het leven elke dag
weer opnieuw begint. Eén leven hier is net zoveel waard als tien ergens
anders.' De greep van haar armen rond zijn middel verstevigde en heel
even voelde hij het ook: het gevoel dat zij tweeën, die berg en zelfs de
oorlog deel uitmaakten van een groter geheel – alsof de een of andere
mysterieuze kracht hun beiden naar dit moment toe had gebracht.

Toen ze in Fiscino aankwamen, werd Livia door Marisa en Nino met
vreugdekreten begroet. Bij James waren ze wat afwachtender, wat hij
niet meer dan normaal vond, hoewel hij ook achterdocht meende te
zien in de blikken die Livia's vader hem vanonder zijn onverzettelijke
wenkbrauwen toewierp.

'Hij denkt dat je mijn vriendje bent,' fluisterde Livia toen ze naar de
keuken werden getroond, om de mozzarella van die ochtend te keuren.
'Maak je geen zorgen: ik zal hem wel zeggen dat het anders zit. Hoewel
ik hem niet precies kan uitleggen waarom: hij is nogal ouderwets...'

'Prima,' zei James verward.

Een enorm stuk mozzarella, zo vers en sappig dat de melk er nog uit
sijpelde, werd hem op een vork aangereikt. Iedereen keek verwachtings-
vol toe hoe hij proefde. Hij maakte wat goedkeurende geluiden – wat
niet zo moeilijk was, want het smaakte verrukkelijk. Livia daarentegen
was een stuk kritischer: zij voelde haar vader uitgebreid aan de tand over
de conditie van het weiland. Toen nam ze James mee om Priscilla te begroeten. Toen de buffel zag wie haar met een bezoek kwam vereren,
kwam ze snuivend van genoegen op het hek af gerend, waar ze haar
grote zwarte neus onder Livia's arm duwde, hopend op een handje hooi.

'We hadden er eerst twee,' vertelde Livia terwijl ze Priscilla over haar
voorhoofd krabde. 'Die arme is vaak erg eenzaam in haar eentje.'

'Wat is er dan met die andere gebeurd?'

Livia keek hem aan. De plotselinge frons in haar voorhoofd leek een weerspiegeling van haar vaders eerdere gezichtsuitdrukking. 'Zij is doodgeschoten door een stel soldaten.'

'Duitsers, bedoel je?'

Ze lachte sarcastisch. 'Want geallieerde soldaten doen natuurlijk nooit iets slechts? Nee, de Duitsers hebben veel afgrijselijke dingen gedaan toen ze hier waren, maar schieten op onze bufale hoorde daar niet bij. Daar hebben we de geallieerde troepen voor.'

'Wat? Wanneer? Hoe ging dat dan?'

Ze vertelde hem haar eigen versie van Pupetta's dood: hoe de soldaten waren getipt door iemand uit de buurt, die wrok koesterde omdat zij hem niet leuk genoeg vond; hoe ze alles hadden meegenomen – de hele voedselvoorraad van de Pertini's – en toen ook nog eens het vuur hadden geopend op Pupetta. Halverwege moest ze stoppen omdat ze moest huilen.

James merkte dat hij haar toen dolgraag in zijn armen had genomen en gekust. Het voelde echter heel anders dan tijdens die luchtaanval: toen was het opwinding en begeerte geweest, nu was het afschuw en de wens haar te troosten. Maar de drang was zo mogelijk nog sterker. Dus boog hij zich naar haar toe, liet zijn arm om haar schouder glijden en – omdat zij duidelijk behoefte had aan zijn geruststellende armen én omdat ze in haar ellende haar gezicht tegen zijn borstkas drukte – sloeg hij allebei zijn armen om haar heen in een echte omhelzing.

Ze veegde haar ogen af aan zijn overhemd en keek naar hem op. 'En toen smeten ze mij dus in die vrachtwagen,' zei ze. 'Pupetta lag daar maar... en ik moest ondertussen die beesten van me af slaan. En toen probeerde die officier ook nog...'

'Wát? Wat deed hij?'

'Toen probeerde die officier mijn vader geld te geven... voor mij,' zei ze stilletjes.

In een opwelling liet James haar weer los – omdat hij schrok, maar meer nog omdat hij zich min of meer besmet voelde door deze connectie. Geen wonder dat de Italianen zich stoorden aan hun bevrijders, dacht hij, als dit het soort gedrag was dat zij lieten zien! Het feit dat het om een officier was gegaan, maakte het alleen nog erger.

'Livia,' sprak hij bedrukt, 'dat spijt me heel erg.'

'Hoezo? Jij was er toch niet bij?'

'Het spijt me gewoon dat het is gebeurd. Sterker nog: ik ben geschokt. Maar luister, we kunnen hem proberen op te sporen! Heb je soms een teken van zijn regiment op zijn uniform gezien, of een nummer op die vrachtauto? Ik zal er hoogstpersoonlijk voor zorgen dat die bruut voor de krijgsraad komt voor wat hij allemaal heeft gedaan!'

Het was voor het eerst dat Livia James zo kwaad zag. Ze vond het stiekem best indrukwekkend. 'Voor de krijgsraad, waarvoor?' bracht ze naar voren. 'Wíj waren degenen die de wet overtraden! Volgens de regels van de militaire regering waren wij aan het hamsteren en dat is nu eenmaal verboden. Als soldaat mag je zoveel vrouwen als je maar wilt een oneerbaar voorstel doen.' Ze wierp hem een snelle blik toe. 'Of mannen – wat dat aangaat.'

'Het is één ding dat je een prostituee geld aanbiedt, maar een fatsoenlijke vrouw...'

'Daar is tegenwoordig vaak niet zoveel verschil meer tussen.'

'Natuurlijk wel!' riep hij fel. Maar toen herinnerde hij zich de gedachte die bij hem was opgekomen, toen zij had staan lachen bij die schilderingen in de *lupanare* – of zelfs daarvoor al, toen hij *Hij en zij in het huwelijk* las: dat zijn eigen ideeën over wat een vrouw precies fatsoenlijk maakte, misschien wel wat te simplistisch waren voor de tijd waarin hij leefde.

Livia gaf Priscilla een kus op haar voorhoofd, sloeg haar armen om haar kolossale nek en zei haar gedag. Toen ze terugliepen naar het huis zei ze: 'Wil je me alsjeblieft mee uit lunchen nemen, Dzjeems?'

'Natuurlijk. Ik ging er eigenlijk al van uit dat we onderweg ergens zouden stoppen.'

'Ik zou het je niet hebben gevraagd, als ik niet zeker wist dat mijn vader en Marisa ons gaan vragen hier te blijven eten. Maar ook al zullen ze ons bezweren dat ze genoeg hebben, toch moet je hun aanbod afslaan. Er is hier namelijk bijna niets meer – ik heb eerder even snel in hun kasten gekeken. Ik geef ze straks het geld dat ik bij jou heb verdiend, maar de prijzen liggen tegenwoordig zo belachelijk hoog, dat ze daar ook niet zoveel voor krijgen kunnen.'

Ze had gelijk: haar familie smeekte hen haast te blijven eten. Dus verzon James een smoes over een bespreking waar hij hoognodig bij moest zijn. In plaats van een lunch accepteerden ze daarom een glaasje van Nino's limoncello.

Toen James zag hoe weemoedig Livia voor hun vertrek om zich heen keek, realiseerde hij zich hoe moeilijk dit voor haar moest zijn. In bepaalde opzichten was Napels voor haar net zo uitheems als voor hem. Het moest heerlijk zijn, dacht hij, om zoveel van een dorp te houden als zij overduidelijk van Fiscino deed. Geen enkele plaats waar hij had gewoond, had bij hem ooit zulke genegenheid opgewekt. Voor hem was thuis gewoon de plek waar je naartoe ging als je niet naar school hoefde.

Er volgde een langdurig Italiaans afscheid met veel omhelzingen en liefdesbetuigingen – waaronder een uitvoerige reeks van kussen van Nino voor James. Nadat hij over de schok heen was van het gevoel van andermans stoppels op zijn wang, een intrigerend gekras – zijn eigen wangen waren toch zeker niet zo ruw, hoopte hij – merkte hij dat hij het eigenlijk vreemd aangenaam vond, om zo tegen een mannenborst te worden geklemd. Het was zowel gewaagd onconventioneel als kinderlijk troostend.

Toen hij de Matchless had gestart en Livia achterop was geklommen, hingen Nino en Marisa het stuur vol met canvas zakjes met mozzarellakaasjes, in water verpakt om ze vers te houden. Het druppelde over zijn benen toen ze wegreden en het extra gewicht, in combinatie met de limoncello, maakte hem het sturen behoorlijk moeilijk.

Bij de kust aangekomen draaide hij in zuidelijke richting, naar Sorrento en Amalfi. Deze zijde van de Vesuvius bleek bebost en woest. De zee lag soms tientallen meters onder hen, terwijl de weg over de steile rotsen steeds verder naar boven kronkelde en een opeenvolging van duizelingwekkende vergezichten onthulde. Meerdere geuren kropen in James' neusgaten: de zilte prikkel van de zee, vermengd met de aromatisch tropische geur van de citrusbomen, die kilometer na kilometer langs de zeekant van de weg stonden.

'Ai aske for a dubbel ruum wiez a bet,' riep Livia vrolijk terwijl ze voort tuften.

'Wij hebben momenteel helaas geen tweepersoonskamer met bad beschikbaar.' Heel even verloor hij zich in de heerlijke fantasie, dat hij in Sorrento werkelijk een hotelkamer voor hun tweetjes kon boeken.

'But ai hef a reezerfesjun.'

'*A reservation.*'

'Dat zeg ik toch?'

'Ik heb gereserveerd, *ho prenotato una stanza.*'

'Je moet echt iets aan dat accent van je doen, Dzjeems. Het is verschrikkelijk: je lijkt wel een Toscaan!'

Aan de kustweg vlak bij Sorrento vonden ze een restaurantje. Ze hadden er geen menukaart, maar de eigenaar bracht hun een bord met piepkleine, in een beslagje gefrituurde en met citroensap overgoten zandspieringen, een paar dingen die Livia *noci di mare* noemde, enkele zee-egels en een schaal oesters.

Livia pakte een oester en rook eraan. 'Niets,' sprak ze goedkeurend. 'Zo kun je testen of ze vers zijn.' Ze pakte de citroen die de eigenaar ernaast had gelegd en kneep geroutineerd een paar druppels op de oester, voordat ze deze aan James gaf. 'Heb je wel eens oesters gegeten, Dzjeems?'

'Ik geloof van niet,' zei hij onzeker en inspecteerde de grijswitte klodder vlees in de schelp, te midden van een slijmerig uitziende vloeistof.

'Als je ze al eens had gegeten, dan wist je dat nog. Ze zeggen dat je je eerste keer nooit vergeet,' verkondigde ze ondeugend. 'Net als met de liefde...'

Hij haalde diep adem. 'Nou, eigenlijk,' zei hij, 'weet ik daar ook niet zoveel van.'

Ze glimlachte. 'Dat weet ik allang.'

Hij schonk haar een snelle blik. 'Hè? Kon je dat aan me zien dan?' Hij wist niet dat zijn onervarenheid er zo dik bovenop lag.

'Natuurlijk: vrouwen hebben een instinct voor dat soort dingen,' zei ze terwijl ze een grote sappige oester voor zichzelf uitzocht. Ze gaf met haar eigen schelp een tikje tegen de zijne, als bij een toast. 'Maar het stoort mij niet, hoor. *Cincin!*'

'*Cincin!*' En gelijktijdig zetten ze de schelp tegen hun lippen.

Het was zout, het was zoet, het was vis, het was likeur, het was een grote hap zeewierlucht en een mondvol zeewaternevel tegelijk. Zonder erbij na te denken beet James erop en hij voelde de smaken in zijn mond aanzwellen en omslaan, als een golf. Voor hij wist wat hij deed, had hij al geslikt en volgde er een nieuwe smaakervaring, toen de zachte vormeloze massa langs de achterkant van zijn keel gleed, waar hij een vaag koele, pekelige nasmaak achterliet.

Hij had opeens het gevoel dat niets ooit meer hetzelfde zou zijn. Eva in haar hof had in een appel gebeten en James Gould had een oester gegeten, op het terras van een klein restaurant dat uitkeek over de zee bij Sorrento. Zijn jaren ondervoede hart groeide in de Italiaanse zon als een rijpende vijg. Hij lachte hardop. En in een stortvloed van dankbaarheid besefte hij dat hij zich kostelijk amuseerde.

'Nog eentje?' Ze zocht voor hun allebei nog een oester uit.

Ditmaal keek hij eerst hoe zij de hare at: zoals ze haar ogen sloot toen ze hem in haar mond liet glijden, de spanning in haar kaken toen ze erin beet, de beweging van haar keel toen ze slikte en het trage openen van haar ogen, alsof ze met enige tegenzin ontwaakte uit een verrukkelijke droom.

De restauranteigenaar bracht hun de wijn – mat, goudkleurig en koel.

Er waren slechts vier oesters per persoon en toen deze verorberd waren, richtten ze hun aandacht op de *cecinella*. Na de zachte oesters was dit haast het tegenovergestelde: knapperige raamwerkjes met alle smaak aan de buitenkant; een krokante hap knoflook met chili die smolt in je mond. De zee-egels waren wéér heel anders: ziltig, exotisch, machtig – James kon amper geloven dat hij ze ooit voor een bezuinigingsmaatregel had aangezien. Daarna kregen ze ongevraagd een schaal jonge octopus voorgezet, bereid met tomaat en wijn en vermengd met de rijke, wildachtige inkt van een pijlinktvis.

Als nagerecht bracht de eigenaar hun twee perziken. Het vel was gerimpeld en gekneusd, maar toen James zijn mes erin zette, bleek het vruchtvlees helemaal gaaf en perfect gerijpt, en zo donker dat het bijna zwart was. Hij wilde net een schijfje in zijn mond steken, toen Livia hem tegenhield.

'Nee, die eten we hier zo.'

Ze sneed een stukje van haar eigen perzik af, liet het in haar wijnglas glijden en hield dit toen tegen zijn lippen. Hij liet de wijn en de perzik in zijn mond glijden. Het was een heerlijke, sensuele waterval van gewaarwordingen: hij liet de zoete wijn en de perzik door zijn mondholte walsen, tot hij er uiteindelijk op beet en de suikerzoete sappen van de vrucht loskwamen. Het was net als met de oester: een totaal onverwachte ervaring, die hij als uiterst prikkelend ervoer, op een manier die hij niet eens zou kunnen omschrijven.

Na de lunch reden ze verder langs de kust, vlak langs het helblauwe water van de golf. Het was inmiddels behoorlijk heet geworden en de combinatie van zon en wind kleurde hun huid extra snel.

'Ik wil zwemmen!' riep Livia. Ze wees: 'Volgens mij kunnen we daar omlaag, naar de zee.'

Hij draaide het bedoelde pad op. Het leidde via een citroenboomgaard naar een rotsachtig strandje. Een geit die hen had zien aankomen, schudde zijn kop en klauterde moeiteloos weg over de rotsen.

James zette de motor uit. De zee had hier de kleur van een lavendelveld en was zo helder dat je elk rotsblok en elke schelp tot op de bodem kon zien liggen. Op het getsjirp van de krekels en het lichte geruis van het water dat zachtjes aan de kiezels likte na, was het er doodstil. De Matchless stond zacht tikkend en knarsend af te koelen. Heel even voelde James een heftig schuldgevoel, omdat een zo perfect tafereel enkel voor hún plezier leek te bestaan, te midden van een heel continent in oorlog.

'Daar kunnen we ons achter uitkleden,' zei Livia, wijzend op een paar grote rotsblokken, een meter of vijf van het water af.

'Ga jij maar eerst,' bood hij aan. 'Ik zal niet kijken.'

Maar dat deed hij toch. Hij kon het niet helpen: hij hoorde het geluid van haar blote voeten die naar de zee renden, een plons, een gilletje... en toen keek hij nog net op tijd, om in een flits een bijna naakte Livia met alleen een onderbroekje aan voorover in het water te zien duiken. Toen ze na een poosje weer bovenkwam, veegde ze het natte haar uit haar ogen en riep: 'Kom jij niet?'

'Momentje!' Achter het rotsblok haalde hij een paar keer diep adem, voordat hij uit zijn uniform stapte en toen zo snel als hij kon het barmhartig ijskoude water in rende.

Na het zwemmen lagen ze in de schaduw van een citroenboom en keken omhoog naar de zonnestralen die tussen de takken flitsten.

'Mijn vader eet citroenen zo uit de boom,' zei Livia, zomaar uit het niets. 'Met schil en al.'

'Maar dat is toch heel bitter?'

'Niet als ze zijn opgewarmd door de zon.' Ze stak een arm in de lucht, plukte een citroen en liet 'm hem zien. 'Dit is een goede. Er is een Italiaans gezegde: "Hoe dikker de schil, hoe zoeter het sap".' Onderzoekend nam ze een hapje en knikte. 'Ja, hij is goed.' Ze stak hem de vrucht toe.

Hij hield haar hand vast en proefde. Ze had gelijk: hij was inderdaad zoet; zoet als limonade.

Ze nam zelf ook nog een hap en trok een grimas. 'Pit!' riep ze en spuugde hem uit op haar hand.

Toen ze daarop breeduit naar hem grijnsde, smolten al zijn waanideeën over zelfbeheersing opeens als sneeuw voor de zon. Hij nam haar hoofd in zijn handen en drukte zijn lippen bijna radeloos op de hare. Haar mond smaakte zoet en bitter tegelijk en een lichte ziltheid vermengde zich met de pittige prikkel van de citroen. Hij voelde de harde randjes van haar tanden tegen zijn tong, de pitten in de vrucht van haar mond...

En toen trok zij zich terug. 'Dzjeems!' riep ze uit.

'Kom hier, jij,' hijgde hij en kuste haar opnieuw.

Na een korte aarzeling voelde hij haar lippen uiteengaan en kuste ze hem terug.

Er waren zoveel onbekende structuren: haar tong, soms glad en soepel, dan weer hard en puntig tussen zijn lippen door schietend; het geribbelde gewelf van haar gehemelte; de tere botten van haar rug en de spieren in haar nek die trilden onder zijn vingers.

Na een tijdje rukte ze zich los. Er lag een verbouwereerde uitdrukking op haar gezicht. 'Dus je bent helemaal geen venkelknol?'

'Pardon?' vroeg hij perplex.

'Een venkelknol. Je weet wel: een *finocchio*, een *ricchione*.'

'Een egel?' vertaalde hij, met stijgende verwarring.

'Blijkbaar niet dus,' zei ze. Toen lachte ze. 'Ik was nooit gaan zwemmen als... Ik wist niet dat...'

Hij begon haar weer te kussen. Ditmaal reageerde ze nog gulziger. James had het gevoel alsof hij achterover in een diepe put viel.

Toen ze zich wederom losrukte, kneep ze haar ogen tot spleetjes. 'Dus dat was gewoon maar een trucje, dat je deed alsof je een *culattina* was?'

'Livia, ik heb nóóit gedaan alsof ik een *culattina* was – wat dat ook is.'

'Ja, dat heb je wel,' bracht ze hem in herinnering. 'Met die oesters!'

'Toen heb ik je verteld dat ik geen ervaring had,' zei hij. 'Maar waar komt dat... andere vandaan?'

'Eh...' zei ze. Ze begon zich te realiseren dat haar vrouwelijke intuïtie was gestruikeld over de vertaling van de Engelse lichaamstaal naar de Italiaanse. Maar hoe langer ze erover nadacht, hoe verder dat vage, maar aanhoudende gevoel van teleurstelling, dat ze had gevoeld sinds haar aanstelling in het Palazzo Satriano, leek weg te trekken – waarna haar slechts het aangename besef restte, dat gekust worden door James best prettig was.

Ze boog zich naar voren voor een nieuwe kus en hij gaf haar snel waar ze om vroeg. 'Je kust anders niet als een groentje,' merkte ze op.

'Ik leer snel.' En ditmaal pakte hij het rustiger aan: hij kuste het puntje van haar schattige neus, haar oorlelletjes, de tere huid rond haar ogen en keerde toen pas terug naar haar lippen.

Maar toen – en achteraf kon hij zichzelf wel voor het hoofd slaan – was hij het, die de betovering verbrak. Hij trok zich terug en zei: 'En Eric dan?'

Livia's gezicht betrok. 'Wat is er met hem?'

'Kus je hem ook?'

'Jij hebt me nog maar net voor het allereerst gekust,' zei ze. 'En nu wil je me al bezitten?'

'Ik wil gewoon weten waar ik sta.'

'Ik mag jullie allebei,' sprak ze eenvoudig. 'Ik wilde jou helemaal niet kussen – hoewel ik daar ook geen spijt van heb, hoor. Maar het betekent niets.'

'Natuurlijk niet,' zei hij, zwaar teleurgesteld.

En toen hij haar opnieuw probeerde te kussen, draaide ze haar hoofd weg. Hij had de stemming verpest.

'Mag ik je dan gewoon even vasthouden?' vroeg hij, toen hij begreep dat ze niet zomaar van gedachten veranderde.

'Als je dat wilt.' Ze vlijde zich tegen hem aan.

Zo zaten ze zwijgend een paar minuten bij elkaar. 'Jij hebt erg veel zelfbeheersing,' zei ze uiteindelijk. 'Dat is goed. Maar ik geloof niet dat je veel van vrouwen begrijpt.'

Hij draaide deze opmerking in zijn hoofd om en om, zich koortsachtig afvragend wat de juiste reactie zou zijn. Bedoelde ze nu dat hij zich meer als een echte man moest gedragen, zich krachtiger moest opstellen? Of juist het tegenovergestelde: dat hij met zijn zelfingenomenheid zijn kansen voorgoed had verknald? Of gewoon dat hij een prima kus had verpest door er allerlei vraagtekens bij te zetten?

Hij zat nog steeds te piekeren over zijn antwoord, toen hij merkte dat Livia zichzelf in ieder geval niet met allerlei vragen kwelde. Zij was in een diepe slaap gevallen.

Toen ze uiteindelijk terug naar huis reden, zat Livia achter op de motor te soezen, met haar hoofd tussen zijn schouderbladen.

Na de laatste bocht van de kustweg lag daar opeens aan de overkant van de golf de stad weer tegen de heuvels te glanzen in het licht van de late middagzon. Livia verroerde zich heel even, maar toen ze zag waar ze waren, liet ze haar armen weer om hem heen glijden.

'Doe joe lick nippels, Dzjeems?' zei ze slaperig in zijn oor.

'Ja, ik lick... eh, ik hou erg van Napels.'

'Ai em gled. Iets a boetiefoel city.'

Die avond kondigde Livia aan dat ze een houtoven nodig had, wilde ze de ingrediënten die ze van de Vesuvius had meegenomen eer aandoen.

Na enig dubben had ze bedacht dat James daartoe reeds de perfecte basis bezat: de *schedario*, zijn grijze archiefkast.

'We doen het hout in de onderste la,' legde ze uit. 'Dan wordt de middelste la een zeer hete oven, waar we pizza in kunnen bakken en vlees in kunnen braden. De bovenste la zal een beetje koeler zijn en dus erg geschikt voor groente en mozzarella.'

'Dat plan heeft echter één zwakke plek,' wees James haar. 'Die *schedario* zit tjokvol *archivi*, dossiers.'

'Maar die kun je toch zeker wel ergens anders kwijt?' probeerde ze hem te overreden.

Strikt genomen heeft ze gelijk, dacht hij. Tenslotte hadden ze het daarvoor ook prima zonder archiefkast gered.

Dus aten ze die avond houtgeroosterde pizza met een saus van verse tomaten en mozzarella, enkel opgefleurd met wat zout, olie en basilicum. James had nog nooit zoiets simpels gegeten, dat zo verrukkelijk smaakte.

Maar toen hij die avond naar bed ging, was het toch een heel andere smaak waarover hij droomde: die van een paar gestolen kussen in een citroenboomgaard even boven Sorrento.

30

'Zie je,' probeerde James uit te leggen, 'de liefde is niet alleen iets dat je vóélt... het is iets dat je wórdt. Het is als... naar een ander land gaan en beseffen dat de plek die je hebt achtergelaten, je eigenlijk nooit zo heeft bevallen. Het is een soort tinteling en... Ach, ik weet het niet... als zij glimlacht, wil ik gewoon in applaus uitbarsten of zoiets. Maar ik kan maar beter mijn mond houden: ik sla de meest baarlijke nonsens uit.'

Het meisje, dat Addolorata heette, klapte verrukt lachend in haar handen. 'Nee nee, het klopt helemaal!' riep ze uit. 'Dat is precies hoe ík over Magnus denk.'

'Die Magnus, die boft maar,' zei James. Hij realiseerde zich dat hij Addolorata eigenlijk nog niet zoveel over haar verloofde of haar financiële situatie had gevraagd. Het leek hem echter ondenkbaar dat hij haar aanvraag zou afwijzen: ze zaten zo enorm met elkaar op één lijn! 'Moet je horen,' stelde hij daarom voor, 'ik móét nu eenmaal een rapport schrijven, maar het helpt jou vast wel een beetje, als ik je eerst vertel wat het beste antwoord op mijn vragen zou zijn. Als ik jou bijvoorbeeld vraag waar je de laatste tijd van hebt geleefd...'

'Een oom stuurt mij geld,' onderbrak Addolorata hem vlug.

'... dan zóú kunnen blijken, dat jij wat geld van een Duitser hebt ontvreemd. Er zijn immers geen Duitsers meer in de buurt om dat bij te checken, zie je. Ooms hebben echter de vervelende eigenschap dat ze vrij gemakkelijk te traceren zijn.'

'Eh, dat bedoelde ik ook... ik heb het gestolen van een Duitser.'

'Uitstekend,' zei hij, haar glunderend aankijkend. 'Zo gaat het prima.'

Later, toen hij zijn rapport zat uit te typen, stak Livia haar hoofd om de deur van het kantoor. 'Wat ben je aan het doen?' vroeg ze.

'Ik trouw iemand.'

'O, wie is de gelukkige?'

'Addolorata Origo. Maar ik ben niet degene die met haar trouwt, hoor: dat gaat een kapitein van de Highlanders doen. Ik help ze alleen een handje.'

'Eh... als dat niet al te lang meer duurt, dacht ik dat wij misschien samen even een wandelingetje konden maken,' zei ze zo nonchalant mogelijk en zette een hoedje op dat hij nog niet eerder had gezien. 'Dat is namelijk een soort van traditie rond dit tijdstip van de dag.'

James had al veel vaker jonge stelletjes arm in arm over de Via Roma zien slenteren en wist heel goed dat aan iedereen laten zien dat je 'met elkaar liep', voor de Italianen onmiskenbaar betekende dat je vaste verkering had.

'Livia,' zei hij, ineens ernstig, 'ik vrees dat zo'n wandeling voor ons niet tot de mogelijkheden behoort.'

'Als je het vanavond te druk hebt, morgen dan misschien?'

'Morgenavond kan het ook niet, of welke avond dan ook.' Hij haalde diep adem. 'Het spijt me vreselijk, Livia, maar de huwelijksofficier kan gewoon niet met een Italiaanse vriendin worden gezien.'

Ze keek alsof ze door de bliksem was getroffen.

'Sorry, dat had ik je eerder moeten vertellen,' zei hij slapjes.

Hij zag dat een van haar voeten vervaarlijk begon te tikken. 'Schaam jij je soms voor mij?' wilde ze weten.

'O nee, dat is het echt niet! Maar mijn positie...'

De harde klap van de dichtvallende deur liet er geen twijfel over bestaan wat ze van zijn positie dacht.

Hij trok zijn rapport uit de typemachine en las het door. Hij besefte ineens dat het één hoop onzin was. Zuchtend maakte hij er een prop van, gooide deze richting prullenbak en begon opnieuw.

Hij had gehoopt dat ze tegen het avondeten weer zou zijn afgekoeld, maar de vijandige blik die ze hem toewierp, vertelde hem dat dat helaas niet het geval was. Zijn bord werd hem met een klap voorgezet en hij leek ook een veel kleinere portie te hebben dan alle anderen. Om het allemaal nóg wat erger te maken, liep Livia na het diner regelrecht naar Erics tafel, waar ze uitdagend begon te lachen om alles wat hij zei. Na twintig minuten kon James er niet langer tegen. Hij stond op, gaf – bij gebrek aan beter – een woedende schop tegen de tafelpoot en ging naar boven, naar zijn bed.

De volgende ochtend stond hij voor dag en dauw op en ging naar de markt. Hij liep er van kraam naar kraam, toonde alle kraamhouders een flinke stapel lires en stelde ze dan onopvallend wat vragen. Uiteindelijk was er iemand die aangaf hem wellicht te kunnen leveren waarnaar hij op zoek was. De man liet hem ruim een halfuur wachten, maar toen keerde hij terug met een papieren zakje.

'Hier,' zei hij, het overhandigend. 'Daar zit een achtste pond in.'

James opende het zakje en controleerde de inhoud. De geur – geroosterd, donker en vol – vulde zijn neusgaten; de ongeveer twintig koffiebonen lagen als kleine zwarte parels op de bodem.

Iets verderop vond hij iemand die versgebakken *sfogliatelle* verkocht – kleine gebakjes gevuld met ricotta, gekonfijte citroenschil en kaneel, net zoals Livia ze altijd bij het ontbijt serveerde. Na nog een grote zak sinaasappels en wat verse geitenmelk zat zijn boodschappenexpeditie erop.

Tevreden liep hij met zijn aankopen terug naar zijn appartement in het Palazzo. Het was hem net gelukt de tafel te dekken met een lap stof, bloemen en porselein, en hij had de sinaasappels net uitgeperst, toen Livia gapend uit haar slaapvertrek kwam. Een paar stappen verder stopte ze en snoof argwanend in de lucht.

'Nee, dat is geen Nescafé,' zei James, 'maar echte!'

Haar ogen werden groot. '*Echte* koffie?'

'Ik kan misschien niet koken, maar ik weet wél hoe je een goed ontbijt klaarmaakt.'

'O James, dat is fantastisch!' Toen herinnerde ze zich weer dat ze eigenlijk kwaad op hem was. 'Maar ook een beetje wanhopig.'

Hij begon aan het zetten van de koffie. Livia stond er meteen met haar neus bovenop en diende hem gretig van advies, bang dat hij die waardevolle bonen met zijn onhandigheid zou verprutsen.

'Rustig nou maar,' zei hij, 'ik weet wat ik doe.'

'Tuurlijk,' zei ze. 'Heb je de kopjes voorverwarmd? Moet je echt doen, hoor. En hoe ga je die koffie malen? Niet zo: die bonen moeten veel fijner! Nee, je moet het water eerst een beetje laten afkoelen...' En ze griste hem de kan en de bonen uit handen. Maar ze was zo uitgelaten, dat hij haar dat niet eens kwalijk kon nemen.

Toen ze voor hen allebei een piepklein kopje dikke zwarte vloeistof had ingeschonken – zo sterk dat hij niet alleen de stroperigheid, maar ook de vettige glans van motorolie had – namen ze eerst ieder een hap van hun *sfogliatella* en toen een slok koffie.

'Dit zijn twee primeurs voor mij,' zei Livia ten slotte. 'De eerste koffie die ik sinds het uitbreken van de oorlog drink én de eerste keer dat iemand een maaltijd voor mij bereidt. Dank je wel, James.'

'Heeft er nog nooit iemand voor jou gekookt?'

Ze schudde haar hoofd. 'Ik wil altijd alles zelf doen.'

'Op een dag,' zei hij, nippend aan zijn koffie (zij had de hare in drie extatische slokken weggewerkt), 'maak ik voor ons tweetjes een heel diner klaar; alleen voor ons.'

Livia had opeens opvallend veel belangstelling voor de bodem van haar koffiekopje. 'Dus... je wilt misschien toch een keer met mij wandelen?'

'Meer dan wat ook ter wereld wil ik bij jou zijn, Livia. Maar ik móét hier duidelijk over zijn: ik mag in het openbaar niet met je worden gezien; ik kan je niet officieel als mijn vriendin erkennen. Ik mag de andere officieren zelfs niet laten weten hoe ik over je denk, want als mijn bevelvoerend officier hier achter komt, vrees ik dat ik eruitvlieg en zonder pardon terug naar Afrika wordt geplaatst. Ik weet dat het verre van ideaal is, maar het is het enige dat ik je kan bieden.'

'Dan kun je natuurlijk ook nooit met me trouwen,' sprak ze stilletjes.

Hij schudde zijn hoofd.

'Waar ik vandaan kom, is dat niet niks: verkering hebben terwijl je niet van plan bent met elkaar te trouwen. Als mijn vader dit wist...'

'De oorlog duurt niet eeuwig.'

'Hij duurt nu al vier jaar! Wie weet hoe lang hij nog aanhoudt?' Ze glimlachte treurig. 'Daarbij: als de oorlog voorbij is, ga jij terug naar huis. Tegen die tijd heb je allang genoeg van mij.'

'Ik zal nooit genoeg van jou krijgen!'

'Hmm,' zei ze. 'Nou, ik zal er eens over nadenken.'

En daar moest hij het voorlopig mee doen.

Zijn kooklessen werden echter hervat. Livia moest erg lachen toen James voor zichzelf een keukenweegschaal aanschafte. Vanaf die tijd vroeg hij haar als ze stond te koken het hemd van het lijf over de hoeveelheden die ze gebruikte.

'Hoeveel aubergines neem jij per persoon?'

Een schouderophalen. 'Een à twee. Hangt er vanaf hoe groot ze zijn.'

'De aubergines?'

Ze rolde met haar ogen. 'Nee, suffie: degene die ze gaat opeten.'

'En hoe lang moet je ze bakken?'

Weer een schouderophalen. 'Tot ze gaar zijn.'

'En hoeveel paneermeel gebruik je?'

'Genoeg om de aubergines mee te vullen.'

'Livia,' zei hij geïrriteerd, 'hoe wil je me nu leren koken, als je me de juiste hoeveelheden niet vertelt?'

'Maar die wéét ik gewoon niet.'

'Er moet toch een tijd zijn geweest, waarin jij ook nog alles afwoog?'

'Ik zou niet weten hoe ik dat had moeten doen: mijn moeder had ook geen weegschaal.'

Hij probeerde het op een andere manier: 'Stel, iemand geeft jou een recept. Dan wil je zijn instructies toch fatsoenlijk kunnen opvolgen?'

Ze lachte smalend. 'Als iemand bereid is een recept prijs te geven, is dat vast niet veel soeps.'

In een van de vele boekhandels aan de Via Maddaloni vond James een oud kookboek, dat hij meenam naar Livia.

'Zie je?' zei hij triomfantelijk. 'Allemaal recepten. Ze bestaan dus wel!'

Met een diepe denkrimpel in haar voorhoofd bladerde Livia er doorheen. 'Maar het zijn wel hele slechte,' verkondigde ze toen.

'Hoe weet je dat, als je ze nog niet eens hebt geprobeerd?'

'De hoeveelheden kloppen niet en soms staan ze zelfs in de verkeerde volgorde.'

'Maar hoe kun je dat nu weten, als jij míj de juiste hoeveelheden ook niet kunt vertellen?'

Ze haalde haar schouders op. 'Dat weet ik gewoon.'

Hij zuchtte. 'Ik weet wat: de volgende keer dat je kookt, gebruik je mijn weegschaal om te kijken wat je erin doet en dat schrijf je dan op, net als in dit boek. Dan kan ik je tenminste nadoen.'

'Als het per se moet.'

Nadat ze *melanzana farcite* had gemaakt, vond hij wat aantekeningen, gekrabbeld op de achterkant van een legerbulletin. Het papier zat vol vetvlekken en er stond:

Aubergines – een paar
Tomaten – tweemaal zoveel als de aubergines
Olie – q b
Uien – 1 of meer, afhankelijk van de grootte
Amandelen – q b
Paneermeel – q b

'Wat is dit?' vroeg hij.

Ze keek verbaasd op. 'Het recept, zoals je me had gevraagd.'

'Livia, dit is een boodschappenlijstje.'

'Wat is het verschil dan?'

'En wat betekent dat *q b*?'

'*Quanto basta*, zoveel als nodig is.'

Hij gaf het maar op. De volgende dag was de weegschaal uit de keuken verdwenen.

Bij Livia's manier van lesgeven hoorde ook dat ze haar moeders favoriete keukenspreuken met hem deelde. Zo vertelde ze hem bijvoorbeeld: *quattr'omini ci vonnu pre fari 'na bona 'nzalata: un pazzu, un saviu, un avaru, e un sfragaru*, je hebt vier man nodig voor het maken van een salade: een dwaas, een wijze, een vrek en een verkwister.

'En wat wil dat precies zeggen?' vroeg James beduusd.

'Dat je een dwaas nodig hebt voor het mengen – zo,' zei ze, de ingrediënten energiek met haar vingers door elkaar husselend, 'maar een wijze om het zout af te meten: een snufje. Dan heb je nog een vrek nodig voor de azijn,' ze voegde een paar piepkleine drupjes azijn toe, 'maar voor de olie heb je juist een verkwister nodig, want met goede olie kun je nooit té royaal zijn.'

Verder leerde hij dat *sparaci e funci svrigògnanu cocu*, asperges met champignons een kok nederigheid leren; dat je de voorkeur zou moeten geven aan *latti di crapa, ricotta di pecura e tumazzu di vacca*, melk van de geit, ricotta van het schaap en kaas van de koe; en *cci voli sorti, cci voli furtuna sinu a lu stissu frìjiri l'ova*, dat je bij het bakken van een ei zowel geluk als een gunstig gesternte moet hebben. Sommige dingen waren volkomen logisch, andere absoluut niet, maar het was het hem allemaal waard, als hij maar van haar gezelschap kon genieten.

Andere aspecten van haar kooklessen waren zo mogelijk nog raadselachtiger. Toen hij haar eens vroeg waarom ze altijd een kurk in de pan deed als ze zeevruchten kookte, mompelde ze iets duisters dat hij niet helemaal kon volgen. Toen hij daarop doorvroeg, bleek dat de kurk *malocchio*, het boze oog, moest afweren. Het eten van komkommers in augustus, evenals meloenen in oktober, bracht zowel pech als koorts; het morsen van wijn bracht geluk, maar alle splinters van een gebroken spiegel moesten voorzichtig worden verzameld en dan ondergedompeld in stromend water. Op een keer trof hij haar aan, terwijl ze de zaadjes uit een citroen zat te tellen: toen hij haar vroeg waarom ze dat deed, kreeg hij te horen dat ze wilde weten hoeveel kinderen ze zou krijgen. Verder huiverde Livia van tafelzilver dat ongekruist op een leeg bord lag, en toen ze eens een lot kocht van de bultenaar die elke dag zijn ronde deed door het stadspark met een groot bord vol wapperende kaartjes rond zijn nek, streek ze gauw even over zijn bochel voor geluk. Op dinsdag of vrijdag nam ze echter nooit een lootje of een ander risico waarvoor geluk een vereiste was, aangezien algemeen bekend was dat *ne di venere ne di marte non si sposa ne si parte!*, je op die dagen van de week niet moest trouwen, reizen of iets nieuws uitproberen.

Allemaal nonsens natuurlijk, maar toch, zo bedacht James: hij was er zelf ook nooit toe gekomen dat botfragment weg te gooien, dat hij van die priester in de Duomo had gekregen.

Hij wilde eens ernstig met haar praten over haar echtgenoot en koos het moment daarvoor zorgvuldig uit. Hij wachtte tot na het diner, toen de andere officieren allemaal druk waren met hun spelletje *scopa*.

'Ik weet dat ik Enzo nooit zal kunnen vervangen,' zei hij. 'En ik beloof je dat ik dat zelfs niet eens zal proberen.'

'Eigenlijk kan dat ook niet,' zei ze peinzend, 'vervangen: dat is net alsof mannen onderling verwisselbaar zijn, als een gloeilamp. Maar mensen zijn volgens mij meer recepten.'

'Livia,' zei hij confuus, 'ik wil echt graag begrijpen wat je bedoelt, maar hier snap ik werkelijk niets van.'

Ze keek verbaasd: voor haar was het glashelder. 'Als je een gloeilamp vervangt, heb je natuurlijk altijd hetzelfde soort lamp nodig. Maar bij recepten is het tegenovergestelde het geval. Weet je nog, toen wij naar de markt gingen en voor zwaardvis kozen? Op een andere dag was ik misschien wel voor de tonijn gegaan. Maar het zouden sowieso twee heel verschillende gerechten zijn geworden, met totaal verschillende ingrediënten. In een tonijnrecept kun je de tonijn niet zomaar vervangen door zwaardvis, en vice versa. Als je zwaardvis hebt, kies je dus een ander recept. Allebei lekker, maar wel verschillend.'

'Dus Enzo was de tonijn?' vroeg hij. Hij dacht dat hij het begon te begrijpen.

'Nee, Enzo was de zwaardvis. Jij bent de tonijn.'

'O,' zei hij, wat beteuterd. 'Mag ik geen zwaardvis zijn? Ik hou niet zo van tonijn.'

Ze lachte. 'Soms lijk je toch een heel klein beetje op hem: hij zou het ook hebben gehaat dat ik zomaar zei dat hij de tonijn was. Het was een lieve jongen,' zei ze en de tranen sprongen haar in de ogen, 'maar een beetje ijdel en lang niet zo slim als jij.'

James sloeg zwijgend een arm om haar heen en liet haar even uithuilen.

'Dank je,' zei ze toen en droogde haar ogen af aan zijn mouw. 'Zie je wel? Ik zei toch dat jij slim was: je liet me uithuilen, terwijl Enzo uit zijn vel was gesprongen als hij me om een ander had zien huilen.'

Op de markt leerde ze hem hoe hij olie moest uitkiezen. 'Je hebt *extra vergine, sopraffino vergine, fino vergine* en *vergine*,' legde ze uit.

'En *extra vergine* is de beste?'

'Vanzelfsprekend: hoe maagdelijker hoe beter,' zei ze, een heel klein beetje schalks. 'Die is veel zoeter. En weet je? Ze zeggen dat de allereerste persing de allerzoetste is.'

Soms, als ze samen stonden te koken, kuste hij haar opeens en werden hun kussen gekruid met dat waar zij op dat moment mee stond te koken: de scherpe nasmaak van een muntblad of de langzaam uitstralende warmte van oregano. Maar hoewel hij zeker wist dat ook zij van deze omhelzingen genoot, duwde ze hem dan vroeg of laat toch weer weg. 'Je kunt vis niet in water bakken,' mompelde ze dan mysterieus, of '*Lu cunzatu quantu basta, cchiù si conza, cchiù si guasta*, te veel kruiden is meer dan genoeg.'

31

'Zoals je weet,' sprak majoor Heathcote, 'is het de taak van het A-force om initiatieven te bedenken om de greep van de Duitsers op Noord-Italië te destabiliseren.'

James knikte. Hij snapte nog steeds niet helemaal waarom de bevelvoerder hem had ontboden, maar was opgelucht dat het een keer niet leek te zijn om hem de mantel uit te vegen.

'En zoals je tevens weet,' vervolgde de majoor traag, 'vormt de verspreiding van syfilis door de huidige penicillineschaarste een immens probleem voor onze medische jongens. De Duitsers daarentegen, lijken daar veel minder last van te hebben.'

James knikte weer.

'Daarom heeft het A-force een plan bedacht,' zei de majoor met een zucht. 'Een soort twee-vliegen-in-één-klapscenario. Dit idee houdt in dat wij vrouwen met syfilis oppakken en naar het noorden transporteren, tot voorbij de frontlinie – waar ze, naar men mag aannemen, hun ziekte onder de Duitse soldaten zullen verspreiden, in plaats van onder die van ons. Het schijnt dat iets dergelijks in Frankrijk al eens is uitgeprobeerd.'

James kon zijn oren niet geloven. Zelfs naar de duistere maatstaven van het A-force klonk dit niet als een goed idee. 'Maar is dat niet een beetje eh... onethisch? Burgers gebruiken om het vuile werk voor ons op te knappen – vrouwen ook nog, zieke vrouwen?'

'Ach, in godsnaam,' zei de majoor geërgerd. 'Is hele steden platbombarderen met brandbommen dan zo ethisch verantwoord? Is elkaars landen overspoelen met porno en zwarte propaganda ethisch? Dit is een totale oorlog, Gould. En dat wil zeggen dat we vechten met elk wapen dat we tot onze beschikking hebben.'

James zweeg.

'Nee, ethisch verantwoord is het vast niet,' mompelde de majoor. 'Persoonlijk vind ik het een verdomd slechte zaak. Maar het plan is nu eenmaal al op het allerhoogste niveau goedgekeurd. Jouw taak is simpelweg het regelen van de aanhouding van enkele geschikte vrouwen.'

'*Rastrellamenti*,' zei James.

'Pardon?'

'Zo noemden de Italianen de Duitse razzia's: rastrellamenti. Ze hadden vast niet gedacht dat hun bevrijders exact hetzelfde zouden gaan doen.' Toen viel hem nog iets in. 'En als we deze dames gevonden hebben, krijgen ze van ons zeker geen medische zorg voor hun aandoening?'

'Nee, dat zou natuurlijk nogal indruisen tegen het beoogde doel.'

'Ook niet als ze erom vragen?'

De majoor aarzelde even. Het onthouden van medische zorg betekende schending van de Conventie van Genève. 'We moeten maar gewoon hopen dat ze dat niet doen. Trouwens, technisch gesproken lijkt me dat het hier niet bepaald om "combattanten" gaat.'

'Mm. En hoe moeten deze vrouwen worden geselecteerd?'

'Uit allen met een prostitutieverleden, zou ik zeggen.'

'Maar dat kán betekenen dat we de verloofdes van sommige van onze eigen soldaten daar ook toe moeten rekenen! Vrouwen die niet getrouwd zijn, enkel omdat wij ze daarvoor geen toestemming hebben verleend.'

'We kunnen toch moeilijk speciale gunsten gaan verlenen, aan vrouwen van wie we reeds hebben vastgesteld dat ze ongeschikt zijn om met onze militairen te trouwen,' wees de majoor hem. 'Werkelijk, Gould, ik geloof echt dat jij het grote verband af en toe helemaal over het hoofd ziet.'

'Pas wanneer men naar het kleinere verband kijkt,' sprak James kalm, 'beseft men hoe gruwelijk dit plan in feite is.'

De majoor schonk hem een felle blik. 'Ik hoop dat je nu niet suggereert dat jij je orders niet zult uitvoeren?'

'Nee, sir.'

'Mooi zo.' De majoor wuifde hem weg. 'Ingerukt dan!'

Ze zaten op het dak van het Palazzo Satriano, tussen de schoorstenen en de gebroken rode dakleien, terwijl boven de baai de zon langzaam onderging. Livia plukte een duif, James zat met een tommygun op schoot. Van tijd tot tijd, als er weer een paar duiven op het dak landden, vuurde hij een paar maal in hun richting. Wanneer het raak was, werd de dode vogel toegevoegd aan de stapel bij Livia's voeten.

'Ai voed laik toew siets ien de front row,' sprak ze bedachtzaam.

James bromde slechts als antwoord.

'Ken joe tel mie vot taim ies die ienterval, plies?' Toen schakelde ze weer over op Italiaans. 'Wat is er toch, Giacomo?'

'Niets.'

'Weet je,' zei ze, 'Engels moet wel een hele moeilijke taal zijn: de meeste tijd zeggen Engelse mannen liever helemaal niets.'

'Sorry,' mompelde hij. 'Zware dag.'

Ze snoof.

'Ik bevind me in een nogal lastig parket.'

'Ik ook,' antwoordde ze ad rem. 'De ene minuut kus je me, de andere wil je niet eens met me praten. Verwarrend, hoor.'

Hij zuchtte. 'Mijn werk is soms... er zijn gewoon dingen die me niet bevallen.'

Ze legde de duif waar ze mee bezig was neer. 'Vertel eens?'

Ze luisterde zonder te onderbreken naar zijn hele verhaal.

'Het zijn niet de meest recente onderzoeken waar ik me zorgen over maak,' lichtte hij toe. 'Die bruiloften heb ik immers allemaal door laten gaan. Nee, het zijn de eerste, van toen ik nog maar pas in Napels zat: die meisjes lopen allemaal gevaar!'

'Maar James, het is toch duidelijk wat je moet doen?'

'O ja?'

'Je moet zorgen dat geen van hen wordt opgepakt.'

'Livia, die razzia's gaan toch door – of ik er nu bij ben of niet.'

'Maar ze vragen jóú of degenen die ze hebben opgepakt werkelijk prostituees zijn. En dan moet je dus liegen.'

'Maar in veel gevallen staat in de boeken dat ze dat wél zijn, zoals in mijn eigen rapport. Deze hele puinhoop is deels mijn schuld.'

'Rapporten kunnen toch zoekraken?'

'Dan vragen ze die meisjes zelf wel hoe ze zich onderhouden. Het is niet zo moeilijk om de waarheid te achterhalen.'

'Dan moet je met Angelo gaan praten,' besloot ze. 'Die weet wel wat je moet doen.'

'Angelo?'

'Ja, de ober-kelner van Zi' Teresa.'

'Wat heeft die hiermee te maken?'

'Dzjeems,' zei ze, 'wie denk je dat mij deze baan heeft bezorgd?'

'Ik, toch?'

'Jíj hebt me aangenomen,' corrigeerde ze hem, 'dat is iets heel anders. Ik moet je dit misschien niet vertellen, maar het was Angelo die ervoor zorgde dat er geen andere sollicitanten kwamen. En het is Angelo die ervoor zorgt dat wij genoeg te eten hebben en Angelo die mij alles levert wat ik niet op de markt kan krijgen.'

'Waarom maakt Angelo zich druk over wat ík te eten krijg?'

'Ik denk,' begon ze vaag, 'dat hij zich gewoon een beetje zorgen maakte dat jij, toen je net in Napels was, niet fatsoenlijk at. En het is algemeen bekend dat een man die niet fatsoenlijk eet, zijn werk ook niet fatsoenlijk kan doen. Immers: *panza cuntenti, cori clementi: panza dijuna, nenti priduna*. En de laatste tijd ben je duidelijk veel... nou ja, redelijker.'

'Juist.'

'Hoewel je nu boos bent.'

'Nee, hoor,' zei hij. En dat was nog waar ook: langzaam begon James een mogelijkheid te zien om uit deze chaos te komen. En Livia had gelijk: wellicht was Angelo de juiste persoon om hem daarbij te helpen. 'Ik zal eens met hem gaan praten,' beloofde hij haar.

Toen voelden ze iets rimpelen onder hun voeten. Het hele gebouw trilde en alle ramen en deuren rammelden, net zoals soms gebeurde als er een zware vrachtwagen of tank door de straat reed. Maar het gegons zwol steeds verder aan, ging dwars door hen heen... en toen was het weer weg, als een golf die op zoek is naar een kust om op stuk te slaan.

'Een aardbeving,' zei James zacht.

'De zomer is begonnen,' zei ze. 'Dat krijgen we altijd als het heet wordt.'

'Ik wou dat ik wist wat ik moest doen.'

'Wat je ook doet,' zei Livia, 'het zal de juiste beslissing zijn.'

James liep de heuvel op naar het donkere restaurant. De aankondiging van de sluiting hing nog achter het verduisterde raam. Hij liep achterom en klopte op de keukendeur.

Angelo deed open, een vage glimlach op zijn gezicht. 'Signore Gould!'

James kreeg het gevoel dat hij al werd verwacht. 'Kapitéín Gould,' verbeterde hij de ober-kelner.

Angelo boog. 'Zoals u wilt. Drinkt u een glas wijn met mij?'

'Dat zou heerlijk zijn.'

Ze zetten zich aan weerszijden van de lege bar, met een fles brunello tussen hen in.

'De laatste fles van mijn vooroorlogse voorraad,' zei Angelo terwijl hij de glazen vulde. 'Deze heb ik bewaard voor een speciale gelegenheid.'

'O, is dit dat dan?'

'Ja, dat denk ik wel.' Angelo hield zijn glas tegen het licht. De wijn was bijna bruin van kleur en toen hij de vloeistof met een licht gekantelde hand liet walsen, bleef deze aan het glas kleven. Hij stak zijn neus in het glas en snoof diep. 'Deze jaargang noemen ze ook wel "de vrouwenwijn",' zei hij. 'Toen hij moest worden geoogst, in 1918, waren alle mannen in de Eerste Wereldoorlog gesneuveld. Dus plukten de vrouwen de druiven zelf. De wijnstokken waren nooit bevloeid, noch fatsoenlijk gesnoeid of bespoten met insectenverdelger om ze beter te laten groeien. Maar soms schijnt een druif juist tegenslag te willen om te kunnen gedijen: het werd een van de beste brunello-jaren ooit.' Hij tikte met zijn glas zachtjes tegen dat van James. 'Op de vrede.'

'Op de vrede.'

Ze dronken.

'Welnu kapitein, waarmee kan ik u van dienst zijn?'

'Ik denk dat ik mijn meerderen ervan kan overtuigen de restaurants weer open te gooien.'

Angelo trok één wenkbrauw omhoog. 'Dat zou erg fijn zijn.'

'Dat moet niet al te moeilijk zijn. De voedseltekorten zijn lang niet zo ernstig meer en ze geloven mij vast, als ik ze vertel dat de risico's voor de openbare orde en de veiligheid zijn opgelost.'

Angelo knikte. 'Maar natuurlijk wilt u iets in ruil daarvoor.'

'Twee dingen zelfs.'

'En dat zijn?'

'Ten eerste wil ik dat u rondvertelt, dat elk restaurant op zijn minst één meisje in dienst moet nemen; grote zaken zoals deze kunnen er zelfs wel zes aannemen. Zij kunnen werken als serveerster, kokkin, ober-kelner, noem maar op.'

Angelo dacht even na. 'Uitstekend idee!' zei hij toen. 'Alle vrouwen hebben een baan en kunnen dus, zodra de rastrellamenti beginnen, aantonen dat ze een eigen bron van inkomsten hebben.' Hij zag James' blik. 'Nieuws verspreidt zich in Napels altijd als een lopend vuurtje,' zei hij verontschuldigend. 'Maar betekent dit ook dat de verloofdes van ge-allieerde soldaten alsnog kunnen trouwen?'

'Ik zou niet weten waarom niet! Tenslotte kan van een dame die bij Zi' Teresa werkt moeilijk worden beweerd dat ze een slechte naam heeft...'

'En de dossiers dan? Die rapporten die hen reeds als hoer bestempelen?'

'Tja,' zei James, 'het geval wil, dat er een paar weken geleden een Duitse luchtaanval heeft plaatsgevonden, die enorme schade aan mijn hoofdkwartier heeft toegebracht. Helaas schijnen daarbij een groot aantal dossiers te zijn vernietigd.'

'Aha!' zei Angelo. Hij stak zijn glas naar hem omhoog. 'Nu bent u pas *furbo*, mijn vriend,' sprak hij bewonderend. 'U bent een echte Napolitaan geworden.'

'Meisjes die al een verloofde hebben, moeten voorrang krijgen. We hebben te maken met een enorme huwelijksachterstand, die eerst moet worden weggewerkt. Maar we moeten ook streng zijn: zodra een meis-je trouwt, moet ze haar baan opgeven en haar plaats afstaan aan een ander. Ikzelf zal Gina Tesalli in dienst nemen, die zwanger is. Zij kan Livia helpen in de keuken.'

Bij het horen van Livia's naam glimlachte Angelo. 'Dus u houdt uw eigen regeling zoals die is? Ik kan ook zorgen dat Malloni terugkomt, als u dat liever heeft...'

'Nee, dat heb ik níét liever,' sprak James gedecideerd. 'Mevrouw Pertini blijft bij mij.'

Angelo hield zijn hoofd schuin. 'En uw tweede voorwaarde?'

'Ik wil weten waar Zagarella zijn gestolen penicilline opslaat.'

Angelo ademde hoorbaar in. 'Mijn vriend, dat is een geheel ander, veel gevaarlijker verhaal. Waarom laat u hem niet gewoon met rust?'

'Hij heeft me belazerd. Nu is het mijn beurt om hem te belazeren!'

Angelo schudde zijn hoofd. 'Ik weet niet zeker of ik u daarbij kan helpen.'

'O, beslist! In jouw restaurant eten niet alleen geallieerde officieren, Angelo: ook de camorristi komen hier regelmatig. En jij hoort dingen; jij hoort alles.'

'Dit is moeilijker en complexer dan u zich kunt voorstellen,' zei Angelo.

'In welk opzicht?'

Ook al waren ze helemaal alleen, toch keek Angelo even om zich heen voor hij antwoord gaf. 'Ach, die handel in gestolen goederen van de geallieerden... Uw voorganger, Jackson, dacht dat de Amerikanen gewoon niet capabel genoeg waren om er een eind aan te maken.' James knikte. 'Nou, als ik in het afgelopen jaar íéts heb geleerd, dan is het wel dat men van uw Amerikaanse vrienden veel kan zeggen, maar zelden dat ze incapabel zijn.'

'Waar wil je naartoe?'

'Stel, dat u de Amerikanen was en u wilde een gunst van de maffia – een grote gunst, iets op politiek niveau. Hoe zou u hen dan overhalen u te helpen?' Angelo sloot zijn vingers en maakte een draaibeweging met zijn pols: het aloude Napolitaanse gebaar voor corruptie. 'Misschien zou u uw opslagplaatsen wel opengooien en zeggen: "Help uzelf".'

'Maar wat willen de Amerikanen dan van de maffia?'

'Dat weet ik ook niet. Het enige dat ík weet, is dat er een plan bestaat.'

James dacht aan het document dat hij stiekem had ingezien in het kantoor van de Amerikanen. Dat had ook laten doorschemeren dat er een soort van plan was. Maar welk dan?

'Het zal inderdaad wel iets politieks zijn,' besloot hij. 'In dat geval hoeven wij ons er voorlopig geen zorgen over te maken. Ze zullen die hele boel heus niet verraden om Zagarella te redden, zeker niet als de bewijzen tegen hem sterk genoeg zijn.'

Angelo dacht weer even na. 'Dit gaat u geld kosten, heel veel geld.'

'Dat kan worden geregeld.'

'En u krijgt geen kwitanties,' waarschuwde Angelo. 'De mensen die ik hiervoor betalen moet, willen geen enkel bewijs van hun betrokkenheid.'

'Goed dan. Maar ik wil Zagarella zelf, niet de een of andere loopjongen!'

'Begrepen. Ik zal zien wat ik voor u kan doen.'

De volgende dag moest James een paar mannen gaan ondervragen. Zij werden ervan beschuldigd een ex-partizaan te hebben vermoord in de heuvels boven Caserta, een klein stadje ten noorden van Napels.

Hij had het politiebureau zo gevonden, waar het plaatselijke hoofd van politie hem uitlegde wat er precies was gebeurd. De partizaan was in feite niet meer dan een bandiet geweest, die even vrolijk van de Duitsers stal, als hij voorheen van de Italiaanse regering had gedaan. En die nog veel vrolijker was geworden van het aanbod van de geallieerden, om wapens en explosieven te droppen om hem daarbij te helpen. Maar terwijl híj zich na elke aanval doodleuk schuilhield in de heuvels, konden de inwoners van het stadje dat niet – waardoor zij het doelwit werden van steeds heftiger vergeldingsmaatregelen van de Duitsers.

Ten slotte kondigden de Duitsers aan dat voor ieder van hun mannen die bij de aanslagen sneuvelde, tien burgers zouden worden gedood. Dit dreigement had echter geen enkel effect op de bandiet – ondanks persoonlijke smeekbedes van zowel de burgemeester als de pastoor. Nu hij de beschikking had over zowel een behoorlijk wapenarsenaal als een behoorlijk gevolg van bloeddorstige kameraden, die net als hij popelden om hier iets mee te doen, nam hij al gauw de kans waar een heel Duits bevoorradingskonvooi aan te vallen, waarbij vier Duitsers het leven lieten. De Duitsers hielden daarop woord: ze pakten veertig burgers op – mannen, vrouwen en kinderen, maar hoofdzakelijk de laatsten, omdat de meeste mannen al naar de werkkampen waren afgevoerd – zetten ze op een rij tegen de muur van de kerk en maaiden ze neer. Op de begrafenissen kusten de huilende moeders de bloederige wonden op de lichamen van hun kinderen en likten eraan, om de gemeenschap te laten zien dat zij dit als een bloedvete beschouwden, waarvoor elk mannelijk lid van de familie gedwongen was wraak te nemen, hoeveel generaties het ook mocht duren.

Het duurde echter niet zo lang. De bandiet werd lui en merkte dat zijn wapenleveranties door de geallieerde invasie steeds verder werden beknot. Ondertussen keerden de broers, ooms en vaders van de slachtoffers terug uit de noordelijke krijgsgevangenkampen. Deze mannen, velen het vechten meer dan moe, ontdekten bij thuiskomst dat op hen de zware taak rustte de bandiet te vermoorden – wat zij prompt deden... en waar ze prompt voor werden gearresteerd.

James sprak ook met deze mannen, die het verhaal van het hoofd van politie bevestigden. Ze leken te berusten in hun lot – ongetwijfeld levenslang in de Poggio Reale, een plek die weinig aangenamer was dan de kampen die ze nog maar pas achter zich hadden gelaten.

Daarna praatte James met de priester, die hem de met kogelgaten doorzeefde muur liet zien waartegen de vergeldingsactie had plaatsgevonden.

'Mag ik u vragen, meneer pastoor,' zei James, 'wat u zou doen als deze mannen u in de biechtstoel over hun misdaad vertelden?'

De geestelijke dacht er even over na. 'Ik zou waarschijnlijk zeggen dat ze een afschuwelijke zonde hadden begaan, maar dat wanneer ze werkelijk berouw hadden, God ze zou vergeven.'

'En wat zou hun penitentie dan zijn?'

'Ik zou hun zeggen dat ze moesten meehelpen met de wederopbouw van de door de oorlog verwoeste huizen en boerderijen.'

Het leek James een veel nuttiger straf, dan welke rechtbank ook zou kunnen toebedelen. 'En zouden ze dat dan ook doen?'

'Natuurlijk, niemand hier wil in staat van zonde leven.'

Al piekerend keerde James terug naar het politiebureau.

'En?' wilde het hoofd van politie weten. 'Neemt u ze nu meteen mee of stuurt u nog een vrachtwagen?'

'Geen van beide,' zei James. 'Dit is totale tijdverspilling. Ik ga terug naar Napels en vernietig daar alle papieren.'

Het hoofd van politie keek hem verbluft aan. 'Is dat niet een beetje riskant?'

'Misschien, maar tegen de tijd dat iemand heeft uitgevlooid wat zich hier werkelijk heeft afgespeeld, is de oorlog voorbij en ben ik allang weg.'

Er verscheen een listige blik in de ogen van het hoofd van politie. 'Ik vrees echter, sir, dat dit een zeer arm stadje is. Wij kunnen ons niet veroorloven onze waardering uit te drukken in de mate die u waarschijnlijk verwacht.'

'Ik verwacht helemaal niets...' begon James. Maar toen bedacht hij zich. 'Hoeveel kunt u zich dan wél veroorloven?'

Het hoofd van politie deed wat van 'mm' en 'eh', echter zonder James' blik los te laten. 'Achthonderd lire,' zei hij ten slotte.

'Prima.'

Dit leek hem nog meer te verrassen dan James' beslissing om de mannen niet te vervolgen. 'Echt? U vindt achthonderd genoeg?'

'Op voorwaarde dat u me die meteen meegeeft.'

'Ik zal het de pastoor vragen: die kan het uit het kerkfonds halen.' Toen hij opstond, struikelde hij haast over zijn eigen benen, zo'n haast had hij om deze afspraak af te ronden. Even later kwam hij terug met de pastoor, die James het geld zonder enig commentaar overhandigde.

'Het gaat naar een goed doel,' zei James, vouwde de biljetten op en stopte ze in zijn zak.

'Maar natuurlijk, natuurlijk,' zei het hoofd van politie, er duidelijk niets van gelovend.

Maar de priester knikte en zei: 'Daar ben ik blij om. En zelfs als het niet zo is, heeft dat geld toch al goed werk verricht hier in Caserta. Dank u wel.'

Eenmaal terug op het hoofdkwartier zocht James in de kast, tot hij de oude koektrommel had gevonden die hij van zijn voorganger had geërfd. Carlo en Enrico keken perplex toe. Hij gooide de potloden eruit, legde de achthonderd lire zonder een woord in de trommel en zette deze toen behoedzaam terug in de kast.

Toen hij die avond nog eens een kijkje nam, zag hij dat er al tegen de negenhonderdvijftig lire in zat. Carlo en Enrico hadden de boodschap begrepen.

Hoewel de schade van de luchtaanval al lang en breed was hersteld, bleef de binnenplaats in gebruik als gemeenschappelijke eetruimte. Geen van de Amerikanen leek er veel trek in te hebben het weer zonder Livia's diensten te moeten stellen en James begon te beseffen dat het nog best van pas kon komen dat zij hem nog iets schuldig waren. Daarbij kon hij zo ook gemakkelijk luistervinkje spelen bij de gesprekken van de Amerikanen: hoewel hij nog niets had gehoord over banden met de maffia, had hij al diverse bruikbare geruchten opgevangen.

Dit werkte echter natuurlijk ook de andere kant op. Die avond kwam Eric naast hem zitten om een schaal van Livia's spaghetti te verslinden.

'Als ik niet beter wist, James, zou ik zeggen dat jij me de laatste tijd ontloopt,' zei hij. 'Hoe staat het leven?'

James trok zijn schouders op en wuifde wat met zijn handen. Het kwam hem even heel goed uit dat zijn mond vol spaghetti zat. Bovendien leek dit gebaar de hele situatie eigenlijk het best te omschrijven.

'Weet je, jij begint zelfs al Italiaans te gebaren,' merkte Eric licht spottend op. 'Dat was geen Engels schouderophalen!'

James slikte de inhoud van zijn mond weg. 'Het was maar een gebaar, hoor.'

'Jij zegt het. Maar trouwens, ik hoorde dat jij weer achter die Zagarella aan gaat.'

'Waar heb je dat gehoord?'

'Het is dus waar?'

'Als jij dat van je bronnen hebt vernomen,' zei James terwijl hij vakkundig nog een bol spaghetti rond zijn vork draaide, 'zal het wel waar zijn.'

'O, James!' Eric keek hem quasi-teleurgesteld aan. 'Doe eens niet zo vaag! Gaan we hem nou opnieuw arresteren of niet? Mij dunkt dat we ditmaal met ijzersterk bewijsmateriaal moeten komen, willen we niet wéér voor gek staan.'

'Toevallig,' zei James achteloos, 'zat ik erover te denken hem in mijn eentje aan te pakken. Het heeft geen enkele zin om meer mankracht vast te leggen dan nodig.'

'Maar de vorige keer,' wees Eric hem, 'deden we het samen en toen konden we hem nog niet grijpen.' Toen bedacht hij kennelijk nog iets anders. 'Je suggereert toch niet dat het CIC er toen voor heeft gezorgd dat hij ermee kon wegkomen?'

'Zoiets zou ik nooit durven suggereren.'

'Maar je dénkt het wel.'

James aarzelde.

'Als we geen bondgenoten waren, zou ik daar aanstoot aan nemen!' zei Eric. 'Jij hebt vast die belachelijke theorie gehoord dat wij zouden samenspannen met de maffia.'

'Ik besteed nooit aandacht aan geruchten.'

'James, wij zijn inlichtingsofficieren: geruchten horen bij ons vak! Maar dat ene, dat kan ik je verzekeren, heeft nog minder grond dan al die andere nonsens die hier de ronde doen.'

Livia kwam naar buiten met een nieuwe schaal pasta. Onwillekeurig keek James naar haar. Eric volgde zijn blik. 'Over geruchten gesproken: over die mevrouw Pertini wordt ook behoorlijk gekletst.'

'O? Wat zeggen ze dan?'

'Dat zij met jou ommetjes maakt,' zei Eric met een vreugdeloos lachje. 'Ik moet je zeggen dat die roddel bij mij ook als een verrassing kwam. Ik ging er door jouw verhalen vanuit dat jij thuis in Engeland al een meisje had.'

James wist even niet wat hij moest zeggen.

'Ik wilde het eerst niet geloven,' ging Eric verder. 'Ik hou namelijk ook niet van roddels. Maar Livia heeft het me zelf bevestigd. Dus kon ik niet anders dan concluderen dat je tegen haar of tegen mij moest hebben gelogen.'

'Sorry, hoor.'

'Toen pas besefte ik dat jij, onder al die Engelse oprechtheid, een stuk sluwer bent dan je voorgeeft. Ik geloof dat we jou hebben onderschat, James.'

'Wie is "we"?'

'Maar het zal je goeddoen om te horen dat ik een roepende in de woestijn ben,' vervolgde Eric, zijn vraag negerend. 'Voor de meesten van het cic blijf jij gewoon die Engelsman die de huwelijksrapporten schrijft.'

'Fijn om te horen – aangezien ik dat ook ben.'

'Ik adviseer je sterk, James,' fluisterde Eric toen, 'alles wat je krijgt, te delen met je vrienden en bondgenoten.'

'Jij, smeerlap!' gromde James. Er gleed een rood waas voor zijn ogen; hij sprong op, zijn vuisten gebald. 'Livia is geen hoer!'

Erics vuisten vlogen ook omhoog. 'Dat heb ik nooit beweerd!'

'Je zei net dat ik haar moest delen...'

'Ik had het over het delen van informatie, stomme Engelse schlemiel die je d'r bent!'

'Wie noem jij een schlemiel?' brieste James.

'Hoezo?' sneerde Eric. 'Zie jij hier nog meer schlemielen dan?'

James had geen idee wat een schlemiel was, maar dat deed er niet toe. 'Dát neem je terug!' siste hij.

En toen draaiden ze ineens woest om elkaar heen, hun vuisten voor hun gezicht. Een paar van de mannen om hen heen begonnen te joelen en te schreeuwen van opwinding. James haalde als eerste uit, Eric pakte hem terug en al gauw stonden ze lustig op elkaar los te timmeren.

'Stop!' gilde Livia, die de keuken uit kwam hollen. 'Stop, jullie allebei! Jullie lijken wel een stel kinderen.'

Beschaamd hielden ze op. Ze hadden allebei bloed op hun gezicht, maar het was moeilijk te zeggen wie van de twee het slechtst uit de strijd was gekomen.

'Ze zeggen dat alles is geoorloofd in oorlog en liefde,' zei Eric en hij voelde voorzichtig aan zijn onderlip. 'Wat gewoon een andere manier is om te zeggen, dat niets in het leven eerlijk is. Vergeet dat nooit, James.'

32

$\mathcal{L}$ ivia merkte dat ze James en Enzo soms met elkaar vergeleek. Het verbaasde haar dan keer op keer weer hoe anders je van twee verschillende mensen kon houden.

Op Enzo was ze verliefd geworden *com' un chiodo fisso in testa*, als een spijker in het hoofd, oftewel halsoverkop. Nu ze erop terugkeek, zag ze dat het een echte kalverliefde was geweest, de verliefdheid van een schoolmeisje. En hoewel ze nog steeds treurde om het verlies van haar echtgenoot, werd ze niet langer overmand door verdriet, telkens wanneer ze bedacht dat ze hem nooit meer zou zien. Soms vroeg ze zich een beetje schuldig af hoe haar gevoelens voor hem er nu uit zouden zien, als de oorlog er níét tussen was gekomen en ze al deze tijd samen hadden doorgebracht, baby's hadden gekregen en de touwtjes aan elkaar hadden zitten knopen in het appartement van zijn ouders. Zou ze dan nog steeds van hem houden zoals tijdens hun huwelijksnacht, of zou ze zijn geworden zoals zoveel vrouwen, die tijdens het eindeloze schrobben van de was het volgende versje prevelden:

Tempo, marito e figli,
vengono come li pigli.

Je man, je zonen en het weer,
moet je verdragen, keer op keer.

Haar gevoelens voor James waren totaal anders. Zo hield ze bijvoorbeeld van het feit dat hij zo aardig was, al kon hij soms ook wat té correct doen of zelfs een beetje hooghartig. Ze vond het stiekem leuk om hem soms een beetje boos te maken, omdat hij dan zo grappig rood werd. En wat die malle verknochtheid van hem aan de regels en voorschriften van het leger betrof: ach, ze had al heel gauw geregeld dat niets daarvan op haar van toepassing was. Eerlijk, fatsoenlijk, vriendelijk, meelevend... het waren niet bepaald eigenschappen, waarvan ze ooit had gedacht dat ze haar in een man zouden aantrekken, maar na vier jaar oorlog was haar wel opgevallen dat deze behoorlijk zeldzaam aan het worden waren.

Er was nóg een groot verschil tussen wat ze voor James voelde en wat ze voor Enzo had gevoeld. Toen ze Enzo ontmoette, was ze nog maar een meisje en zich totaal niet bewust van hoe prettig de lichamelijke verwoording van de liefde kon zijn. Daarna had ze vier jaar lang al haar gedachten aan hun liefdesspel uit haar hoofd gezet. Maar nu begon al dat gekus met James zo langzamerhand allerlei lang verstopte herinneringen en verlangens op te wekken. Natuurlijk werd er van een vrouw niet verwacht dat ze bekende dergelijke gevoelens te hebben, noch mocht ze verwachten deze genoegens te smaken voordat ze keurig was verloofd. Maar de oorlog, zo realiseerde Livia zich, veranderde dat allemaal – zoals hij zoveel had veranderd. Het was nu in wezen aan haar om te beslissen hoe ver ze in haar relatie met James wilde gaan. Het was een beslissing, die nog maar weinig vrouwen zoals zij hadden hoeven nemen, en als ze bedacht hoe groot haar vrijheid eigenlijk was, kreeg ze het er bijna benauwd van.

Niettemin was het een beslissing die ze niet lichtvaardig wilde nemen. Nog afgezien van al het andere, had zij reeds één echtgenoot verloren. Als ze zichzelf toestond zich nu aan James te hechten, werden alle keuzes hierna meteen een stuk beladener.

Maar, zo moest ze zichzelf ook bekennen, soms wás het helemaal geen vraag of je jezelf al dan niet toestond iets te voelen: dan nam je hart zijn eigen beslissing en kon jij alleen nog maar besluiten of je daar wel of niet naar wilde handelen.

James vond op de markt aardbeien, de eerste sinds het uitbreken van de oorlog. Opgetogen betaalde hij er veel te veel voor. Terug in het Palazzo Satriano reageerde Livia niet blij verrast, maar ontzet.

'Het seizoen is nog helemaal niet begonnen!' voer ze tegen hem uit. 'Ze zijn vast niet goed rijp.'

'Ik vind ze er anders prima uitzien.'

Ze probeerde er eentje. 'Net wat ik dacht,' zei ze smalend. 'Totaal geen smaak.'

'Maar hoe weet je dan wanneer het seizoen is begonnen?'

'Dat weet je gewoon, punt uit.' Maar toen ze zijn beteuterde blik zag, voegde ze eraan toe: 'We kunnen ze wel eten met een beetje balsamicoazijn.'

'Aardbeien met azijn?' Hij trok een vies gezicht. 'Dat klinkt niet erg aanlokkelijk.'

'Vertrouw mij nou maar. Dan smaken ze echt zoeter.'

Terwijl ze de aardbeien in een kom in schijfjes begon te snijden, zei ze peinzend: 'Jij bent ook echt een man, James. Je wilt altijd dat alles rijp is, zodat je het meteen kunt hebben. Maar wachten op het juiste tijdstip is al de helft van de pret.'

Hij keek haar scherp aan. Hadden ze het nog steeds over aardbeien? Maar Livia zat net in een kastje naar de azijn te zoeken – een klein flesje met oeroud donker spul, dat ze had geruild voor een paar rantsoenen – dus kon hij haar gezicht niet zien.

Toen ze de kurk uit het flesje trok en wat van de dikke vloeistof over de vruchten druppelde, sprak ze kalm: 'Hoe het ook zij, je zult niet lang meer hoeven wachten.'

'Begint het aardbeienseizoen dan bijna?'

'Misschien...'

Bepaalde dingen, zo leerde James, smaakten altijd goed bij elkaar. Balsamicoazijn en citrusvruchten was slechts één voorbeeld; peterselie en ui was een ander; net als rode sla en spek, oftewel *radicchio* en *pancetta*. Zeevruchten vormden een natuurlijk koppel met courgettes, mozzarella hoorde bij citroen en hoewel tomaten bijna overal bij pasten, hadden ze toch een speciale verhouding met ansjovis, basilicum en oregano.

'Het is dus eigenlijk een kwestie van tegenpolen die elkaar aantrekken?' vroeg hij.

'Niet precies.' Ze probeerde het hem uit te leggen. 'Ansjovis en tomaten zijn niet echt tegenpolen: ze vullen elkaar eerder aan. De een is scherp, de ander hartig; de een is vers, de ander ingelegd; de een bevat helemaal geen zout, terwijl de ander ervan barst... Het is meer een kwestie van compenseren van de tekorten van de ander, zodat je bij samenvoeging geen nieuwe smaak creëert, maar de natuurlijke smaak van beide op zijn best laat uitkomen.'

Ze keek hem even aan en wist dat hij precies hetzelfde dacht als zij. De lichtste glimlach, het optrekken van een wenkbrauw, een snelle kus bij het afscheid in haar nek, haar hand die de zijne traag losliet – als peterselie en ui.

'En waar past tonijn dan bij?'

Ze glimlachte. 'Bij heel veel dingen. Maar vooral bij citroen.'

'Dus als ik een tonijn ben... dan moet jij een citroen zijn.'

'Hmm.' Daar moest ze even over nadenken. 'Ik geloof dat ik best een citroen wil zijn: bij een citroen weet je tenminste altijd dat hij er is; en ik ben liever scherp dan zoet.'

Telkens weer verbaasde James zich erover hoeveel van Livia's gerechten zonder vlees werden bereid. Haar pastasauzen bestonden vaak uit slechts een of twee ingrediënten, zoals knoflook en olie, of geraspte citroenschil met room. Nog veel meer recepten waren gebaseerd op een groente, met chili, ansjovis of kaas voor de subtiele kick. Vaak viel het hem niet eens op dat er geen vlees in zat, tot hij alles op had. Zijn absolute lievelingsgerecht was haar *melanzana parmigiana*, maar pas toen zijn tong wat getrainder was, begreep hij dat ook dat niet veel meer bevatte dan wat compacte auberginebrokken. En wat vette jus aanging: die had hij nog geen enkele keer gemist.

Toen hij haar dit vertelde, lachte ze: 'Thuis in Campania aten we niet zo vaak vlees. Ook vóór de oorlog al: het was gewoon te duur. Dus móésten wij wel vindingrijk zijn.'

Het bedrag in de trommel groeide met de dag. Het meeste werd erin gestopt door Carlo en Enrico. Het leek James maar het beste om niet te rechtstreeks naar de herkomst ervan te informeren. Hij nam aan dat ze er interessante nieuwtjes voor verkochten, officieuze vergunningen uitgaven aan straatverkopers, hielpen om oude rekeningen tussen criminelen te vereffenen en toezicht hielden op al die andere kleine zwendelpraktijken, waarmee degenen met macht zich verdienstelijk maakten voor degenen waar ze die macht over hadden.

Ondertussen leek het niet meer dan gepast dat de oude archiefkast, die ooit vol had gezeten met dossiers vol afgewezen huwelijken, in zijn nieuwe hoedanigheid van oven tevens verantwoordelijk was voor de verdwijning daarvan. Dus propte James de onderste la vol met papieren, duwde ze plat met wat aanmaakhout en hield er een lucifer bij. Bij de lunch genoot hij die dag van een heerlijke houtgeroosterde vis, geserveerd op een bord met zout en kruiden.

Vervolgens moesten alle vrouwen opnieuw worden ondervraagd: er moesten immers nieuwe, positief getinte rapporten komen. James paste er echter voor op niet te overdrijven en omkleedde al zijn goedkeuringen met een soort ingetogen, dor ambtelijk jargon, om geen argwaan te wekken. Zo werd er niet direct melding gemaakt van Gina Tesalli's zwangerschap, maar via een zijdelingse verwijzing naar haar 'zichtbaar enthousiasme om een goede echtgenote en moeder te worden'. Violetta Cartenza zou, zo schreef James, 'een waardevolle aanwinst zijn voor het regiment van haar echtgenoot, aangezien zij reeds bevriend was met een groot aantal in Napels gelegerde militairen'. Rosetta Marli was 'volgens meerdere bronnen ongewoon vlijtig en inschikkelijk bij de invulling van haar werk'. Zelfs Algisa Fiore heette 'zedig en ingetogen' te zijn, wat zij bewees door James tegen haar boezem te trekken en te overladen met kussen, toen hij haar van zijn plannen op de hoogte had gesteld.

Hij had uiteindelijk besloten de dames niet om een gift te vragen om zijn oorlogskas te spekken. Toch kreeg hij zo nu en dan een envelop vol lires in handen gedrukt, die hij vervolgens in het Palazzo Satriano aan de inhoud van de trommel toevoegde.

Op een dag maakte Livia voor het ontbijt een nieuw gerecht voor hem klaar: een soort voorjaarsomelet, gevuld met verse doperwten en munt. Vervolgens kondigde ze aan dat ze naar de markt ging, terwijl hij werkte. Bij de lunch aten ze die dag borlottibonen met *pancetta* en een vis die James niet kende. Livia vertelde hem dat deze *orata* heette en zeer gewild was.

'Mijn voorganger vertelde me dat zeevruchten en vis een ongerieflijk effect hebben op het libido,' sprak James peinzend terwijl hij zijn bord met een stukje brood schoonveegde.

'Hangt er vanaf wat je als ongerieflijk beschouwt,' zei Livia raadselachtig. 'Er is ook een Napolitaans gezegde: "Vis bij de lunch, geen slaap tijdens de siësta". Volgens mij komt het gewoon doordat vis zo licht verteerbaar is.'

Het was in ieder geval waar dat hij na deze lunch geen enkele behoefte voelde aan een dutje. Maar dat kon ook komen doordat Livia ditmaal geen wijn had geserveerd. James bleef maar wat rondhangen in de keuken en probeerde een gesprekje met haar aan te knopen, maar Livia gaf hem bar weinig weerwoord. Uiteindelijk gaf hij het maar op en legde zich op zijn bed om wat te rusten.

Maar hij kon Livia maar niet uit zijn hoofd krijgen. Telkens wanneer hij zijn ogen sloot, glipten er beelden van haar zijn hersenpan binnen: Livia die lachte, Livia die kookte, Livia's ranke handen die behendig een vis schoonmaakten of een aardappel schoonboenden, de felle blik in haar ogen als ze de tarantella danste. Kreunend probeerde hij aan iets anders te denken, maar het had geen zin. In al zijn fantasieën stond ze recht voor hem en maakte traag het bovenste knoopje van haar jurk los...

Bij het horen van een onverwacht geluid bij de deur vlogen zijn ogen weer open. Het was Livia, die zijn kamer binnensloop. Allerlei mogelijke reacties schoten door zijn hoofd, maar wat er uiteindelijk uit kwam, was: 'O, hallo.'

Ze glimlachte. 'Hallo.'

Hij voelde zich stom. Was hij een Italiaan geweest, dan had hij haar meteen begroet met een stortvloed aan complimenten en uitbundige liefdesbetuigingen. Maar zijn keel voelde kurkdroog aan. 'Livia...'

Ze schopte haar schoenen uit en kroop op zijn bed. 'Wat een gigantisch bed,' zei ze rondkijkend. 'In zo'n groot bed heb ik nog nooit geslapen.' Ze wierp hem een snelle blik toe, om te zien of de boodschap was overgekomen.

En, ja hoor: hij greep naar haar. Maar zij hield zijn hand vast en liet hem even wachten. 'Luister,' sprak ze streng, 'want dit is iets waar we heel duidelijk over moeten zijn. In het dorp waar ik vandaan kom, is het absoluut verboden om voor het huwelijk met elkaar te vrijen. Dat is een prima regel; sommige dingen moeten nu eenmaal bijzonder blijven.'

'O,' zei hij. Hij snapte het niet: was ze hier dan toch niet om met hem naar bed te gaan?

'Daarom is iedereen daar op zijn trouwdag nog maagd. Maar... iedereen heeft dan ook al heel veel ervaring met seks.'

Het werd hem met de minuut onduidelijker. 'Ik begrijp er helemaal niets van.'

Haar glimlach werd nog wat breder. 'Maak je geen zorgen, dat zal niet lang meer duren. Zie het maar gewoon als een maaltijd zonder vlees.' En toen liet ze zich in zijn armen vallen, vlijde zich tegen hem aan en haar lach – die heerlijke hese lach, vol belofte – was opeens vlak bij zijn oor.

Technisch gesproken, dacht hij, ben ik nog steeds maagd. Er is niets veranderd.

Hij lag op zijn rug, met een slapende Livia tegen zich aan genesteld. Haar ademhaling kietelde in zijn oksel. Toen hij naar beneden keek, zag hij één roze tepel tegen zijn ribbenkast.

Maagd, maar niet maagdelijk meer – een echt Italiaans onderscheid. Een regel die eigenlijk geen regel was, maar wel met een prima doel. Want hij wist zeker dat hij een klunzige idioot zou zijn geweest, als hij tijdens zijn eerste keer met haar meteen de casanova had proberen uit te hangen. In plaats daarvan, had zij hém nu laten zien wat zíj fijn vond en hemzelf laten uitvinden wat híj fijn vond; had hij alle tijd van de wereld gehad om dat prachtige, strakke lichaam met zijn kussen te verkennen; om haar met zijn mond en met zijn vingers te liefkozen; om die verrukkelijke kreetjes van genot te horen, zodra hij iets deed dat bij haar in de smaak viel.

Hij voelde haar bewegen en de herinnering aan alles wat ze samen hadden gedaan, bracht ook hem in beweging: zijn geslacht, dat tegen haar been aan lag, werd langzaam weer harder.

'Mmm,' zuchtte ze en legde haar hand eromheen. Even later begonnen haar slanke vingers zacht te strelen.

'Ik hoop,' zei hij, 'dat ik nog heel erg lang maagd mag blijven.'

'Dat kan geregeld worden.' Ze voerde het tempo van haar vingers licht op.

'Hoewel, als jij aan het doen bent, wat ik denk dat je aan het doen bent,' zei hij na een tijdje, 'ben je nu toch misschien een beetje voorbarig.'

'*L'appetito viene mangiando*, de honger komt tijdens het eten.'

Even later merkte hij dat ze gelijk had.

Terwijl ze elkaars lichaam opnieuw begonnen te onderzoeken, drong er ineens klokgelui door de ramen. Kerkklokken, dacht hij, maar niet zoals ze elke ochtend voor de mis luidden: dit ging veel wilder. Hij verstrakte, bang dat het een soort waarschuwingssignaal was.

'Niks aan de hand, hoor,' zei ze, zonder op te houden met waar ze mee bezig was. 'Je weet toch wel wat dat zijn?'

'Ik heb werkelijk geen idee,' moest hij bekennen.

Ze lachte. 'Dat zijn de huwelijksklokken. Er gaat iemand trouwen.'

33

James probeerde te werken, maar het had geen zin: zijn aandacht bleef maar afdwalen, naar een hele reeks van zalige flashbacks van zijn eigen bezigheden van die middag. Hij stond op en liep naar de keuken.

Livia stond te koken. 'Hallo,' zei hij met een brede grijns. Hij voelde zich krankzinnig ingenomen met zichzelf.

'Hallo.'

'Ik heb nogal moeite met werken.'

'Ik ook.'

'En ik verga van de honger. Wat eten we vanavond?'

'Wacht maar af! Maar nu je hier toch bent, wil je dit dan even voor me kloppen, alsjeblieft?'

Hij nam de kom met eiwitten van haar over en begon te roeren.

Livia bleef behoorlijk kritisch toekijken. 'Ja,' zei ze na een poosje, 'ik zie het al.'

'Doe ik iets fout?'

'Te veel kracht en te weinig pols.' Ze legde haar hand op de zijne. 'Kijk, zo moet het. Alsof je het zachtjes van je af duwt – niet rammen. En je hand moet bewegen, niet steeds op dezelfde plek blijven.'

'Maakt dat nou echt zoveel uit?'

'Eiwit is vreemd spul,' sprak ze op mysterieuze toon. 'Soms lukt het wel, soms niet. Jij bent gewoon een beetje eh... té enthousiast.'

'O,' zei hij. Het drong ineens tot hem door dat dit gesprekje eigenlijk helemaal niet over eiwitten ging. Zijn bewegingen werden langzamer, terwijl hij probeerde na te doen zoals zij het net had gedaan. 'Zo beter?'

Ze keek. 'Ja,' zei ze, 'dat ziet er behoorlijk veelbelovend uit.'

De volgende ochtend keerde ze terug van de markt met een groot stuk rundvlees.

'Ik vraag me af of ik het zal grillen of stoven,' kondigde ze aan. 'Wat denk jij?'

Hij voelde zich gevleid: Livia had hem nog nooit over het menu geraadpleegd. 'Tja, een simpele gegrilde biefstuk is altijd lekker,' probeerde hij.

'Ja,' zei ze peinzend, 'dat denken veel mannen. Maar het hangt er maar vanaf hoe heet je fornuis is. Als het vuur echt heel hoog staat, kun je het vlees er zonder veel nadenken op gooien – dan wordt het snel gaar zonder uit te drogen. Maar als je fornuis minder heet is, kun je beter kiezen voor een stoofschotel en de boel langzaam laten sudderen. Begrijp je?'

Hij begon heel langzaam aan dit soort geheimtaal te wennen. 'Ik geloof het wel, ja. Maar vertel eens: is het fornuis vandaag heet?'

'Vandaag brandt het fornuis nog behoorlijk fel,' bekende ze. 'Maar dat zal niet altijd het geval zijn. Dus moeten we ook het bereiden van een stoofschotel oefenen – voor het geval dat.'

'Het is verdorie raar,' zei majoor Heathcote, 'maar het A-force lijkt nogal wat problemen te hebben met het vinden van vrouwen van laag allooi, voor dat ziekteverspreidingsplan van hun.'

'Werkelijk, sir?'

'Ja. Toch vreemd, als je bedenkt dat wekelijks meer dan vijfhonderd van onze militairen in het hospitaal voor een geslachtsziekte worden behandeld. Ga je je toch afvragen met wie die dan allemaal naar bed zijn geweest.'

'Inderdaad, sir.'

'Ik hoorde dat het A-force de verantwoordelijkheid voor die rastamentjes inmiddels heeft overgedragen aan de Italiaanse politie. Maar het zou me eerlijk gezegd verbazen als dat betere resultaten oplevert: die spaghettivreters zijn zo listig als een slang.'

'Er zijn er inderdaad die het allemaal niet zo nauw lijken te nemen, sir.'

'Hmm.' De majoor keek hem scherp aan. 'En jij dan, Gould?'

'U bedoelt, sir?'

'Geen problemen waarvan ik zou moeten weten?'

'Alles lijkt geheel onder controle, sir.'

'Mooi zo.' Majoor Heathcote zweeg even. 'Tussen ons gezegd en gezwegen: ik vind het helemaal niet zo erg, dat dat hele ziekteplan niet van de grond is gekomen. Ik zeg niet dat jij daar iets mee te maken hebt gehad, maar eh... pas wel op met wat je doet, hè? We willen ook weer niet dat je helemaal opgaat in de plaatselijke bevolking.'

Op een dag zette Livia de Engelse officieren bij de lunch een dampende schaal met slakken voor, die een verrukkelijk aroma van knoflook en tomaat verspreidde. James zocht de tafel af naar een mes of vork, maar ze had helemaal geen bestek neergelegd.

'Dit is een delicatesse,' zei ze. 'Wij noemen ze *maruzzelle*. Ze zijn gehaald van planten die vlak aan zee groeien, waardoor ze een hele bijzondere, ziltige smaak hebben. We koken ze gewoon met schelp en al.'

Horris pakte er eentje op en bestudeerde hem bedenkelijk. 'In Engeland eten we eigenlijk geen huisjesslakken. Ook geen naaktslakken, trouwens.'

'Er zijn wel meer dingen die jullie in Engeland niet doen,' zei Livia. 'Althans, dat heb ik begrepen.'

'Wat bedoel je daar nu weer mee?' vroeg Horris wantrouwig.

James had inmiddels ook een schelp gepakt, aangelokt door de rijke, volle, aardse geur die er vanaf kwam. 'Hoe eet je dit eigenlijk?'

'Gewoon.'

Dus zette hij het weekdier tegen zijn lippen en zoog. Eerst gebeurde er niets. 'U moet hem misschien even losmaken,' opperde Livia.

James wrong zijn tong in de schelp en zoog opnieuw. Ditmaal gaf het vlees een beetje mee. Hij wrong en zoog nog wat harder en voelde toen iets glibberigs zijn mond in schieten, gevolgd door een boterachtig sap. Het was goddelijk: hij hapte naar adem van genot.

Eén voor één – van angstvallig tot behendig – volgden de andere officieren zijn voorbeeld.

Livia leek echter hoofdzakelijk geïnteresseerd in James' vorderingen. 'Er zit nog meer sap in de schelp, hoor,' instrueerde ze hem.

Hij duwde zijn tong er nog een keer in en werkte met het puntje ervan alle holtes van de schelp af, tot hij alle saus eruit had. 'Fantastisch,' hijgde hij toen hij de schelp neerlegde. 'Livia, je bent een genie.'

'Goed zo,' zei ze tevreden. 'Neem er nog maar een.'

Toen de slakken op waren, bracht ze hun een schaal met verse erwten, die nog in de peul zaten. 'Welnu: dé manier om doperwten te eten,' verklaarde ze, 'lijkt erg veel op het eten van slakken. Je opent de peul met je duimen: zo,' deed ze het voor. 'En dan steek je je tong erin en zuig je de erwten op: zo.'

Maar toen James haar probeerde na te doen, rolden al zijn erwten op de grond.

'Gek,' zei Jumbo, 'maar toen ik bij het keurkorps zat, heb ik geleerd dat er maar één fatsoenlijke manier was om doperwten te eten. Maar daar kwam dus wel een mes bij kijken.'

James probeerde het nog een keer. Ditmaal lukte het hem wel om alle doperwten op te zuigen, op de allerlaatste na – de kleinste, in het uiteinde van de peul. 'Die laatste krijg ik niet te pakken, hoor,' klaagde hij.

'Maar dat is nu juist de belangrijkste,' zei Livia. 'Geloof me.'

Als kleine groene knikkers schoten de doperwten over de tafel, toen alle Engelse officieren hun tong rond die steeds weer wegglippende peulvruchtjes probeerden te wikkelen. 'Met dat mes ging het een stuk makkelijker,' verzuchtte Jumbo.

'Maak je geen zorgen: als je wat vaker hebt geoefend, gaat het steeds beter,' zei Livia.

James wachtte tot ze de tafel had afgeruimd en volgde haar toen naar de keuken. 'Livia,' zei hij en zette zijn lege bord op het aanrecht, 'wat was dat toch allemaal met die slakken en die erwten?'

'Hmm,' zei ze. 'Nou, ze zijn allebei erg interessant. Laat ik het zo zeggen: soms is het fijn om eerst de erwten te nemen, maar meestal begin je met de slakken, dan neem je een paar erwten en dan neem je weer een paar slakken, voor je de rest van de erwten pakt. Maar wat je ook doet: je moet altijd zorgen dat je die laatste erwt in de peul ook te pakken krijgt!'

'Ja hoor, nu is het me volkomen helder.'

Maar toen ze na de lunch, toen het hele gebouw rustig was, weer naar zijn kamer kwam, werd het hem opeens allemaal duidelijk. En hij realiseerde zich dat de kreetjes van genot die hij haar eerder had ontlokt, nog niets waren vergeleken met de sidderende krampbewegingen, die hij veroorzaakte als hij van de slakken naar de erwten ging, dan weer terug naar de slakken en zijn tong ten slotte achter de allerlaatste erwt uit de peul wrong...

James had nooit geweten dat het bed zo'n goede plek was om te praten. Soms was het, in die lange uren van de siësta, moeilijk te zeggen waar het praten precies eindigde en het vrijen begon. En dat waren de heerlijkste middagen.

Om te beginnen waren er de geheimpjes die alle geliefden delen: wanneer besloot je voor het eerst dat... en: hoe voelt het als... Dan waren er hun beider jeugd en de vergelijkingen tussen twee totaal verschillende landen, die op een vreemde manier toch ook op elkaar leken. En er waren de vrienden die ze elk aan de oorlog hadden verloren en roddels over hun nieuwe vrienden in Napels. Livia ontpopte zich als een zeer goed actrice – haar parodie op majoor Heathcote was subliem, terwijl ze met James' legerpet als enig rekwisiet poedelnaakt heen en weer marcheerde en hem de wind van voren gaf: 'Kaptein Goel, u ben een absoluut schand. Verman uselve toch! U moete strang doch rektvaardiek zijn voor die spaghettifreters!' En dan sprong ze lachend weer in zijn bed en vonden ze allerlei manieren om de grap van zijn strenge rechtvaardigheid voor de spaghettivreters verder uit te spinnen.

Het lichaam, zo had James intussen geleerd, had een geheel eigen taal – ergens tussen spraak en stilte in. Soms klonken de elegante, zangerige ritmes van het Italiaans erin door, dan waren het weer de harde, serieuze keelklanken van het Angelsaksisch. En zoals bij elke taal, duurde het een hele poos voordat men hem vloeiend sprak, alle nuances ervan beheerste en het accent helemaal goed had. Er waren zoveel onbekende intonaties die hij nog moest oefenen: het zachte ruisen van een kus, het delicate staccato van een tong over de huid, de precieze verbuiging van een zucht of een kreun – ze kenden elk hun eigen, complexe explosie van betekenissen, die elk op een tiental manieren konden worden vervoegd.

Maar voor deze taal bestonden geen les- of woordenboeken. Je leerde hem spreken door ernaar te luisteren, met vallen en opstaan, door na te doen wat je werd voorgezegd. Er was geen bepaald moment waarop je kon zeggen dat je hem eindelijk onder de knie had, maar slechts het geleidelijke besef dat je geen vertaling meer nodig had. Dat wát er gezegd werd belangrijker was dan hóé je het zei; en dat wat je met zijn tweeën in bed deed niet slechts seks was, maar het begin van een lang gesprek.

34

Toen de koektrommel vol was, bracht James het geld naar Angelo. Ze hadden een eenvoudige manier bedacht om de contanten over te hevelen, zonder argwaan te wekken: James bestelde een kleine maaltijd, waarna Angelo hem een astronomisch hoge rekening bracht. Vervolgens legde James een flinke stapel bankbiljetten op het schaaltje – waarmee hij ook nog eens zijn eigen reputatie bevestigde, van de idioot die nodeloos volhield voor zichzelf te betalen.

Zi' Teresa zat de laatste tijd voller dan ooit. Het mocht dan niet langer dé plek zijn om een meisje voor in bed te bespreken, dit feit werd ruimschoots gecompenseerd door de pure schoonheid van het personeel. Van sommelier tot sigarettenverkoper: het waren allemaal vrouwen en allemaal leuk om te zien. En ook al leken ze allen vrij snel na hun aankomst alweer te vertrekken, niemand vond dat heel erg, omdat iedere dame meteen werd vervangen door een andere, minstens even zo knappe.

Op een avond, toen James op het punt stond te vertrekken, mompelde Angelo dat hij hem achterom even onder vier ogen wilde spreken. Dus liep James naar de keukendeur, waar Angelo hem meteen apart nam. 'Morgen krijgt u bezoek van een man,' fluisterde hij. 'Hij zal u alle informatie geven die u nodig heeft.'

De man die de volgende dag langskwam, was gigantisch: een vleesberg die zich amper in een van James' stoelen kon persen. Hij stelde zich niet eens voor en verspilde geen enkele tijd aan beleefdheden.

'Zagarella heeft een maîtresse,' viel hij met de deur in huis. 'Zij woont in Supino. In haar woning bewaart hij zijn penicillinevoorraad. Zij heeft erin toegestemd ervoor te zorgen dat hij vannacht bij haar blijft, zodat u hem in de ochtend kunt arresteren.'

'En waarom doet ze mee?'

De reus haalde zijn schouders op. 'Ze heeft een foto te zien gekregen van hem met een andere vrouw. Zij is van nature nogal jaloers.' Hij haalde een papier uit zijn zak en stak het James toe. 'Het huis ligt helemaal afgezonderd; ik heb een kaartje voor u getekend.'

De man bezorgde James kippenvel. Het oude spreekwoord: wie met de duivel uit één schotel wil eten, moet een lange lepel hebben, schoot steeds door zijn hoofd. Maar daarvoor was het nu te laat. Hij nam het kaartje van hem aan en keek er even naar. Het leek hem duidelijk genoeg. 'Dank u wel.'

De man stond zuchtend weer op. 'Pas goed op,' zei hij. 'Zagarella is zeker bewapend.'

Op dat moment ging de deur open en kwam Livia binnen. Eén fractie van een seconde staarden zij en de dikke man elkaar aan. Toen glimlachte de dikkerd.

'Dus hier heb jij jezelf verstopt, Livia,' zei hij.

'Zijn naam is Alberto,' vertelde ze. 'Hij valt me al jaren lastig.'

'Nou, hier kan hij mooi niet bij je,' zei James. 'Je staat nu onder mijn bescherming.'

'Je begrijpt het niet,' zei ze mat. 'Voor iemand zoals hij, staat kennis gelijk aan macht. En jij hebt hem de gevaarlijkste kennis toevertrouwd die er maar bestaat: dat jij op het punt staat de wet te overtreden.'

'Hij zit er net zo diep in als ik!'

'Maar jij hebt meer te verliezen.' Ze schudde haar hoofd. 'Alberto is een varken, maar wel een slim varken. Je zult zien dat hij wel een manier vindt om dit alles in zijn eigen voordeel om te draaien.'

Geraakt door haar kwetsbaarheid nam hij haar in zijn armen. 'Ik zweer je dat je hier veilig bent,' beloofde hij.

'Idioot!' riep ze en beukte met haar vuist op zijn borst. 'Ik maak me geen zorgen over mezelf, maar over jou!'

Hij glimlachte. 'Dus... je geeft echt om mij?'

'*Porco dio*,' brieste ze. 'Natuurlijk doe ik dat!'

'Ik wist het niet zeker.'

'Heb je het me al eens gevraagd dan?'

'Nee,' moest hij toegeven.

'Nou, dan weet je het nu! Beloof me nu maar dat je niet gaat proberen die Zagarella morgenvroeg te arresteren.'

'Livia,' zei hij, 'ik kan niet anders.'

'Onzin!'

'Het is mijn plicht.'

'Hoe kan dat nou?' schreeuwde ze. 'Je meerderen zouden het je beslist verbieden, als ze wisten wat je van plan was.'

'Zie je het dan niet? Als ik dit niet doe, ben ik gewoon de zoveelste corrupte inlichtingsofficier.'

'Nou en?'

'Dit is de kans waarop ik heb gewacht.'

'O?' zei ze. 'Ik dacht dat ík dat was.'

'Natuurlijk, dat is waar. Maar toch moet ik dit doen.'

Ze gooide haar handen in de lucht. '*Tiene 'a capa sulo per spartere 'e rrecchie*, het enige waar jouw hoofd goed voor is, is om je oren uit elkaar te houden! En ik was nog wel zo stom om te denken dat een Engelsman anders zou zijn. Mannen: ze zijn allemaal hetzelfde – waar ze ook vandaan komen.'

'Livia...'

'Ga weg!' gilde ze. 'Ga jezelf maar laten vermoorden. Wat kan het mij ook schelen!'

Nog voor zonsopgang gingen ze op pad. De Italianen waren zoals gewoonlijk voor de inval gekleed in pak, slobkousen en strohoed. Toch moest er íets van James' stemming op hun zijn overgeslagen, want ze waren een stuk minder uitgelaten dan anders, toen ze in hun geleende jeep door de donkere straten reden en op de kustweg in noordelijke richting afsloegen. Tegen de tijd dat ze hadden gevonden waar ze zijn moesten, piepte de zon al boven de heuvels uit. De boerderij lag inderdaad zo afgelegen als Alberto had beloofd. Het was er erg stil.

Te stil, vond James. Hij had niet zoveel ervaring met boerderijen, maar het was er beslist nooit zo rustig. Waarom blafte er bijvoorbeeld nergens een hond? Hij gebaarde naar Carlo en Enrico dat ze hun wapen moesten trekken.

Hij sloop naar de voordeur: die was open. Toen hij binnenstapte, dacht hij iets te horen. Hij ontspande een beetje: er was dus toch iemand. Nu moest hij goed opletten, want het verrassingselement was essentieel. Hij liep naar de deur waarachter hij geluid had gehoord en gooide hem wijd open. Het was een slaapkamer.

De man die ineengezakt tegen de muur hing was Zagarella, dat kon niet anders. Hij was uit zijn bed gekomen, waarna iemand een rode plak uit zijn luchtpijp had gesneden – als een schijf watermeloen. De vrouw in het bed was in haar slaap neergestoken: het matras zat onder het bloed en haar lichaam baadde in een donkere plas. James zag een zwarte kat wegkruipen onder het bed.

Naast hem sloeg Enrico een kruis. James hoorde het gegons van een naderende vrachtwagen. Carlo liep naar het raam. 'Mannen,' zei hij zuinig. 'Mannen met geweren.'

'Soldaten?'

Carlo tuurde weer naar buiten. 'Kan ik niet zien.'

'Kom naar buiten, met jullie handen omhoog,' riep plots een Amerikaanse stem.

'Si, soldaten,' zei Carlo gelaten.

Het was een catastrofe, in alle opzichten. Heel even had hij zich afgevraagd of Livia de Amerikanen soms achter hem aan had gestuurd, uit vrees voor zijn veiligheid. Maar ze had hem gezworen dat dat niet zo was en ook de Amerikanen zeiden dat ze gewoon een anonieme tip hadden gekregen. Hoe dan ook, het vereiste aardig wat kunstgrepen om zijn aanwezigheid op de boerderij te verklaren, op een manier die de nieuwsgierigheid van zijn meerderen afdoende bevredigde. Grondig speurwerk had geen enkele aanwijzing opgeleverd, noch was er penicilline aangetroffen, hoewel er wel tekenen waren dat er ergens haastig wat kisten waren weggehaald.

Volgens Jumbo hoefde James zich geen zorgen te maken. 'Hij is dood. Jij hebt gewonnen.'

'Maar wie heeft hem vermoord? En hoe wisten ze dat wij eraan kwamen?'

'Vast een gevalletje van bonje tussen twee boeven. En wat de timing betreft: dat moet gewoon toeval zijn. De Amerikanen kunnen het immers niet zijn geweest, als jij ze niets van deze operatie hebt verteld.'

James wist dat hij zich eigenlijk triomfantelijk hoorde te voelen. Goed, het was een voldoening om te weten dat het gepoch van de apotheker, dat hij op het hoogste niveau bescherming zou genieten, slechts bluf was gebleken. Toch kon hij het niet helpen dat hij zich er niet helemaal gerust over voelde: het was allemaal te gladjes gegaan.

In een poging meer te weten te komen, nodigde hij zelfs doctor Scoterra uit voor een drankje bij Zi' Teresa. De voormalig fascist was echter niet meer zo gretig en zelfs de belofte van een marsala-met-ei kon zijn tong niet losmaken.

'Het is een raadsel, Angelo,' zei James somber, toen doctor Scoterra weer weg was. 'Niemand weet er iets van.'

'U moet zich niet afvragen,' sprak Angelo peinzend, '"Wie zou hem hebben willen vermoorden?", maar: "Wie is er beter af nu hij dood is?"'

'Wie dan?'

Angelo trok zijn schouders op. 'Misschien speelden degenen die hem hebben verraden wel dubbelspel. Ze zijn van Zagarella af, maar kunnen die penicilline ook mooi zelf houden.'

De hitte nam nog verder toe en de sfeer in Napels veranderde mee. Ruzies, die bij koeler weer hadden geleid tot een bloemrijke uitwisseling van beledigingen, eindigden nu al gauw in steekpartijen. Het alsof de driften van de inwoners tegelijk met het kwik stegen. James kon niets anders doen dan de paniekerige golven van massahysterie die de stad ineens in zijn greep hielden in bedwang proberen te houden, tot ze weer voorbij rolden.

Geruchten leken zich bovendien als vliegen te vermenigvuldigen. Een Christusbeeld in Pozzuoli was van zijn kruis geklommen en had de parochianen de veilige heuvels in geleid; de fascisten zouden iedereen vermoorden die geen zwarte schoenen droeg, ten teken dat men aan hun kant stond; de koning had verordonneerd dat trouwe onderdanen hun broekriem binnenstebuiten moesten dragen... Allemaal nonsens, maar zelfs nonsens kon gevaarlijk worden als je het uit de hand liet lopen. Dus moest elke wilde bewering worden onderzocht, voor hij van tafel kon worden geveegd.

Toch moest James toegeven dat het er soms alle schijn van had, dat er echt iets vreemds gaande was. Neem het geval van de bron van Cercola: het rapport van de Engelse officier ter plaatse berichtte dat de watertoevoer was vergiftigd en dat de vrouw die daar verantwoordelijk voor werd geacht, was opgepakt.

Hij reed er op zijn Matchless naartoe om de zaak nader te bekijken, blij dat hij de verstikkende hitte van zijn kantoor even kon verwisselen voor wat frisse wind door zijn haar. Het klopte beslist dat het water van Cercola kwalijk riekte: naar rotte eieren. Hij probeerde een slokje en spuugde het meteen weer uit: het smaakte minstens even walgelijk.

'We dachten eerst dat iemand een dode geit in het waterreservoir had gegooid,' vertelde de officier. 'Maar toen we daarin dregden, vonden we niets. Toen begonnen we dus te denken dat ons water was vergiftigd.'

James sprak met de gearresteerde vrouw. Het werd hem al gauw duidelijk dat zij enkel door de informanten van de officier was aangewezen, omdat zij in het dorp werd aangezien voor een *strega*, heks, waardoor elke onverklaarbare tegenspoed altijd bij haar werd neergelegd. Hij liet haar gaan en vertelde de officier vers water uit het buurdorp te halen.

In de velden rond Fico werd een hele kudde schapen afgeslacht, naar men aannam door een bende bandieten. Dat kwam immers wel vaker voor. Echter, volgens het rapport van het plaatselijke hoofd van politie, was op de dode dieren geen schrammetje te bekennen, noch hadden de moordenaars een van de karkassen meegenomen. Het was alsof ze door een mistvlaag waren gedood.

De bewoners van de Napolitaanse wijk Santa Lucia waren ervan overtuigd dat de Duitsers explosies veroorzaakten in de catacomben. James liet zich door een priester toegang verschaffen tot deze eeuwenoude grafgewelven, waarvan er vele kilometers onder de stad door liepen. Hij kwam al snel tot de conclusie dat daar beneden geen Duitsers konden zitten: er was geen licht, geen lucht en iemand die zich in het pikdonkere gangenstelsel probeerde te verschuilen, zou meteen verdwalen. Toch hoorde hijzelf onder de grond ook iets bulderen, alsof kilometers verderop een kanon werd afgevuurd.

Het leek hem logisch dat dit verschijnsel op de een of andere manier verbonden was met de aardtrillingen die tegenwoordig bijna dagelijks door Napels trokken – sinds mensenheugenis niet zo vaak, beweerden de oude Napolitanen: een teken dat de heiligen ontstemd waren. James had lang geleden al begrepen, dat de Napolitanen in hun religieuze beleving in wezen heidenen waren, waarbij de heiligen de rol van de mindere goden vervulden. Toch baarde het hem zorgen dat de geallieerden de steun van de lokale bevolking langzaam leken te verliezen.

Maar goed, hij had Livia en dat was in wezen het enige dat werkelijk telde. Na een superlichte lunch – *spiedini*: spiesjes van geslepen rozemarijntwijgen, gestoken door enkele stukjes gegrilde octopus of vis, of een soepje van verse tuinbonen – trokken ze zich terug op zijn kamer, waar het aanbod vele malen weelderiger was. Hij begon langzaam bekend te raken met de verschillende smaken van haar lichaam: de zachte, ziltige huid van haar nek; haar vingertoppen, waar de smaken van haar kookkunsten nog aan kleefden; de zoete nectar van haar mond; het lichte parfum van haar armen en dijen; haar borsten, zacht als verse mozzarella. Zelfs de smaak van haar geslacht vond hij bedwelmend, als de binnenkant van een exotische vrucht, overlopend van rijpe, zoete sappen.

Hij had er inmiddels spijt van dat hij met Eric had gevochten: een ordinaire ruzie over een vrouw. Langzaam begonnen ze weer vrienden te worden, hoewel de sfeer ongemakkelijk bleef zodra het onderwerp Livia ter sprake kwam.

De eerste serie verloofden was nu getrouwd. Maar er was echt een flinke achterstand, dus werden de klokkenluiders van Napels stevig aan het werk gehouden. Nu de bars en restaurants weer open waren en er nog maar weinig regels bestonden inzake sociaal contact tussen Italianen en militairen, kwam er bovendien een gestage toevloed van nieuwe aanvragen voor de huwelijksofficier op gang. James probeerde zich niet al te gemakkelijk te laten overhalen: wanneer een meisje nog niet goed genoeg was voorbereid op het leven dat haar na de oorlog wachtte, opperde hij voorzichtig dat ze over een maand of twee maar eens terug moest komen. Maar over het algemeen liet hij de liefde gewoon zijn beloop. Hoe kon hij anders, nu hij zelf zo gelukkig was?

'James?'

'Mm-mm?'

'Er is iets dat ik je al een hele tijd wil zeggen,' zei Livia.

'Ik luister.'

Ze stonden samen tomaten te ontvellen. Livia stopte even om een paar plakkerige velletjes van haar handen te spoelen: 'Jij bent soms té beleefd.'

'O.' Hij dacht hier even over na. 'Tja, zie je, zo ben ik ben nu eenmaal opgevoed. Zeker tegenover het andere geslacht, heb ik geleerd altijd beleefd te zijn.'

'Het is bijvoorbeeld erg fijn,' vervolgde ze, alsof hij niets had gezegd, 'dat je altijd de deur voor mij openhoudt...'

'Juist, prima voorbeeld. Een heer moet een dame altijd voor laten gaan.'

'... maar er zíjn ook momenten,' zei ze met enige nadruk, 'waarop dat principe juist helemaal niet van toepassing is.'

'Niet?'

'Nee.' Ze droeg de stapel ontvelde tomaten naar het aanrecht. 'Nou ja,' gaf ze toe, 'soms is het fijn dat jij zorgt dat ik... als eerste mag. Maar soms zou je je daar gewoon niet zo druk over moeten maken.'

'Aha.' Hij spoelde zijn handen ook af.

'Als ik een maaltijd kook, wil ik helemaal niet dat iedereen netjes met zijn ellebogen van tafel zit te eten en beleefd met elkaar keuvelt,' lichtte ze toe. 'Ik wil dat ze gulzig zijn, zich volproppen, met hun mond vol praten, voor elkaar langs reiken om de beste stukken van de schaal te pikken, zich misschien zelfs een beetje als een varken gedragen. Want weet je: ik ben lang bezig met zo'n maaltijd en de helft van de lol van het koken, is dat je dan al denkt aan het plezier dat anderen zullen hebben bij het opeten.'

'Dus jij wilt,' sprak hij traag, 'dat ik me in bed als een varken gedraag?'

'Zo af en toe, ja.'

'Geen gekeuvel?'

'Geen belééfd gekeuvel – een complimentje voor de kokkin is altijd welkom.'

Iets later lag James in bed met Livia. Of eigenlijk lagen ze niet: ze zaten met hun benen in elkaar verstrengeld en speelden het spel dat James als kind kende als *slapsies*, terwijl Livia het bleek te kennen als *schiaffini*, oftewel 'klapjes'. De regels waren simpel: ze hielden hun handen met de palmen tegen elkaar voor zich. Ieder moest om de beurt op de rug van de hand van de ander slaan. Als de ander de klap wist te ontwijken, was hij aan de beurt; als hij bewoog voordat de klap aankwam óf hij werd geslagen, mocht degene die sloeg nog een keer.

Livia, zo ontdekte James, was bijzonder goed in *slapsies*. Hij won hoogstens één van de tien keer. En wanneer het hem eindelijk lukte háár eens te raken, was het maar een tikje, omdat hij kracht offerde voor snelheid. Livia wist hem echter te slaan voor hij zelfs maar kon bewegen – en dan was het ook nog eens zo'n keiharde pets, dat zijn hand al snel klopte alsof hij door zeker tien bijen was gestoken.

'Au!' zei hij toen ze hem opnieuw sloeg. En toen weer: 'Au... au... au,' toen ze weer driemaal achter elkaar de strijd won. Maar nu, dacht hij, ben ik sneller.

'Je bewoog!' riep Livia, zich hevig concentrerend.

'Nee, ik... au!' Terwijl hij zich probeerde te verdedigen, zag zij alweer kans om hem met haar linkerhand een felle slag toe te dienen. 'Hoe komt het dat jij hier zo goed in bent?' verzuchtte hij.

Ze sloeg opnieuw toe, nu met haar rechterhand. 'Italiaanse meisjes krijgen genoeg oefening in opdringerige mannen slaan. En ik ben gewoon erg snel.'

'Ha! Maar die was voor mij!' Hij raakte haar met een fikse tik.

Ze protesteerde: 'Dat was te hard!'

'Je slaat net zo hard, hoor.' Maar toen hij het daarop wat zachter deed, ontweek ze hem met gemak en sloeg ze terug, nog voor hij zijn handen weer tegen elkaar hield.

'Jij valsspeelster... ik zat nog niet eens klaar.'

'Nou en? Ik mag slaan wanneer ik wil.'

'In Engeland mag dat niet, hoor.'

'Maar dit is Italië, dus spelen we het volgens de Italiaanse regels.'
Opnieuw een pets.

En toen wierp hij zich achterover op het bed, terwijl hij haar met zich mee sleurde. 'Uh-uh,' protesteerde ze. 'Het is nog steeds mijn beurt!'

'Maar ik speel dat spelletje niet meer,' lichtte hij toe en draaide haar zo, dat ze over zijn schoot kwam te liggen. 'Nu speel ik dít spelletje.' Livia kromde haar rug toen hij voorzichtig op haar billen sloeg. Hij zag hoe ze haar ogen half dichtkneep van genot. Seks, dacht hij, is eigenlijk vaak net een kinderspel. Maar toen herinnerde hij zich dat hij niet té beleefd moest zijn. Hij negeerde haar gegil en geprotesteer, net zolang tot het veranderde in een instemmend gekreun.

Toen hij na afloop zijn overhemd weer aantrok en dichtknoopte, zag zij een stuk papier uit het borstzakje steken. 'Wat is dat?' vroeg ze terwijl ze eraan trok.

'O,' zei hij, een beetje in verlegenheid gebracht. 'Een brief.'

'Een belangrijke?' vroeg ze en beantwoordde haar eigen vraag: 'Moet haast wel, als je hem op je hart bewaart.' Ze vouwde de brief open en keek hem opeens ernstig aan. 'Is hij van Jane?'

'Ja. Dit is wat ze me schreef toen ze me de bons gaf.'

'Hoelang geleden was dat?'

'Heel lang. Ik zat nog in Afrika.'

'Maar toen je mij leerde kennen, deed je alsof je een vriendin had,' bracht ze hem in herinnering.

'Ja. Dat was niet zo slim, hè?'

'Nee, want omdat ik zeker wist dat je loog, ging ik op zoek naar een andere verklaring. Hoe was zij eigenlijk?'

Hij haalde zijn schouders op.

'Kom op,' drong ze aan. 'Hoe was Jane?'

'Ik weet het eigenlijk niet,' zei hij traag. En dat was nog waar ook: alles over Jane was verdwenen – als een Engelse mistvlaag die was verdampt door de felle Italiaanse zon van Livia's levenskracht. 'Ik geloof alleen dat ze best dapper was. Het moet een hoop lef hebben gekost om zo'n brief te schrijven, om te besluiten dat wat wij samen hadden, niet voldoende was.'

'Ze was zeker verliefd geworden.'

'Dat maakt het een stuk gemakkelijker natuurlijk,' gaf hij toe. 'Maar goed, scheur hem nu maar kapot.'

'Dat kan ik toch niet doen?'

'Dan doe ik het.' Hij pakte de brief en scheurde hem in tientallen stukjes, die hij vervolgens als confetti de lucht in gooide. Het voelde goed. Hij lag in bed met Livia en niets uit zijn verleden deed er nog iets toe.

'Op een dag zul je mijn brieven ook zo verscheuren,' zei ze opeens verdrietig.

'Echt niet! Trouwens, wij laten elkaar niet alleen, dus zul je me ook nooit hoeven schrijven.'

Een van zijn nieuwe huwelijksgesprekken verschilde nogal van de rest. Zo'n twee weken nadat de trouwerijen weer waren opgestart, stak Jumbo Jeffries zijn hoofd om de deur. Hij zag er de laatste tijd lang niet zo moe meer uit. Hijzelf schreef dit deels toe aan weer een nieuw eetpatroon en deels aan de oorlog, die een aanvallender fase was ingegaan, waardoor hij veel vaker buiten Napels verkeerde, om bruggen op te blazen en Duitse kelen door te snijden. 'Het is verbluffend wat een paar dagen rust voor je conditie doen,' zei hij. 'Als ik terugkom, voel ik me altijd als herboren.'

Het bleek dat Jeffries hem wilde spreken over Elena. 'Nu al die andere meisjes gaan trouwen,' zei hij, over zijn snor strijkend, 'leek het me voor ons ook wel een aardig idee om eens in het huwelijksbootje te stappen. En ik vroeg me zelfs af of jij dan mijn getuige zou willen zijn.'

James verzekerde hem dat hij dat geweldig zou vinden. Hij zou wel regelen dat Elena zo spoedig mogelijk werd ondervraagd en dat ze meteen de benodigde papieren kreeg – wat slechts een formaliteit zou zijn, zo beloofde hij zijn vriend.

Echter, toen het tijdstip van het vraaggesprek was gekomen, leek Elena nogal afwezig. Hoewel haar glazen oog hem als altijd onbewogen aanstaarde, leek haar andere oog geheel gefascineerd door het tafelblad.

'Is er soms iets?' vroeg James vriendelijk.

Ze haalde haar schouders op. Maar even later barstte ze los: 'Ik wil helemaal niet met hem trouwen!'

'Juist, ja.'

'Ik hou van Jumbo, hoor,' zei ze, 'meer dan ik ooit van iemand heb gehouden. Maar ik ben een hoer, geen huisvrouw. En wat gebeurt er met me als deze oorlog voorbij is? Dan wil hij dat ik met hem meega naar Engeland! Daar is het koud en ik heb gehoord dat het eten er walgelijk is. En we zijn er vast ook arm. Jumbo is niet zo slim als u: hij is gemaakt voor oorlog, niet voor vrede. Ik geloof niet dat hij ooit rijk zal worden. En ikzelf: ik hou van mijn werk hier en van de vrijheid die het me oplevert. Waarom zou ik dat alles opgeven?'

Het was een lastig probleem. James vroeg haar wat ze dan wilde, als ze een huwelijk wilde voorkomen.

'Ik zou tot het eind van de oorlog bij Jumbo willen blijven,' zei ze. 'Daarna wil ik nog vier à vijf jaar aan de top staan. Met het geld dat ik daarmee verdien, open ik dan een bordeel – het beste van heel Napels. En dan,' zei ze schouderophalend, 'dan zal mijn uiterlijk onderhand wel wat minder zijn geworden en zal ik misschien alsnog iemand moeten zien te vinden die met me wil trouwen.'

'Je kunt Jumbo natuurlijk gewoon zeggen dat je helaas niet op zijn aanzoek kunt ingaan.'

'Maar dan is zijn trots gekrenkt! Dan wil hij meteen helemaal niets meer met me te maken hebben en ik zou het zonde vinden om onze relatie eerder te moeten beëindigen dan nodig. Kunt u niet iets bedenken om mij te helpen?'

Dat werd nog lastig, maar James beloofde haar over een oplossing na te denken.

Een paar dagen later zocht hij haar opnieuw op. 'Ik heb het!' zei hij. 'We doen alsof je eerder getrouwd bent geweest, lang geleden, en dat je niet weet wat er van je eerste echtgenoot is geworden. Misschien is hij wel bij je weggelopen; heeft hij je tijdens de huwelijksnacht al in de steek gelaten of iets dergelijks. In ieder geval zal in dit katholieke land het aanvragen van een scheiding beslist een hele poos gaan duren. Misschien heb je zelfs wel een ontheffing van het Vaticaan nodig – die je natuurlijk niet krijgt zolang Rome nog in Duitse handen is.'

'U bent een genie,' riep ze verrukt uit. 'Ik ga het Jumbo vanavond nog vertellen! Nou, zeg het maar: hoe wilt u dat ik u hiervoor beloon?'

James antwoordde dat hij niet wilde worden betaald voor het helpen van vrienden.

'Weet ik,' zei ze, 'maar toch wil ik iets voor u doen. Wilt u soms met me naar bed?'

James legde haar uit dat, nog afgezien van hoe opgelaten hij zich dan tegenover Jumbo zou voelen, dit voorstel Livia vast ook niet zou bevallen.

'Oké, dan zal ik u bedanken middels een goed gesprek met haar,' zei ze raadselachtig.

Toen James probeerde erachter te komen wat ze daar precies mee bedoelde, weigerde ze echter nog iets los te laten.

De volgende dag sloten Elena en Livia zich op in de keuken, waar ze met de deur stevig op slot een trage *ragù* bereidden. Uit het gegil en gelach achter de deur concludeerde James dat het gesprek prima verliep, maar toen hij er Livia later naar vroeg, deed zij opeens ook nogal geheimzinnig.

'Gewoon, wat geroddel,' verklaarde ze luchtig. 'Vrouwenpraatjes; niks voor jou.'

Maar de volgende keer dat ze naar zijn kamer kwam, bleek ze enkele behoorlijk intrigerende nieuwe trucjes te kennen.

'Ik geloof dat ik wel kan raden wie je dát heeft geleerd,' zei hij na een bijzonder virtuoze episode. 'Hoewel ik me niet kan voorstellen hoe.'

'Ze demonstreerde het aan de hand van een courgette,' zei Livia. 'Maar het kwam niet allemaal van één kant, hoor: ik heb haar laten zien hoe je mijn speciale *sugo* maakt.'

'Ik hoop dat ik nog wel een paar geheimpjes over heb? Of weet nu heel Napels wat wij samen uitspoken?'

'O, Elena is zeer discreet, hoor – voor een Napolitaanse. Moet ook wel, met dat beroep van haar. Hoewel ik nu wel weet waarom hij Jumbo wordt genoemd...'

'Aha.'

'Laten we zeggen dat zij een grotere courgette uitkoos dan ik zou hebben gedaan,' zei ze plagerig. Maar hij kreeg geen tijd om zich beledigd te voelen, omdat de virtuoze activiteiten weer van voren af aan begonnen.

Hij wist inmiddels dat hij niet moest proberen een etiketje te plakken op wat zij met zijn tweeën deden; of hun middagactiviteiten onder een van Burtons talloze standjes proberen te rubriceren. Als zij boven op hem klom, haar vingers rond zijn heupen klemde en heen en weer wiegend over de lengte van zijn penis begon te wrijven; hem tussen haar handen liet rollen alsof het een deegsliert was; of over hem heen knielde, zoals nu, en hem in haar mond liet glijden – dan was dat geen nieuw item, dat van een lijst moest worden afgevinkt (zoals een toerist dat doet met bezienswaardigheden of een recept dat elke volgende keer eenvoudigweg werd gekopieerd). Nee, het was *sfiziosa*, de gril van het moment. En net als een moment, was het alweer verdwenen voor het goed en wel tot je was doorgedrongen en kon het nooit meer precies zo worden opgeroepen.

Hij ging ervan uit dat hij nog steeds maagd was, hoewel het onderscheid zo technisch was geworden, dat het vaststellen van zijn precieze status zou leiden tot een complexe, haast filosofische discussie. En er leek nog een oneindig aantal gradaties van seksuele ervaring te zijn, die ze samen konden doorlopen – ongeveer zoveel als er engelen op een speldenknop konden dansen.

Soms, als hun lichamen waren verzadigd van het vrijen, werkten ze ook nog aan Livia's Engels.

'Ai woed lik a pond bieter, plieze.'

'*A... pint... óf... bitter.*'

'A... pent... uf... bieter. Plieze.'

'Natuurlijk, mevrouw. Ik zal u meteen een glas bier inschenken.'

'Dzjeems,' zei ze peinzend in het Italiaans, 'zou ik bier lekker vinden?'

Hij krabde aan zijn kin. 'Sommige vrouwen houden er wel van.'

'Maar waarom noemen ze het eigenlijk "bitter"? Dat betekent toch wrang?'

'Zoiets, ja.' Hij schakelde weer terug naar het Engels. 'Dat is dan één *sixpence*, alstublieft.'

Ze zuchtte. 'Doe joe hef tsjeens for mie tin-burp not?'

'Ja hoor, ik heb wisselgeld zat voor uw briefje van tien *bob*.'

'Dat geld van jullie is echt *pazzo*,' klaagde ze. '*Bobs* en *tenners* en *haypenny bits*. En wat is in godsnaam *half a crown*?'

'Twee shilling en sixpence.'

'Dus één kroon is...'

'Ha, die bestaat dus niet,' legde hij behulpzaam uit. 'Nou ja, hij bestaat wel, maar dan staat hij op het hoofd van de koning en is hij een fortuin waard. Maak je niet dik: je hebt het snel genoeg door. Als je maar niet vergeet in twaalftallen te rekenen, in plaats van in tientallen.'

'Hmm,' zei ze en legde haar hand op zijn bovenbeen. 'Dat is wel weer even genoeg Engels.'

Maar hij negeerde haar opmerking. 'Vertel me eens hoe jij zou vragen om een rantsoen margarine.'

'Wat is "margarine"?'

'Dat is eh... een beetje als reuzel, of ganzenvet. Je weet wel: om in te bakken.'

'Is het ganzenvet ook al op rantsoen? Maar je kunt toch gewoon een gans braden en het vet bewaren?'

Misschien waren Engelse voedingsmiddelen niet zo'n geschikt onderwerp om lang bij stil te staan. Hij probeerde iets over zijn geboorteland te bedenken dat haar meer zou aanspreken. 'Zal ik jou anders eens voorstellen aan de koning?'

'Als je dat zo graag wilt,' zei ze, terwijl ze de gevoelige streek tussen zijn heup en zijn lies met haar duim begon te verkennen.

'*Good evening, your Majesty.*'

'Koed ievnienk, joe metsjtie.'

'*May I have the honour of presenting my wife?*'

'Ferry gled toe miete joe, joe metsjtie. Ende now ai kiss joe cock,' giechelde Livia en ze gleed over het bed naar beneden om de daad bij het woord te voegen.

James zei niets meer. Hij lag te genieten van wat ze nu deed én van het feit dat hij haar net zomaar "zijn vrouw" had genoemd.

Natuurlijk wisten ze allebei heel goed dat er maar één reden was waarom zij zijn taal leerde: vanwege de onuitgesproken mogelijkheid dat ze op een dag samen in Engeland gingen wonen en zij in een pub bier zou moeten bestellen. Toch bleef dit alles hypothetisch: ze hadden deze mogelijkheid nog nooit rechtstreeks met elkaar besproken, laat staan officieel voorgesteld.

Livia fluisterde tevreden: 'Ha!', toen ze zag wat ze met haar kussen had bereikt. Vervolgens liet ze haar tong van de onderkant helemaal tot aan het uiterste puntje glijden. Haar blik, ondeugend en ernstig tegelijk, hield ze intussen strak op hem gericht, terwijl ze kuste, knabbelde, streelde en tenslotte, met een zucht van voldoening, in haar mond nam.

Op dat moment wist James zonder enige twijfel dat dit was wat hij zijn leven lang wilde: Livia, met haar gulheid, haar hartstocht, haar zinnelijkheid. Ja, hij hield gewoon van haar!

'Livia...' begon hij.

'Mm-mm?'

Maar toen aarzelde hij: misschien dat dit toch het juiste moment niet was. Een huwelijksaanzoek, terwijl je vriendin je net perfect zwoel zat te pijpen, kon weleens worden gezien als een vrij frivole manier om een serieuze zaak als het huwelijk te introduceren. Nee, verdorie: dan moesten er bloemen zijn, maanlicht, kaarsen, een ring... en de kandidaat-bruidegom moest op één knie zakken, zijn laarzen en gesp keurig gepoetst – en niet halfnaakt op een oud hemelbed liggen kronkelen van genot, terwijl zijn geliefde over hém heen geknield zat...

Hij sloot zijn ogen weer en trok onwillekeurig met zijn benen, toen ze hem met haar tanden zachtjes plaagde.

Een huwelijksaanzoek vereiste planning en overleg. En dat was precies waar hij goed in was. Dus kon hij er maar beter voor zorgen dat het helemaal perfect was.

Toen hij haar omhoogtrok en kuste, omdat hij echt niet langer kon wachten, glipte er onwillekeurig nóg een gedachte zijn hoofd binnen: het zou wel een geheime verloving moeten zijn. Want als het leger zijn huwelijksofficier verbood te trouwen, waren ze vast ook niet blij als hij ineens een verloofde bleek te hebben.

35

ndanks de dikke stenen muren en de houten blinden voor de ramen was de hitte binnen bijna ondraaglijk. Toch zat James achter zijn bureau. Om de zoveel tijd stopte hij om zijn gezicht met een
zakdoek droog te vegen en ook het schrijven werd hem bepaald niet
makkelijk gemaakt: de pen bleef maar uit zijn vingers glijden.

Toen hij een geluidje hoorde, keek hij op. Livia stond tegen de open
deur geleund. Haar voeten waren bloot.

'Hallo,' zei hij. 'Hoe lang sta je daar al?'

'Niet zo lang.'

'Is er iets?'

Ze trok een gezicht. 'Het is heet.'

'Nou, hè?' zei hij. Hij wees naar een rapport. 'Jammer genoeg moet
ik dit toch afmaken.'

'Wil je dat ik weer wegga?' Ze opende een knoopje van haar jurk en
begon met haar hand voor haar hals te wapperen.

'Nee hoor, maar eh... de plicht roept, ben ik bang.'

'Natuurlijk.'

Hij schreef nog een zin en keek toen weer op. Ze stond er nog steeds
en volgens hem had ze nog een knoopje losgemaakt. 'Eigenlijk kan ik
niet werken, als jij naar me staat te kijken,' zei hij.

'Dat dacht ik al te merken, ja.'

'En dit rapport moet echt af.'

Vijf minuten later was ze er weer. 'Ik heb wat koude citroenlimonade
voor je,' zei ze en zette een glas voor hem neer.

'Wat lief van je.'

'Het is veel te warm om te werken, vind je ook niet?' zei ze. Ze pakte een van zijn dossiers en begon zich er koelte mee toe te wuiven. Een blaadje dwarrelde op de grond.

'Ik kan helaas niets aan het weer veranderen,' zei hij, raapte de verdwaalde bladzijde op en nam haar het dossier weer uit handen.

'En ik heb helemaal niets te doen. Het eten staat al in de oven.'

'Aha,' zei hij. Hij maakte zijn overzicht van alle acties, ondernomen om de plunderingen in de belangrijkste kunstgalerij tegen te gaan, af en richtte zich vervolgens op de diefstal van een filmprojector van het leger. 'Waarom neem je niet even een siësta?'

'Goed idee!' zei ze, meteen weer vrolijk. 'Doe jij dat dan ook?'

'Nee, ik kan helaas niet.' Hij las een memo over een soldaat die rijke Italianen vijfhonderd lire had berekend, in ruil waarvoor hij hun auto níét vorderde, en schreef eronder: 'Advies: arrestatie'.

'Te druk met die oorlog van je.'

'Zoiets, ja.'

'Dat moeten toch gewichtige militaire geheimen zijn waar jij mee te maken krijgt. Vertel eens, wat is het vandaag? Hebben jullie een nieuw invasieplan? Of is dat een communiqué van Hitler dat je daar leest?'

'Het is niet vreselijk opwindend,' bromde hij, 'maar het moet wel gedaan worden.'

Ze bleef nog even naar hem staan kijken. 'Misschien dat ik maar eens een bad neem.'

'Uitstekend idee!'

'Klop maar even als je binnen moet zijn.' Het bad stond in de keuken, dus de privacy was minimaal.

'Maak je geen zorgen: ik denk dat ik hier nog wel even mee bezig ben.'

Na enkele ogenblikken hoorde hij haar naar de deur trippelen, even later gevolgd door het geluid van stromend water.

Vijf minuten lang was er rust, tot hij haar hoorde zingen. Hij probeerde het nog te negeren, maar dat was een onmogelijke opgave. Met een zucht stond hij op om poolshoogte te gaan nemen. De deur naar de

keuken stond halfopen. Livia lag in het bad te kwelen, net niet helemaal ondergedompeld: alleen haar borsten en knieën staken door het
wateroppervlak heen. Hij gluurde heel even, sloot de keukendeur toen
weer, keerde terug naar zijn kantoor en deed ook daarvan de deur dicht.

De volgende rustpauze duurde bijna tien minuten. Toen zwaaide zonder enige aankondiging zijn deur wijd open en werd er een arm naar
binnen gestoken. James zag nog net dat de arm iets kleins, ronds en
roods vasthield – toen smeet de arm het voorwerp naar zijn bureau.
Een overrijpe tomaat spatte kapot op zijn opengeslagen dossier.

'Wat zullen we nou...' begon hij – waarna een tweede arm rechtstreeks op zijn uniform scoorde.

'Jij... trut!' riep hij woest uit.

Aan de andere kant van de deur werd gegiecheld: 'Jij was toch zo dol
op oorlogje spelen?' En toen rende ze weg. James hoorde de keukendeur met een klap dichtslaan.

Zuchtend overzag hij de puinhoop en begon de bevlekte papieren te
deppen met zijn zakdoek. Maar toen vloog zijn deur opnieuw open en
net toen hij weer wilde protesteren, raakte een tomaat hem vol op het
voorhoofd.

'En nu is het genoeg geweest!' brieste hij en beende achter haar aan
naar de keuken.

Livia gebruikte de onderste helft van haar jurk als een soort schaal,
waar ze nu zes tomaten in legde. 'Dit kán toch niet!' riep James.

Ze gooide weer een tomaat, maar die wist hij uit de lucht te plukken
voor hij hem kon raken. Ze gooide er nog één, die hij eveneens onder-
schepte. James bleek erg goed te kunnen vangen en hij zag dat haar dat
verraste. 'Zoals je ziet,' sprak hij afgemeten, 'is de behendigheid van de
wicketkeeper van het eerste elftal van Uppingham ruimschoots opge-
wassen tegen die fratsen van jou.'

'Ja, maar nu sta je met beide handen vol,' wees ze hem en slingerde
hem weer een tomaat toe. Deze raakte hem op de borst.

Hij smeet de tomaat uit zijn rechterhand terug: hij explodeerde
zowat tegen haar schouder. 'Au!' gilde ze.

'Net goed!' Hij gooide de andere tomaat: ook deze trof perfect doel.

Livia probeerde terug te slaan met een boogbal, die hem echter grandioos miste en ongevaarlijk achter hem tegen de muur spatte. Met een geërgerde kreet rende ze vervolgens op hem af en perste zich zo hard tegen hem aan, dat alle vruchten in haar schoot werden platgedrukt en ze allebei vol rode smurrie kwamen te zitten. Daarop greep hij haar bij haar polsen, trok haar armen op haar rug... en toen kuste zij hem en werd het serieuze gevecht ineens iets heel anders.

Livia beet met scherpe tandjes in zijn lippen, haar handen kropen onder zijn overhemd – dan weer krabbend, dan weer strelend – en toen begonnen zijn handen ongeduldig aan haar jurk te rukken. Ze trok zich net lang genoeg terug om te zuchten: 'Ja, James: nu' – en toen ging de jurk over haar hoofd. Ze droeg er helemaal niets onder en haar huid was nog klam van het baden. Ze reikte naar de knoop van zijn broek. En toen leidde ze hem ineens bij haar binnen – zo warm, zo gemakkelijk, dacht James: alsof je je vingers in olijfolie doopte. Hij stopte even om te genieten van het moment, waarop zij glimlachend haar armen omhoogstak en rond zijn nek liet glijden. Toen trok ze loom één been omhoog en sloeg het over zijn billen, wat weer een geheel nieuwe reeks van prettige gewaarwordingen in gang zette.

'Zo!' mompelde ze voldaan en hield haar hoofd schuin voor nog een kus.

En toen klonk ineens vanuit de andere kamer een ongeduldige stem: 'Gould?'

'Shit!' zei James. 'Dat is verdomme mijn bevelvoerend officier!' En hij glipte uit haar en graaide naar zijn broek. Die zat echter onder de tomatenpulp. 'Verdomme!'

Livia giechelde.

'Dit ís niet grappig!' siste hij.

'Kom, dan schraap ik het eraf,' bood ze aan. 'Nee, wacht... pak een handdoek, dan denkt hij dat je net in bad zat.' Ze keek toe hoe hij de handdoek omsloeg. 'Maar dan moet je hem aan de voorkant misschien wel wat losser houden.'

Majoor Heathcote wilde hem spreken over een ingewikkelde en voor James onvoorstelbaar langdradige noodsituatie betreffende de huis-

vesting van de stafofficieren. James probeerde het tempo van het verhaal zo veel mogelijk te versnellen... en intussen de tomatenbrij op zijn
bureau te verbergen.

Tegen de tijd dat hij terug kon naar de keuken, was iedereen zich
daar al aan het verzamelen voor het diner. Horris zat midden in een
eindeloos verhaal over een negenjarig Italiaans jochie, dat op heterdaad
was betrapt met een hele vrachtlading sigaretten.

Livia zag James' gekwelde blik en trok hulpeloos haar schouders op.
'Zou u misschien even wat peper voor me willen malen, kapitein
Gould?'

Hij haalde de vijzel en de stamper. Terwijl hij met de zware stenen
stamper in de kom bonkte, voelde hij een plaatsvervangende genoeg-
doening toen de peperkorrels bezweken onder de kracht van zijn klappen. Bof... bof... bof!

'Rustig aan,' mompelde Livia toen ze hem onderweg naar het fornuis passeerde. 'Zo doe je nog eens iemand pijn.'

Hij reageerde niet, maar beukte alleen nog wat harder.

'Kijk,' zei ze en legde haar hand op de zijne om hem te laten zien
hoe het moest. 'Jij bent ze aan het pletten, maar je moet ze verpulve-
ren. Zo: traag en soepel.' Ze haalde haar hand weg en keek hoe hij het
nu deed. 'Ja, ik geloof dat je het door krijgt,' zei ze met een vleugje
schalksheid in haar blik.

Pas veel later, onder het eten, besefte hij ineens dat hij nu ook technisch gesproken vast geen maagd meer was. Toch voelde het niet erg
als een mijlpaal.

36

ames stond zich net te scheren, toen er een seismoloog voor hem kwam. Of beter: hij probéérde zich te scheren. De watertoevoer, die altijd al erg onregelmatig was, leek weer eens opgedroogd en de paar druppels roestkleurig water die uit zijn kraan kwamen, waren in de verste verte niet genoeg. Geërgerd begon hij de scheerzeep van zijn gezicht te vegen. Hij had eigenlijk niet eens genoeg stoppels om een scheerbeurt te rechtvaardigen – iets dat hem nog steeds stak (hoewel het een openbaring was geweest, dat Livia dol bleek te zijn op zijn haarloze gezicht en torso, en zijn borst en rug kirrend van genot had gestreeld).

Toen hij aan Livia dacht, werd zijn ergernis nog groter. Zij was een paar dagen naar haar familie en hij was dolgraag met haar meegegaan, maar de omstandigheden in Napels waren momenteel te gespannen om er tussenuit te kunnen. Maar goed, ze was daar in ieder geval veiliger, verder weg van de bombardementen. Die nacht had er ook weer een bijzonder onplezierige luchtaanval plaatsgevonden en James had nu ernstig last van slaapgebrek – naast het feit dat hij Livia en natuurlijk haar kookkunsten miste.

Er werd op de badkamerdeur geklopt. Carlo stak zijn hoofd naar binnen. 'Er is hier een professor die u wil spreken, ene Bomi. Hij schijnt alles te weten van aardbevingen. Zal ik hem maar wegsturen?'

'Nee, ik ontvang hem wel,' zei James terwijl hij zijn handen afdroogde. 'Zet hem maar in mijn kantoor, als je wilt.' Het kon best nuttig zijn om een idee te krijgen van wanneer die aardbevingen eens zouden ophouden. De Napolitanen leken zich er niet erg druk over te maken, maar de militairen des te meer. Ze wisten nooit zeker of ze weer zo'n trilling voelden of dat 't het eerste salvo van een Duitse luchtaanval was.

Professor Bomi was een kleine, voornaam uitziende man, die in enige staat van opwinding verkeerde. Eerst had hij getracht de commandant van de landingsstrook in Terzigno te spreken te krijgen, zo legde hij James uit. In plaats daarvan was hij doorverwezen naar de commandant van het voorraaddepot in Cercola, die hem op zijn beurt had doorgestuurd naar AMGOT, waar ze hem langs wel tien verschillende afdelingen hadden gestuurd, waar niemand ook maar de geringste belangstelling had getoond voor wat hij probeerde te zeggen. En zo was hij via dit onnavolgbare schiftingsproces uiteindelijk in het Palazzo Satriano aanbeland. Het had hem drie dagen gekost om zover te komen, vertelde hij, dus hoopte hij van harte dat James zo vriendelijk zou willen zijn om te luisteren naar wat hij te vertellen had.

Inwendig zuchtend ging James zitten en zei: 'Als ik het goed heb begrepen, bent u hier vanwege die aardbevingen?'

Bomi trok zijn schouders op. 'Mogelijk – die kúnnen er deel van uitmaken, maar dat hóéft niet. Maar volgens Plinius vond er vóór de uitbarsting van 79 ook een ongewoon aantal aardbevingen plaats.'

'Ik begrijp het niet. Wat heeft Plinius hiermee te maken?'

'Hebt u mijn rapport dan niet gelezen?'

James moest toegeven dat hij het rapport van de professor niet alleen niet had gelezen, maar tot op dat moment niet eens op de hoogte was van het bestaan ervan.

'Maar in mijn rapport...' De professor corrigeerde zichzelf: 'Geeft ook niet. Ik ben er nu en u luistert, dat is het belangrijkste. Waar mijn rapport in wezen op neerkomt: de Vesuvius is weer actief aan het worden.'

'Weet u dat zeker?' James keek naar buiten. De berg zag er net zo uit als altijd, hoewel hem opviel dat het rookpluimpje er vandaag niet hing. 'Ik zie er anders niets geks aan.'

Professor Bomi maakte een ongeduldig handgebaar. 'Dat komt doordat we er hier dertien kilometer vandaan zitten. Van hieraf is niet te zien dat een deel van de kegelwand in de krater is gestort, waardoor die nu helemaal verstopt zit. Daarom is er ook geen rook.'

'Is dat gevaarlijk?'

'U hebt van Pompeï gehoord, neem ik aan?' informeerde de professor met gevoel voor drama.

'Wacht eens even.' James keek hem recht aan. 'Wilt u zeggen dat er opnieuw zo'n uitbarsting aankomt, als die Pompeï destijds heeft verwoest?'

De opwinding van de *professore* nam ineens merkbaar af. 'Nou ja, dat kan men natuurlijk nooit met zekerheid stellen. De laatste keer dat de Vesuvius actief was, in 1936, kwamen er gewoon een paar lavastromen bij – zeer fraaie ook nog – die echter niet erg veel schade aanrichtten. De keer daarvoor echter, in 1929, bereikte één stroom bijna de zee en verwoestte onderweg twee hele dorpen. Het is uiterst onvoorspelbaar.'

'En wat stelt u nu voor dat we doen? U zult in uw rapport toch wel enkele aanbevelingen doen?'

Het idee dat iemand werkelijk actie wilde ondernemen naar aanleiding van zíjn rapport, leek de professor te verrassen. Hij trok zijn schouders op. 'U moet in ieder geval iedereen evacueren, die zich in een straal van dertig kilometer rond de vulkaan bevindt.'

'Maar dat zou betekenen dat we ook heel Napels moeten evacueren! Dan hebt u het over tientallen, mogelijk honderden militaire installaties en tienduizenden mensen. Waar moeten die allemaal naartoe?'

'Tja, daar ga ik niet over. Ik zeg u alleen wat er kan gebeuren als ze blijven.'

'Maar hoe groot acht u de kans dat die uitbarsting waar u het over heeft werkelijk zal plaatsvinden?'

De professor haalde opnieuw zijn schouders op. 'Wie zal het zeggen?'

James voelde dat hij niet veel verder kwam. 'Laat me het anders stellen: waarom denkt u dat een tweede Pompeï nu waarschijnlijker is, dan laten we zeggen een halfjaar geleden?'

'Aha, hele goede vraag.' De professor zette zijn bril af en begon hem nauwgezet schoon te vegen. 'Wij hebben de laatste tijd enkele zeer interessante voortekenen geregistreerd. Naast die aardbevingen hebben er ook een paar ongewone zwaveluitstoten plaatsgevonden en zijn er bronnen drooggevallen of vervuild. Dit kúnnen tekenen zijn van tektonische bewegingen.'

Zwavel! Dat verklaarde dat zurige water dat hij in Cercola had geroken. En hij bedacht nog iets: 'Die uitstoten... zouden die schapen kunnen doden?'

'Heel goed mogelijk. Plinius omschrijft een soort giftige moerasdamp vlak boven de grond. Daardoor zouden vooral grazende dieren risico lopen.'

Dus die schapen waarvan hij had gedacht dat ze waren afgeslacht door bandieten, waren misschien simpelweg overleden aan gasvergiftiging. 'Dat is Plinius de Jongere waar we het steeds over hebben, neem ik aan?'

'Exact.' De professor glunderde toen hij ontdekte dat James een klassieke opleiding had genoten. 'Hij heeft het hele gebeuren vanuit de boot van zijn oom aanschouwd. Sinds die tijd staat dit specifieke activiteitenpatroon – lavafonteinen en een grote rookpluim (die hij omschreef als een soort dennenboom) – bekend als een plinische eruptie.'

'En als de vulkaan inderdaad uitbarst, welke kant stroomt de lava dan op?'

De professor gooide zijn handen in de lucht. 'Wie weet? Dat hangt helemaal af van zaken als ondergrondse druk, de grilligheid van het bodemoppervlak en zelfs de windrichting. Hebt u een kaart?'

James pakte een kaart van de omgeving, waarna de professor hem liet zien hoe de vorige lavastromen waren gelopen. 'San Sebastiano en Massa zijn het vaakst getroffen,' vertelde hij. James dacht aan de gestolde, zwarte, glasachtige lavastromen die hij in San Sebastiano had gezien. 'Daarna volgen Terzigno, Cercola, Ercolano en Trecase.'

In Terzigno lag een vliegveld en in Cercola was een militaire basis! 'Ik kan ze daar maar beter waarschuwen,' besloot James. 'En Fiscino? Loopt dat ook gevaar?'

'Niet speciaal, maar wie zal het zeggen? Het enige voorspelbare aan een vulkaan, is zijn onvoorspelbaarheid.'

Voor een wetenschapper, vond James, leek professor Bomi wel erg veel genoegen te scheppen in zijn gebrék aan kennis. 'En wanneer zal aan de huidige situatie vermoedelijk een eind komen – op welke manier dan ook?'

'Wie zal het...'

'Wat denkt u zelf?' onderbrak James hem vlug.

'Er bestaat enig bewijs dat vulkaanuitbarstingen het meest waarschijnlijk zijn rond het verschijnen van een vollemaan,' sprak de professor met enige tegenzin. 'Wanneer de aantrekkingskracht van het getij het grootst is. Het beste zou zijn om de krater permanent scherp te bewaken, maar helaas is mijn observatiepost door het leger gevorderd.'

'Zal ik eens kijken of ik die voor u kan terugkrijgen?'

Daarop begon de professor hem zo overdreven te bedanken, dat James vermoedde dat de wens de vulkanische activiteiten op korte afstand te kunnen observeren eerder de hoofdreden van dit bezoek was, dan dat hij hem zo graag wilde waarschuwen.

'Ik zal zien wat ik voor u kan doen,' zei hij. 'Maar verwacht geen wonderen. Er ís tenslotte een oorlog aan de gang en ik betwijfel of welke hoeveelheid seismische activiteit dan ook, de mensen kan laten ophouden met wat er nu eenmaal gedaan moet worden.'

Toen de professor weg was, liep James naar het raam. Hij was zo gewend geraakt aan de Vesuvius als een pittoresk onderdeel van zijn uitzicht, dat het een schok was te bedenken dat het in feite een reusachtige bom was – krachtiger en vernietigender dan welk door de mens gefabriceerd projectiel dan ook. Nu hij er zo over nadacht, had het wel iets broeierigs, iets onheilspellends zoals de vulkaan daar boven de stad oprees, als een gigantisch, dreigend fort, dat het leven van elke inwoner van de stad overheerste. Hij voelde even een steek van angst om Livia. Als de Vesuvius inderdaad uitbarstte, wat gebeurde er dan met haar? Hij wou dat hij haar op de een of andere manier kon waarschuwen, maar voor zover hij wist, was er in haar dorp nergens een telefoon.

Maar hij kon wel bellen met het vliegveld van Terzigno. Daar werd hij uiteindelijk doorverbonden met de Amerikaanse bevelvoerend officier, die hem vertelde dat er recentelijk een complete gevechtseenheid van B-25-bommenwerpers was gearriveerd: achtentachtig in totaal, de grootste concentratie van luchtmachtpotentieel van het hele zuiden. James vroeg of deze eventueel ergens anders naartoe konden, gezien de waarschuwing van professor Bomi.

'Je denkt toch zeker zelf niet dat wij onze hele strategie wijzigen, enkel omdat de een of andere Italiaan het in zijn broek doet?' zei de man ongelovig.

James mompelde dat het misschien toch een goed idee was om een soort rampenplan klaar te hebben liggen, voor het geval dat.

'Ach, vorige week wilde iemand dat we de hele boel hier evacueerden, omdat een beeld in de plaatselijke kerk was gaan huilen,' was het antwoord. 'Die Italianen zijn me het volkje wel: de Duitse luchtaanvallen lijken hun nauwelijks te deren, maar als ze kort na elkaar twee eksters zien of een rooie kat op de trappen van de kerk, voorspellen ze vol overtuiging het einde van de wereld!'

James had weinig meer succes bij de troepen die in de observatiepost waren gestationeerd. Ze vertelden hem dat de vulkaan, áls daar al iets mee aan de hand was, momenteel juist mínder actief was dan in de afgelopen maanden. 'Op een nogal onaangename geur na, is alles hier rustig,' zei een officier. 'Wij hebben hier zelfs geen last van die aardbevingen waar ze in Napels melding van maken.'

'Als u het heeft over een geur, is die dan zurig – alsof er iets ligt te rotten?'

'Inderdaad.' De officier leek verrast. 'Hoe weet u dat?'

'Dat is zwavel.' Het lukte James de officier over te halen professor Bomi één ruimte in de observatiepost terug te geven.

Hij begon zich steeds onbehaaglijker te voelen over de hele situatie. Hij maakte een korte samenvatting van de voorspellingen van de professor, voegde er een voorstel bij voor het opstellen van rampenplannen, voor beperkte evacuatie van zowel de militaire als de civiele bevolking, en legde dit alles voor aan majoor Heathcote. Zijn reactie was – niet geheel verrassend – een uitbarsting die, was hij door Plinius de Jongere geregistreerd, waarschijnlijk bekend was geworden als 'heathcotisch' en waarin de woorden 'onbekwaam', 'onbesuisd' en 'niets beters te doen' steeds weer terugkwamen. Kortom: de majoor liet er bij James geen enkele twijfel over bestaan, dat hij de waarnemingen van deze professor absoluut niet als een militaire prioriteit beschouwde.

Om zichzelf gerust te stellen, ging James naar Angelo. Deze glimlachte bij het horen van Bomi's naam. 'Maakt u zich maar geen zorgen, mijn vriend. Die *professore* roept constant dat er allang een grote ramp had moeten plaatsvinden – dat doet hij al jaren, voor zover ik weet. Maar ja, dat is nu eenmaal zijn werk, nietwaar? Het is net als een priester, die beweert dat als je niet regelmatig de kerk bezoekt, de hemel naar beneden komt.'

'Statistisch gezien zal hij ooit toch een keer gelijk krijgen,' wees James hem.

'Zeker, zeker. Maar laat hém zich daar in de tussentijd dan maar druk over maken, dan hoeven wij dat niet te doen.'

De logica van deze uitspraak ontging hem een beetje, maar James had het allang opgegeven te trachten het fatalistische Napolitaanse brein te doorgronden.

Toen hij die avond alleen zat te werken, kon hij de gedachte aan Livia maar niet van zich afschudden – hoog op die berg, als op de schouders van een slapende reus. Als die reus nu eens ontwaakte, wat gebeurde er dan met haar? En wat gebeurde er dan met alle andere Vesuvianen? Dankzij een opmerkelijke, gezamenlijke dwaasheid hadden zij de berg na elke uitbarsting opnieuw bevolkt. Zo waren Italianen nu eenmaal: zij leefden met de dag en improviseerden er vrolijk op los, na elke ramp die hen, mede dankzij hun eigen gebrek aan talent voor planning en organisatie, overkwam.

Maar zo was James niet. Hij trok een schrijfblok naar zich toe. Bomi had gezegd dat de uitbarsting waarschijnlijk twee fasen zou kennen: in de eerste fase zou de berg lava en as uitspugen, in de tweede – waarschijnlijk vele malen dodelijker – zouden rook en gassen in de lucht exploderen. Dat betekende dat er een kort tijdvak was, waarin ze konden proberen de situatie zo veel mogelijk te stroomlijnen. Eerst zou een verkenningspatrouille moeten vaststellen welke dorpen en stadjes direct bedreigd werden. Dan moesten vrachtwagens de bevolking evacueren... nee, geen vrachtwagens, althans niet meteen. Als eerste moesten er brandweerwagens komen, om de brandende huizen te blussen. Dán pas kwamen de vrachtwagens – een stuk of honderd. Dan was er nog militaire politie nodig, om het verkeer te regelen. Misschien moesten ze zelfs tijdelijk met een eenrichtingssysteem werken, waarbij de vrachtwagens over één weg de berg op reden en via een andere weer naar beneden...

James schreef alles op en maakte een keurig overzicht van wat ze allemaal nodig zouden hebben: tijdelijk hoofdkwartier, centra voor voedseldistributie, vers drinkwater, veevoeder voor verplaatste dieren... de lijst was eindeloos. De mensen zouden hun bezittingen niet in de steek willen laten, dus moest het leger helpen met in vrachtwagens laden van wat ze echt niet achter konden laten. Bovendien moesten de inwoners worden tegengehouden als ze te snel weer terug wilden, desnoods met geweld. Dat betekende nog meer legereenheden, en wapens en munitie voor het geval er paniek uitbrak. En er zou natuurlijk tijdelijk onderdak moeten worden geregeld, in bioscopen misschien...

Hij realiseerde zich ineens dat hij een soort veldslag zat te plannen – maar met als tegenstander een natuurkracht, in plaats van een divisie Duitsers. De grondbeginselen waren echter hetzelfde: doelen vaststellen, strategie uitwerken, hiërarchische structuur opzetten. Hij voelde zich merkwaardig opgewonden.

Uren later pas was hij klaar: zijn plan telde uiteindelijk meer dan twintig pagina's en was waanzinnig gedetailleerd. Maar het was ook, zo realiseerde hij zich nu pas, één grote tijdverspilling. Hij was verworden tot de verachtelijkste aller levende wezens: een dienstklopper, een salongeneraal, verdwaald in zijn eigen papierwinkel. Het beste dat van dat hele plan gezegd kon worden, was dat het de Livia-loze uren tussen werk en slaap mooi had opgevuld.

Hij smeet het document op de grond en zette het uit zijn gedachten.

Als ze heel eerlijk tegen zichzelf was, moest Livia bekennen dat één van de redenen om een paar dagen terug naar Fiscino te gaan, was dat ze eens rustig wilde nadenken over wat er tussen haar en James allemaal aan het gebeuren was. Wat was begonnen als een verhouding gebaseerd op vriendschap en wat onschuldig geflirt – en, als ze toch eerlijk was, de kans een lang verwaarloosde lichamelijke behoefte te kunnen bevredigen – was in rap tempo meer, veel meer aan het worden. Het was niet alleen James' onervarenheid die haar had doen staan op een traditionele verkeringstijd. Ze had ook gedacht dat ze, door een grens te stellen aan hun lichamelijke intimiteit, ook haar eigen emoties zou kunnen afbakenen. Zo had het echter niet uitgepakt.

Soms beangstigde haar steeds heftiger wordende passie haar wel. Niet omdat ze niet nóg verliefder op James wilde worden, want dat was gewoon heerlijk opwindend, maar omdat zij helderder dan hij de mogelijke consequenties overzag. Al gauw zou ze onvermijdelijk een beslissing moeten nemen. Werd zij een van die duizenden Italiaanse meisjes, die zich als oorlogsbruid verdrongen op die schepen, op weg naar een nieuw bestaan in een koud, mistig land? Of werd ze een Elena, wier onafhankelijkheid ze bewonderde, maar die na de oorlog helemaal alleen zou komen te staan? En wat zou het betekenen voor haar familie, als zij inderdaad met James naar Engeland ging – voor haar vader en Marisa en het restaurant, dat zonder haar nooit kon voortbestaan?

Ze ging buiten op het terras zitten en besprak dit alles met Marisa. Zij vond dat ze er gewoon zo veel mogelijk van moest zien te genieten. 'En je kunt natuurlijk altijd in Engeland een nieuw restaurant beginnen,' opperde ze.

'Ik geloof niet dat dat mogelijk is,' zei Livia. 'Volgens James is alles daar al zolang op rantsoen, dat de mensen niet eens meer weten wat fatsoenlijk eten is. Ze koken hun groente daar twintig minuten – kun je je dat voorstellen? – en eten maar een of twee keer per jaar tomaten – en dan nog rauw, in een salade. Hoe kan ik nu voor dat soort lui koken?'

'Ach, als je van hem houdt,' verklaarde haar zuster, 'is dat het enige dat telt.'

Livia trok een gezicht. 'Ik kan wel merken dat jij nooit getrouwd bent geweest.'

Marisa gooide haar handen in de lucht. 'Alsof jij altijd zo praktisch bent geweest!'

Livia wilde net iets terugzeggen, toen haar aandacht werd afgeleid door een fladderende zwarte wolk uit de bossen boven hun huis. 'Vleermuizen!' zei ze perplex. 'Waarom komen die overdag naar buiten? En zoveel ook nog!'

Marisa volgde haar blik. 'Dat doen ze de hele week al,' zei ze.

''s Avonds zien we ze niet meer, maar overdag komen ze in hele zwermen naar buiten en vliegen dan boven de bomen. Dat heb ik ook nog nooit gezien.'

'Er moet iets zijn dat de grotten waarin ze slapen, verstoort. De bombardementen misschien?'

'Misschien.' Marisa zweeg even. 'Livia, ik heb dingen gezien.'

'Wat voor dingen?'

'Brand, vlammen, mensen. Ik kan de gezichten niet zien, maar ik weet dat ze doodsbang zijn.'

Livia's adem stokte. 'De Vesuvius?'

'Ik weet het niet. Maar is het jou ook niet opgevallen dat hij niet meer rookt? En dan is er ook nog Priscilla's melk...'

'Wat is daar dan mee?'

Marisa nam haar mee naar de keuken, waar een emmer met water stond, met daarin de mozzarella van de dag ervoor, en een emmer met de laatste melk. Livia probeerde de mozzarella het eerst. Hij brak precies zoals het hoorde – zachte witte brokken, licht als brood. Maar toen ze wat in haar mond stak, smaakte dit zurig.

'Zwavel!' zei ze meteen.

Toen probeerde ze de melk. Die had dezelfde bijsmaak.

'Dat is de melk van gisteravond,' zei Marisa. 'Vanochtend wilde ze helemaal niets meer geven.'

'Het moet dus omhoogkomen via het gras,' zei Livia.

'Wat zou het betekenen?'

'Dat weet ik ook niet. Misschien is er diep onder de grond iets aan het gebeuren: iets dat de vleermuizen uit hun grotten jaagt en op de een of andere manier zwavel in de bodem laat lekken. Ik geloof dat we dit moeten doorgeven.'

'Aan wie dan?'

'Ik zal proberen James een boodschap te sturen; die weet wel wat we moeten doen. We kunnen naar de observatiepost gaan: daar hebben ze een radio.'

Meteen na de lunch gingen ze op pad. Ze bleven zo veel mogelijk onder de schaduwrijke bomen. Naast het merkwaardige gedrag van de vleermuizen waren er nog meer ongewone verschijnselen. Een stroompje dat normaal gesproken het smeltwater van het voorjaar via de berg afvoerde, was helemaal opgedroogd; terwijl even verderop een gewoonlijk kurkdroge wei zompig was geworden: het stoomde zelfs waar de zon erop scheen. En de *upupa*, de hop, die anders het bos vulde met zijn borrelende roep, was opvallend stil.

Uit het bos gekomen, volgden ze een geitenpad dat over de zuidflank van de berg richting de top kronkelde. Zo nu en dan moesten ze over de zwartglinsterende lavastromen van vorige uitbarstingen heen. Livia probeerde ze zich voor te stellen als kolkende rivieren van vuur, die alles op hun pad verbrandden, maar dat lukte niet: het was eenvoudigweg te vredig op de berg.

Het liep al tegen de avond toen ze de observatiepost eindelijk bereikten. Deze was indrukwekkender dan zijn naam deed vermoeden: het gebouw was door de Bourbons opgetrokken in hun favoriete barokke stijl en viel daardoor nogal uit de toon, hier op de top van een berg. Beneden strekte de baai zich uit tot aan de horizon en leek Napels vreemd nietig.

De observatiepost stond vol met de gebruikelijke militaire rommel: radio's, verrekijkers, veldbedden, klaptafels en -stoelen. Toen de twee vrouwen er binnenstapten, stond de Engelse officier die er zat meteen op en lichtte beleefd zijn pet.

Livia begon hem uit te leggen waarom ze hierheen waren gekomen. Hij luisterde aandachtig, stelde af en toe een vraag.

'Samenvattend,' zei hij, toen ze klaar was, 'denkt u dus dat het gedrag van de dieren zou kunnen samenhangen met een toegenomen kans op een uitbarsting?'

'Precies,' zei Livia.

Aangemoedigd door zijn belangstellende toon, vulde Marisa aan: 'En ik heb dingen gezien... waarschuwingen.'

Livia was bang dat haar zusters visioenen de officier zouden afschrikken, maar hij zei: 'Werkelijk? Kunt u me daar eens wat meer over vertellen?'

En Marisa vertelde hem waar ze allemaal een glimp van had opgevangen.

Hij knikte. 'Juist. En wat wilt u nu precies van ons?'

Livia vroeg of hij misschien iets wilde doorgeven aan kapitein James Gould op het hoofdkwartier van de FSS.

Hij zei haar toe dit in zijn avondrapport op te nemen. 'Maar in de tussentijd,' voegde hij er toen aan toe, 'hebt u misschien zin om een drankje met mij te gebruiken? Er moet nog ergens een fles wijn staan en de zonsondergang is hierboven werkelijk adembenemend.'

Livia vertelde hem dat ze helaas voor het donker terug moesten zijn in Fiscino. Toen bedankten ze de man uitvoerig en vertrokken weer.

Toen de twee vrouwen vertrokken, pakte de officier snel zijn verrekijker en volgde hen ermee. Jammer hoor, dacht hij teleurgesteld. Hij zat daar maar, het ene na het andere langdradige uur, de horizon af te speuren naar Duitse vliegtuigen en oorlogsschepen. Deze prachtige Italiaanse meisjes waren een uiterst welkome afleiding geweest. Maar nu waren ze weer weg en had hij weer helemaal niets te doen. Hij piekerde er trouwens niet over om hun ongerustheid over te brengen aan het hoofdkwartier: hij wist wat ze bij de inlichtingendienst zouden zeggen, als hij dat soort nonsens in zijn rapporten ging opnemen. Er kwam binnenkort – zodra zijn papieren waren goedgekeurd – een Italiaanse professor hierboven naar de vulkaan kijken. Díe zou hij wel vertellen van die vleermuizen. Het was precies het soort verhaal waar zo'n man helemaal opgetogen van zou raken.

De meisjes waren nu bijna uit zijn zicht verdwenen. Ze liepen allebei zo heerlijk sensueel, zoals alleen echte Italiaansen dat konden. En toen zat er een bocht in het pad en waren ze weg. Met een zucht richtte de officier zijn verrekijker op de lege zee. De zonsondergang was hier inderdaad uniek. En het beloofde een prachtige nacht te worden: er was een vollemaan op komst.

In Napels was iedereen banger dan gewoonlijk – juist vanwege die maan. Dit soort volle manen noemde men ook wel een 'bommenwerpersmaan': als een wolkeloze dag plaatsmaakte voor een helder zilveren nacht, waarin de Duitse vliegtuigbemanningen geen lichtfakkels nodig hadden om hun doelen te belichten. Veel burgers vreesden dan ook het ergste en gingen in een van de schuilkelders slapen.

James stond voor het raam van zijn slaapkamer en keek naar het silhouet van de Vesuvius. Hij had niets meer van Livia of professor Bomi gehoord, dus misschien maakte hij zich wel nodeloos zorgen. Toch kon hij een zekere angst niet van zich af schudden. Hij voelde in zijn borstzak aan de botsplinter die hij in de kathedraal van die priester had gekregen en wilde dat hij eraan had gedacht hem aan Livia te geven. Maar toen sprak hij zichzelf streng toe: je begint verdorie al net zo bijgelovig te worden als de Italianen! En hij trok de blinden dicht en kroop in bed.

Even voor zonsopgang werd hij gewekt door het geluid van vallende bommen. Nee, het waren geen bommen, dacht hij: hij hoorde helemaal geen luchtalarm. Vast een zomerse onweersbui dan. Een hele reeks van diepe dreunen rolde over Napels heen. Ze botsten vervolgens elk tegen hun eigen echo op, waardoor het na een poos één continu gerommel leek, onderbroken door steeds weer nieuwe klappen. Toch was het een vreemd tijdstip voor onweer. Hij liep naar het raam en opende de blinden.

Was de bovenkant van de Vesuvius gisteren nog rond geweest, als een ei in een eierdop, nu was de kop eraf en hing er een grote asgrijze bloemkool boven, die glansde in het eerste zwakke ochtendlicht. Van hieruit leek de wolk geheel bewegingloos, maar de rollende geluidsgolven gaven wel aan hoe krachtig de aaneenschakeling van explosies er binnenin waren. Onder deze aswolk gloeide de bovenkant van de berg knalrood, als de pit van een kaars, en over de rand borrelden twee kartelige vuurstromen. James staarde ernaar, als gehypnotiseerd door de ontzagwekkende gebeurtenis recht voor hem.

De telefoon rinkelde. Hij rende ernaartoe en nam gehaast op. Een verre stem zei: 'Ik wil graag enkele waarnemingen rapporteren van ongewone activiteit in de omgeving van de berg Vesuvius.'

'Hij is aan het uitbarsten, idioot!' schreeuwde James. 'Ga eens gauw van de lijn af!' Toen hij de hoorn op de haak legde, ging de telefoon meteen weer over. 'Jij hebt zeker nog niets gedaan met die rampenplannen?' bulderde majoor Heathcote.

'Nou... toevallig wel, sir.'

'O. Dan is dit misschien wel een goed moment om daar eens naar te kijken.'

James begon zich snel aan te kleden. Zijn hersens maakten overuren.

Eric kwam zijn kamer binnengestormd. Hij rende meteen door naar het raam. 'Goeie hemel!' zei hij vol ontzag. 'Het is waar!'

'Het eerste dat we moeten doen, is ernaartoe en zien uit te vinden welke kant die lava op gaat. Daarna moeten we het hele gebied evacueren. Maar... dat kun je allemaal lezen in mijn rampenplan.'

Terwijl James het plan opdiepte en een stenograaf bestelde om er kopieën van te maken, pakte Eric de telefoon. 'Er zijn op vijf verschillende plaatsen lavafonteinen gesignaleerd,' rapporteerde hij. 'Hoofdzakelijk rond San Sebastiano en Massa.'

'Kunnen we aan vrachtwagens komen?'

'In Cercola staan veertig K-60's.'

'Laten we die dan op weg naar San Sebastiano zien te krijgen.'

'Wordt geregeld!' riep Eric, terwijl hij alweer een nummer draaide.

'Ik ga erheen om te zien wat er precies gebeurt.'

'Dan ga ik met je mee; pakken we een van de jeeps.'

'Nee, met een jeep kom je nooit door al dat verkeer heen,' zei James. 'Ik ga met de Matchless: veel sneller.'

'Maar dan kan ik toch achterop?'

'Dat stuurt veel te lastig! Trouwens, als jij meegaat heb ik geen plekje meer voor Livia.' Toen viel hem ineens iets in. 'O, mijn god... er staat een hele luchtgevechtseenheid B-25's in Terzigno!'

'Moeten we die laten opstijgen?'

James schudde zijn hoofd. 'Die uitbarsting kan nog dagen voortduren. We laten ze staan, tot het absoluut niet meer anders kan. Straks kunnen ze nergens landen. Ik neem er wel even een kijkje als ik daar in de buurt ben.'

En hij stampte de trap af en rukte de motorfiets van zijn standaard.

37

oiets ontzagwekkends had hij nog nooit gezien. Alleen de
omvang al was adembenemend: die kolossale natuurkracht
deed moeiteloos al die miezerige bommen en kogels van dat onbeduidende mensenruzietje in het niet verzinken. Gek genoeg was James helemaal niet bang: daar was het te fascinerend voor. Hij voelde eerder
een vreemd soort opwinding, bij het vooruitzicht zich daar middenin
te moeten storten en te zien hoe het werkelijk was.

Even voorbij Torre Annunziata, aan de voet van de berg, leek hij een
dichte mist in te rijden, zoals je op een winteravond in Engeland ook
zomaar kon overkomen. Even dacht hij dat het er ook nog bij sneeuw-
de, toen realiseerde hij zich dat de lichtgrijze vlokken die om hen heen
dwarrelden asvlokken waren. Een dikke laag hoopte zich al op de daken op en bestoof het landschap met grijze vlagen.

Opeens moest hij fel op de rem, om een vrouw te ontwijken die in
haar ondergoed de weg overstak, om haar geruïneerde wasgoed van de
lijn te halen. De Matchless slipte en gleed onder hem vandaan. Ik moet
dus voorzichtiger zijn, dacht hij terwijl hij opkrabbelde en weer op zijn
motor klom, ik wist niet dat as zo glad kon zijn.

Overal doemden vluchtelingen op uit het grijs, hun bezittingen
voortduwend op karren. In deze chaos sprongen enkele beelden eruit:
een kind dat op krukken voortstrompelde, een stokoude man die door
zijn dochters in een rolstoel werd voortgeduwd, een varken en een
grammofoon, samen in een oude kinderwagen gepropt. Een gezin probeerde een paniekerige ezel voor hun kar te sjorren. Net toen James
hen passeerde, stortte het dier zich ter aarde, waardoor de kar omviel

en de hele inhoud over de weg rolde. Hij kon nog net om de stukken aardewerk heen slalommen.

Hoe dichter bij de uitbarsting, hoe groter de chaos. De stroom van vluchtelingen was nu echt een bende: met angst in hun ogen probeerden ze allemaal weg te komen van de bulderende rook- en aswolk, die nu recht boven hen hing – als een reusachtig golvend koraal, aan de onderkant roze gekleurd door de gloed uit de krater. Daaronder was het zo goed als donker, waarin de koplamp van de Matchless weinig verschil meer maakte: het hele glas was bedekt met een dikke laag as.

Bij Ercolano haalde James een langzaam rijdende stoet van legervrachtwagens in. Het waren de voertuigen die Eric uit Cercola had laten komen. Ze waren hopeloos verdwaald, dus bood hij aan ze te gidsen, waarna ze hem de kronkelweg op volgden.

Toen hij een soort zandregen op hem voelde neerdalen, dacht hij even dat die van de vrachtwagens kwam, maar toen zag hij dat er nu behalve grijze as, ook zwarte grindstukjes uit de lucht vielen – een lichte zachte steensoort, in stukjes niet groter dan een luciferkop. Al gauw werd deze zwarte hagel behoorlijk opdringerig: hij voelde de brokjes onder het rijden tegen zijn uniform tikken en in zijn kraag en laarzen kruipen. Sommige van de grotere stukken waren hol, als een kersenbonbon, en gloeiden even rood op als ze op de grond vielen.

Na de volgende bocht kon hij voor het eerst een fatsoenlijke blik werpen op de lava. Er waren minstens twee verschillende stromen: glinsterende tentakels van vuur, die in noordelijke en westelijke richting naar beneden kropen. Hun gang door het dennenbos werd gekenmerkt door een spoor van brandende en rokende bomen.

En toen werd James zich bewust van een soort gegons. Eerst dacht hij nog dat het uit zijn motor kwam, toen realiseerde hij zich dat het afkomstig was uit de berg zelf. Het was een soort onvoorstelbaar lage muzieknoot – lager dan de langste orgelpijp en zo zwaar dat het als een soort buikpijn aanvoelde.

Een van de lavastromen was op zijn weg naar beneden recht over de weg gedreven en versperde deze geheel. James stopte een meter of honderd eerder, maar zelfs daar was de hitte nog immens. Hij had eigenlijk een waterval van hete stenen verwacht, maar dit was een wel zes meter hoge aardverschuiving van hete kolen, die stilletjes naar voren kroop en over de helling naar beneden werd geduwd door de brandende kolen erachter. Bovenop had de lavastroom een soort korst, als het vel op een bord rijstebrij, waar de hitte in direct contact kwam met de iets koelere lucht. Dit vel veranderde echter steeds van uiterlijk: zo nu en dan scheurde er een rode ader of felgouden kloof open en toonde de ontzaglijke hitte die eronder schuilging.

James draaide zich om en gebaarde naar de vrachtwagens dat ze de andere route moesten kiezen. Bezorgdheid om Livia knaagde constant aan hem, maar hij probeerde er niet te veel aan te denken. Hij ging haar zoeken zodra hij kon, maar eerst moest hij zorgen dat alle dorpjes en militaire bases werden geëvacueerd.

In San Sebastiano zag hij iets wonderlijks. Een huizenhoge lavamuur duwde zich, akelig traag, door het stadje heen, een strook van rook door de huizen heen jagend. Aan de voorkant buitelden allerlei brokstukken: een boomstam, roodgloeiend als een blok houtskool, een stenen raamkozijn en zelfs iets dat leek op het verkoolde karkas van een koe. Daarachter werd het koepeldak van een kerk, op de een of andere manier losgeraakt van de rest van het gebouw, door de lava meegetorst, als het deksel van een steelpan op een rivier van overgekookte havermoutpap.

Ook zag hij hoe een volgend huis de volle laag kreeg. Een minuut of wat leek het weerstand te kunnen bieden tegen de druk van de lava, daarna gleden met een luid gekraak de muren uit elkaar, waarna de afzonderlijke stenen zich bij de hete kolen voegden en de houten steunbalken als brandende reuzenlucifers op de stroom meetolden.

Een groepje inwoners van San Sebastiano zat zo'n vijftig meter vóór de lavastroom op zijn knieën rond een geheel in het wit geklede priester, die het beeld van Sint-Sebastiaan uit de kerk hemelwaarts richtte. Hij citeerde er een gebed in het Latijn bij, maar zijn woorden verdronken haast in het geknetter van de vlammen en al het andere kabaal van de uitbarsting. Veel van de parochianen hadden een bloempot of steelpan op hun hoofd. James ontdekte al snel waarom: de zandhagel viel nu wat minder dicht, maar de stukken werden wel steeds groter. Recht voor hem knalde een vuistdikke steen op de grond, die daar hevig begon te roken. Als zo'n ding een B-25 raakte, had dat hetzelfde effect als een granaat uit een luchtdoelkanon! Maar James vermoedde dat deze rotsenregen het vliegveld nog net niet had bereikt. Deze verspreidde zich vast geleidelijk vanuit het midden van de aswolk, net als de regen bij een hevig onweer. Als het hem nog lukte ze daar te bereiken, konden ze die bommenwerpers wellicht nog net op tijd in veiligheid brengen!

Achter hem reed het konvooi vrachtwagens net het plein op. 'Evacueer er zo veel mogelijk,' riep hij naar de chauffeur van de eerste wagen. 'Vrouwen en kinderen eerst. Ik rij nu door naar de observatiepost.'

'Hier, pak aan!' De man gooide hem een metalen emmertje toe. James drukte het op zijn hoofd en stopte het handvat in zijn kraag om het op zijn plek te houden. Toen zwaaide hij naar de man en keerde de motor.

De stenen vielen nu overal: tientallen ketsten er af op zijn provisorische helm. Het was dan ook een hele opluchting, toen de observatiepost eindelijk uit het grijs voor hem opdoemde. Op het dak regende het kletterende en stuiterende stenen; binnen zat een groep soldaten rond een radiotoestel.

'Godzijdank!' hijgde James toen hij er binnenstrompelde. Iedereen staarde hem aan. Hij vermoedde dat hij er onderhand nogal merkwaardig uitzag, met die emmer op zijn hoofd en zo. Toen hij een blik op zijn uniform wierp, zag hij dat het helemaal grijs was van de as. 'Ik ben een officier,' zei hij, 'kapitein Gould. Ik heb een dringende boodschap voor het vliegveld van Terzigno.'

'De radio doet het niet,' zei een van de mannen. 'Sinds het begin van die hele heisa hebben we hier al geen ontvangst meer.'

'Verdomme!' Er zat niets anders op: hij moest persoonlijk naar dat vliegveld toe. Hij had zich al omgedraaid om te vertrekken, toen een van de soldaten zei: 'Sir?'

'Ja?'

De soldaat spreidde hulpeloos zijn armen. 'Wat moeten wij intussen doen?'

'Blijf Terzigno proberen. En mocht je erdoor komen, vertel ze dan dat ze hun vliegtuigen in de lucht moeten zien te krijgen.'

James reed terug via San Sebastiano, waar de evacuatie redelijk ordelijk leek te verlopen. Blijkbaar werd er keurig volgens zijn plan gewerkt: er waren brandweerwagens die de ergste branden bestreden, militaire politiemensen die de vrachtwagenkonvooien geleidden, en menselijke ketens van soldaten redden zo veel mogelijk bezittingen uit de huizen in het pad van de lavastroom.

James reed verder en nam de weg die rond de berg leidde. De rookkolom hing nu recht boven hem en was tussen alle vallende as heen duidelijk zichtbaar. Hij herinnerde zich dat de seismoloog hem had verteld dat Plinius deze wolk had vergeleken met een dennenboom, maar recht van onderen leek het meer een gigantisch medusahoofd, met het gezicht richting Napels.

Iets hoger vóór hem op de route kwam alweer een lavastroom de berg af gekropen. Hoewel hij van deze afstand amper leek te bewegen, werd hem al snel duidelijk dat het gevaarte aardig wat meters per minuut aflegde. En James was duidelijk in het nadeel: hij moest immers de kronkelige weg volgen, terwijl de lava simpelweg gehoorzaamde aan de zwaartekracht en de contouren van het landschap. Als daar plots een kuil in zat, vloeide de lava daar lui overheen, als stroop van een lepel, waarna hij kalmpjes zijn weg naar beneden vervolgde.

Toen hij een bocht om moest, verloor James tijdelijk het zicht op de lavastroom. Er kwam nog een bocht en toen... moest hij vol op de rem.

Op nog geen drie meter afstand verdween de weg ineens onder een rode rivier van rook en vuur. De Matchless schoof onder hem uit; James rolde zich in veiligheid – waarbij het emmertje gelukkig wat van de klap opving, toen zijn hoofd de grond raakte. De motor gleed door zijn snelheid en gewicht echter op zijn zijkant door richting de lavastroom. Beide banden knalden zodra ze de gloeiende kolen raakten en de vlammen begonnen gulzig aan het frame te likken. Vertwijfeld kroop James weg van de hitte en hoorde hoe vervolgens de benzinetank met een zachte plof de lucht in ging.

Voorzichtig krabbelde hij overeind. Nou ja, hij leefde tenminste nog. Op het geroffel van vallende steentjes en die aanhoudende gons na, was het hier griezelig stil.

Wilde hij nog op tijd in Terzigno aankomen, dan moest hij die lavastroom zien voor te blijven. James begon te rennen.

In Fiscino veroorzaakte het besef dat de vulkaan nu echt aan het uitbarsten was, net zo'n chaos als overal. Mensen renden van hot naar her
en raapten verwoed bezittingen bij elkaar. Toen de top van de berg rook
en as begon uit te spuwen, kozen sommigen ervoor te vluchten over de
weg naar Boscotrecase. De meesten bleven echter en wachtten vol
angst op wat er allemaal komen ging.

In het donker zagen ze de rand van de vulkaan ver boven zich, een
withete gloed scheen uit zijn binnenste. Langzaam werd deze gloed
steeds sterker en begon de hitte over de rand te sijpelen, waarna de eerste lavastromen zich tussen de bomen door begonnen te persen. Eén
daarvan leek zich recht in de richting van hun dorp te verplaatsen, al
was dat moeilijk met zekerheid te stellen. De dorpelingen begonnen
nog maar wat harder te bidden.

In de uren daarna kronkelde de lava als een trage slang de berg af
– dan weer naar links, dan weer naar rechts – maar telkens wanneer hij
steeds verder van Fiscino leek te geraken, keerde hij weer terug en zette
opnieuw koers in hun richting. Achttien uur na het begin van de uitbarsting zagen de angstige dorpelingen de lavastroom op nog slechts
vierhonderd meter boven hen, als een gouden weg van vuur helemaal
naar de top van de berg. Nu konden ze wel met zekerheid zeggen dat
hij recht op hun af kwam.

Het geluid van motoren overstemde ineens het gebulder van de vulkaan. Een hele rij geallieerde vrachtwagens ronkte over de weg uit Boscotrecase naar hun toe, hun verduisteringskoplampen in het halfduister
amper zichtbaar. De voorste stopte, maar liet zijn motor lopen. Een
soldaat leunde naar buiten: 'Wij zijn hier om jullie te evacueren,' riep
hij. 'Spring erin, *capice?*' Hij wees naar de achterkant van zijn vrachtauto. '*Rapido, molto rapido.*'

Een paar dorpelingen renden er meteen naartoe, waar behulpzame
handen hen omhoogtrokken.

'Wacht!' gilde Livia. 'Als we nu gaan, is ons dorp zeker verloren!'

'Er is toch niets dat wij kunnen doen,' zei Don Bernardo vriendelijk.
'Behalve bidden – en dat kunnen we net zo goed op een veilige plek
doen.'

'We kunnen toch een geul graven?' Livia keek om zich heen. 'Een kanaal, om de lava om te leiden? Het is toch zeker de moeite van het proberen waard? Anders laten we onze huizen gewoon in rook opgaan.'

'Livia heeft gelijk,' zei Nino. 'We kunnen graven!'

'En dat bidden dan?' wilde iemand weten.

'We kunnen toch graven en bidden tegelijk?'

'Zeg, we kunnen niet op jullie blijven wachten, hoor,' waarschuwde de vrachtwagenchauffeur. 'Wij moeten ook nog door naar Cercola. Als jullie geëvacueerd willen worden, is het nu of nooit.'

'Dat risico moeten we dan maar nemen,' zei Nino. Dat liet de chauffeur zich geen tweemaal zeggen.

De overgebleven dorpelingen haalden hun pikhouwelen en spades en klommen naar de wijngaarden boven het dorp.

'Hier,' zei Livia, wijzend op een lichte inzinking in het land, die de helling van de berg met een schuine hoek volgde. 'Als we die diep en breed genoeg maken, loodst hij de lava misschien net langs onze huizen.'

Met stokken markeerden ze een greppel van zes meter breed. 'Zo,' zei Nino. En hij spuugde in zijn handen en tilde zijn houweel op.

Ook Livia slingerde haar pikhouweel hoog boven haar hoofd en hakte een piepklein kommetje rotsachtige grond uit de aarde. Zou dit werken? Ze hakte nog eens en nog eens; het licht van de vlammen weerkaatste in het staal van haar werktuig – één van de zeker tien gereedschappen die ritmisch op en neer gingen, in de strijd van de mensen van Fiscino tegen de berg.

Iedereen groef – mannen, vrouwen en kinderen, hoewel er van de eersten nog maar akelig weinig waren. Het karwei vorderde langzaam: de grond was hard, net als het werk. En tijdens het graven werden ze ook nog eens bekogeld door een stenenregen.

Toen Livia even opkeek om het zweet uit haar ogen te vegen, zag ze tot haar grote schrik dat de lava nog maar een paar honderd meter van hen verwijderd was – zo dichtbij dat ze de brandlucht van de dennen ruiken kon. 'De greppel is niet diep genoeg!' zei ze machteloos.

'Haal matrassen en alles wat die rotzooi kan tegenhouden,' riep haar vader. En Livia rende naar hun schuur, spande Priscilla voor de kar en

stapelde deze hoog op met matrassen en meubilair. Het was niet eenvoudig om het doodsbange dier vervolgens te dwingen deze lading
naar de lava toe te brengen. Pas na meerdere martelende minuten kon
ze alles op de randen van de greppel storten. De anderen waren intussen keien en takken gaan verzamelen, in een wanhopige poging de
greppelrand op te hogen.

Boven hen was de lavastroom inmiddels bij de akkers aan de rand
van Fiscino aanbeland. Daar leunde hij tegen een stenen koeienschuur
en verpletterde hem alsof het een kartonnen doos was. Fruitbomen die
meters verderop stonden, vlogen spontaan in brand: de vlammen raasden tussen de takken door, stroopten er alles vanaf en lieten alleen de
zwarte stammen voor de allesverslindende lava over. Livia voelde de
hitte al schroeien op haar gezicht en haar keel was kurkdroog van de
rook. In een paar minuten tijd veranderde de hitte van onbehaaglijk
naar ondraaglijk. En terwijl de muur van gloeiende kolen alles op zijn
pad platwalste, werden de dorpelingen één voor één van hun plek ver-
dreven.

Vonken dansten bij duizenden in de lucht en dwarrelden als brandende pijltjes neer op het dorp. De hooischuur waarin Livia en Enzo
voor het eerst met elkaar hadden gestoeid vloog met een akelig gekraak
in brand – het felgeel van het brandende hooi in schril contrast met het
dieprood van de lava. En nog veel meer vonken spatten uit het brandende dak op de grond, waarna de vlammen overal in het dorre gras
oplaaiden. De dorpelingen probeerden de vuurtjes nog uit te slaan met
hun spades, jutezakken en zelfs hun kleding, maar de vuurtongen
waren zo behendig als katten die tussen hun benen door renden. Dus
renden de inwoners van Fiscino met emmers naar de bron en vormden
een menselijke keten om alles nat te houden, maar even later klonk er
een gil van iemand bij wie wat van het water op zijn hand was gespat:
het bleek kokendheet. Slechts enkele minuten later was de bron droog:
er klonk een gigantisch gesis uit de diepte, toen de berg alle vloeistof
wegzoog en enkel stoom en rook uitademde.

Nu zijn we echt weerloos, dacht Livia bij zichzelf.

De lava leek ineens ook veel meer snelheid te maken. De muur van
vuur kwam bij de greppel aan, wachtte heel even, bleef één seconde

hangen... en droop toen over de rand van de ondiepe geul en vulde deze geheel. Een schor afgepeigerd gejuich steeg op uit het groepje dorpelingen. Enige momenten later echter, verscheen er een rode vuurtong bij de rand van de greppel... en kroop er traag overheen. Het grootste deel van de wand hield keurig stand, maar een stuk van niet meer dan anderhalve meter breed stortte in en fungeerde vervolgens als de tuit van een steelpan, waardoor een beek van lava recht op hen af werd gestuurd.

'De kar!' riep Nino. 'Pak de kar!'

De arme Priscilla stond nog steeds voor de kar gespannen. Livia hielp haar vader bij het afdoen van het tuig bij het paniekerige dier. Vervolgens zetten ze hun rug tegen de kar en probeerden hem richting de breuk te duwen. Enkele anderen voegden zich bij hen. De kar begon te rollen, belandde regelrecht in de greppel en vloog daar meteen in brand. Alle dorpelingen sprongen meteen terug – behalve Nino, die net iets langer vasthield om de kar goed in het gat te kunnen schuiven.

En toen, terwijl Livia toekeek, leek haar vader opeens licht te geven. Vlammen als vleugels ontsproten aan zijn rug, zwarte rook verzamelde zich rond zijn hoofd. Ze hoorde een ijzingwekkende kreet en begreep pas daarna dat die uit haar eigen mond was gekomen. Samen met Marisa rende ze naar Nino toe en sleurden hem weg bij het vuur, waarbij ze tegen de verzengende hitte aan leunden alsof het een muur was. Daarna drukten de zusters zich allebei tegen hun vader aan om de vlammen zo snel mogelijk te doven.

De kar brandde even zeer fel. Toen stortte de rode vuurgolf zich er onverbiddelijk overheen en denderde, steeds sneller, recht op het centrum van het dorp af.

Het kostte James minstens een uur om op het vliegveld van Terzigno aan te komen – buiten adem en totaal uitgeput. De bewakers dachten eerst dat hij een vluchteling was, op zoek naar medische verzorging. Pas toen hij wat as en modder van zijn uniform had geveegd, wist hij hun duidelijk te maken dat hij een officier was, die dringend de bevelhebber van de basis wilde spreken.

Tegen de tijd dat hij bij de bevelvoerend officier werd voorgeleid, was hij ogenschijnlijk weer wat tot rust gekomen, maar zijn frustratie was gestegen met elke waardevolle minuut die vergeefs voorbij was gegaan. Het bleek nog behoorlijk lastig de man ervan te overtuigen dat het begin van de stenenregen echt al zijn vliegtuigen buiten werking zou stellen. En toen hij daar eenmaal in was geslaagd, was het nog veel lastiger om achtentachtig complete vliegtuigbemanningen te verzamelen; velen waren niet eens oproepbaar. Tegen de tijd dat de eerste bommenwerpers over de startbaan taxieden, was de regen van lichtere stenen dan ook al begonnen: de stortvloed geselde de golfijzeren daken van de provisorische hangars en stuiterde op de vleugels van de B-25's die in de rij stonden om op te stijgen.

'Mmm, ziet er anders helemaal niet zo vreselijk uit,' merkte de bevelvoerend officier op, terwijl hij James een zijwaartse blik toewierp. 'Maar goed, voorzichtigheid is de moeder van de porseleinkast, zullen we maar zeggen.'

'Dit is nog maar het begin,' zei James. 'Over een halfuur zijn die stenen zeker tien keer zo groot.'

'Nou, dan hebben we dus nog...' begon de bevelvoerend officier. Maar zijn woorden verdronken in een plotselinge kakofonie, toen het getik van de vallende stenen veranderde in een ware zondvloed. Alsof je levend begraven werd, dacht James. Alsof de tunnelvormige barak waarin ze stonden een hele kleine doos in een heel groot gat was, waar een reus nu enorme hoeveelheden kiezels op liet vallen. Praten was nu haast onmogelijk. Buiten wist nog één vliegtuig op te stijgen; zijn vleugels trilden onder de woeste aanval van stenen zo groot als walnoten. Eerst stuiterden de stenen op de startbaan nog, daarna bleef er een laag liggen: een donker karpet dat alle stenen daarna in zich opnam en in sneltreinvaart dikker werd. De vliegtuigen in de opstijgfile kwamen piepend en knarsend tot stilstand. Eentje slipte terwijl hij snelheid probeerde te maken, waarna hij met zijn neus naar voren op het grind tuimelde.

De bevelvoerend officier opende de deur van de barak. Meteen stuiterden er zeker tien stenen naar binnen. Hij trok de deur snel weer dicht en bukte zich om een ervan op te rapen. 'Zo licht als een pingpongbal!' riep hij uit. Maar toen liet hij hem snel weer vallen: 'En verdomme bloedheet!'

Aan de andere kant van het vliegveld sprintten intussen de bemanningen van de gestrande B-25's de veiliger gebouwen in, hun armen boven hun hoofd tegen de hamerende stenenregen.

'Hebt u misschien een voertuig dat ik mee kan nemen?' schreeuwde James boven de herrie uit. 'Ik moet nog verder de berg op.'

De bevelvoerder van de basis keek hem aan alsof hij gek was. 'Hoezo dat dan?' vroeg hij.

'Er zijn nog een paar burgers die ik moet checken.'

Hij wees naar de stortvloed van zwarte slakken. 'U maakt toch zeker een grapje? U komt nog geen tien meter ver! Er is niets waarmee je door die troep heen komt.'

'Toch wil ik het proberen.'

Hij schudde resoluut zijn hoofd. 'U gaat nergens heen tot dit alles voorbij is. Dat is een bevel.'

De dorpelingen van Fiscino konden weinig meer doen, dan wachten tot de lava dichterbij kwam. Ze maakten een brancard om Nino, die gelukkig buiten bewustzijn was, in veiligheid te brengen. Marisa maakte zijn geschroeide, verschrompelde vlees zo goed mogelijk schoon. Zelfs haar vaders ademhaling klonk pijnlijk, alsof hij de vlammen tot diep in zijn longen had opgezogen.

Toen vormden ze samen opnieuw een keten, om de belangrijkste bezittingen uit de bedreigde huizen te redden. Livia haalde uit de osteria een paar matrassen, wat kleren, enkele van Marisa's geneesmiddelen en de dekschaal, die nog van Agata's moeder was geweest en die zíj altijd had gebruikt om de zondagse *ragù* in op te dienen.

Die laatste tweehonderd meter kostte de lavastroom slechts twintig minuten. Eerst ontvlamden de wijnranken op het terras: de bladeren verschrompelden in de enorme hitte alsof ze verdampten. Daarna vlogen de deuren en raamkozijnen van de buren in brand. Toen gaf de lava een hoek van de osteria een douw en rolde erlangs als water tegen een oever. Heel even was het alsof het pand de lava zou kunnen weerstaan, maar toen leek het geschud en geschok van die hete kolen, zo groot als zwerfkeien, tot in zijn poriën door te dringen. De muren begonnen ook te schudden en te schokken, het dak versplinterde en kapseisde, de lava scheidde de keukenmuur van de fundering. En toen kwam het hele huis als een waterval van stenen en meubilair naar beneden en stortte alles in de vlammenzee, waarna de lava zijn onverbiddelijke weg berg-afwaarts vervolgde.

Een paar minuten later werd de regen van lichte stenen plotseling zwaarder en bedekte alles – de lava, het brandende huis, het bos, de toekijkende dorpelingen – met een dikke laag slakken. Er zat voor de dorpelingen niets anders op dan ergens naar binnen te vluchten. Ge-lukkig had deze bui één voordeel: als zand dat op vuur wordt gegooid, werden de vlammen van de brandende huizen onmiddellijk gesmoord door dit allesverhullende gruis.

Marisa, die in de deuropening van het huis van een van hun buren stond toe te kijken, sloeg haar arm om Livia's schouder. 'We hebben gedaan wat we konden,' zei ze zacht. 'Nu moeten we voor onze vader gaan zorgen.'

38

*D*e uitbarsting van de Vesuvius in 1944 maakte minder slachtoffers dan men zou verwachten. De evacuatie van ruim tweeduizend mensen uit het gebied rond Massa en San Sebastiano verliep soepel, dankzij de doeltreffendheid van de aanwezige rampenplannen en de heldhaftige inspanningen van honderden geallieerde vrijwilligers die hielpen bij de uitvoering ervan. In San Sebastiano, dat bijna geheel werd verwoest, kwam de lava uiteindelijk op enkele meters voor de kerk tot stilstand: een duidelijk teken – althans voor de inwoners – dat de heilige opnieuw had ingegrepen om de zijnen te beschermen. Veel van de kleinere dorpen en boerderijen hadden echter minder geluk.

De neerslag van *lapilli* – de officiële benaming voor vulkanische hagel – hield acht dagen en nachten aan, als een soort Bijbelse plaag, sloot alle wegen af en maakte het hele gebied onbegaanbaar. Daarna, met een laatste oorverdovende knal, werd een enorme wolk van gas en assen honderden meters de lucht in geblazen. Tien dagen nadat hij was begonnen, was de uitbarsting toen eindelijk voorbij. De kolossale aswolk dreef vervolgens heel langzaam in zuidoostelijke richting weg en bereikte uiteindelijk zelfs Albanië, waar hij bijdroeg aan enkele van de meest spectaculaire zonsondergangen sinds mensenheugenis. De bovenkant van de Vesuvius, die meer dan twee eeuwen zachtjes had gerookt, was nu helemaal rustig en de berg was zo'n achttien meter afgetopt.

Livia en Marisa legden kompressen op Nino's gehavende handen en voeten, maar hoewel Marisa het vallend gesteente had getrotseerd om twaalf bijen te halen om in de huid rond zijn wonden te laten prikken, was hij al zo ver heen, dat zelfs dit soort volksmiddeltjes hem niet meer konden helpen. Al gauw raakte hij in shock, ontwikkelde koorts en lag onrustig te woelen tussen zijn met zweet doordrenkte lakens. Livia bleef de hele nacht op om hem in te smeren met balsem, maar er was niet genoeg water om zijn wonden fatsoenlijk te reinigen en hij begon hoe langer hoe erger te ijlen.

'Ik weet niet wat ik nog meer voor hem kan doen,' bekende Marisa toen ze samen keken hoe hij lag te rillen. 'Ik ben bang dat de wonden aan het ontsteken zijn.'

'Hoe erg is het?'

Marisa aarzelde. 'Hij zou het best eens niet kunnen halen.' Livia begroef haar gezicht in haar handen. 'Hij heeft een echte dokter nodig. Brandwonden zijn moeilijk.'

Maar zolang de uitbarsting niet was afgelopen, konden ze hem op geen enkele manier in Napels krijgen. Had dat wel gekund, dan had hij de reis overigens toch niet overleefd.

'Het enige dat hem nu kan helpen, is penicilline,' zei Marisa. 'Maar ik heb geen idee hoe we daaraan moeten komen.'

Livia legde een vochtige doek over Nino's schouders. Zij kende wel iemand die haar daarvan zou kunnen voorzien, maar dat was zo'n afschuwelijk vooruitzicht dat ze er nauwelijks aan durfde te denken.

De volgende dag zat ze de hele dag naast het bed van haar vader, terwijl zijn toestand zienderogen verslechterde. Geleidelijk aan zag ze hem verzwakken en het onrustige gewoel veranderen in afschuwelijke sidderingen. De verkoolde huid op zijn benen begon langzaam wit te worden, zijn ademhaling werd oppervlakkig en snel, en hij was het ene moment wel, het andere weer niet bij kennis.

Ze zaten nog steeds volledig afgesloten van de buitenwereld, gestrand op hun vulkaan, te midden van een eindeloze zee van grijze slakken – als schipbreukelingen op een eiland in de oceaan.

'Ik geloof dat het steeds slechter met hem gaat,' zei Marisa. 'Het spijt me, Livia. Het enige dat ik nu nog voor hem kan doen, is het hem zo makkelijk mogelijk maken.'

Toen nam Livia een besluit. Ze stond op en zei: 'Blijf jij hier bij hem.'

'Waar ga je heen?'
'Ik ga penicilline voor hem halen.'

Het regende niet langer stenen, maar een dikke laag grijze as en zwart vulkanisch grind bedekte alles – elke plant, elke boom, elk pad – het lag zelfs in de opgedroogde beken. Het was alsof Livia over een maanlandschap liep, met nergens iets vertrouwds. Of misschien, dacht ze, was het wel een soort droomlandschap; een wereld waarin dingen die eigenlijk niet zouden moeten kunnen, opeens hun eigen onafwendbare logica kregen.

Ik heb geen keus, verzekerde ze zichzelf, terwijl ze zich door de grote grijze bergen heen ploegde – geen enkele keus. Als ik wil dat mijn vader blijft leven, zal dit deel van mij moeten sterven.

Het was ruim anderhalve kilometer lopen naar de boerenhoeve van Alberto Spenza. Het was een oude woning die uiterst afgelegen lag: een uitstekende bergplaats voor de smokkelwaar van de camorra. Livia was er zeker van dat Alberto zich niet had laten evacueren: dat zou immers betekenen dat hij zijn hele buit van de zwarte markt had moeten achterlaten. En jawel, daar zag ze zijn Bugatti al in een schuur geparkeerd staan. Toch had hij zelfs daar de uitbarsting niet ongedeerd doorstaan: de stenen waren dwars door het dak gegaan, hadden allemaal putten in de lak achtergelaten en de hele motorkap was bedekt met as.

Alberto stond hem net schoon te vegen. Toen hij haar zag naderen, kwam hij rechtop, maar zei niets. Livia hield vlak voor hem stil. 'Ik heb penicilline nodig. Dringend.'

'Waarvoor?'

'Dat is mijn zaak.'

'Het is ook mijn zaak, want het is mijn penicilline.'

'Voor mijn vader.'

Zijn vlezige lippen vormden een 'O'. 'Je weet dat het prijzig is?'

'Ja.'

'En als hij erg ziek is, zul je genoeg moeten hebben voor een paar weken. Hoe wil je me betalen?'

'Wij hebben wat geld opzij gelegd. Dat kun je hebben.'

'Hoeveel jullie ook gespaard hebben, het zal nooit genoeg zijn.' Hij speelde een spelletje met haar en rekte het zo lang hij kon. 'Maar misschien kunnen wij samen een regeling treffen.'

'Wat voor regeling?'

'Hangt er vanaf hoe graag jij die penicilline wilt.'

'Alberto...' Ze had een hekel aan smeken, maar kon nu niet anders. 'Geef het me nou gewoon. Ik betaal je hoe dan ook terug.'

'Ik hoef jouw geld niet, Livia.'

'Maar wat wil je dan?'

Als antwoord keek hij haar slechts zwijgend aan.

Ze had aldoor geweten wat zijn prijs zou zijn. En ze wist ondertussen ook dat ze geen andere keus had dan maar gewoon te betalen. 'Goed dan,' zei ze. 'Ik doe alles wat je wilt.'

'Kom erin.' Hij bood haar zijn hand aan. Na een korte aarzeling nam ze deze aan en stapte toen samen met hem het huis binnen.

In de keuken leidde hij haar naar zijn provisiekamer en opende de deur. Het stond er vol met elke luxe lekkernij die ze maar bedenken kon: foie gras, kreeftensoep, potten cassoulet, flessen armagnac.

'Een van de voordelen van zij aan zij vechten met de Fransen,' merkte Alberto op, 'is dat zij nog steeds van mening zijn, dat een officier overeenkomstig zijn rang moet worden gevoed. En dan heb je natuurlijk ook de Russen nog.' Hij wees naar een kleine stapel blikken. Op het etiket, onder een merkwaardig soort spiegelbeeldschrift, stond een plaatje van een vis. 'Kaviaar.'

'Ik weet echt niet wat ik met al deze dingen moet,' zei Livia hulpeloos. 'Ik heb hier nog nooit mee gekookt.' En ze voelde zich al helemaal paniekerig worden, toen ze dacht aan Nino en zijn almaar stijgende koorts. Ze wilde gewoon doen wat ze moest doen en dan zo snel mogelijk weg met die penicilline. Maar ze wist dat als ze Alberto haar ongeduld toonde, hij de boel alleen nog wat langer zou rekken.

'Met die kaviaar kun je een saus voor de *maccheroni* maken. En die foie gras kun je dichtschroeien, als een biefstuk.'

Ze vulde een pan met water voor de pasta en maakte toen de blikken open. De foie gras bleek zo vet, dat ze bijna moest kokhalzen toen ze er even van proefde; de kaviaar was olieachtig, zoet en erg zout. Ze deed er wat boter en nootmuskaat bij, maar verder hield ze het uiterst simpel.

De hele tijd dat ze stond te koken, was ze zich er sterk van bewust dat Alberto naar haar stond te kijken. Maar ze ontweek welbewust zijn blik en probeerde zich te verliezen in de haar overbekende keukenrituelen: roeren, kruiden, verhitten. Alles beter dan stilstaan bij wat ze verder nog zou moeten doen.

'Klaar!' zei ze ten slotte.

'Dek maar voor twee: vandaag eet jij met me mee.'

Dus dekte ze de tafel en legde op zijn bord een enorme berg pasta, op dat van haarzelf slechts één lepel.

'Waarom zo weinig?' vroeg hij.

'Ik heb geen honger.'

'Misschien dat een van de andere gangen je beter zal bevallen...' zei hij met een wellustige blik.

Hij had intussen een fles Franse wijn opengemaakt, schonk twee glazen vol en schoof haar er één toe. Toen stopte hij een servet in de kraag van zijn overhemd en begon de pasta knorrend van genot in zijn mond te proppen.

'Op de kokkin!' zei hij, terwijl hij zijn glas in de lucht stak en dronk, zonder eerst zijn mond leeg te eten.

Hij werkte zich verder door de enorme pastaberg heen, alles regelmatig wegspoelend met een flinke slok wijn. 'De ganzenlever ook,' bromde hij toen. 'Ik eet alles tegelijk.'

Dus haalde ze de dichtgeschroeide foie gras van het fornuis. Hij prikte wat vlees aan zijn vork, nam weer een mondvol pasta en toen nog een flinke teug wijn. Met een dikke knot pasta rond zijn vork wees hij vervolgens op haar. 'En nu... jij.'

'Ik? Nu?'

'Ja, waarom niet? Vandaag neem ik gewoon drie gangen tegelijk.' Hij gebaarde naar de tafel. 'Je weet vast wel wat je moet doen.'

En alsof ze naar een ander keek, zag Livia zichzelf opstaan en haar jurk over haar hoofd trekken. Toen ze helemaal naakt was, klom ze op de tafel. Daarna dwong ze zichzelf aan helemaal niets meer te denken.

Toen het allemaal voorbij was, liep ze naar de gootsteen en spoelde haar mond met zijn chique Franse wijn.

Alberto stond op, liep naar de provisiekamer, haalde er een klein pakketje uit en wierp dit haar toe. 'Je penicilline!'

Ze keek ernaar. 'Maar... dit is maar één ampul,' wierp ze tegen. 'Je zei zelf dat ik voor minstens twee weken nodig had.'

Diep in zijn ogen zag ze een triomfantelijke schittering – de triomf van een man die weet dat hij aan het langste eind trekt. 'Dan zul je dus morgen terug moeten komen.'

'Geef je me dan de rest?'

'Nee,' zei hij. 'Morgen krijg je er weer één en de dag daarop weer.'

'Jij varken!' zei ze woest.

Hij stak zijn hand uit en streek met zijn dikke vingers door haar haar. 'Je zou je gevleid moeten voelen, Livia. Jij bent het enige gerecht, waar je als man van kunt blíjven eten, waar je nooit genoeg van krijgt.'

Ze was alweer bijna thuis, toen de misselijkheid haar in golven overviel. Naast het pad boog ze dubbel en braakte Alberto's machtige eten uit in het vulkanische grind en as.

Nino voelde in zijn ijltoestand de prik in zijn arm toch. Toen ze zich over hem heen boog, streken Livia's zijdezachte haren langs zijn wang. 'Sst,' zei ze. 'Gewoon weer een bijensteek. Is goed voor u.'

Het vliegveld bleef gedurende de hele uitbarsting afgesneden van de buitenwereld. Zelfs de radio liet niets horen dan een jammerend geruis en sissende, verdraaide stemmen. Maar meteen nadat de lapilli-storm was gaan liggen, herstelde het contact. Zwakke stemmen uit Napels vertelden over bulldozers, die waren begonnen met het schoonvegen van de wegen. Maar deze berichten maakten tevens duidelijk, dat het nog erg lang zou gaan duren eer alles weer helemaal in orde was. Een gebied van zo'n vijftig vierkante kilometer was geheel bedekt met slakken: hele daken waren onder het gewicht ervan bezweken, wijngaarden platgedrukt, oogsten vernield, veestapels uitgeroeid. Er waren verhalen van mensen die half bedolven dorpen hadden gezien, waarvan de daken nog net boven de zwarte stenen uit staken, alsof alles naar beneden was gezakt. En dan hadden ze het nog niet eens over de schade die door de lava zelf was aangericht: de rails van de kabelspoorweg waren gesmolten, hele stadjes en dorpen waren in de as gelegd.

James ontdekte dat hij in een voor hem zeer ongewone positie was beland: hij werd ineens als held beschouwd. Nog afgezien van het feit dat híj degene was geweest die met een compleet evacuatieplan had klaargestaan, was met name zijn heldhaftige tocht van San Sebastiano naar Terzigno de grondslag van een plaatselijke legende aan het worden.

'Ach, je weet hoe die spaghettivreters zijn,' vertelde majoor Heathcote hem via de radio. 'Eén en al bijgeloof en wonderen. En nu zeggen ze dus dat jij, om in Terzigno te komen, over die lavastroom heen moet zijn gevlogen! Dat dat eigenlijk niet kan, maakt het verhaal voor hun alleen maar beter. Maar goed, jij en ik weten natuurlijk allebei heel goed dat jij gewoon je werk deed. Intussen maken de Duitsers een hoop bombarie over het feit dat wij in Cassino een of ander klooster hebben moeten bombarderen. Het komt dus perfect uit voor onze verhouding met de Italianen, dat wij nu net zoveel burgers van de Vesuvius hebben gered. Afijn, daarom organiseren we nu dus een kleine ceremonie, waarbij een persfotograaf zal vastleggen hoe de generaal jou de hand schudt. Misschien dat je zelfs een lintje krijgt!'

'Werkelijk, sir, dat hoeft toch echt...'

'Ik weet het, Gould. Iedereen haat dat soort gedoe, maar het departement staat er nu eenmaal op.'

Allemaal leuk en aardig, dacht James, maar het enige waar híj aan kon denken, was of Livia nu in veiligheid was, en zo ja: waar. In eerste instantie ging hij ervan uit dat Fiscino, net als alle andere dorpen, was geëvacueerd. Toen hoorde hij echter steeds meer verhalen over een groep Vesuvianen die had geweigerd te vertrekken.

Het was een ware kwelling niet te weten of zij daarbij had gezeten. Zijn liefde voor haar had tot nu toe uit niets dan zonneschijn en vrolijkheid bestaan. Nu maakte hij middels zijn angst dat ze misschien gewond of zelfs dood was, voor het eerst kennis met de verschrikkingen van de liefde. Hij was gek geweest, zo besefte hij nu, dat hij haar van zijn zijde had laten wijken. Maar ja, hij had gevangengezeten – tussen de vulkaan en zijn orders. Ongeduldig wachtte hij daarom tot de wegen weer begaanbaar waren, zodat hij kon gaan kijken waar Livia was.

Als alles goed met haar is, sprak hij met zichzelf af, dan vraag ik haar ten huwelijk. Ook al zullen we het voor de rest van de wereld moeten verzwijgen: zij móét weten wat ik voor haar voel.

Met Nino ging het nog steeds niet beter – maar ook niet slechter. Dag in dag uit streden de infectie en de antibiotica met elkaar om de macht, als twee legers die ergens diep in zijn bloed met elkaar op de vuist gingen. In het begin ging de strijd nog gelijk op, maar langzamerhand werd het feit dat hij niet langer achteruitging een teken dat de infectie niet zijn normale verloop volgde. Marisa begon voorzichtig weer wat hoop te krijgen.

Die week bezocht Livia Alberto Spenza dagelijks. En elke dag weer voldeed zij aan haar deel van de afspraak; elke dag weer gaf hij haar één ampul.

Tegen de vijfde dag voelde ze zich na afloop niet misselijk meer. Ze was eraan gewend.

Toen ze weer terug was in Fiscino, liep ze meteen door naar de kamer waar Marisa naast Nino's bed zat.

'Hij slaapt,' fluisterde haar zuster haar toe.

Voorzichtig vulde Livia de injectienaald met de waardevolle penicilline en liet hem in haar vaders schouder glijden.

Voor het eerst waren zijn ogen, toen hij ze opende, niet wezenloos van de koorts. Hij zag Livia naast zijn bed en glimlachte naar haar. 'Hallo,' mompelde hij. 'Wat doe je daar?' Hij draaide zijn hoofd om het te kunnen zien.

'Sst,' suste ze. 'Gewoon weer een bijensteek.' Toen de naald leeg was, trok ze hem snel uit zijn schouder, zodat hij niet kon zien wat ze eigenlijk had gedaan. Even later sliep hij alweer.

'Hij ziet er goed uit,' zei ze zacht, om hem niet weer wakker te maken.

'Het gaat beter,' was Marisa het met haar eens.

'Kunnen we al stoppen met die penicilline?'

Marisa schudde haar hoofd. 'Als de infectie terugkeert omdat we te snel zijn gestopt, sterft hij zeker.'

'Hoelang nog dan?'

'Hangt er vanaf hoe sterk hij is. Een paar dagen, een week misschien.' Ze schonk haar zuster een bezorgde blik. 'Of misschien hangt het er wel vanaf hoe sterk jíj bent.'

'Ik kan het wel aan,' reageerde Livia bozig. 'Ik doe alles in mijn vermogen om hem te redden.'

'Hij zou niet willen dat jij de schuld op je nam.'

'Misschien niet. Maar het ís wel mijn schuld: ik was degene die voorstelde te gaan graven, in plaats van mee te gaan met die soldaten.' Ze voelde de tranen prikken in haar ogen en vroeg zich af of ze nog wel tranen over had. 'Als hij die penicilline nog een week nodig heeft, dan kríjgt hij hem nog een week.'

Ze durfde er niet aan te denken wat er gebeurde als hij inderdaad beter werd; wat de consequenties van haar afspraak met Alberto zouden zijn. Waarschijnlijk werd alles anders; dat hoorde nu eenmaal bij de prijs. Het enige dat ze zeker wist, was dat dit alles haar schuld was en dat ze daarmee elk recht op geluk voor eeuwig had verspeeld.

Eindelijk arriveerde er een bulldozer uit Napels bij het vliegveld, die de weg naar de Vesuvius weer vrijmaakte. James vroeg meteen verlof aan. Zijn verzoek werd ingewilligd. Sterker nog: het dankbare Vijfde Leger bood hem zelfs een jeep met vierwielaandrijving te leen.

De meeste wegen bergopwaarts waren echter nog steeds versperd. Pas nadat hij een lift had gegeven aan een paar naar San Sebastiano terugkerende vluchtelingen, die hem een geheime route door het bos lieten zien, wist James richting Fiscino te komen. Toen hij het dorp naderde, zag hij al dat een van de lavastromen wel heel dichtbij was gekomen. Veel van de huizen waren flink beschadigd en hij voelde een immense druk op zijn borst, toen hij zag dat één daarvan de osteria was. Maar toen... zag hij ineens Livia tussen de brokstukken lopen. Hij sprong uit zijn jeep en rende al roepend op haar af: 'Livia, Livia!'

'Dus zie je,' legde hij haar uit, 'als jij er niet was geweest, had ik dat hele plan nooit bedacht. En als dat plan er niet was geweest, hadden honderden, misschien wel duizenden, op die berg vastgezeten.'

'Goed zo,' zei ze. 'Je zult wel tevreden over jezelf zijn.' Ze kwam merkwaardig ingetogen over, vond hij, maar dat had wellicht te maken met het feit dat haar hele huis was verwoest en zo.

'Maar jullie hebben het hier allemaal redelijk doorstaan?' vroeg hij bezorgd.

'Zoals ik al zei, is mijn vader de enige die ernstige brandwonden heeft opgelopen. Hij heeft hoge koorts gehad en heel even hebben we gedacht we dat we hem zouden kwijtraken, maar godzijdank gaat het hem inmiddels weer wat beter. Marisa zorgt voor hem.'

'Jullie hebben allemaal vreselijk veel geluk gehad.'

'Dat geloof ik ook, ja.'

Ze bleef zijn blik maar ontwijken en had hem nog niet eens gekust! Hij vroeg zich af of ze soms boos was, omdat hij haar niet meteen was komen zoeken. 'Ik had veel eerder willen komen,' zei hij. 'Maar toen begonnen die stenen te vallen en kon ik geen kant meer op.'

'Ja, dat hebben we hier ook gehad.'

'Maar jullie is echt niets ernstigs overkomen?'

Ze trok haar schouders op. 'We hebben het gered.'

'Livia,' zei hij zacht, 'ben je dan niet een heel klein beetje blij om mij weer te zien?'

'O, ja hoor,' zei ze. 'Maar eh... nu moet ik aan de lunch voor mijn vader gaan beginnen, hoor. Hij ligt in het huis van onze buren: daar.'

Terwijl ze samen naar dit andere huis liepen, zei hij: 'Ik heb een paar dagen verlof opgenomen.'

'Da's fijn.'

'Ik zóú hier kunnen blijven – als jij dat ook wilt, natuurlijk. Kan ik je helpen met opruimen en zo.'

'Nee, dan gaan de mensen maar kletsen.'

'Maakt dat werkelijk wat uit dan?'

'Jou niet misschien,' snauwde ze.

'Je bent echt boos op me. Livia, wat is er toch?'

Mistroostig trok ze haar schouders op. 'Blijf dan maar, als je dat zo graag wilt.'

'Echt?' vroeg hij verward. 'Is dat ook wat jij wilt?'

'Ja, dat is ook wat ik wil.'

Zijn hart maakte een sprongetje. Ze was alleen van streek door alles wat er was gebeurd, maar ze was niet boos op hem!

Toen Livia haar vader zijn lunch had gegeven, nam James haar mee voor een wandeling. Maar toen hij een arm om haar heen sloeg, voelde hij haar ineenkrimpen. Hopelijk, dacht hij, fleurt ze weer op van wat ik haar te zeggen heb.

'Weet je,' zei hij, 'misschien blijkt dit hele gedoe toch nog een geluk bij een ongeluk.'

'Hoe bedoel je?'

'Ik weet haast zeker dat jullie hierdoor een tegemoetkoming krijgen om je elders te kunnen vestigen.'

'Hoe bedoel je: elders?' zei ze ietwat gepikeerd.

'Nou ja, nu de osteria zo zwaar beschadigd is, zouden jullie er eens over kunnen nadenken wat eigenlijk de beste vestigingsplaats is...'

'Wij zijn allang gevestigd,' snauwde ze. 'Wij horen hier.'

'Maar als je alleen de schade herstelt... Vroeg of laat komt er wéér een uitbarsting. En dan hebben jullie misschien minder geluk.'

Ze staarde over de dennenbossen heen richting de zee. 'Ja, we hebben geluk gehad,' sprak ze kalm. 'Maar niet omdat we gespaard zijn: wij hebben geluk, omdat we hier al ons hele leven wonen.'

'Dat begrijp ik,' zei hij, al snapte hij er eigenlijk niets van. 'Maar je moet nu ook aan de toekomst denken. Hier blijven zou niet bepaald verstandig...'

'Waarom zou ik verstandig willen doen?' riep ze uit. 'Ik heb het je al eerder gezegd, James: één leven hier staat voor tien levens elders. En als je dat niet inziet, ben je gewoon een stomme idioot!'

Hij was totaal van zijn stuk gebracht en ook een beetje boos, hoewel hij dat niet probeerde te laten merken. Hij mocht dan voor de rest van de wereld een held zijn, voor Livia bleek hij ineens het laagste van het laagste! 'Nou ja, da's dus weer typisch Italiaans,' merkte hij droog op.

'Altijd het grote gebaar boven het gezond verstand verkiezen.' Hij zocht naar het meest krenkende dat hij kon bedenken: 'Als je maar wel bedenkt, dat de geallieerden er de volgende keer weleens niet zouden kunnen zijn, om jullie rotzooi op te ruimen!'

Ze lachte smalend. 'O, wij redden het hier ook prima voordat jullie er waren, hoor. Dank u zeer, meneer!'

Ze hadden opeens echt ruzie en James wist niet eens waardoor precies. 'Livia,' begon hij zo geduldig mogelijk, 'laten we nou niet kibbelen. Het spijt me vreselijk van je vader en de schade aan jullie restaurant... maar jij moet toch ook inzien dat dit mogelijkheden opent, die je eerder niet had...'

'Je bedoelt de mogelijkheid om met jou mee naar Engeland te gaan?' beet ze hem toe.

Dat was exact wat hij bedoelde, maar daar had hij eerlijk gezegd heel geleidelijk naartoe willen werken. 'Aha, dus daar draait dit allemaal om,' zei hij stijfjes. 'Jij bent bang dat ik die vulkaanuitbarsting zal aangrijpen als excuus om jou ten huwelijk te vragen en je van dit alles weg te sleuren. Nou, maak je maar geen zorgen, hoor!'

'Mooi zo! Want ik kan echt niks ergers bedenken!'

Nu ging ze te ver, dat wist ze heel goed. Maar ze voelde zich te ellendig om hem uit te leggen waaróm ze zich zo voelde en deed dan ook geen enkele poging hem tegen te houden, toen hij woest terug naar zijn jeep beende, achter het stuur ging zitten en in een wolk van vulkanische as de berg af racete.

Ze keek even hoe hij van haar weg reed. Een traan die in haar oog opwelde, knipperde ze boos weg. Toen stond ze op en liep over het met stenen bezaaide pad het bos in.

Alberto zat aan zijn keukentafel op haar te wachten. Het hele huis rook naar verse koffie; op tafel stond een volle *napoletana*-koffiezetter met een fles brandewijn ernaast. Alberto was echter ongeschoren en zag eruit alsof hij daar al uren zat.

Livia wist onderhand wat er van haar werd verwacht en liep direct door naar de provisiekamer, om te kijken wat hij had uitgekozen voor het eten.

Alberto stak een arm uit om haar tegen te houden. 'Ik heb geen honger.'

Dus schopte ze haar schoenen uit en begon de knopen van haar jurk los te maken.

'En je mag je jurk aanhouden.'

Dus stopte ze met de knoopjes en tilde de jurk op, om de strik van haar onderbroek los te trekken. 'Dat bedoelde ik ook niet.' Hij stond abrupt op, beende naar de provisiekamer en overhandigde haar een vuistvol penicillineampullen. 'Hier! Neem maar mee, als je dat zo graag wilt.'

'Allemaal?'

'Ja, je krijgt ze van me cadeau.'

'Goh, dank je wel.' Ze reikte naar haar schoenen. 'Dus... ik mag weer gaan?'

'Als je dat wilt. Het enige dat ik vraag... het enige dat ik zou willen, is dat je hier ooit uit vrije wil naartoe komt.'

'Alberto,' zei ze, 'je weet dat dat niet zal gebeuren.'

Er blonk even iets in zijn ogen. 'Kom dan een keer terug en doe dan alsof – alsof je er niet enkel bent omdat het moet...' Hij wees naar de ampullen in haar hand. 'Die mag je zo hebben. Als je maar nooit vergeet wat ik allemaal voor jou heb gedaan.'

Heel even aarzelde ze. Toen boog ze zich naar voren en kuste hem op de wang. 'Bedankt,' zei ze.

Tegen de tijd dat James de voet van de berg had bereikt, was zijn woede al omgeslagen in verdriet. Hij had het helemaal verkeerd aangepakt. Hij kon die dag van de uitbarsting echt niet anders dan eerst naar Terzigno gaan, maar dat had hij Livia niet weten te verduidelijken. Beter had hij haar haar boosheid kunnen laten uiten, omdat ze zich veronachtzaamd voelde – dan keihard terug te slaan, zoals hij nu had gedaan. Maar die sarcastische opmerking van haar over met hem naar Engeland gaan, had hem veel dieper gekwetst dan hij had laten merken.

Hij wist al heel lang dat wat hij en Livia samen hadden, meer was dan zomaar een oorlogsaffaire. Goed, haar Engels was nogal curieus, maar hij had zat meisjes ondervraagd wier taalbeheersing een stuk beroerder was en een taal kon je tenslotte gewoon bijschaven. Het was ook zo, dat zij in Engeland een ware cultuurschok zou krijgen. Het Engeland dat hij kende – met zijn eierpoederrantsoenen, Woolton-pie, National Dried Milk en margarine – was niks voor haar. Maar na de oorlog werd alles vast en zeker anders. En het was toch zeker niet meer dan normaal dat je van een vrouw verwachtte, dat ze bepaalde dingen opofferde om er een beter leven voor terug te krijgen?

Maar het leek wel of Livia helemaal niet zo dacht. Heel even kwam de afschuwelijke gedachte bij hem op, dat hij slechts een noodoplossing was: dat willekeurig welke geallieerde officier met een goede positie en een bijpassend salaris in deze moeilijke periode een geschikte steunpilaar voor haar zou zijn geweest. En hij had nog wel gedacht dat ze van hem hield... Nee nee: hij wist zeker dat ze dat deed! Maar het bleef opmerkelijk dat in Napels in oorlogstijd, met zijn sfeer van tijdelijke intimiteit en vluchtige seks, hun liefde wel erg snel was opgebloeid; veel makkelijker dan dat thuis in Engeland zou zijn gegaan – misschien wel té gemakkelijk. Zou na de oorlog, als de gewone moraal in ere was hersteld, werkelijk blijken dat hun liefde de basis kon zijn voor een heel leven samen? Of zou een verhouding die zich tot dan toe bijna geheel had afgespeeld in de slaapkamer en de keuken, ontoereikend blijken voor een Engelse zitkamer en zo'n volwassen, praktische zaak als het huwelijk? Oftewel: had Livia hem zojuist een dienst bewezen, door het aanzoek dat hij haar had willen doen, in de kiem te smoren?

Haar manier van doen vandaag had hem in ieder geval compleet van de wijs gebracht. Livia's wispelturigheid – één van de redenen dat hij zo dol op haar was – kwam hem opeens even vreemd en verwarrend voor als de smaken van een Italiaanse maaltijd. James had zoveel toekomstige oorlogsbruiden ondervraagd, maar nu hij zelf de knoop moest doorhakken, werd hij overmand door twijfel.

Livia zat voor het raam en keek naar de ondergaande zon boven de Golf van Napels. Ze zat na te denken. Al meer dan een uur.

Ook al voelde ze zich er ellendig om, toch had ze de waarheid gesproken toen ze James vertelde dat ze geen oorlogsbruid wilde zijn. Ze kon hier nu echt niet weg: er was zoveel te doen. Zij en James hadden nog op zijn hoogst tot het eind van de oorlog samen, daarna zou hij terugkeren naar Engeland – zonder haar. Wat er daarna zou gebeuren, wist ze niet. Maar het was haar wel duidelijk, dat het haar belangrijkste plicht was haar vader te helpen de boerderij en het restaurant weer op te knappen, zodat hij ook op zijn oude dag nog in zijn onderhoud zou kunnen voorzien.

Los daarvan zou het toch nooit werken met James; dat zag ze nu ook wel in. Het afgesloten hokje in haar hoofd waarin ze haar overeenkomst met Alberto had opgeborgen, begon al te weigeren dicht te blijven. Dat wat zij had gedaan, zou daar altijd zitten en hun relatie heel langzaam aantasten. Ze zou James dus alles moeten opbiechten óf aanvaarden dat het over was tussen hen.

Maar als ze alles opbiechtte, kon ze het net zo goed meteen uitmaken! Ze dacht aan Enzo en hoezeer hij het had gehaat als een andere man alleen al naar haar keek. James mocht dan een stuk minder bezitterig lijken: hij bleef een man en ook nog een met zeer duidelijke standpunten over seksueel gedrag. Want hoezeer hij ook meeleefde met de vrouwen met wie hij in Napels te maken had gekregen, al diegenen die hun lichaam hadden verkocht, ze wist zeker dat hij zichzelf nooit zou hebben toegestaan op een van hen verliefd te worden.

Nee, het was voorbij. Ze had waarschijnlijk nog geluk als ze uiteindelijk zou kunnen terugvallen op iemand als Alberto.

Het enige dat ze nu nog moest bedenken, was hóe het moest aflopen. Zou ze James de waarheid over Alberto vertellen – en hun verhouding laten eindigen in woede en beschuldigingen over en weer? Of zou ze hem gewoon zeggen dat het voorbij was, en zichzelf de extra pijn van deze akelige bekentenis besparen?

Ze zag hoe de zon in de zee zakte en de hele hemel in brand zette. Haar ogen vulden zich met tranen, ze rolden over haar wangen, waarna haar ogen opnieuw overstroomden.

Toen nam ze een besluit en ging op zoek naar pen en papier.

39

Strikt genomen behoorden natuurrampen niet tot de verantwoording van de Allied Military Government in het district Napels, maar vier jaren van oorlog hadden de geallieerden een onwankelbaar geloof gegeven in hun vermogen elke crisis aan te kunnen. De Amerikanen blaakten sowieso van het zelfvertrouwen en het soort optimisme van 'die klus klaren wij wel even', terwijl de Engelsen waarschijnlijk hun koloniale verleden en de daarbij behorende verantwoordelijkheden nooit waren vergeten. En nu herinnerden soldaten uit allerlei landen, van Nieuw-Zeelanders tot Vrije Fransen, zich opeens al die kleine uitingen van vrijgevigheid van gewone Italianen op het oorlogstoneel: een huisvrouw, die met een fles wijn naar buiten was gerend tijdens een lange, hete mars richting Cassino; een glimlach of een groet van een knap meisje; een eenvoudig gesprekje, dat de oorlog even had stilgezet en iedereen weer even gewoon mens had gemaakt. En nu hadden ze, zonder al te veel overleg, besloten dat het tijd was voor een wederdienst.

Het was begonnen met het evacuatieplan, maar dat was nog maar het begin. In Cercola richtte het Rode Kruis een veldkeuken in, die meer dan duizend vluchtelingen van voedsel kon voorzien. In Pollena-Trocchia werd een voedseldistributiecentrum opgezet. Overal werden kantines, bioscopen en geallieerde barakken ingericht als provisorische huisvesting voor de daklozen. Elke eenheid leende uit wat ze maar kon missen – van bulldozers om de wegen mee schoon te vegen tot vrachtwagens voor het vervoeren van vee. De Lancashire Fusiliers gingen met de pet rond en verzamelden genoeg geld om een heel dorp opnieuw op te bouwen. En omdat zij zich niet de loef wilden laten afsteken, laadden de Royal Engineers al hun voertuigen vol met hout en ijzerwaren en begonnen één voor één aan de beschadigde huizen te werken. Soldaten van de genie bliezen enthousiast huizen op die door de aardschokken onveilig waren geworden – zo enthousiast, werd later geschamperd, dat ze de bouwers meer werk bezorgden dan eigenlijk nodig was geweest – en de RAF dropte overal voedselpakketten. De RAVC, het veterinaire korps, kwam met paarden en muilezels, terwijl de afdeling Logistiek een hele scheepslading aardappelen doneerde, die oorspronkelijk uit Canada waren gehaald als voedsel voor de troepen, maar nu zeer gewild werden als pootgoed.

Maar het meest bijzondere was toch wel de reactie van de gevechtseenheden. Mannen die maandenlang onder de meest erbarmelijke omstandigheden aan het front hadden doorgebracht, spendeerden hun kostbare verlof als vrijwilliger: maakten wegen vrij, herstelden huizen en verwijderden zelfs handmatig slakken van de akkers. De geestdrift waarmee zij dit deden, deed vermoeden dat ze dit zelfs liever deden, dan drinken en naar de hoeren gaan. Men kon dan ook menig bevelvoerend officier horen verzuchten dat hij wou dat er vaker een vulkaan uitbarstte, zo heilzaam bleek het effect ervan op het moreel van zijn mannen...

Toen James eindelijk terugkeerde in het Palazzo Satriano, gonsde het daar van de activiteit. Buiten waren twee hoge vlaggenmasten neergezet, waaraan de Stars & Stripes en de Union Jack trots zij aan zij wapperden, bij de ingang stonden twee militaire politiemannen en een Italiaan in overall stond met een grote emmer witkalk de pikante fresco's over te schilderen.

James zag Horris lopen en riep: 'Wat is hier toch allemaal aan de hand?'

'Het bezoek van de generaal! Dankzij jou gaat onze Film Unit daar een item over maken. Het schijnt dat we ineens een schoolvoorbeeld van geallieerde samenwerking zijn.'

Toen James langs het kantoor van Carlo en Enrico kwam, keek hij even door de open deur naar binnen en stopte meteen. Alles was anders: de papierboel was gearchiveerd, de bureaus waren afgestoft en de twee mannen liepen rond in de vlinderdasjes en slobkousen, die ze gewoonlijk voor hun tommygun-expedities reserveerden. Bovendien paradeerden ze beiden rond met een keurig bijgepunt snorretje en brillantine in hun haar, net als sommige van de meer fatterige Amerikaanse soldaten.

'Hey kid!' riep Carlo met een Amerikaans accent. 'Hoe is ie?'

'Goed hoor,' antwoordde James mat.

Carlo knipte met zijn vingers. 'Oké dan. Zie je later, alligator!'

Verstrooid liep James door naar zijn eigen kamer. Die bleek in gebruik als vergaarplaats voor de troep van de rest: dozen vol papieren stonden er hoog opgetast en op de tafel was een enorme kroonluchter gedumpt. Deze had duidelijk geleden van de Duitse luchtaanvallen: er zat inmiddels meer ijzer dan glas aan – als een boom die in het najaar zijn bladeren had laten vallen. James probeerde hem op de grond te leggen, maar werd verrast door het gewicht.

Majoor Heathcote beende de kamer binnen. 'Nou, je kunt hier maar beter een beetje gaan opruimen, Gould.'

'Ja, sir.'

'De generaal zal ons aanstaande dinsdag om twaalf uur met een bezoek vereren.' Hij wierp een korte blik op James' uniform. Dit had vóór de uitbarsting al ternauwernood aan de standaardnormen beantwoord, maar nu verkeerde het in zo mogelijk nóg poverder staat. 'En vergeet niet een nieuw uniform aan te vragen.'

'Nee, sir.'

De majoor aarzelde. 'Overigens Gould, nog even over die reddingsoperatie. Deze schijnt tot werkelijk ieders verbeelding te spreken – waarschijnlijk ook omdat 't het eerste positieve nieuws in lange tijd was. Maar goed, het departement heeft dus besloten dat 't het beste is dat we benadrukken dat het een teamprestatie is geweest. Voor het grote publiek hebben jij en Vincenzo dat plan dus samen uitgedacht. En ik, als dienstdoend officier, droeg de algehele verantwoordelijkheid.'

James merkte dat het hem totaal niet kon schelen wie de eer voor deze operatie allemaal naar zich toe trok. 'Werkelijk, sir, ik vind alles prima.'

'Zo mag ik het horen, Gould. Natuurlijk weten wíj allemaal dat het hoofdzakelijk jóúw werk is geweest. Maar zo ziet het er voor de mensen thuis gewoon een stuk beter uit.'

Meteen nadat de majoor was vertrokken, begon James met opruimen. Er moest een hoop gebeuren: pas na een paar uur begon het ergens op te lijken.

Opeens rook hij iets. Een heerlijk rijk aroma zweefde door het gebouw. Hij zou het overal hebben herkend: de geur van Livia's *fettuccine al limone*. Met een vreugdekreet stormde hij de keuken in.

Het meisje dat er stond te koken, draaide zich om en glimlachte beleefd.

'O,' bracht James teleurgesteld uit. 'Ik dacht dat je Livia was.'

Naast haar stond Horris een enorme berg courgettes in stukken te snijden. 'Ik ben zo vrij geweest om Maria hier op tijdelijke basis aan te nemen,' lichtte hij toe. 'Gewoon, tot mevrouw Pertini terugkomt.'

'Natuurlijk. Geef maar een gil als het tijd voor de lunch is.' Horris en Maria keken hem aan, duidelijk wachtend tot hij weer ging. 'Je kunt ze beter wat schuiner snijden,' voegde James Horris toe. Zodra hij de deur achter zich had dichtgetrokken, hoorde hij hen zacht praten, gevolgd door een gedempt gegiechel.

De volgende dag waren de vlaggen verdwenen en de handelaren op de Via Forcella hadden ineens een heel assortiment aan gestreept luxe ondergoed in de aanbieding. Na dit incident werden de vlaggenmasten verplaatst en hingen er twee nieuwe vlaggen – beweginloos maar veilig – zij aan zij op de windstille binnenplaats.

Ook de binnenplaats zelf was haast onherkenbaar opgeknapt. De Amerikaanse jeeps waren gewassen en stonden naast elkaar opgesteld, alsof ze in een showroom stonden. Alle tafels, stormlantaarns en ander bewijsmateriaal van schranspartijen in de buitenlucht waren verwijderd. De stoelen stonden nu op een podium, dat was bestemd voor de uitgenodigde Italiaanse hoogwaardigheidsbekleders. Ja, het Departement van Psychologische Oorlogvoering had alles zorgvuldig geënsceneerd, voor dit spektakelstuk voor 'dankbaar gepeupel en zijn bevrijders'.

Nino sliep vijf dagen achter elkaar. Slechts af en toe opende hij zijn ogen om te kijken wie er nu weer zijn wonden waste of zijn verband verwisselde. Soms was het Livia, maar veel vaker trof hij Marisa naast zijn bed.

'*Dov'è Livia?*' mompelde hij dan. 'Waar is Livia?'

'Die komt straks weer terug. Slaap nu maar.'

Elke dag gebruikte Livia een van de penicillineampullen van Alberto. En toen kwam eindelijk de dag dat Nino zich weer goed genoeg voelde om rechtop te gaan zitten. Zijn dochters brachten hem wat bouillon, getrokken van hun allerlaatste kip, en melk die nog warm was van Priscilla's uiers. En ze wreven de laatste waardevolle tomaten tot moes voor een *passata* – een gerecht tussen eten en drinken in, makkelijk verteerbaar en barstensvol vitaminen. Hij was nog erg zwak, dus durfde Livia nog niet met de behandeling te stoppen, maar het begon er langzaam naar uit te zien, dat hun vader weer helemaal beter werd.

Die middag ging ze opnieuw naar Alberto, in de hoop dat dit de laatste keer zou zijn.

De Bugatti stond nu buiten de boerenhoeve geparkeerd. Alle deuken waren eruit en het koetswerk glansde als een spiegel.

Livia stapte de keuken binnen.

Alberto zat haar weer op te wachten, maar vandaag droeg hij een donker pak en op een hanger aan de keukendeur hing een jurk. 'Voor jou,' zei hij, haalde de jurk eraf en gaf hem haar. 'Trek maar aan.'

'Wil je dan niet dat ik voor je kook?' Op tafel lagen de ingrediënten voor de maaltijd: een nog levende kreeft in een steelpan, een fles wijn en een paar aubergines.

'Later.'

Zonder iets te zeggen, keek hij hoe ze haar kleren uittrok en de jurk aandeed. Hij was vrij kort, strak gesneden en gemaakt van zijde, bedekt met honderden zwartglazen kraaltjes.

'Ik heb een spiegel nodig,' zei ze, om zich heen kijkend.

'Ik zal je spiegel zijn.' Hij deed haar kraagje goed. 'Zo. Je ziet er perfect uit, Livia.' Toen stak hij haar zijn gebalde vuisten toe. 'Welke wil je?'

Ze fronste haar voorhoofd. Ging hij haar slaan of zo? Ze tikte op zijn linkervuist. Toen hij hem opende, lag er een zilveren halsketting op zijn hand.

'Draai je eens om.'

Toen hij hem vastmaakte, voelde ze zijn adem in haar nek, zwaar en regelmatig. Toen deed hij een stap achteruit en gaf haar een hoedje aan.

'En nu gaan wij tweeën eens een ritje maken.'

De weg naar Massa lag nog steeds vol met slakken; ze knarsten onder de wielen van de auto. Alberto reed langzaam en voorzichtig om zijn lak niet te beschadigen.

Het stadje was geheel verlaten en veel van de huizen waren verwoest. Op het grote plein stond echter een vrachtwagen, met draaiende motor. Twee mannen droegen allerlei spullen uit de overgebleven huizen – kaarsen, spiegels, alles van waarde – en gooiden ze achterin de wagen.

'Plunderaars!' zei Livia vol afschuw.

'Daar ziet het wel naar uit, ja.' Alberto stopte. 'Guiseppe, Salvatore,' riep hij. 'Hoe gaat het ermee?'

Een van de mannen trok zijn schouders op. 'Niet zoveel te halen hier. Allemaal arme donders.'

'Misschien zoeken jullie niet op de goede plek,' zei Alberto, met zijn duim naar Livia wijzend. 'Kijk maar eens wat ík gevonden heb!'

De mannen bekeken Livia van top tot teen. Lachend zette Alberto de auto weer in beweging en racete het stadje uit.

Livia sloot haar ogen. Heel even had ze gedacht dat er iets heel akeligs te gebeuren stond. Maar dat was het 'm nu juist, besefte ze: Alberto maakte haar duidelijk dat hij, totdat hij haar alle penicilline gegeven had, met haar kon doen wat hij maar wilde.

'Waar gaan we nu naartoe?' vroeg ze.

'Naar Napels.'

Toen ze door de stad reden, leek Alberto ergens mee te worstelen. Een paar keer probeerde hij een gesprek aan te knopen, maar zij negeerde hem en staarde stug naar buiten.

Uiteindelijk reed hij een rustige straat in aan de achterkant van de Questura, het politiebureau, en zette de auto langs de kant. De carabiniere die bij de deur op wacht stond, knikte naar hem.

'Vrienden van je?' vroeg Livia.

'Ja. Ik regel veel met de mensen in dat gebouw.'

'En wat heb ík daarmee te maken?'

'Vandaag ben jij wat ik hier kom regelen.'

Ze vroeg niet om verdere uitleg. Wat hij ook met haar voor had, het was vast iets onaangenaams. Ze zou haar gedachten simpelweg uitschakelen tot het allemaal weer voorbij was.

'Livia,' begon Alberto toen, 'ik wil je iets vragen.'

James zat achter zijn bureau te werken. Hij droeg een fonkelnieuw uniform, zijn laarzen waren glanzend gepoetst, zijn koperen gesp glom en een prachtige pet hing klaar aan de binnenkant van de deur. Eigenlijk zat hij maar een beetje te doen alsóf hij zat te werken, want van werken kwam nu weinig – wat niet in het minst kwam doordat hij constant werd onderbroken door mensen van de afdeling, die hun hoofd om zijn deur staken en: 'Veel succes!' of: 'Goed gedaan!' riepen. In het kantoor naast het zijne hadden Carlo en Enrico allang opgegeven te doen alsóf ze het druk hadden. Zij stonden aan hun slobkousen en vlinderdasjes te trekken, waarbij ze de pas gelapte ramen als spiegel gebruikten. Carlo had een reflecterende RayBan-zonnebril op de kop weten te tikken, van het type dat aan Amerikaanse vliegeniers werd uitgedeeld, en bewonderde de manier waarop deze zijn ogen geheel onzichtbaar maakte.

Opeens klonk er een enorme piep uit de microfoon op de binnenplaats. 'Test, test, test,' klonk een versterkte stem aarzelend. James liep naar het raam. Zelfs in de laatste minuten van de voorbereiding werden er nog wimpels opgehangen boven de plek waar de generaal zo meteen zijn toespraak zou houden; iemand van het radiostation liep met een bandrecorder te sjouwen; de cameraman van de filmeenheid stond verschillende hoeken uit te proberen, zich ervan vergewissend dat er geen bomschade in zijn zoeker was te zien.

James pakte een brief uit zijn 'in'-bakje en las hem snel door. Hij droeg het logo van de gemeente Cercola.

Geachte heer,
Het bestuur van deze gemeente voelt zich geroepen om bij het uitspreken
van de dankbaarheid en erkentelijkheid namens de inwoners van Cercola
voor de verrichte werkzaamheden ten behoeve van het algemeen nut ge-
durende de recente eruptie van de Vesuvius, in het bijzonder melding te
maken van de alerte tussenkomst van de geallieerde autoriteiten in het
kader van de veiligheid van ongeveer vijfhonderd gezinnen, die tezamen
met hun huishoudelijke bezittingen werden vervoerd in geallieerde voer-
tuigen, de overvloedige distributie van rantsoenen...

Hij legde hem boven op de stapel met eensluidende brieven. Hun dank
was oprecht, daar twijfelde hij niet aan. Maar zodra degenen die van de
geallieerde hulp hadden geprofiteerd, begrepen dat ze werden aangemoedigd om daar om propagandaredenen een hoop ophef over te
maken, hadden ze allemaal geprobeerd elkaar te overtreffen in het ver-
woorden van deze dankbaarheid. Veel van de briefschrijvers, wist
James, namen op dit moment zelfs plaats op de samengeraapte verzameling stoelen beneden, getooid met de extravagante hoeden met
veren, ketens en ambtsgewaden waardoor je een lager geplaatste Italiaanse notabele er overal uithaalde.

Nu stak Eric zijn hoofd om de deur. Ook hij was met zijn nieuwe uniform helemaal klaar voor het bezoek van de generaal. Maar hij was wel
echt een vriend, dacht James: hij had in ieder geval het fatsoen gehad om
zich enigszins te generen voor de suggestie van de majoor, dat hij ook
maar íéts van doen had gehad met het bedenken van de hele operatie.

'Zie je beneden, maat,' zei hij. 'De auto van de generaal is onderweg.'
James knikte. 'Ik kom zo.' En hij pakte nog een brief en scheurde
hem open.

Beste kapitein Gould,
Ik wilde u even laten weten dat onze baby, van korporaal Taylor en mij,
geboren is. Het is een prachtig jongetje van negen pond, met blauwe ogen
en een vrij donkere huid, en hij is zeer gulzig. Als u het goedvindt zouden
wij hem James willen noemen, als blijk van waardering voor alles wat u
voor ons heeft gedaan.

Hartelijke groeten,
Gina Taylor (geboren Tesalli)

Met een glimlach op zijn lippen opende hij de volgende brief.

Lieve James,

Het spijt me dat we zo vervelend uit elkaar zijn gegaan, toen jij me na de uitbarsting in Fiscino opzocht. Maar dat doet er nu niet meer toe. Wat ik je nu ga schrijven, staat helemaal los van die ruzie van toen.
Ik heb besloten niet terug te keren naar Napels om er mijn positie als jouw kokkin te hervatten. Mijn leven heeft inmiddels een heel andere koers ingezet en, hoezeer ik het ook betreur, dat is niet meer terug te draaien. En waarschijnlijk is het ook maar het beste zo. Ik heb echt genoten van onze tijd samen, maar zou met jou in Engeland nooit gelukkig zijn geworden. Ik zal nooit ergens anders kunnen wonen dan hier, waar ik ook voor mijn vader kan zorgen. Ik heb namelijk besloten dat dat is wat ik de rest van mijn leven wil doen, in plaats van te hertrouwen. Mijn redenen hiervoor zijn nogal gecompliceerd, maar er is geen sprake van dat jij me nog kunt overreden anderszins te besluiten. Je kunt me daarom maar beter helemaal vergeten.
Het schrijven van deze brief is erg pijnlijk voor mij geweest. Ik vraag je daarom slechts één ding: maak het me niet nóg moeilijker, door te proberen me op andere gedachten te brengen.

Met de beste wensen voor een gelukkig leven,
Livia

Hij staarde naar de brief. Dit kon toch niet waar zijn! Hij las hem nog eens en toen nog een keer. Zijn eerste reactie was dat ze dat niet kon menen; dat ze gewoon nog boos op hem was. Maar die laatste alinea leek bijzonder weinig ruimte te laten voor het aanbieden van excuses. En hij vond de hele toon van haar brief eerder gelaten, weemoedig zelfs, dan woedend. Hij keek wat beter naar het papier. Was dat een traan, die haar allerlaatste groet had bevlekt?

Toen pas drong de afschuwelijke waarheid tot hem door: Livia had hem gedumpt. Hij zou haar nooit meer kussen, nooit meer die ondeugende glimlach zien of die van hartstocht glanzende ogen, nooit meer de woorden uit haar mond zien tuimelen als ze weer eens honderduit begon te vertellen... Nooit meer haar zoete vlees proeven, nooit meer schouder aan schouder courgettes snijden... Zij wilde hem eenvoudigweg niet meer in haar leven.

Maar dit klopt toch niet, dacht hij wanhopig. Dit is helemaal niet goed!

Livia merkte wel dat Alberto haar op een merkwaardige manier zat aan te kijken, maar ze hield haar blik strak op de motorkap van de Bugatti gericht. Ze trok geërgerd haar schouders op. 'Als je me iets wilt vragen, doe dat dan!'

'Wil je met me trouwen?'

Toen móést ze hem wel aankijken. 'Wát? Na alles wat je hebt gedaan? Jij bent nog gestoorder dan ik dacht!'

'Het werd steeds ingewikkelder, Livia. Ik was boos. Je bent zo mooi, Livia, maar ook zo verdomde hooghartig. Nee wacht,' zei hij toen ze wilde protesteren. 'Soms moet ik je gewoon even op je plek zetten. Maar alles wat ik heb gedaan, heb ik gedaan omdat ik van je hou.'

'Maar dat is toch belachelijk!'

'Ik hou van jou. Daarom moest ik álles wat in mijn macht lag inzetten, om je te krijgen.' Hij zweeg even. 'Zelfs als dat betekende, dat ik je pijn moest doen. Maar nu zie ik in, dat het niet slechts je lichaam was dat ik wilde. Livia, je hebt gezien hoeveel respect ik hier afdwing: na de oorlog ben ik een rijk man. Maar ik heb een vrouw aan mijn zijde nodig; jóú heb ik nodig. Ik zal je geven wat je maar wilt. En ik beloof je dat ik je nooit, nooit, nooit meer pijn zal doen; dat ik je zal behandelen als de prinses die je eigenlijk bent.'

'Maar...' Ze slikte. 'En het restaurant dan?'

'Dat moeten we natuurlijk weer opbouwen. Beter nog: ik zal er wat geld in steken, dan maken we er samen een écht goede zaak van. Met mij erbij wordt dat restaurant een groot succes, dat zul je zien. Daar gaan we mee binnenlopen, Livia! En er zal werk genoeg zijn; prima werk, voor Marisa, voor je vader... En als je vader met pensioen wil, zal er genoeg zijn om het hem zo makkelijk mogelijk te maken.'

Ze staarde nietsziend door de voorruit. Wat hij haar nu allemaal voorspiegelde, was meer dan ze ooit van een ander zou krijgen, dat wist ze heel goed. Logisch bekeken had ze geen andere keus.

'Gould!' Majoor Heathcote stond in de deuropening. 'In godsnaam, schiet eens op, man!'

'Ja, sir.' Hoewel hij door Livia's brief nog steeds in een soort shock verkeerde, paste James zijn tempo automatisch aan dat van de majoor aan, toen ze zich samen naar de binnenplaats haastten. Enkele van de Italiaanse hoogwaardigheidsbekleders die de twee Engelse officieren naar buiten zagen komen, begonnen spontaan te applaudisseren. Er werd zelfs een paar maal: 'Bravo' geroepen.

'Nog niet, nog niet!' bromde de majoor terwijl hij ze een boze blik toewierp. 'Wacht op de generaal!'

James en zijn bevelvoerend officier hielden tegelijk halt en bleven toen keurig naast elkaar staan. De Italianen applaudisseerden opnieuw, ditmaal iets beschaafder. 'Het is verdomme toch geen parade,' mompelde de majoor geërgerd.

Hoe onbewogen James vanbuiten ook mocht lijken, vanbinnen stond hij te daveren. Ze had hem gedumpt! Maar waarom? Hij snapte er niets van. Wat had haar in godsnaam over hem van gedachten doen veranderen?

De gepantserde wagen van de generaal kwam in zicht op de Riviera di Chiaia. De twee onberispelijk geklede militaire politiemannen presenteerden elk aan één kant van de ingang hun geweer; een ogenblik later sprongen alle geallieerde militairen op de binnenplaats als één man in de houding. En de Italianen, die zo beschaafd hadden geklapt bij het zien van de twee mannen in de houding, gingen totaal uit hun dak. Er volgde een staande ovatie van zeker twee minuten, gelardeerd met menig 'Vivono gli Alleati!'

De wagen van de generaal stopte, de grote man stapte eruit. Majoor Heathcote deed een stap naar voren en salueerde.

'Op de plaats rust, jongens,' zei de generaal door het kabaal van de juichende Italianen heen. 'Draait die camera al?'

De regisseur van de filmeenheid antwoordde bevestigend.

'Mooi zo. Zien jullie deze kerels?' De generaal liep om de auto heen en kwam tussen Eric en James in staan. Er werd meteen druk geflitst. Toen stak de generaal zijn hand omhoog en een verwachtingsvolle stilte daalde over de menigte neer.

'Alberto,' zei Livia, 'het spijt me, maar ik kan het gewoon niet. Het is een zeer genereus aanbod, maar mijn antwoord is nee.'

Hij zuchtte. 'Ik was al bang dat je dat zou zeggen.'

'Ik kan het gewoon niet,' herhaalde ze.

'Heeft het soms te maken met die Engelsman?'

Hoezeer ze ook voor haar eigen leven vreesde, ze was nog banger voor dat van James. En ze wist dat Alberto hem zonder enige aarzeling zou laten vermoorden, als hij dat noodzakelijk achtte. Ze schudde haar hoofd. 'Nee, met hem heb ik gebroken.'

Ze voelde zijn blik over haar lichaam gaan. Toen gromde hij en wees naar het politiebureau. 'Daar binnen,' zei hij, 'zitten mensen die de taak toebedeeld hebben gekregen om vrouwen met syfilis op te pakken en naar het noorden te sturen, tot achter de Duitse linies.'

Ze huiverde en voelde hoe de angst als een kille vuist in haar maag kneep. 'Wat heeft dat met mij te maken?'

'Ik heb ze verteld dat ik iemand voor ze heb.'

'Maar ze komen er toch zo achter dat...'

Uit een van zijn binnenzakken haalde Alberto een papier. Toen hij het uitvouwde, zag Livia dat het een soort certificaat was. 'Een geallieerde legerarts heeft na onderzoek op Livia Pertini geconcludeerd dat zij draagster van deze infectie is. Het is al ondertekend: het enige dat ik nog hoef te doen, is de datum invullen.' Hij zweeg even. 'Tenzij...'

'Dus dat is de keuze die je me biedt?' zei ze. 'Met jou trouwen of... dát?'

'Ik had liever gehad dat je uit vrije wil had toegestemd. Maar alles wat ik heb gezegd, staat nog steeds, Livia: ik móét jou gewoon hebben!'

'Jij weet wel hoe je een romantisch aanzoek doet, Alberto!'
'Nou? Wat wordt het?' drong hij aan. 'Je móét kiezen.'

'Wij kwamen hier niet om dit aloude land te veroveren, maar om het te bevrijden', sprak de generaal in de microfoon en zijn stem rolde over de binnenplaats. 'En deze voortreffelijke officieren hier aan mijn zijde zijn een lichtend voorbeeld van ons respect voor u. Middels waakzaamheid, ondernemingsgeest en democratische inspanningen hebben zij aangetoond dat wij er geheel en al op zijn voorbereid de tirannie in al zijn verschijningsvormen te bestrijden.'

Dit bleek het thema waarop hij maar bleef voortborduren. Al gauw was zelfs James er min of meer van overtuigd dat die vulkaanuitbarsting misschien niet door Hitler was veroorzaakt, maar toch zeker deel uitmaakte van een internationaal samenzweringscomplot, dat de generaal vervolgens plechtig beloofde te bestrijden, van welke zijde dit zich ook zou openbaren. 'De strijd tegen Hitler,' zo verklaarde hij, 'is slechts de openingszet in een veel bredere oorlog tegen de tirannie.' Op een gegeven moment zinspeelde hij zelfs op 'duistere krachten' die zich onder de burgerbevolking zouden bevinden, 'klaar om in geval van een ramp toe te slaan, tweedracht te zaaien en de democratie te ondermijnen.' Hij had het natuurlijk over het fascisme, maar James besefte dat zijn woorden net zo goed op de communisten konden slaan.

'Ten slotte,' zei de generaal, 'wil ik de tirannen en hun volgelingen het volgende mededelen: met mannen zoals deze in ons geweldige leger, zult u onze idealen nooit ofte nimmer ondermijnen kunnen. En tegen deze uitmuntende officieren zeg ik: alle vrije naties van de wereld huldigen u.'

Het publiek, van wie de meesten geen woord hadden verstaan, maar uit de toon van de generaal begrepen dat het eind van de speech was bereikt, barstte uit in een daverend applaus.

'Wat hebben jullie eigenlijk precies gedaan, jongens?' mompelde de generaal, toen hij James zijn lintje opspeldde.

'Het organiseren van de evacuatie van burgers van de Vesuvius, sir.'

'O ja. Goed werk.' Toen salueerde de generaal hen en zij salueerden terug. 'Spreekt een van jullie toevallig Italiaans?'

'Ja, ik, sir,' zei James bedremmeld.

'Zeg dan eens wat, wil je?' zei de generaal, gebarend naar de menigte.

'Pardon, sir?'

'Enkele woorden van dank. Hoewel... als je ook nog iets over de strijd tegen de tirannie zou kunnen zeggen, zou dat heel fijn zijn.'

'Ja, sir.'

De generaal stak zijn hand weer omhoog om stilte af te dwingen en iedereen zweeg onmiddellijk. James boog zich voorover naar de microfoon. 'Ik wil de generaal graag bedanken voor zijn vriendelijke woorden. En ik wil eh... even herhalen dat de oorlog tegen de tirannie eh... erg belangrijk voor ons is.' Toen hij werd onderbroken door de echo van zijn eigen versterkte stem, raakte hij even van zijn à propos. Hij keek naar al die verwachtingsvolle gezichten. En opeens wist hij dat hij deze vertoning niet langer kon volhouden.

'Moet u horen,' zei hij, 'ik bén helemaal geen held. Ik ben niet eens een goed soldaat. De waarheid is dat ik dit hele evacuatieplan alleen maar heb bedacht... vanwege een vrouw.'

Hierop begonnen de Italianen belangstellend te mompelen. Politieke toespraken vonden ze prima, maar romantiek was een stuk opwindender.

'Ziet u, zij woont op de Vesuvius. Dus dat was het hele punt: ik wilde dat zij veilig zou zijn. Maar toen puntje bij paaltje kwam, vloog ik – in plaats van te zorgen dat zíj in veiligheid werd gebracht – als een idioot naar Terzigno, om te zorgen dat de vliegtuigen daar werden gered.'

Als één man hield het publiek zijn adem in. Hoe kon die kapitein Gould zo dwaas zijn geweest! Op de achterste rij werden meerdere nekken gestrekt om hem beter te kunnen zien.

'Wat zegt hij allemaal?' fluisterde de generaal in Erics oor.

'Eh... het gaat mij allemaal een beetje te snel, sir.'

'Dat was een hele verkeerde beslissing,' sprak James traag. 'Dat weet ik nu. Haar huis – een familierestaurant – is totaal vernield. En ik weet nog steeds niet wat er in die tien dagen precies is gebeurd; wat zij allemaal heeft moeten doorstaan. Maar ik weet wel dat het genoeg was om haar over mij van gedachten te doen veranderen. En hoewel ik dit lintje nu niet zal afdoen – de man hier naast me zou me ter plekke executeren

– zou ik het morgen zo in de zee gooien, als ik haar daarmee terugkreeg.'

'Werkelijk fascinerend, James,' siste Eric in het Italiaans vanuit zijn mondhoek. 'Maar als ik jou was, zou ik er nu maar eens een eind aan breien.'

James keek naar de menigte vol Italiaanse gezichten, die hem allemaal even meelevend aankeken. Alle emoties die hij al die tijd had weggestopt, kwamen opeens onverbiddelijk naar boven en zijn ogen vulden zich met tranen. 'Ik hou van haar,' zei hij eenvoudig, 'meer dan wat dan ook. Maar nu heeft zij mij gevraagd haar te vergeten – en dat is het enige dat ik nooit, maar dan ook nooit zal kunnen.'

Zijn publiek zuchtte. Op de eerste rij depte een majoor zijn ogen met een punt van zijn ceremoniële tenue.

'En nu,' zei James, 'als u mij wilt excuseren, ga ik me bedrinken.'

De Italianen barstten los in applaus, velen van hen huilden openlijk, een paar stonden op en renden naar voren, om James te omhelzen en hun betraande wang tegen de zijne te drukken.

'Opmerkelijk,' zei de generaal, verbijsterd om zich heen kijkend. 'Hoogst opmerkelijk.'

Zi' Teresa was helemaal leeg, op een glazenpoetsende barkeeper na. James liep naar de bar en bestelde een scotch.

'We zijn gesloten,' begon de barman.

Maar Angelo, die had gezien wie er was, kwam naar voren en gebaarde hem hen alleen te laten. 'Wil je gezelschap, James?' zei hij terwijl hij hem een glas voorzette.

'Alleen van de fles.'

Angelo trok zijn wenkbrauwen op.

James haalde Livia's brief uit zijn zak en schoof hem 'm toe. 'Hier. Je kunt hem net zo goed lezen.'

Angelo las de brief in stilte. Toen reikte hij onder de toonbank naar een etiketloze fles met een bleekbruine vloeistof. 'Aan scotch heb je niks op momenten zoals dit. Trouwens, dat spul dat je daar drinkt, is zelfs nog nooit in de búúrt van Schotland geweest.' Hij leegde de inhoud van James' glas in de gootsteen, maakte de andere fles open en schonk twee kleine ballonvormige glazen vol.

James pakte er een en rook eraan. 'Wat is dit?'

'Grappa. Driemaal gedistilleerd, in het vat gemengd en ruim een eeuw oud. Als dit – God verhoede – Frankrijk was, zouden we het cognac noemen en hadden de Duitsers allang elke fles die ik had meegenomen.'

James haalde zijn schouders op en sloeg het vocht in één teug achterover. Maar zelfs in de stemming waarin hij nu verkeerde, kon hij de eerbiedwaardige zalvende geur niet helemaal negeren die zijn neusholten streelde en met een zachte, volle, rokerige nasmaak aan zijn tong bleef hangen – een smaak die deed denken aan pakhuizen vol spinrag, vochtige kelders, bewierookte kerken en stoffige houten balken. Eén fractie van een seconde zag hij zijn eigen problemen als door de ogen van deze eeuwenoude vloeistof: klein, onbeduidend en van voorbijgaande aard.

Alsof hij zijn gedachten had gelezen, zei Angelo: 'Toen deze drank in de eerste van zijn vele eikenhouten tonnen werd weggesloten, bestond Italië als land nog niet eens en was jullie koningin Victoria nog maar een kind. Soms helpt het om iets van een afstand te bekijken.' Hij schonk James nog een borrel in en tikte zijn glas tegen het zijne. 'Op de historie.'

Ditmaal dronk James wat rustiger.

'Zo,' begon Angelo voorzichtig, 'dus Livia heeft besloten dat ze niet met je wil trouwen en heeft plicht verkozen boven de liefde.'

James schoof de ober-kelner zijn glas toe om het andermaal te laten vullen.

'Mij dunkt dat jullie meer op elkaar lijken, dan ik me had gerealiseerd.' Angelo schonk James nog eens in en pakte toen zijn eigen glas weer. 'En nu, zo kan ik me voorstellen, voel jij je behoorlijk rot.'

'Ik heb haar teleurgesteld,' zei James. 'Ik was er niet toen ze me hard nodig had.'

'Juist.' De twee mannen dronken even in stilte. 'Je bent te streng voor jezelf,' zei Angelo toen peinzend. 'Jij deed simpelweg je plicht. Ik geloof dat Livia je dat heus wel zal vergeven.'

'Vergeven? Ze wil me nooit meer zien!' James begroef zijn hoofd in zijn armen en kreunde: 'O Angelo, ik ben zo stom geweest!'

'Dat klopt,' gaf Angelo hem gelijk. 'Maar dat hoeft niet per se desastreus te zijn.'

'Hoe bedoel je?'

Angelo draaide zijn glas rond en bestudeerde de inhoud. 'Soms kun je als je in een grappa zo oud als deze kijkt, je bijna inbeelden dat je de toekomst ziet.' Hij nam een kleine slok en liet deze even over zijn tong rollen. 'En als je er dan van drinkt, durf je bijna te geloven dat je die toekomst zelfs naar je hand kunt zetten.'

'Waar wil je naartoe, Angelo?'

'Gewoon, dit: heb jij Livia ooit verteld dat je van haar houdt? Dat je de rest van je leven met haar wilt doorbrengen? Dat geen enkel obstakel, hoe onoverkomelijk het ook mag lijken, hoog genoeg zal zijn om jullie uit elkaar te houden?'

James zuchtte. 'Nee,' moest hij toegeven. 'Het was een penibele toestand, dat weet jij ook. Als huwelijksofficier...'

'James, James. Vertel mij nog eens waarom Engeland eigenlijk aan deze oorlog meedoet.'

James trok zijn schouders op. 'Omdat wij hebben besloten dat we bepaalde dingen de moeite waard vinden om voor te vechten, denk ik.'

'Zoals?'

'Nou ja... eerlijk spel, opkomen voor mensen die dat zelf niet kunnen, omdat we niet met ons willen laten sollen door de een of andere miezerige militaire dictatuur...'

'En toch, als het om je eigen hart gaat, ben jij bereid je door anderen te laten vertellen wat je moet doen; om je leven door het leger te laten dicteren – zelfs als dat ten koste gaat van vriendschap, fatsoen, eerlijkheid... ja, zelfs de liefde.' Angelo knikte. 'Jullie hebben destijds besloten dat ons land de moeite waard is om voor te vechten en daar zijn we jullie zeer dankbaar voor. Maar hoe zit het met onze mensen? Hoe zit het met Livia? Is zíj dan niet de moeite waard om voor te vechten?' Angelo legde een vinger op de brief en schoof hem over de bar terug naar James. 'Je kunt deze op je hart dragen tot hij verbleekt en gescheurd is en bij de vouwen uit elkaar valt als een strook oude kant. Óf je kunt tegen jezelf zeggen dat dat stuk papier helemaal geen definitief besluit is; dat van een liefde waar op deze manier afstand van wordt gedaan, helemaal geen afstand ís gedaan; dat deze liefde slechts hevig op de proef is gesteld, maar dat deze breuk niet voorgoed is, zolang jullie niet allebei hebben geaccepteerd dat het niet anders kan. Kortom, mijn vriend: als je werkelijk vindt dat het doel de moeite waard is om voor te vechten, dan kun je er gewoon voor kiezen te vechten!'

'Maar ze schrijft dat ik niet moet proberen haar op andere gedachten te brengen.'

'Zo zijn vrouwen nu eenmaal, James. Als je haar wél op andere gedachten weet te brengen, zal ze je daar eeuwig dankbaar voor zijn. En als dat niet lukt,' zei hij schouderophalend, 'dan ben je net zo ver als nu. Toch?'

'Mijn god, Angelo,' zei James, hem met open mond aanstarend. 'Je hebt helemaal gelijk.'

40

*J*ames beende het restaurant uit en sprong in zijn jeep. Hierbij stoorde hij een bende scugnizzi, die net bezig was zorgvuldig de koplampen ervan te verwijderen. Toen hij in volle vaart wegreed, rinkelde er wat metaligs over het wegdek.

De wegen mochten dan weer open zijn, het landschap zag er nog steeds griezelig doods uit. As wervelde rond de banden toen James de berg op zigzagde en zo nu en dan lieten brede zwartgeblakerde stroken in de bossen zien waar de lava het heftigst had toegeslagen.

Toen hij in Fiscino aankwam, was het daar opvallend rustig. Hij stopte voor de vervallen osteria en zette de motor uit. Er was nergens iemand te bekennen.

'Hallo?' riep hij.

Er verscheen een bekend gezicht achter een van de ramen van de buren.

'Marisa!' riep hij. 'Ik ben het: James.'

Ze kwam naar de deur.

'Waar is Livia?'

'Niet hier.'

'Waar is ze dan?' Toen Marisa aarzelde, voegde hij eraan toe: 'Ik móét haar spreken.'

'Ze is naar het huis van Alberto Spenza.'

'Die boef? Wat moet ze dan met hém?' Toen ze opnieuw aarzelde, riep hij ongeduldig: 'Laat ook maar. Hoe kom ik daar?'

Na een korte stilte wees ze naar een opening in het bos. 'Neem dat pad en volg het dan ongeveer anderhalve kilometer.' Toen voegde ze er

gejaagd aan toe: 'Ze is er gisteren naartoe gegaan en niet meer terug-
gekomen. Ik maak me zorgen. Ik heb haar gezien... ergens op een
duistere plek.'

'Maak je geen zorgen: ik vind haar wel,' zei hij en begon te rennen.

Achter hem friemelde Marisa nerveus met haar vingers, zich afvragend of ze hier wel goed aan had gedaan.

Hij holde over het pad tot hij bij een boerderij aankwam. In de schuur
stond een glimmend rode Bugatti en de voordeur stond wijd open.
'Livia?' riep hij.

Toen er geen antwoord kwam, stapte hij naar binnen. De geur van
verschaald eten dreef hem vanuit de keuken tegemoet. Daar trof hij de
restanten van een maaltijd aan – en wát voor één: de hele tafel lag be-
zaaid met de meest luxueuze delicatessen. Een uiteengerukte, half opgegeten kreeft, een paar achteloos weggegooide, geopende blikjes kaviaar, een bijna lege fles Mouton Rothschild op zijn kant en naast twee
lege borden stonden twee halfvolle glazen.

'Livia?' riep hij nog een keer.

Toen hoorde hij geluiden boven: een krakend bed, een vrouw die
gilde – van genot of pijn. Hij snelde de trap op en begon er deuren
open te trappen.

Er lagen twee mensen in het bed: de dikke man en een vrouw. James
zag een bos donker haar, een naakte rug en een jurk die over een stoel
was gegooid. Maar de vrouw die schrijlings boven op Alberto Spenza
zat, was niet Livia.

'Hup, eraf!' zei Alberto tegen de vrouw. Gehoorzaam schoof ze naar
de andere kant van het bed. Hij sloeg een laken om zich heen en kwam
moeizaam overeind.

'Waar is Livia?'

Alberto liep naar het raam en keek naar buiten. 'Aha, je bent alleen,'
merkte hij op. 'Gewaagd, hoor.'

Grommend liep James op de Italiaan af. 'Zeg me waar ze is, schoft,
of ik...'

'Of wát...? Ik heb contacten op zeer hoog niveau, hoor. Denk je wer-

kelijk dat één meid voor hen belangrijker is, dan hun strijd tegen de tirannie?' Hij glimlachte vreugdeloos. 'Maar als je echt iets van waarde
kwijt bent, kun je natuurlijk altijd gaan vragen op het politiebureau.
Misschien dat iemand het daar heeft afgegeven.'

'Wat bedoel je daarmee?'

'Zij komt nooit meer terug. Maar als je haar ooit nog vindt, kun je
haar deze misschien teruggeven.' Hij pakte de jurk en smeet hem James
toe. Hij was inderdaad van Livia.

'Ze was trouwens erg lekker in bed,' zei Alberto amicaal. 'Ik hoop
dat de Duitsers dat ook weten te waarderen. En jij, mijn vriend... ik
hoop dat jij het leuk vindt om met meer hoorns op je kop rond te
lopen, dan een mand vol slakken.'

Vloekend sprong James op hem af – het volgende ogenblik keek hij
recht in de loop van een pistool. Een tergend lang ogenblik staarden de
twee mannen elkaar aan. Toen draaide James zich zonder nog een
woord te zeggen om en vertrok.

Alberto riep hem spottend na: 'Voorzichtig bij de voordeur! Straks
schraap je met die hoorns nog langs de lateibalk!'

Ziedend van vernedering liep James over het pad terug naar Fiscino.
Hij kon wel zo'n beetje raden wat Alberto allemaal met Livia had uit-
gevreten, maar hij snapte nog steeds niet waarom zij zich met hem had
ingelaten. En wat had hij eigenlijk bedoeld met die Duitsers en die
mandvol hoorns?

Marisa zat op hem te wachten. 'Nou?' vroeg ze bezorgd. 'Was ze
daar?'

'Nee,' zei hij kortaf en gooide de jurk op de grond. 'Alleen deze nog.
Marisa, ik geloof dat je me maar beter alles kunt vertellen.'

Toen ze klaar was, sloot hij een moment de ogen. 'Waarom heeft ze me
dat niet verteld?'

'Hoe zou jij dan hebben gereageerd?'

Dat was een goede vraag. Hoewel hij werd geraakt door de omvang
van het offer dat Livia voor haar vader had gebracht, was een deel van
hem ook geschokt dat ze zoiets überhaupt had kúnnen doen.

'Ik neem aan dat er absoluut geen twijfel is,' zei hij, 'dat ze met dat beest heeft geslapen?'

Ze aarzelde even. 'Ik zou natuurlijk kunnen liegen en zeggen dat ze dat misschien niet heeft gedaan. Maar we weten allebei dat dat niet waar is: Livia heeft gedaan wat ze moest doen.'

Hij zuchtte diep. De gedachte aan Alberto en Livia samen – niet alleen bezig met dingen die zij samen ook hadden gedaan, maar ook met al die dingen die zij nog niet hadden gedaan – maakte hem letterlijk misselijk. Een soort oerjaloezie kolkte door zijn aderen.

'James,' sprak Marisa kalm, 'jij bent degene van wie ze houdt. Wat ze ook heeft gedaan, ze is nooit opgehouden met van jou te houden. Dat mag je nooit vergeten.'

Het geluid van vrachtwagens ronkte vanaf de weg omhoog. Drie grote legertrucks kwamen de heuvel op, zeer traag, alsof ze iets zochten. Aangekomen bij het groepje huizen dat Fiscino vormde, draaide de eerste zich om. Maar in plaats van terug naar beneden te rijden, zoals James had verwacht, begon hij achteruit te zetten, richting de osteria.

James keek verbouwereerd toe. De truck stopte, een soldaat sprong uit de cabine en begon de vrachtwagen nog wat dichter naar het beschadigde huis te loodsen, al instructies roepend naar de chauffeur.

'Wat doen jullie?' riep James.

'Ho even!' gilde de soldaat en hij gaf een klap op de zijkant van de vrachtwagen. Toen draaide hij zich naar James toe. 'Kapitein Gould?'

'Ja... dat klopt,' zei James verbluft. 'Maar wat is hier nou precies de bedoeling van?'

'Goed, we zijn dus op de juiste plek.' De soldaat salueerde. 'Soldaat Griffiths, Royal Engineers. Ik heb u op de radio gehoord, sir.'

'Op de radio?'

Griffiths knikte. 'Die toespraak die u hebt gehouden bij het bezoek van de generaal.'

'O... Maar dat was in het Italiaans.'

'Precies... ik spreek het nu redelijk vloeiend. En ik zat te luisteren samen met mijn vrouw, dus die heeft me ook een beetje geholpen. U

355

zult zich haar vast herinneren, sir: Algisa Griffiths... maar haar meisjesnaam was Fiore.'

James staarde hem aan. 'Soldaat Griffiths... Maar natuurlijk: jij bent degene die ooit drie Duitsers heeft gedood met zijn blote handen en een lepel!'

Griffiths leek lichtelijk gegeneerd. 'Tja... dat was eigenlijk meer een vertaalfoutje. Er was wel een lepel bij... maar ook een machinegeweer – en daar wist ik toen het Italiaanse woord nog niet voor.'

'Wat doe jij hier in godsnaam? En wie zijn al die anderen?' Er waren intussen nog veel meer soldaten uit de vrachtwagens gesprongen.

'Nou, dit is korporaal Taylor,' zei Griffiths, waarop iemand naar voren stapte en James de hand schudde.

'Gina is er natuurlijk niet bij,' zei hij. 'Die zorgt voor de kleine James. Maar ik moest u wel de groeten van haar doen. Heel fijn u eindelijk te ontmoeten, sir.'

'En dat is Bert, de man van Violetta... daarachter staat Jim, met Silvana... Magnus en Addolorata... Ted en Vittoria...'

'Maar wat doen jullie allemaal hier?'

'Tja, we hoorden u vertellen dat u en uw meisje nogal in de penarie zaten. Dus toen hebben we dat een beetje rondverteld en eh... nou ja, we dachten, we gaan er gewoon naartoe en kijken of we een handje kunnen helpen. Aha, daar is het hout!' Een tweede vrachtwagen was met zijn achterkant naar de osteria gaan staan; een paar mannen stonden er lange planken uit te trekken. Soldaat Griffiths nam de zwaar gehavende keuken met een geoefend oog op. 'Mm, ziet er erger uit dan het is. Voordat ik bij de genie ging, was ik bouwvakker, ziet u.'

James zuchtte. 'Allemaal verschrikkelijk aardig van jullie, maar mijn meisje is hier dus niet.'

'Dan kunt u het maar beter gauw met haar gaan uitpraten, is het niet? Laat u dit boeltje hier maar met een gerust hart aan ons over.'

James zocht even naar de juiste woorden. 'Eh, mag ik jou misschien een vrij persoonlijke vraag stellen? Als getrouwd man zijnde?'

'Uiteraard.'

'Je weet vast wel dat Algisa... nou ja, voordat ze jou ontmoette, waren er...' Hij zweeg abrupt. Hoe moest hij dit nu brengen?

Soldaat Griffiths zei kalm: 'Zij ging met soldaten mee, sir, dat is het gewoon. En ik ben er erg blij om dat ze dat heeft gedaan.'

'Blij? Hoezo dat dan?'

'Als ze dat niet had gedaan, was ze van de honger omgekomen,' sprak hij eenvoudig. 'En dan had ik haar nooit leren kennen.'

'Is dat niet... moeilijk voor jou geweest?'

'Waanzinnig! Maar niet half zo moeilijk, als zonder haar te moeten leven. En uiteindelijk is dat toch het enige dat telt, nietwaar: onze gevoelens voor elkaar.'

'Ja,' zei James. 'Uiteraard.' Toen stak hij zijn hand uit. 'Bedankt, soldaat Griffiths. Je hebt me erg geholpen.'

En hij draaide zich om en haastte zich terug naar de jeep.

Bij de Questura, het hoofdbureau van politie, werd hij bij de korpschef gebracht. James legde hem uit waar hij voor kwam. De man liet de betreffende dossiers halen en bladerde er met een sombere blik doorheen. Tenslotte toonde hij hem er een. 'Hierin staat het allemaal geschreven,' zei hij. 'Geen twijfel mogelijk: Livia Pertini, gearresteerd tijdens het tippelen en diezelfde middag nog onderzocht door een arts. Daarna is ze naar het kamp van Afragola gebracht en bij de andere meisjes gezet.'

James' bloed bevroor in zijn aderen. 'En waar is ze nu dan?'

De politieman keek op zijn horloge. 'Het lijkt me dat ze inmiddels op de boot zijn gezet voor hun reis naar het noorden.'

'We moeten ze stoppen! Er is een afschuwelijke vergissing gemaakt!'

De korpschef vouwde zijn handen voor zijn buik. 'U bent haar vriend?'

'Toevallig wel, ja.'

'Aha.' Hij knikte peinzend. 'En u was niet bekend met het feit dat zij op deze manier in haar onderhoud voorzag? Dat zien wij wel vaker.'

'Zij ís helemaal geen prostituee! Noch is er sprake van dat zij een geslachtsziekte onder de leden heeft.'

'Als u het zegt. Maar, haar lot ligt niet langer in mijn handen: dit is nu een militaire aangelegenheid.'

'Er moet iemand zijn omgekocht. Ik eis een volledig onderzoek.'

De korpschef schonk hem een kille blik. 'Voorzichtig met waar u ons van beschuldigt,' sprak hij mild. 'Tenzij u beschikt over absoluut ijzersterk bewijsmateriaal.' Na een korte stilte van James' kant knikte hij. 'Ik dacht al van niet.' Hij begon de papieren weer bijeen te rapen: het gesprek was wat hem betrof ten einde. 'En wat gaat ú nu doen?' vroeg hij James vriendelijk.

'Als u het per se weten wilt,' zei James, 'ik ga haar terughalen.'

De korpschef glimlachte. 'Ik geloof dat u het niet helemaal begrijpt. Zij wordt voorbij de Duitse linies gebracht.'

'Ik begrijp het perfect.' James stond op. 'Hoelang het ook duren mag, ik kan u verzekeren dat ik haar vinden zal.'

Ze was, al gillend, naar een cel gebracht en er naar binnen geduwd, waarna de deur achter haar was dichtgesmeten. Livia had op de deur gebonsd, hen uitgemaakt voor smeerlappen en addergebroed – maar het enige antwoord aan de andere kant was een korte lach geweest en het geluid van wegstervende voetstappen. Ze had nog maar wat gegild.

'Dat heeft geen zin, hoor,' klonk een stem achter haar. Ze draaide zich om. Onder het enige raam van de cel zaten drie jonge vrouwen op een bankje. Ze waren allemaal van haar eigen leeftijd, knap en donker van haar. Degene van de stem zei: 'Ze komen niet meer terug. Renata hier heeft geprobeerd ze om te kopen en zelfs dat werkte niet.'

De jongste van de drie knikte en zei: 'Ik zei dat ze een keer voor niks mochten; dat ik ze er duizend lire bíj zou geven zelfs. Maar ze pakten gewoon mijn geld af en waren vanwege die rotziekte te bang om verder te gaan. Waar hebben ze jou opgepakt?'

'Nergens,' zei Livia. 'Ik heb een camorrista geweigerd met hem te trouwen en dat beviel hem niet. Ik móét iemand spreken die hier iets te zeggen heeft en zorgen dat ik nogmaals word onderzocht. Dan zijn ze er zo achter dat hij hun heeft voorgelogen.'

'Ze laten je nu echt niet meer naar een dokter gaan,' zei het derde meisje. Haar stem klonk erg zacht, alsof ze vreselijk verlegen was. 'Ze gaan ervan uit dat wij álles doen of zeggen, om maar niet naar het noorden te worden gestuurd. Als dat certificaat eenmaal zegt dat jij besmet bent, kan het hun verder niet schelen.'

Een paar uur later werd de deur geopend en werden ze een vracht-

wagen in geleid, door een carabiniere die op geen van hun vragen antwoordde. Toen werden ze Napels uit gereden en uiteindelijk arriveerde
de vrachtwagen bij een legerkamp aan zee. De soldaten staarden naar
de vier vrouwen die door het kamp werden gereden, maar hun blikken
waren niet opgewonden of nieuwsgierig, maar taxerend. Livia kreeg de
indruk dat ze heel goed wisten waarom deze vrouwen hier waren en dat
het ook niet de eerste lading was die ze voorbij zagen komen.

Ze werden naar een provisorisch gevangenisblok gebracht, waar al
een stuk of twaalf vrouwen, verdeeld over vier cellen, zaten opgesloten.
De nieuwkomers werden samen in een cel gezet, waar ze even later
werden bezocht door een Engels officier, die kalm begon te vertellen
wat er precies van hun werd verwacht.

'Het gaat als volgt: zodra jullie in Rome zijn, worden jullie naar het
Duitse militaire bordeel gebracht, waar je met zo veel mogelijk Duitsers naar bed moet gaan. Daar heb je overigens weinig bij te kiezen,
want wij geven je wel identiteitspapieren, maar geen geld. Je zult dus
gewoon moeten werken voor wat je nodig hebt. Maar jullie zijn waarschijnlijk niet anders gewend.'

'En wat gebeurt er als de Duitsers ontdekken dat we besmet zijn?'
vroeg een meisje.

'Je mag wel aannemen dat ze daar niet al te blij mee zullen zijn.'

'Maar dat is toch schandalig!' protesteerde Livia. 'Wij zijn vrouwen,
geen wapens! Jullie moeten ons op zijn minst een doktersbehandeling
geven.'

'In feite zijn jullie gewoon criminelen,' was het weerwoord van de
officier. 'Prostitutie is zowel volgens het civiel, als het militair recht een
vergrijp.' Hij smeet een paar tassen op de grond. 'We zijn zo vrij geweest om alvast wat spulletjes voor jullie in te pakken. Want het mag
toch niet zo zijn, dat jullie als een stel slonzen de Eeuwige Stad betreden, wel? De boot vertrekt over een paar uur.'

'Maar er is een vreselijke fout gemaakt,' zei Livia. 'Ik ben de vriendin
van een Engels officier, kapitein James Gould. U moet hem een boodschap doorgeven!'

'Elk meisje uit Napels is wel een vriendin van een Engels officier,' zei
de man. 'En als jij denkt dat ik niks beters te doen heb dan berichtjes

doorgeven, dan heb je het goed mis. Die officier van je is een stuk beter af zonder jou.' En toen draaide hij zich om, liep de cel uit en deed de deur achter zich op slot.

Een van de meisjes begon de tassen open te trekken. Er zaten jurken, hoeden en schoenen in – meer niet.

'Dit is toch belachelijk!' brieste Livia en ze schopte tegen een tas.

'Wat bedoelde hij daar nou mee: een militair bordeel?' vroeg het meisje met de timide stem.

'De Duitsers pakken die dingen anders aan dan de geallieerden,' zei het meisje dat Renata heette. 'Bij hun mag je geen mannen op straat aanhouden, maar moet je daarvoor naar een huis dat door het leger wordt gerund. Toen de Duitsers nog in Napels zaten, had je er daar ook zo een.'

Voor het eerst realiseerde Livia zich hoe slecht het er voor haar uitzag. Ze werd niet alleen tot voorbij de Duitse linies gebracht, maar ook nog naar een bordeel! Wat als ze weigerde te doen wat daar van haar werd verwacht? Ze zei: 'We kunnen de Duitsers toch gewoon vertellen dat we ziek zijn? Dan willen ze ons nooit in hun bordeel.'

'Nee, maar dan sturen ze je gewoon door naar een gevangenkamp,' zei Renata. 'Zij behandelen namelijk geen besmette vrouwen, alleen soldaten.'

Die avond vertelden de meisjes elkaar hun verhaal. Geen van hen had voor de oorlog ook al als prostituee gewerkt. Het meisje met de timide stem was negentien en heette Abelina. Zij was verliefd geworden op een Duitse officier. 'Niemand had me ooit verteld dat ik dat beter niet kon doen,' fluisterde ze haast. 'Tenslotte stonden we toen nog allemaal aan dezelfde kant en Jürgen had helemaal niets van doen met de SS of Hitler. We zouden inmiddels al zijn getrouwd, als de Duitsers zich niet hadden teruggetrokken. Maar toen zij weg waren, riep iedereen in ons dorp ineens dat ik een slet was, omdat ik met hem was gegaan. Niemand wilde me meer eten of werk geven, dus móést ik mijn geld wel op deze manier gaan verdienen.'

Bianca was verkracht door de geallieerde soldaten die haar dorp hadden bevrijd – een groep Marokkanen uit een regiment van Vrije Fransen. 'Ze deden het met alle vrouwen,' zei ze, 'maar ik was de enige die verloofd was. En toen mijn verloofde erachter kwam, wilde hij niets meer met me te maken hebben. Daarna wilde niemand mij nog helpen, dus wat had ik voor keus?'

Renata was de jongste. Zij kwam uit de sloppenwijken van Napels en was na het uitbreken van de oorlog prostituee geworden, omdat er geen ander werk meer te vinden was. Toen ze van de rastrellamenti hoorde, wist ze wel dat je die kon ontlopen als je een fatsoenlijke baan had, maar zij was de enige kostwinner van haar uitgebreide familie en met het loon van een serveerster kon ze nooit iedereen van voedsel voorzien. Toen ze was opgepakt, had ze gedacht zich gemakkelijk met wat omkoperij uit de problemen te kunnen houden, maar tegen die tijd wilden de carabinieri deze operatie gewoon zo snel mogelijk afgerond krijgen.

Het viel Livia op hoe zij hun verhaal vertelden – nuchter, zonder enig zelfmedelijden of valse sentimenten – en voelde een vreemd soort boosheid in zich opkomen, anders dan alle woede die ze ooit had gevoeld. Het was niet de explosieve razernij die ze had gevoeld toen Pupetta werd vermoord, of de afschuwelijke machteloosheid toen haar vader op sterven lag. Nee, het was een intense, verbeten overtuiging, dat zijzelf noch een van de andere vrouwen hier zou moeten zitten. Dat deze oorlog – die door James en anderen gerechtvaardigd werd genoemd, een strijd die móést worden gestreden – op een totaal verkeerde manier werd gevoerd: namelijk door generaals, die zo vastbesloten waren om te winnen, dat ze vergaten wat mededogen en rechtvaardigheid waren. De meeste mensen waren goed en deden goede dingen: kijk maar naar hoe er was geholpen na de uitbarsting van de Vesuvius. Maar zodra diezelfde mensen macht of gezag kregen, begonnen ze er misbruik van te maken of negeerden gewoon alle menselijke consequenties van hun daden. En degenen die daar uiteindelijk het zwaarst onder leden, waren altijd de vrouwen – want die hadden om te beginnen al geen enkele macht of gezag. De oplossing was natuurlijk, dat vrouwen op de een of andere manier zelf macht vergaarden. Maar dat zag ze zo gauw nog niet gebeuren – zeker niet hier in Italië.

Livia zag nu pas dat deze oorlog (waarvan ze altijd had gedacht dat hij ging tussen de fascistische legers en die van de democratie) eigenlijk bestond uit een hele reeks van grote en kleine conflicten. Zo was er het conflict tussen degenen die wilden dat vrouwen thuisbleven en degenen die vonden dat ze net als mannen mochten gaan werken. Er was het conflict tussen degenen die vonden dat jongeren meer respect moesten tonen en degenen die vonden dat ouderen toleranter moesten zijn. Je had het conflict tussen degenen die de Amerikanen met hun films, taalgebruik, gangsters en jive omarmden en degenen die vonden dat Europa nog wat Europeser moest worden. En het conflict tussen degenen die vonden dat de gewone man zijn plaats moest kennen en degenen die vonden dat de gewone man zo vrij mogelijk moest worden gelaten. Of het conflict tussen degenen die vonden dat de regering in dienst moest staan van het publiek en degenen die vonden dat de regering meer macht moest krijgen. Maar bovenal was er het conflict tussen degenen die wilden dat alles weer werd zoals vroeger en degenen die wilden dat alles anders werd. En in dat laatste conflict – waarvan alle veldslagen nog moesten worden geleverd en de legers hun troepen nog aan het verzamelen waren – wist zij precies aan welke kant ze zou staan.

Deel IV

41

$\mathcal{D}$e boot vertrok vanuit de haven van Gaeta en spoedde zich zonder verlichting over het water. Er waren ongeveer twaalf vrouwen aan boord, die werden geëscorteerd door twee mannen van het A-force, een Engelsman en een Italiaan. Uit de manier waarop zij met elkaar spraken, begreep Livia dat ze deze reis al eerder hadden gemaakt. Omdat de boot geen kajuit had, waren de vrouwen in hun dunne jurken al gauw geheel doorweekt. Dus kropen ze zwijgend tegen elkaar aan om het warm te krijgen, terwijl de boot over de golven stuiterde en slingerde.

Livia zag de omtrek van de Vesuvius langzaam in de verte verdwijnen en vroeg zich af of ze Napels ooit terug zou zien. Vanwege de verduistering waren er nergens lichten te zien, maar ze kon zich maar al te goed het groepje huizen van Fiscino voorstellen, haar vader en haar zuster... en James. Ze vroeg zich af wat hij nu deed – en of hij überhaupt wist dat zij nu werd vermist.

Opeens klonk er een hoge gil. Een van de meisjes – Bianca, degene die was verkracht door Marokkaanse soldaten – was naar de rand van de boot gerend en overboord gesprongen. De Engelse officier vloekte, zette de motor zachter en keerde de boot. De andere vrouwen sloegen een kruis en begonnen prevelend te bidden, terwijl de mannen het wateroppervlak afspeurden. Maar zeker zonder licht was de kans klein dat ze haar nog zagen. Na een paar minuten zette de officier de motor weer voluit en raasden ze van de onheilsplek vandaan.

De andere officier trok daarop zijn pistool en kondigde aan dat hij op iedereen zou schieten, die van boord zou proberen te springen. Dat vond Livia nogal bespottelijk: Bianca had natuurlijk zelfmoord willen plegen, niet ontsnappen; ze bevonden zich immers al kilometers uit de kust. En iemand die haar voorbeeld wilde volgen, zou zich dan natuurlijk niet laten afschrikken door een kogel! Gelukkig leek geen van de vrouwen iets dergelijks in de zin te hebben.

Livia had het verzinnen van plannetjes inmiddels opgegeven. De angst had haar brein nu zozeer in zijn greep, dat ze niet eens meer denken kon. Wat haar allemaal wachtte – de Duitsers, de onvermijdelijke ontdekking, de beschuldigingen die ongetwijfeld zouden volgen – het was allemaal te afschuwelijk om over na te denken. Het was gemakkelijker om maar gewoon af te wachten en opgedragen te krijgen wanneer ze werd geacht ergens anders te gaan zitten, te eten, te slapen, wakker te worden.

Een piepklein stemmetje in haar achterhoofd herinnerde haar er echter aan dat deze verdoving slechts tijdelijk zou zijn: vroeg of laat zouden er weer kansen komen om te ontsnappen. En als die kwamen, zou ze ze zeker benutten.

Er was die nacht geen maan, al gaf de zee wel een soort vaag fosforescerende gloed af. Livia wist dat ze weer in de buurt van land kwamen, toen ze een kustlijn zich donker zag aftekenen tegen de purperen hemel. De snelheid van de boot zakte tot een soort wandeltempo en de Engelse officier liep naar de boeg toe, om in het water naar mogelijke mijnen te turen. Minutenlang tuften ze zo voort, tot hij blijkbaar tevreden was, want hij draaide zich om en stak zijn hand omhoog.

Toen de boot weer snelheid maakte, raakte hij echter iets in het water. Livia hoorde een zacht 'tok', gevolgd door een felle flits vanonder de romp – alsof het onder water onweerde. Eén flikkering en toen was het weer weg. Maar meteen daarop rees er een enorme berg van water uit de zee op, die de hele boot de lucht in sleurde. Ze hoorde geschreeuw, het geluid van versplinterend hout en toen pas, zo leek het wel, de knal van de explosie. En opeens was er alleen nog ijskoud water boven haar. Ze begon als een dolle te zwemmen – naar al gauw bleek de verkeerde kant op: wat ze in het donker en de verwarring aanzag voor boven, bleek in feite beneden. Ze voelde dat haar longen bijna barstten. Tien martelende seconden lang dacht ze dat ze het niet ging redden; dat ze haar mond zou moeten openen en niets dan zout water zou inademen. Maar toen voelde ze hoe ze als een kurk naar het oppervlak floepte. Haar hoofd raakte een stuk hout, ze voelde motorolie in haar haar, maar er was ook lucht – haar gekwelde longen zogen zich dankbaar vol.

Rondom haar kwamen nu steeds meer vrouwen boven water. Iedereen klampte zich vast aan het wrakhout. Livia keek om zich heen: de kust was nog geen honderd meter verder. Afgemat draaide ze zich op haar rug en begon te zwemmen.

Acht van hen lukte 't het strand te bereiken, inclusief de officier die op de boeg had gestaan op het moment dat de mijn ontplofte. Hij bloedde hevig uit zijn borst. Het leek Livia een wonder dat hij nog de kracht had gehad om te zwemmen.

De vrouwen maakten het hem zo aangenaam mogelijk: ze trokken zijn natte kleren uit en legden hem onder een provisorisch afdak van takken. Alleen Renata, het Napolitaanse meisje uit de sloppen, weigerde hem te helpen. 'Hij wilde ons doodschieten!' zei ze. 'Wat mij betreft is dit zijn verdiende loon.'

'Hij deed alleen maar wat hem was opgedragen,' zei Livia en ze ging nog wat takken halen. Het mocht echter allemaal niet meer baten: de man overleed, nog voor de nieuwe dag aanbrak. Ze hadden geen schop om een graf voor hem te graven, dus zeiden ze slechts een gebed op, terwijl ze met zijn allen om zijn lichaam heen stonden.

'En nu?' Het was Abelina die dit vroeg. 'Een Duitser zien te vinden en onszelf aangeven?'

'Wat denk je dat er dan gebeurt?' smaalde Renata. 'Wat hun aangaat, zijn wij nog erger dan spionnen: we zijn saboteurs. Als ze ons gewoon zonder omwegen doodschieten, boffen we nog!'

'Maar wij hebben er toch niet voor gekozen hierheen te komen?'

'Denk je werkelijk dat dat wat uitmaakt? De meeste Duitsers hebben er ook niet voor gekozen hier te zijn. Nee, ik weet wel wat ík doe.'

'Wat dan?'

'Ik ga een stadje zoeken en proberen wat geld te verdienen. Waar mannen zijn, hoef je als vrouw niet te verhongeren.'

'En jij, Livia?' vroeg Abelina. 'Wat vind jij dat we moeten doen?'

Livia dacht even na. 'Een paar mannen uit mijn dorp zijn te voet teruggekeerd uit krijgsgevangenkampen in het noorden. Zij wisten zonder problemen over de Duitse linies te glippen. Als zij dat konden, kunnen wij het ook.'

'We weten niet eens waar we zijn!' wierp Renata tegen.

'Maar we weten wel dat we in zuidelijke richting moeten. En we zijn vrouwen, dus zullen ze niet zomaar op ons schieten.'

'Maar moet je kijken hoe we eruitzien,' zei iemand. Dat was waar: ze droegen kleding die hun overweldigers hadden uitgekozen om de hoer in te spelen, niet voor een stevige voettocht.

'Toch waag ik het erop,' zei Livia. 'Alles beter dan wat die officieren van ons wilden. Wie gaat er met mij mee?'

'Ik!' zei Abelina.

En tot Livia's verrassing zei Renata: 'Vooruit dan, ik kan het net zo goed proberen. Als ik onderweg van gedachten verander, kan ik altijd nog weggaan.'

Maar een ander meisje, dat Livia niet bij naam kende, zei: 'Dat is veel te ver! Ik blijf hier.'

Ook de andere drie vonden het te ver en te gevaarlijk om te proberen terug te lopen naar Napels, hoewel ze geen van allen een idee leken te hebben wat ze dán zouden doen. Het was alsof ze zo vaak en zo lang waren gecommandeerd, door de mannen met wie ze sliepen, hun pooiers of de officieren van het A-force, dat ze niet meer zelfstandig konden handelen. Door hun eigen angst en passiviteit, besefte Livia, zouden ze waarschijnlijk precies zo eindigen als de geallieerden met hen voor hadden gehad. Ze deed nog wel haar best hen op andere gedachten te brengen, maar begreep dat het ook geen zin had ze tegen hun wil mee te slepen. De tocht zou al zwaar genoeg worden.

Livia, Abelina en Renata liepen landinwaarts tot ze bij een dorp kwamen, waar ze de weg vroegen. Ze bleken iets ten westen van Rome te zitten. Van dit nieuws monterde Livia weer een beetje op: het betekende dat ze zo'n kilometer of honderd van de frontlinie zaten. Napels was daarna nog eens zo'n eind.

Er viel al gauw een flink verschil op tussen Renata en de meisjes van het platteland, Livia en Abelina: de eerste had in haar leven nooit meer dan drie kilometer hoeven lopen en klaagde na een halve dag al over blaren en uitputting.

Maar Livia was zelf ook doodmoe. 'We kunnen wel even rusten,' zei ze. 'Maar niet te lang, anders komen we er nooit.' Dus zetten ze zich in het gras en trokken hun schoenen uit.

Even later hoorden ze het geluid van naderende voertuigen. Livia had zich eigenlijk willen verstoppen, maar de vrachtwagens waren er al voor ze een stap hadden kunnen verzetten. Het bleek een heel konvooi en elke vrachtauto zat vol met Duitse soldaten. De mannen zwaaiden opgetogen, de chauffeurs toeterden. Renata stak haar duim omhoog. De laatste vrachtwagen minderde vaart en stopte.

'Wat denk jij?' vroeg Abelina bezorgd. 'Is dat niet gevaarlijk?'

'Nou, ik ga in ieder geval mee!' riep Renata en begon te rennen. Even later volgden Livia en Abelina haar.

De mannen achter in de vrachtwagen trokken hen omhoog. Met een brede grijns op hun gezicht begonnen ze in het Duits naar elkaar te roepen. Uit het gelach maakte Livia op dat het nogal schunnige opmerkingen waren. Omdat er geen zitplaatsen meer waren, tikten de soldaten enthousiast op hun schoot. Livia schudde haar hoofd. Maar toen de vrachtwagen zich vervolgens met een schok in beweging zette, viel ze languit op de vloer.

Ze voelde hoe een enorme soldaat haar optilde en voorzichtig, doch beslist op zijn schoot plantte. Tegenover haar zaten Renata en Abelina al bij twee andere soldaten.

Die van haar zei met een glimlach: '*Ich* Heinrich,' en wees toen vragend naar haar.

'Livia,' antwoordde ze nerveus.

'*Bella* Livia!' Het leek het enige Italiaanse woordje te zijn dat hij kende: '*Bella, bella.*' Hij begon met zijn knieën op en neer te wippen, alsof ze een baby was. Toen ze daarop naar adem begon te happen, stopte hij en keek haar verontschuldigend aan.

Dertig kilometer lang zaten ze bij de soldaten op schoot, in ruil waarvoor ze niet veel meer hoefden te verduren, dan af en toe een verlegen kusje, veel schor gelach en wat vals gezang. Toen het konvooi ten slotte stopte om hen eruit te zetten, vonden ze het allemaal jammer om deze aardige Duitsers te zien vertrekken.

De drie vrouwen hadden de hele dag niets gegeten en na nog eens vijftien kilometer lopen, begon het al behoorlijk laat te worden. Omdat ze niets te verliezen hadden, besloten ze daarom in het volgende dorp maar ergens aan te kloppen. De mensen waren arm en hun oogst was door de oorlog totaal mislukt, maar ze keken door het ordinaire uiterlijk van de meisjes heen, gaven ze wat van hun brood en brachten ze toen naar de schuur, waar ze de nacht mochten doorbrengen. Naast de schuur stond een boom vol abrikozen, waarmee Livia haar maag nog wat verder vulde – voor ze in slaap viel met Fiscino's abrikozenfeest in haar hoofd.

De volgende ochtend gingen ze vlak na zonsopgang weer op pad en liepen de hele dag. Het was snikheet en ze kwamen geen soldaten meer tegen voor een lift. Op een luchtgevecht tussen twee vliegtuigen op het heetst van de dag na, leek de oorlog amper meer te bestaan. Enkel het ontbreken van vee in de weilanden en de wijngaarden die er stuk voor stuk verwaarloosd bij lagen, gaven aan dat er iets niet helemaal klopte aan dit vredige landschap. Ook alle dorpen waar ze doorheen kwamen, waren opvallend stil; vaak blafte er niet eens een hond.

Aan de andere zijde van de vallei hing een grote rookkolom aan de horizon. Terwijl ze deze heel langzaam naderden, vroeg Livia zich af wat hem kon hebben veroorzaakt. Vast iets met de oorlog, dacht ze, een stel uitgebrande auto's of zo. Maar omdat er geen direct gevaar leek te dreigen, bleven ze dezelfde koers aanhouden.

Pas toen ze heel dichtbij waren, zagen ze dat de rook uit een dorp kwam. Ze passeerden de eerste huizen, maar zagen nog nergens mensen. Toch moesten die er zijn, wist Livia, want er werd ergens gekookt. Ze had nu al zolang niets gehad, dat al haar zintuigen waren afgestemd op de geur van eten. En ze zou durven zweren dat de wind haar nu het aroma van geroosterd vlees toewuifde, zoals wanneer je een *bufala* aan het spit roostert. Het water liep haar al in de mond. 'D'r is hier eten!' zei ze tegen de anderen. 'Eens kijken of we wat bij elkaar kunnen bedelen.'

Toen ze de hoek omsloegen, zagen ze dat de rook van de kerk kwam: hier en daar sloegen de vlammen er nog uit. Toen pas realiseerde Livia zich dat er iets niet klopte. Het was inderdaad alsof er hier vlees werd geroosterd, maar het aroma had een wrange nasmaak, die achter in je keel bleef steken. En het kwam regelrecht uit die brandende kerk.

'O nee!' riep ze vol afschuw en sloeg een hand voor haar mond.

De ingang van de kerk was verkoold en half ingestort. Er zat een groot gat in het dak en het binnenstromende zonlicht was als een mee-dogenloze schijnwerper op het tafereel binnen. Sommige van de ver-vormde, zwart geblakerde lichamen waren geheel verast, andere waren slechts gedeeltelijk verbrand. Er lagen er een paar in een groepje rond het altaar, dat zelf door het vuur was teruggebracht tot een verkoolde stomp; anderen lagen bij de deur, alsof ze hadden geprobeerd te ont-snappen. De meesten, zag Livia, waren vrouwen en kinderen.

Toen ze zich omdraaide, zag ze een oude vrouw op een stoepje zit-ten. Haar bovenlichaam ging heen en weer, alsof ze een baby wiegde, maar die was er helemaal niet. Livia stak de straat over en ging naast haar zitten. 'Wat is hier gebeurd?' vroeg ze zacht.

'De partizanen,' zei de oude vrouw als verdoofd.

'Hebben de partizanen dit gedaan?'

'Nee, de Duitsers... omdat ze beweerden dat wij de partizanen te eten gaven.' De vrouw gaf een klap tegen haar voorhoofd. 'Maar wat konden we doen? We hebben de partizanen gevraagd te vertrekken, maar die bleven terugkomen. Dus kwamen de Duitsers, zetten ieder-een in de kerk, gooiden granaten naar binnen en staken de kerk in brand.'

'Hoe bent u dan ontsnapt?'

'Ze hebben mij expres hier neergezet, zodat ik de partizanen kan vertellen wat er is gebeurd. Ik ben de enige die ze hebben gespaard.' Ze kneep met haar ogen. 'Mijn hele familie, mijn buren, mijn kleindoch-ter... allemaal dood. Ze hebben zelfs de honden verbrand.'

Er was helaas helemaal niets dat ze voor deze vrouw konden doen, dus verlieten de drie vrouwen het lege dorp weer en liepen zwijgend de heuvel af. Aan de horizon, op andere heuvels langs de vallei, krulden nog een stuk of zes rookpluimen de lucht in. Tegen het donker kropen ze onder een boom dicht tegen elkaar aan. Niemand van hen sliep die nacht goed.

De volgende ochtend liepen ze weer verder. Alleen had Livia nu geen honger meer: telkens wanneer ze aan die geur dacht, werd ze misselijk. Zo nu en dan passeerden ze nog meer bewijzen van militaire aanwezigheid: een verwrongen troepenvoertuig langs de kant van de weg, met een enorme krater op de plek waar hij blijkbaar de lucht in was geblazen; een stuk weg met overal foedralen van machinegeweren en lege munitiekisten; een aan een tak opgehangen naakte man, zijn opgezwollen, met kogels doorzeefde lichaam achtergelaten voor de vogels en de vossen.

Pas toen Abelina van de honger begon flauw te vallen, durfden ze weer ergens aan te kloppen. Tot hun opluchting nam een vrouw hen mee naar haar keuken, waar ze een beetje gekookte rijst kregen. Livia bedankte haar overvloedig, omdat ze ook wel zag dat zijzelf waarschijnlijk niet veel beter at. En het helpen van vreemdelingen was hier vast ook nog gevaarlijk, met het oog op represailles van de Duitsers.

De vrouw wuifde haar dank weg. 'Mijn zoon vecht in Rusland,' zei ze. 'Als ik jullie wegstuur, gebeurt dat bij hem misschien ook. Maar als ik jullie te eten geef, zorgt God er vast voor dat ze hem ook niet laten verhongeren.'

Die avond keek Livia geboeid naar iets dat de zuidelijke horizon van tijd tot tijd verlichtte. In eerste instantie dacht ze dat het om een zomeronweer ging. Pas toen ze merkte dat er geen enkel patroon in de flitsen bleek te zitten, realiseerde ze zich dat ze zat kijken naar de twee strijdende partijen die elkaar aan weerszijden van de frontlinie onder vuur namen.

De volgende dag zagen ze een eind verderop een konvooi Duitse pantserwagens rijden. Om niet door hen te worden opgemerkt, besloten de vrouwen een omweg te maken. Maar omdat ze vervolgens hopeloos verdwaalden, verloren ze de rest van de dag met het oversteken van een steil ravijn – om tenslotte slechts een paar meter verderop weer op de weg te belanden.

Het ging hier nu constant bergop. Livia's spieren waren als lood, haar hoofd was zwaar en wazig. Maar toen ze naar Abelina keek, zag ze dat die zich zo mogelijk nog slechter voelde: haar huid glom van het zweet, ze wankelde op haar benen en haar blik was troebel. Toen ze op haar af liep om haar een arm te geven, struikelde Abelina en viel. Livia voelde aan haar voorhoofd: ze gloeide als een kachel. Vast weer een koortsaanval door die infectie. Renata pakte Abelina's andere arm. Maar met haar half tussen hen in hangend, vorderden ze nóg langzamer.

Toen klonk er ineens een mannenstem: 'Waar willen jullie heen?'

Livia keek om. Omdat ze niemand zag, dacht ze even dat ze had gehallucineerd.

'Als dit een valstrik is,' zei een andere mannenstem, 'dan ziet die er wel verdomd goed uit!'

En toen stapten er ineens twee mannen uit de bosjes. Ze waren gekleed in een versleten, verbleekt uniform, maar hun voeten staken in de traditionele sandalen van de bergboeren, met gekruiste bandjes over de kuiten. Om hun hals droegen ze allebei een knalrode zakdoek. En ze hadden allebei een geweer, dat ze op de vrouwen gericht hielden. 'Waar gaan jullie naartoe?' vroeg de eerste nog eens.

Livia was te moe om bang te zijn. 'Wij proberen naar Napels te komen.'

De man dacht even na. 'Nou, dan moet je in ieder geval niet zo gaan,' zei hij. 'Dan bots je over drie kilometer op een *tedesco*-observatie-post.'

'Kunnen we daar dan niet op de een of andere manier omheen?'

'Nee, alleen via de berg.'

'We moeten rusten,' zei Livia. 'Zij hier is ziek en wij tweeën zijn ook helemaal kapot. Is hier ergens een plek waar we de nacht kunnen doorbrengen?'

'Wat denk jij?' zei de man zacht tegen zijn metgezel.

De ander had blijkbaar geknikt, want de eerste draaide zich weer naar de vrouwen en zei: 'Jullie kunnen met ons mee. Maar zodra ik denk dat je naar iemand seint of zo, krijg je een kogel in je rug!'

Hij deed een stap vooruit en gebaarde hun hem te volgen. 'Komt u maar, dames,' zei hij jolig. 'We hebben nog een hele klim voor de boeg.'

Ze liepen nog zeker een uur, waarbij ze elkaar afwisselden bij het ondersteunen van Abelina. Tenslotte bereikten ze een dicht kastanjebos, waar hun gids halt hield.

'We zijn er,' zei hij, om zich heen kijkend. 'Welkom in ons *casa*.'

Livia begreep het niet. Waarom stopten ze hier? Maar toen ze wat beter keek, zag ze tussen de bomen een stel wigwamachtige tenten staan, gecamoufleerd met takken en bladeren. Overal kropen mensen tevoorschijn om de nieuwkomers te bekijken – sommigen in uniform, anderen in boerenkledij of zelfgemaakte jassen van schapenvel. Maar allemaal met dezelfde rode halsdoek als hun gids.

Een vrij jonge man maakte zich los van een van de groepjes en liep op hen af. 'Welkom, kameraden,' riep hij. 'Mijn naam is Dino. Jullie staan nu onder mijn bevel.'

Dino was pas een jaar of tweeëntwintig, maar hij had het zelfvertrouwen en charisma van een geboren leider. In eerste instantie was hij nog wat argwanend tegenover de drie vrouwen die ineens in zijn kamp waren verschenen. 'Als jullie voor de fascisten werken,' sprak hij effen, 'dan zijn jullie er nog voor zonsopgang geweest!'

Livia vertelde opnieuw dat ze gewoon naar Napels probeerden te komen.

'Dit is anders een erg slecht moment om de lijn over te steken,' zei Dino. 'Als je niet wordt gepakt door de Duitsers, dan gebeurt dat wel door de geallieerde artillerie. Jullie kunnen beter een paar weekjes wachten. Tegen die tijd kunnen de Duitsers niet anders meer dan zich tot voorbij deze plek terugtrekken.' Hij maakte een weids gebaar in zuidelijke richting. 'Daarna ligt er helemaal niets meer tussen jullie en Napels.'

'Mogen we hier dan blijven wachten?'

'Tja, wij kunnen het ons niet veroorloven gasten te onderhouden. Wie eet, moet ook werken.'

'Vanzelfsprekend.'

'Wat kunnen jullie? Neem me niet kwalijk dat ik het zeg, maar jullie zien eruit als hoeren.'

'Dat zijn sommigen van ons ook,' gaf Livia toe.

'In dat geval zijn jullie slachtoffers van het kapitalisme en zullen jullie hier niet worden uitgebuit. Kunnen jullie koken?'

'Ik wel,' zei Livia huiverend. 'Maar momenteel doe ik dat liever even niet.'

'Kun je schieten?'

'Ja. Ik kom van het platteland en heb van kinds af aan op hazen gejaagd.'

Dino haalde zijn geweer van zijn schouder en gaf het haar. 'Schiet eens op die boom,' zei hij, wijzend naar een kastanjeboom zo'n vijftig meter verderop.

Livia's hand trilde toen ze het geweer op haar schouder legde. Het was zwaarder dan dat van haar vader en ze was behoorlijk verzwakt door het gebrek aan eten. Maar, precies zoals ze dat van haar vader had geleerd, plantte ze haar voeten stevig op de grond en ademde heel licht in toen ze de trekker overhaalde. Ze voelde de terugslag tegen haar schouder; een fractie van een seconde later hoorde ze hoe de kogel zich krakend in de boomstam boorde.

'Zou je dat ook met een Duitser kunnen?' vroeg Dino laconiek.

Ze dacht aan de verbrande lichamen in de kerk. Ja, op degenen die dát op hun geweten hadden, kon ze wel schieten. Maar toen dacht ze aan die onschuldige, verlegen soldaten die hun een lift hadden gegeven en valse liedjes voor hun hadden gezongen. Kon ze ook op díé jongens schieten? En stel nou, dat het dezelfden waren – de zangers en de brandstichters?

'Ja,' zei ze, 'dat zou ik wel kunnen.'

Dino knikte. 'Mooi zo.'

Dino nam haar mee naar een tent, om uit een stinkende berg wat kleren bij elkaar te zoeken. Ze koos een soort uniform met een kaki broek en een ruw kamgaren overhemd.

Toen gaf hij haar een rode halsdoek. 'Wat je verder ook draagt, deze moet altijd om! Wij zijn namelijk de *Garibaldini* en dragen de vlag van de revolutie. De *Bagdolini*, de monarchisten, dragen blauwe halsdoeken. Als je liever een blauwe bent, hoef je hier niet te blijven, dan sturen we je gewoon naar een andere groep.'

'Jullie zijn dus communisten?'

'Ja. Weet je iets van het communisme?'

'Nee, helemaal niets,' moest Livia bekennen.

'Dan leren we je dat wel. Dat wil zeggen, als je bij ons wilt blijven.'

'Ik blijf,' zei Livia.

De partizanen hadden een stoofpot van muilezelvlees en kastanjes gemaakt. Livia, die had gedacht dat ze uitgehongerd was, kon echter amper een hap door haar keel krijgen uit de kom die haar was aangereikt. Niet dat het vies was klaargemaakt – welnee, in aanmerking genomen hoe weinig ze tot hun beschikking hadden, hadden de koks zich buitengewoon van hun taak gekweten. Ze hadden het taaie vlees mals weten te krijgen door het langzaam te laten sudderen en op smaak te brengen met boskruiden, mirtebladeren, kastanjes en wat paddenstoelen. Maar de geur van vlees, die Livia ooit zo heerlijk had gevonden, maakte haar nu aan het kokhalzen. Ze pikte er een schijfje paddenstoel uit en een paar kastanjes en zette de kom toen naast zich neer.

De mannen in het kamp hadden allerlei nationaliteiten. Sommigen waren boerenknechten uit de omgeving, die hadden moeten kiezen tussen bij het verzet gaan of meegenomen worden door de Duitsers; anderen waren ontsnapte krijgsgevangenen – Russen, Polen, Engelsen – die moe waren van het in zuidelijke richting lopen om zich weer aan te kunnen sluiten bij de geallieerden. En er waren ook vrouwen. Deze konden worden onderverdeeld in twee groepen: de aanhangsters – de vriendinnen en kokkinnen, hun lange rokken smoezelig van de bosgrond – en, veel kleiner in aantal, de strijdsters. Deze droegen exact dezelfde kleding als de mannen en werden door hen ook als gelijken behandeld. Sommigen rookten zelfs pijp van hun kleine tabaksrantsoen en hadden net als de mannen een schuilnaam aangenomen, die ze in hun rode halsdoek hadden geborduurd. Bij deze laatste groep sloot Livia zich aan.

De dag erop al kreeg ze haar eerste strijdervaring bij het verzet. De partizanen trokken naar een weg waarvan ze wisten dat de Duitsers hem regelmatig gebruikten en zetten er een hinderlaag op. Een buitgemaakte Duitse landmijn werd onder het zand van de berm verstopt en zou ontploffen zodra iemand op het juiste moment aan een touwtje trok. De andere partizanen, zo'n veertig stuks, verstopten zich vervolgens in greppels en achter bomen en wachtten.

Toen het konvooi van vrachtwagens eindelijk naderde, hun koplampen slechts blauwe kieren om aandacht vanuit de lucht te vermijden, liet Dino de helft ervan passeren voor hij uiteindelijk het teken gaf. De explosie blies een van de vrachtwagens van de weg, een greppel in. Meteen daarop sprongen de partizanen uit het duister tevoorschijn en begonnen te schieten op de wagens, die door dit incident waren gedwongen te stoppen en waaruit tevens tot de tanden bewapende mannen sprongen, die meteen begonnen terug te schieten.

Binnen enkele seconden was de lucht boven hen net dat kinderspelletje, waarbij je met een draad om je handen allerlei figuren vormt: de kogels vlogen in lange lichtbanen over en weer. Livia, die met haar geweer achter een boom gehurkt zat, hoorde de Duitse kogels in de stam inslaan. De vijand was met erg veel man en veel beter bewapend. Toen een paar van hen achter een van de vrachtwagens een machinegeweer trachtten op te zetten, werd dit door enkele handgranaten van de partizanen voorkomen.

En toen gaf Dino ineens het bevel terug te trekken en verdwenen alle partizanen tussen de bomen. Ze bleken twee man te hebben verloren, maar dachten er wel zes te hebben gedood. De uiteindelijke 'score' zouden ze zeker weten, zodra de Duitsers met hun vergeldingsactie kwamen: zij doodden immers altijd tien burgers voor elke gesneuvelde soldaat...

's Middags, wanneer de Duitse patrouilles het actiefst waren, bleven de partizanen altijd in het kamp en kregen ze in groepjes les over het communisme. Voor Livia bleek dit een ware openbaring. Haar leven lang was politiek een typisch mannenonderwerp geweest, waar vrouwen verre van werden gehouden. Het had haar altijd maar wat gejammer geleken, over wie en wat er allemaal corrupt was en hoe onmogelijk het was om de boel in de wereld eerlijk verdeeld te krijgen. Maar voor het eerst ging er nu echt iemand voor zitten om haar de basisbeginselen van de maatschappij uit de doeken te doen: het verschil tussen fabriekseigenaar en fabrieksarbeider en waarom de eerste het loon van de laatste altijd probeerde te verlagen, onder het beding dat het niets met hem van doen had als de arbeider tenslotte zonder werk kwam te zitten of omkwam van de honger; waarom vrouwen werden behandeld als een stuk bezit; waarom de grote massa uiteindelijk altijd werkte voor een kleine elite...

En met een onverhoedsheid die zelfs haarzelf verraste, werd Livia een bekeerling. Eindelijk bleek er een alternatief voor de armoede en uitbuiting waar ze haar hele leven al door werd omringd. Italië was een land dat was gezegend met voldoende natuurlijke rijkdommen: het enige dat ze hoefden te doen, was die rijkdom eerlijk te verdelen, in plaats van toe te staan dat hij werd overgeheveld. En wie bewijzen wilde dat het communistische systeem effectief was, hoefde alleen maar naar Rusland te kijken. Het was het Russische leger dat het oorlogstij voor de geallieerden had gekeerd, wees Dino haar, doordat de Russische soldaten werkelijk geloofden in het systeem waarvoor ze streden. Als de Italiaanse communisten konden laten zien dat ze minstens even goed waren georganiseerd, zouden ze onvermijdelijk de eerste naoorlogse regering vormen, waarna het land zich aan de hand van het gelijkheidsprincipe zou kunnen gaan reorganiseren.

En nog belangwekkender: de communisten moedigden vrouwen aan om zichzelf te zien als gelijken van mannen. Want net zoals niemand middels een contract de arbeidskracht van een ander zou mogen bezitten, zo zou ook niemand middels een huwelijkscontract een vrouwenlichaam mogen bezitten. Het huwelijk en prostitutie, zo doceerde Dino, waren twee zijden van dezelfde kapitalistische munt. En dan was prostitutie in feite nog minder immoreel: een man die een vrouw inhuurde, gaf haar immers zodra de transactie voorbij was, haar vrijheid terug, net zoals je een arbeider per uur kon inhuren. Het huwelijk was echter pure slavernij.

Livia was het daar niet helemaal mee eens. Het leek haar dat er heus wel mannen bestonden die het huwelijk zagen als een samenwerkingsverband tussen gelijken, in plaats van als de verwerving van bezit. Maar ze moest ook toegeven dat dat soort mannen zeldzaam waren en dat de wet en de kerk, wat zij ook mochten beweren, in beginsel met elkaar overeenstemden waar het ging om het zien van de vrouw als een soort roerend goed van haar echtgenoot. De partizanen waren de eerste organisatie die ze tegenkwam, die de seksen gelijk behandelde. Of, in Dino's woorden: 'Het maakt het geweer het niet uit door wie het wordt afgevuurd.' En: 'Het maakt het Duitse lijk niet uit door wie het is neergeschoten, door een man of door een vrouw.'

Terugkijkend op wat er in de afgelopen jaren allemaal was gebeurd, leek het Livia dat haar nieuwe stokpaardje simpelweg onontkoombaar was. Het was immers de politiek geweest die Italië had klemgezet tussen de geallieerden en de Duitsers, die haar echtgenoot van haar had afgepakt en die haar zelfs had voorgeschreven zo jong al te trouwen. Het was de politiek geweest, die de geallieerde invasie van Italië had beïnvloed en de corruptie van plaatselijke politici, die ervoor had gezorgd dat mensen als Alberto macht over haar konden verkrijgen én houden. En het was de politiek geweest die het de A-force-officieren mogelijk had gemaakt de door hen opgepakte vrouwen te behandelen, alsof ze niet meer waren dan een nieuwe voorraad munitie om op de Duitsers af te vuren.

Maar nu, zo beweerde Dino althans, zou het einde van de oorlog, tezamen met de dood van Mussolini, voor een politiek vacuüm zorgen, waarin voor het allereerst de gewone Italiaan de kans zou krijgen het op te nemen tegen de grote zakenlui, de maffia, de staat én de kerk, om uiteindelijk een maatschappij voor zichzelf te verwezenlijken zoals híj die wilde.

Livia stopte al haar passie in haar nieuwe uitlaatklep, laafde zich aan elk woord én begon allerlei vragen te stellen. Dat laatste werd overigens zeer aangemoedigd: enkel via de dialoog, het debat kon de waarheid uiteindelijk boven tafel komen – net zoals de geschiedenis een heel proces was van revoluties en contrarevoluties, dat stapsgewijs tot vooruitgang leidde. Algauw kwam Livia echter ook met punten waar Dino geen weerwoord op had, zodat ze de antwoorden zelf moest zien te vinden. Maar dat gaf niet: het communisme voorzag je van een heel stel geestelijke gereedschappen, aan de hand waarvan je de meeste vragen uiteindelijk toch beantwoord kreeg.

Eén ding bleef haar echter dwarszitten. De eerste de beste keer dat ze Dino weer onder vier ogen zag, sprak ze hem hierop aan. 'Maar hoe moet ik nu denken over die vergeldingsacties?' vroeg ze. 'Onderweg hierheen hebben wij een paar afschuwelijke dingen gezien. De Duitsers vermoorden heel veel onschuldige mensen om wat júllie doen!'

'Ja,' zei Dino. 'Ze hebben in deze regio erg veel gruweldaden verricht.'

'Maar kunnen jullie dan niet...' Ze aarzelde even. Ze wilde niet dat ze hierom haar schuilplek zou moeten verlaten, maar ze móést het weten. 'Kunnen jullie het vechten dan niet overlaten aan de geallieerden, zodat er minder represailles tegen Italianen komen?'

'En wachten tot de Amerikanen óns vuile werk opknappen?' Dino trok een boos gezicht. 'Nee, deze kwestie is reeds op het allerhoogste niveau én door de geallieerde bevelhebbers besproken. Onze bevelen komen van hun en zíj zeggen dat het noodzakelijk is dat wij hiermee doorgaan. Trouwens, wat is het alternatief? Ons laten chanteren door de Duitsers en duimendraaien terwijl anderen zich sterk maken voor ons land? Italië heeft zich te schande gemaakt door aan de kant van de fascisten te gaan staan. Nu moeten de Italianen ook degenen zijn die zich weer van hun ontdoen.'

Ondanks hun politieke verschillen zagen de partizanen zichzelf dus als een onderdeel van de geallieerde strijdkrachten, gehouden tot dezelfde disciplines en bevelen als elke andere eenheid. Deze orders werden hun soms in code toegespeeld via de World Service in Londen. Na het nieuws las de radio-omroeper dan een lijst met boodschappen op, 'voor onze vrienden in den vreemde'. Zo betekende: 'Mario, de koe van je broer is ziek': overval een brandstofdepot; 'Je grootmoeder heeft de griep' was een bevel om een verkeerstelling te houden; 'De lucht is rood' betekende dat het aantal activiteiten moest worden opgevoerd.

Over één gespreksonderwerp raakten ze maar niet uitgepraat: wanneer kwam dat Vijfde Leger nou eens? Het scheen dat de graffitischilders er op de muren van Rome al grappen over maakten: 'Amerikanen, hou vol! We komen jullie gauw bevrijden!'

De Duitsers bleven echter geloven dat de activiteiten van het verzet nooit veel zouden klaarspelen. Het was algemeen bekend wat majoor Dollman, een van hun bevelhebbers, spitsvondig tegen zijn meerderen had opgemerkt: 'Wat de partizanen betreft hoeven we ons niet zo'n zorgen te maken: de Italianen hebben een hekel aan opstaan – of het nu uit bed is of tegen een vijand.'

Omdat het erg moeilijk was om de luizen uit haar haar te houden, liet Livia een van de andere vrouwen het helemaal kortknippen – net als de meesten van de vrouwen uit de strijdgroep. Terwijl de weken voorbijgingen, begon ze steeds meer op hen te lijken.

En wat James aanging: daar probeerde ze gewoon niet meer te denken. Dat deel van haar leven was voorbij. Het was een aangename, maar korte onderbreking in een reeks van tragedies geweest. Als ze nu probeerde terug te denken aan de tijd die ze samen hadden doorgebracht, leek die zo onwerkelijk als een droom.

42

ames dook ineen in het schuttersputje en trok zijn schouders op tegen de regen van zand die zijn kraag in sijpelde. Dit zand kwam naar beneden omdat er net een granaat de lucht in was gevlogen, zo'n twintig meter bij hem vandaan; zijn oren piepten nog van de knal. Meteen daarop floot er nóg eentje hoog boven zijn hoofd. Ditmaal vond hij het niet erg: deze was van de geallieerden. Elke nacht bestookten de twee kanten elkaars posities op deze manier: granaat voor granaat – als een idioot soort tennis met zware explosieven. Pas deze week waren de Duitsers vindingrijker geworden en waren ze ook vlinderbommen gaan sturen, die stilletjes je loopgraaf binnen zweefden en fosforraketten, die met een hoge boog tot achter in de haven belandden.

'Ik wou dat ze eens ophielden,' gromde Roberts naast hem. Hij zat te rommelen met de radio. 'Het is bijna Sally-tijd.'

'Ach, luister toch niet naar die onzin!'

'Het is de enige onzin die er is.' De radio jankte terwijl Roberts hem probeerde af te stemmen. En daar was ze dan, verleidelijk babbelend door de atmosferische storing heen: de zoete stem van Axis Sally. 'Hallo daar, jongens,' begon ze. 'Hoe gaat het vanavond met jullie? Balen hè, die regen? Ja, ik zit hier natuurlijk lekker knus in mijn tentje... maar ik heb echt medelijden met jullie. En dan komt er straks nog onweer ook, heb ik gehoord. En jullie zitten daarbuiten maar, met zijn vijftigduizenden, en helemaal niets om jullie droog te houden... Vijftigduizend... Mijn hemel, dat maakt het strand van Anzio tot het grootste krijgsgevangenkamp ter wereld! En weten jullie wat? Nog geheel zelfvoorzienend ook!' Ze gniffelde om haar eigen grapje. Toen werd haar hese stem lager en vriendelijker: 'Hebben jullie het gehoord, van die arme soldaat Ableman? Wij hebben hem een paar uur geleden in het niemandsland opgeraapt. Hij schijnt op een Schuh-mijn te zijn gestapt. Rotdingen, die Schuhs! En nu hangen dus al zijn ingewanden eruit. De artsen doen natuurlijk wat ze kunnen, maar ze schijnen niet te denken dat er veel hoop voor hem is. Dus... hier een liedje om zijn kameraden wat op te vrolijken.' Er kwam een foxtrot.

'Wat een trut!' zei Roberts gemeend.

'Ach, al die teksten worden voor haar uitgeschreven,' zei James. 'Ook de Duitsers hebben propagandaspecialisten, net als wij.'

'"Het grootste krijgsgevangenkamp ter wereld". Maar je moet toegeven: d'r zít iets in.'

James gromde. Natuurlijk was dat zo. Je kon er niet omheen: Anzio was een ware hel. Van de vijftigduizend man waar Axis Sally naar verwees, waren er al zeker duizend gesneuveld. Toen hij zich als vrijwilliger voor het front meldde, had hij zich voorgesteld dat ze zich stadje voor stadje richting Rome zouden vechten, terwijl hij rustig op zoek kon naar Livia. Maar in de drie weken dat hij hier nu zat, hadden ze amper driehonderd meter vooruitgang geboekt, waarna ze weer werden gedwongen zich terug te trekken. In Napels was het gemeenplaats geworden om te zeggen dat de oorlog zich tegen de Duitsers begon te keren – maar hier op het slagveld zag het er allemaal heel anders uit.

Toen de muziek was afgelopen, kwamen de zoete klanken van de Duitse propagandiste weer. 'Laten we eerlijk zijn, jongens,' zei ze. 'De enige manier om vanavond níét doornat en koud te worden, is je eerder door een van onze kogels te laten pakken. Hoe gaat het trouwens met je loopgraafvoet?' En toen kwam er weer een lied.

'Nu je het vraagt: niet al te best,' mompelde Roberts, terwijl hij zijn voeten uit de plas onder in het schuttersputje probeerde te trekken. Omdat ze hun laarzen op geen enkele manier droog konden houden, rotten de voeten van veel mannen letterlijk weg.

En precies zoals Axis Sally al had voorspeld, begon het weer te regenen: een zware onweersbui die nog meer modder en troep het schuttersputje in spoelde. Het water onderin rook ook nog eens smerig: nóg een reden dat veel mannen een loopgraafvoet opliepen. Er was gewoon te weinig ruimte en ze hadden geen kisten om hun doden in te begraven, dus werden de lichamen gewoon achter een muurtje gelegd, gemaakt van rantsoendozen en versterkt met een beetje aarde. Gister nog was James toen hij door de loopgraaf liep, tegen een uit de moddermuur stekende rottende arm opgebotst, waarvan de hand als een bedelaar door de lucht maaide. Hij had hem simpelweg bij de elleboog gepakt en was doorgelopen.

Nu was het zijn beurt om naar voren te gaan, naar het observatiepunt. Hij gespte een spoelpakket om – een apparaat dat eruitzag als een rugzak en ervoor zorgde dat er, terwijl hij voorwaarts kroop, een telefoondraad werd afgerold. Behoedzaam klom hij op het banket en liet zich toen als een zeeschildpad over de rand van de loopgraaf de modder in glijden.

Het was algemeen bekend dat je het best op je ellebogen naar voren kon tijgeren, met je benen achter je aan slepend: dan bleef je het dichtst bij de grond en was de kans dat je hoofd eraf geschoten werd het kleinst. James kronkelde zich zo'n honderd meter in de richting van de Duitse linie, zo nu en dan stoppend als een ontploffende granaat de nachthemel tijdelijk oplichtte en bewegen daardoor nóg gevaarlijker maakte. Het viel hem op, zoals wel vaker in deze positie, hoe opvallend mooi het Italiaanse firmament in oorlogstijd was. Elk type explosief veroorzaakte zijn eigen soort licht. Zo flitsten lichtspoorkogels door het donker, hun gekleurde spoor als contrasterend stiksel in een lap canvas; lichtgranaten bruisten en vonkten als rood vuurwerk. Dan waren er de *Screaming Meanies*, de meervoudige raketten die de Duitsers boven mortieren verkozen, die in salvo's van vier of acht tegelijk voorbij scheerden met een staart van meedansende vonken, als de gloeiende kooltjes van een vreugdevuur. 'De Kroonluchter' was ernstvuurwerk dat langzaam aan een parachute naar beneden zweefde en zo het terrein voor de artillerieverkenners verlichtte – zo hel dat het landschap eronder even net een fotonegatief was. *Bouncing Betties* explodeerden vlak boven de grond in een dichte, donkere wolk van cordiet, daarbij landmijnen in het rond strooiend. En 'Anzio Annie' was een Duits kanon dat zo lang was en van zo veraf kon worden afgevuurd dat je de lancering nooit hoorde – alleen een geluid als van een naderende goederentrein wanneer de bom over je heen vloog, gevolgd door een flits zo fel als een bliksemstraal (als bijvoorbeeld de haven weer eens werd geraakt) en pas enkele seconden later de bulderende donderslag van de inslag.

Terwijl James naar voren tijgerde, hoorde hij Axis Sally nog vanuit hun loopgraaf: 'Zeg jongens, vragen jullie je ook weleens af wat jullie meisje op dit moment uitspookt? Die maakt vast pret met een van die dienstweigeraars waarover ik las! Dat nemen jullie haar toch niet kwalijk, hè jongens? Een meisje is ook maar een mens... en je kunt toch niet van haar verwachten dat ze thuis op jóú gaat zitten wachten... Hier een liedje voor elke soldaat wiens liefje troost zoekt bij een ander.' Knarsetandend sloop James verder. Maar het klopte wel: hij piekerde regelmatig over wat Livia deed – hoewel hij zich nog iets veel ergers voorstelde dan wat gescharrel met een dienstweigeraar. Hij probeerde dit beeld gauw weer uit zijn hoofd te zetten. Op dit moment was het enige dat telde, veilig zien terug te komen in zijn schuilplaats.

Links van hem klonk ineens een geluid als het gekef van een jong hondje: iemand schoot in het donker met een Schmeisser. Er klonk een zachte kreet, waarna het schieten abrupt weer stopte.

Hij stopte even om te kijken of zijn telefoonsnoer nergens aan bleef haken. Hij was nu zo dichtbij dat de vijand het minste of geringste geluid kon horen – al was het maar het schuren van een draad langs een steen of tak. En de Duitsers stuurden natuurlijk ook hun eigen verkenners het niemandsland in. Het was meer dan eens voorgekomen dat twee mannen, een Duitser en een geallieerde, die in volkomen stilte over het terrein gleden, met de hoofden tegen elkaar botsten. Dan was het simpelweg een kwestie van man tegen man, tot een van de twee het loodje legde.

James rolde zich op zijn zij en, erop lettend dat zijn hoofd niet te hoog kwam, zette zijn verrekijker voor zijn ogen. Niet veel later verlichtte een explosie aan zijn linkerhand niet alleen de lucht, maar ook de Duitse stelling. Ze waren het gedeelte dat onder de geallieerden bekendstond als de *Dusseldorf Ditch* aan het versterken, zag hij. En de *Munich Mound* leek een flinke opdonder te hebben gehad.

Toen hoorde hij opeens rechts van hem gefluister. Een Duitse patrouille, nam hij aan, met ongeveer dezelfde missie als hij. Hij hield zich meteen stokstijf en doodstil. Dat was ook het idiote van dit soort nachten: alles ging fluisterend en mompelend om vijandelijk vuur te voorkomen, maar áls er werd gevuurd ging dat zo keihard dat je oren er pijn van deden.

De fluisteraars leken hem echter onopgemerkt voorbij te gaan. Hij pakte de telefoon en zei heel zacht in de hoorn: 'Twintig moffen in Dusseldorf.'

Een stem zei: 'Begrepen. Hou je hoofd omlaag.' Een minuut later landden gelijktijdig vier mortiergranaten bovenop de greppel waar hij de versterkingswerkzaamheden had gezien.

James bleef waar hij was en belde elke tien minuten nieuwe doelen door. Een mitrailleur die werd opgezet bij de *Cologne Cowshed* – niet langer een koeienstal maar nog slechts een vermorzelde berg stenen – werd nog wat verder vermorzeld nadat hij de positie had doorgebeld; een wagen met luchtafweergeschut bij de *Berlin Bend* trok zich haastig terug toen Engelse mortieren hem begonnen te bestoken.

James pakte net de telefoon om weer een doelwit door te geven, toen hij de stem aan de andere kant van de lijn hoorde zeggen: 'Tijd om terug te keren, makker.'

'Nu al?'

'Wijziging van de plannen. We gaan verhuizen.' Er klonk onderdrukte opwinding door in de stem. Misschien klopte het wel wat iedereen zei: dat de grote uitbraak elk moment kon beginnen. James draaide zich op zijn rug, kronkelde net zolang tot hij met zijn hoofd weer richting zijn eigen linie lag en begon toen aan de lange kruippartij door de modder, terug naar de betrekkelijke veiligheid van de geallieerde loopgraven.

Dit woonhol was nu al drie weken zijn thuis. Het was gebouwd door een eerdere eenheid en was ongeveer anderhalve meter in het vierkant, met een dak van bielzen met een laag zandzakken erbovenop. De bielzen waren bekleed met oude edities van de *Stars & Stripes*-krant; op de grond lagen nog meer zandzakken, die tijdens de vele overstromingen als opstapjes fungeerden. Een verhoogde plank op een stapel zandzakken was het enige bed. Alle daglichturen deelde James deze kleine ruimte – ja, ook het bed – met nog twee mannen: Roberts en Hervey. Hij wist bijna niets van deze mannen, maar kende ze tegelijkertijd beter dan wie ook. In de uren en uren die ze hier samen opgesloten hadden gezeten, terwijl ze bijna onafgebroken werden gebombardeerd, hadden ze hun levens en persoonlijkheid zo ver blootgelegd, dat het was alsof ze elkaar al eeuwen kenden. Het leven in de loopgraven was niet zonder zorgen, maar wel verbluffend eenvoudig: James bezat niets; gaf niet om geld, aangezien er ook niets was om dat aan uit te geven; praatte met volslagen vreemden alsof ze vrienden waren; en had zich niet meer gewassen of andere kleren aangetrokken, sinds hij twee weken geleden voor het laatst naar de douche was gestuurd.

Toen hij zich had gemeld voor overplaatsing naar het front, had majoor Heathcote eerst vol ongeloof gereageerd. De Italiaanse veldtocht ging net zijn bloederigste fase in en hoewel de kranten daar nooit iets over meldden, waren er al honderden geallieerde soldaten gedeserteerd. Anderen hadden zichzelf expres in voet of bovenbeen geschoten om maar niet te hoeven blijven vechten; nog veel meer leden er aan psychische aandoeningen, zoals shellshock en depressieve neuroses, die sinds de loopgravenoorlog bij de Somme niet meer waren voorgekomen. Het feit dat iemand met een gerieflijk baantje bij de Field Security zich aanbood als vrijwilliger voor exact díé omstandigheden die anderen gek maakten, raakte immers kant noch wal.

Uiteindelijk had James zich gerealiseerd dat hij het snelst zijn zin zou krijgen als hij de majoor de werkelijke reden van zijn verzoek naar het noorden te mogen zou vertellen. Vanaf dat moment was diens ongeloof omgeslagen in ontzetting. De mededeling dat zijn huwelijksofficier, in plaats van huwelijken met Italiaanse meisjes te ontmoedigen, op zoek bleek naar één Italiaanse in het bijzonder die hij zelf wenste te huwen, was voor de majoor genoeg bewijs voor wat hij allang vermoedde: dat James leed aan een onderliggende vorm van zedenverwildering – dus hoe eerder hij van hem af, was hoe beter.

Hij kreeg slechts een paar uur om zijn spullen te pakken en zijn bureau uit te ruimen. Geen tijd meer voor een bezoekje aan Zi' Teresa en een laatste grappa met Angelo, geen tijd meer voor een boodschap naar

Fiscino, geen tijd meer om te zien hoe de zonsondergang de Golf van Napels in een schaal vol bloed veranderde, geen tijd meer voor een marsala-met-ei met doctor Scoterra, geen tijd voor nog één wandeling over de Via Forcella. James had amper tijd voor een kattebelletje aan Jumbo, waarin hij zijn vriend in het kort uitlegde wat er was gebeurd en hem vroeg om eens wat onder zijn A-force-contacten te informeren waar Livia zich zou kunnen bevinden.

Terwijl hij naar de haven liep om in te schepen voor Anzio, dreef er een stuk van een sentimentele ballade zijn hoofd binnen, een van de vele liedjes die de bladmuziekverkopers in het stadspark onder zijn raam hadden gezongen:

E tu dice: 'T' parto, addio!'
T'alluntane da stu core...
Da la terra da l'ammore...
Tien 'o core 'e nun turnà?

Dus je zegt: 'Vaarwel, ik ga!'
Ver van waar het hart aan hecht...
Van het land waar je de liefde vond...
Maar zou je liever niet terugkeren?

Wat er ook gebeurde – of hij haar nu zou vinden of niet – hij had het gevoel dat er iets voorbij was; dat een bepaald deel van zijn leven ten einde liep.

In de haven vond hij al gauw het hospitaalschip dat hem naar Anzio zou brengen. Het was vertraagd vanwege het slechte weer en werd nu pas ontscheept: een eindeloze rij brancards werd door Italiaanse kruiers van boord gedragen, alle mannen erop gehuld in verband. James wierp een snelle blik op hen en schrok van het vuil dat nog steeds aan ze kleefde. Het leken eerder afgematte schooljongens die van het sport-veld werden gedragen, dan soldaten. De modderkorst plakte als een gipsverband op hun armen en benen, er zat zand op hun lippen, in hun haar en zelfs in hun mond en ogen. En hier en daar was een brancard helderrood gevlekt van het bloed, waar de helpers niet in staat waren geweest de wonden van hun patiënt te stelpen. Hoe kon het, vroeg hij zich af, dat hij zo lang in Napels had gezeten en nooit eerder een van deze schepen zijn lading van aan stukken gereten menselijkheid had zien uitladen?

Anzio lag op slechts anderhalf uur varen langs de kust; toch was het alsof hij een andere wereld betrad. Het schip bleef een paar kilometer buiten de kust liggen wachten op het donker, zodat hij toch nog kon genieten van een zonsondergang, die erg veel op die van Napels leek. Toen kondigde een laag gegons aan dat de motoren weer vaart begonnen te maken en voeren ze langzaam en voorzichtig naar een kleine kloof in de verre kust, die werd omlijst door boten van allerlei formaat: torpedojagers, motorboten, zelfs een paar fregatten en de zacht dobberende versperringsballonnen, die James altijd aan vliegende olifanten deden denken. Hij keek aan dek toe hoe de kust steeds dichterbij kwam. Nergens waren lichten te zien en het was er griezelig stil. Het leek een vergissing te zijn dat dit een slagveld was.

Maar toen verscheen er hoog boven het strand een eenzame Messerschmitt, die loom als een hommel begon rond te cirkelen. 'U kunt maar beter naar binnen gaan,' riep een matroos. 'Dat is *Bedcheck Charlie*. Die schiet misschien ook op ons, als hij niets beters kan vinden.'

James bleef het vliegtuig even volgen. 'Waarom heet hij zo?'

'Elke avond is hij de eerste die verschijnt. Ze gebruiken hem als een soort wekker.'

Daar draaide de Messerschmitt zich al om en dook richting een van de torpedojagers. Ze waren te ver weg om de kanonnen te kunnen zien schieten, maar rookwolkjes gaven aan waar het luchtafweergeschut antwoordde. Even later cirkelde het luchtvaartuig weer weg en vloog al schietend landinwaarts.

Opeens spoot honderd meter van hen vandaan een enorme waterfontein de lucht in, meteen gevolgd door nog twee – alsof er een gigantische walvis om hen heen zwom.

'Het is begonnen,' zei de matroos. 'Altijd hetzelfde. Dat waren vast een stel 122's.'

En als in antwoord op een of ander onzichtbaar signaal, begon de schemering ineens te wemelen van de lichten: raketten flitsten van ergens ver landinwaarts richting het strand en overal dansten vonken, als vuurvliegjes in de duisternis. Pas na enige momenten realiseerde James zich dat het de flitsen van schietende geweren moesten zijn.

'Schermutselingen,' zei de matroos. 'Welkom in Anzio!'

James liep de brug binnen. Kapitein noch bemanning leek zich erg druk te maken over de beschietingen, hoewel ze wel zigzaggend richting de haven voeren. Op de kade zag hij een lange rij wachtende mannen, die er ondanks de aanvallen zo goed als bewegingloos bij stonden. De meesten van hen lagen dan ook op brancards. Links van hem werd opeens een motorboot voluit geraakt: even verlichtte hij de hele hemel, daarna dreef overal op de golven nog slechts brandende olie. Geen enkel deel van het bruggenhoofd leek buiten bereik van het Duitse geschut te liggen. De granaten bleven maar over hun hoofd heen fluiten. De waterpluimen waar ze de zee raakten, deden James denken aan iemand die op goed geluk met een naald op een reus zit in te prikken, in de hoop hem lek te steken.

'Als we straks aan land komen,' riep de kapitein boven de herrie uit, 'wacht dan vooral niet op ons. Wij proberen die lui daar zo snel mogelijk aan boord te krijgen.'

James knikte en zo gauw de boot tegen de kademuur botste, sprong hij op de kant. Een seconde later kondigde een geraas als van een naderende trein de komst van de grootste bom tot nu toe aan, gevolgd door een enorme geiser van zeewater, die enkele minuten na de knal van enorme hoogte op hem neerdaalde, als een douche van fijne druppeltjes. Hij schudde zich droog en keek toen zoekend om zich heen, naar iemand bij wie hij zich kon melden. Naast een berg artilleriegranaten stond een ondergeschikte – die verbluffend genoeg een sigaret stond te rollen. James rende op hem af, zijn schouders opgetrokken tegen de vallende granaatsplinters en zei: 'Ik ben net aangekomen.'

De man keek hem geamuseerd aan. 'Werkelijk?' Zijn gezicht was zwart van de cordiet en het vuil.

'Waar moet ik nu naartoe?'

Hij wees met zijn sigaret naar een gat in de grond. 'Daar naar beneden!'

Dus liet hij zich in het gat zakken, dat via meerdere trappen en ladders naar een ondergrondse ruimte bleek te leiden. Stafofficieren liepen er in telefoons te schreeuwen en in het midden werd een kaartentafel door een paar stormlantaarns verlicht. James zag de grond boven hen ineens hevig trillen, waarna tussen de dakspanten door een hele lading roetkleurige aarde op de kaart regende.

Uiteindelijk vond hij iemand die hem kon vertellen waar hij heen moest en kon hij op zoek naar de eenheid mortiermannen waaraan hij was toegewezen. Een modderig pad leidde regelrecht naar de frontlijn en om zijn gevoel van richting nog meer te verstoren, braakten een tiental rookgenerators een vettig, bijtend rookscherm uit. Het was bovendien een hele toer om de handgeschreven bordjes te lezen die uit het duister opdoemden. Veel ervan verwezen naar grappen die hem als nieuwkomer nog niets zeiden: 'Bruggenhoofd Hotel – tweehonderd meter – speciale tarieven voor groentjes; 'Voermans Rust' – verboden te rusten'; 'U bevindt zich hier – maar niet lang meer.' En geleidelijk werden ze steeds onheilspellender: 'Gevaar – beschietingen – geen stofwolken maken' en: 'Voorbij dit punt absoluut GEEN verkeer bij daglicht'. De beschietingen waren nu even gestopt; het hardste geluid dat tot hem doordrong was het gezang van een paar nachtegalen.

Maar toen opeens verlichtte een lichtkogel de hele hemel boven hem en het geratel van machinegeweren, akelig dichtbij, deed hem geschrokken op de grond duiken. Hij bevond zich op dit moment op zo'n honderd meter van het front, berekende hij snel, dichtbij genoeg om een verdwaalde kogel in zijn nek te krijgen. En hij had nog steeds geen flauw idee waar hij naartoe moest! Hij kreeg plots een visioen van hoe hij per ongeluk het niemandsland in stommelde en sneuvelde, nog voor hij op zijn post was geweest. En toen zag hij een ladder in een loopgraaf steken, met een bordje: LONDENSE METRO DEZE KANT erboven. Deze leidde zo'n vijf meter naar beneden, naar een netwerk van smalle loopgraven tjokvol hologige en bevuilde mannen, waar hij langs werd geleid als een laatkomer die in het theater een hele rij verstoort – tot hij uitkwam in een kleine schuilplaats, verlicht door een walmende lamp die was gemaakt van een sigarettenblikje. Een sergeant salueerde, een kapitein stak zijn hand naar hem uit. Roberts en Hervey zaten hier al vier weken, met slechts één korte rustperiode in de dennenbossen bij het strand – maar nog steeds binnen bereik van de granaten – en over één ding waren zij het helemaal eens: Anzio was het riool van de wereld.

'Mooi dat jullie hier nog plaats voor me hadden!' zei James blij, terwijl hij zijn plunjezak in het droogste hoekje dat hij vinden kon duwde. Toen werd hij zich bewust van zijn vergissing. 'Dat wil zeggen... sorry. Ik dacht even niet na.' Hij nam natuurlijk gewoon de plaats van iemand anders in.

Hervey knikte. 'Stevens,' sprak hij kalm. 'Twee nachten geleden geraakt door een brisantbom. We hebben hem voorbij de stroom begraven.'

Vervolgens nam hij James mee terug door de loopgraaf, waar hij hem wees op de verschillende posities die hun compagnie bezette.

Toen ze ergens vlak voor hen in het Duits hoorden schreeuwen, riep Hervey: '*Ruhe da, wir koennen nicht schlafen!*'

'Wat zei je nou?' vroeg James.

'Dat ze hun kop moesten houden en ons laten slapen,' antwoordde hij.

James begon langzaam te begrijpen dat de levensverwachting van een artillerieverkenner niet erg hoog lag. Elke nacht gingen ze om de beurt het niemandsland in en kropen van observatiepost naar observatiepost, om te kijken hoe het met de mannen onder hun bevel ging en om mortiervuur af te roepen over elke Duitse activiteit. Hun dagen brachten ze door met proberen wat te slapen, platluizen vangen – hun record stond op vijfentachtig op één dag – brieven schrijven, racen met kevers en wachten op de avond, wanneer de enige maaltijd van de dag per munitietruck werd gebracht.

Op zijn tweede nacht glibberde James door de modder van het niemandsland, toen hij een Duitse helm behoedzaam langs de horizon zag bewegen. Toen het hoofd even later iets omhoogkwam, trok James zijn pistool en richtte. Hij had de Duitser precies in zijn vizier: het enige dat hij nog hoefde te doen, was de trekker overhalen. Bijna hád hij dat ook gedaan, tot hij begon te denken: zijn bevel was op dat moment observeren, niet doden. Als hij nu schoot, ontnam hij een gezin hun zoon, misschien een vrouw haar echtgenoot – en hij kon echt niet met zekerheid stellen dat dat ook maar één jota verschil zou maken voor het verloop van deze oorlog. Hij zou er waarschijnlijk alleen zijn eigen positie mee verraden en een represaille van Duitse mortieren over zichzelf afroepen.

Na een kort ogenblik deed hij daarom de veiligheidspal er voorzichtig weer op en liet het pistool terug in zijn holster glijden. Hij deed zijn werk, en als hij daarvoor moest doden, dan deed hij dat ook – maar hij ging niet lukraak moorden.

Terwijl de weken voorbijgingen en de beloofde opmars steeds maar weer werd uitgesteld, kromp James' wereld tot het woonhol ineen en was zijn stukje slagveld het enige waar hij nog aan dacht. Slechts ergens in zijn achterhoofd klampte hij zich nog vaag vast aan het idee, dat er een reden was om voorbij die heuvelrug te komen, over die rivier, tot achter die prachtige blauw-witte heuvels die hij in de verte zag en hem de weg naar Rome versperden... Zijn leven met Livia was een heel ander leven: áls hij al aan haar dacht, dan was het als een soort luchtspiegeling; een onwezenlijk, wanhopig verlangen naar gelach, zachtaardigheid en de geur van dampende *fettuccine al limone* – of eigenlijk naar alles dat niet was bedekt met modder, luizen of bloed.

Op zijn ellebogen kroop James terug naar het woonhol, waar Roberts hun uitrusting stond in te pakken.

'Heb je het gehoord? We vertrekken!' zei hij.

'Waar naartoe dan?'

'Naar Cisterna, schijnt het.'

James' hart begon wat sneller te slaan: Cisterna lag op de weg naar Rome. 'Dus dit is de uitbraak?'

'Lijkt er wel op. Werd onderhand tijd ook, hè?'

Ze sloten zich aan bij de rest van hun compagnie, op weg naar het verzamelpunt. Je op deze manier terugtrekken van de frontlinie was een vreemde ervaring: in het begin liep je nog gebukt, zoals in de loopgraaf; hoe verder je buiten het bereik van de Duitse sluipschutters kwam, hoe rechter je ging lopen; tot je achteraan voor het eerst in weken helemaal recht liep en je overmand voelde door een enorme vreugde: het besef dat er op dat moment niemand je meer probeerde te vermoorden.

Achterin was een spoorweghoofd opgezet, waar munitie vanuit de haven werd aangevoerd. James floot toen hij de voorraadberg zag. De laatste keer dat hij hier was, was die zo groot geweest als een schuurtje; nu was hij zo hoog als een kerk. En hij was duidelijk nóg groter geweest, voor de mannen van de artillerie hadden gepakt wat ze dachten nodig te hebben.

'Ja hoor, dit wordt het grote werk,' mompelde Roberts.

Ze kregen wat te eten en gingen toen in de houding staan wachten. Het was de gebruikelijke chaos voor een aanval: je stond óf in de weg óf op de verkeerde plek óf je was ergens dringend gewenst, voor iets dat bij nader inzien toch niet zo vreselijk dringend bleek.

Toen ze langs een voorraadtruck liepen, gaf Roberts James een por. 'Zie je dat? Veldflessen. Moeten we er misschien een paar van lenen. Want als ik één ding heb geleerd over opmarcheren, dan is het wel dat je er dorst van krijgt.' Toen even niemand keek, pakten ze elk een extra fles en hingen hem op hun rug bij de andere spullen.

Hervey gebruikte zijn tijd voor het schrijven van een brief aan zijn meisje. Toen hij klaar was, gaf hij hem aan James, om hem te lezen en te paraferen. Elke brief moest namelijk worden gecensureerd en als je iets snel wilde versturen, liet je dit gewoon doen door je strijdmakkers. Er was daardoor nog maar weinig dat James niet wist van Caroline, die op een kantoor in Whitehall werkte.

Hij las de brief snel door: 'Lieve Caz, tegen de tijd dat je dit leest, zul je wel al weten dat er een grote opmars is geweest. Iedereen hier is opgewonden. Ik hoop dat ik de anderen niet teleurstel. Ik ben erg blij dat Gould en Roberts bij me zijn; je weet hoezeer ik op hun leun. Ik hoop dat dat gedoe met je baas inmiddels is opgelost. Ik schrijf je weer zodra ik kan, maar maak je vooral geen zorgen als dat even duurt. Ik durf namelijk te wedden dat de postdienst hierna een paar dagen niet veel zal voorstellen.'

James zette zijn paraaf eronder en gaf de brief terug aan Hervey. Hijzelf had geen zin in schrijven. Zijn ouders waren de enigen die hij af en toe schreef en hij kon hun toch niets vertellen, waarmee ze zich een beeld konden vormen van hoe zijn leven er tegenwoordig uitzag. Dus brachten hij en Roberts hun tijd door met het kleuren van hun gezicht met aarde.

De aanval kwam vast dichterbij, want ze moesten nu aan de kant voor de Eerste Pantserdivisie, die samen met de Special Forces langzaam naar voren trok. 'Dat betekent dat we op daglicht wachten,' zei Roberts. James knikte: het was algemeen bekend dat tanks tijdens een opmars liever zágen wat er voor hen was, ook al betekende dat iets minder voorsprong dan bij een verrassingsaanval in het donker.

Eindelijk kwam dan het bevel voor hun peloton om naar voren te komen; twee aan twee wachtten ze vervolgens in de overvolle loopgraaf tot er iets gebeurde. Achter James beweerde een soldaat bij hoog en bij laag dat Italiaanse vrouwen het 't liefst van achteren deden, terwijl Engelse meisjes het 't liefst staand deden. Hij blééf er maar over doorgaan. Even voor zonsopgang barstte echter het spervuur los en kon er niet meer worden gekletst. Drie kwartier lang vermorzelde elk stuk geschut op het bruggenhoofd de Duitse posities.

Maar James en zijn kameraden wachtten nog steeds, al schuifelden ze nu langzaam en met piepende oren door de loopgraaf naar voren. Het vechten was al begonnen, maar puur vanwege het aantal konden ze zich niet allemaal tegelijk in de strijd storten. Hoe Engels, dacht James: zelfs op het punt om ons leven op het spel te zetten, staan we nog in de rij! Maar deze rij was een stuk minder netjes dan eentje voor bijvoorbeeld een baconrantsoen: overal rondom hem leegden mannen die hun zenuwen niet de baas konden, hun blaas of zelfs hun darmen.

En ondertussen keerden de eerste gewonden alweer terug van de frontlinie, verdwaasd of opgelucht kijkend – afhankelijk van de ernst van hun verwondingen.

'Ziet er nog niet eens zo slecht uit,' mompelde Hervey.

'Dit zijn alleen degenen die nog lopen kunnen,' wees Roberts hem. 'Die andere stakkers liggen er nog.'

43

Eindelijk bereikten ze dan toch de voorkant van de rij, waarna ze de loopgraaf uit klommen en heel hard begonnen te rennen. Het voelde vreemd om hierbuiten rechtop te lopen, waar hij zolang alleen maar had gekropen, gegleden en gekronkeld. Maar overal om hen heen deden duizenden anderen precies hetzelfde. En overal lagen lichamen op de grond, geallieerde lichamen – zowel dood als gewond. Er leek geen enkele ziekendrager in de buurt of misschien waren zij eenvoudigweg overweldigd door het enorme aantal slachtoffers.

James besloot de man voor hem maar te volgen. Als die stopte, stopte hij ook; toen deze ging liggen, legde hij zich ook neer; en toen hij weer opstond en begon te rennen, deed James dat ook. Voor hen cirkelden gevechtsvliegtuigen boven wat dus het heetst van de strijd moest zijn. Een doodsbange Duitse soldaat rende recht op hen af, zijn armen hoog in de lucht als teken van zijn overgave; iemand wees naar de linies achter hen en zei hem alsmaar door te rennen.

En toen begonnen er vlakbij bommen te vallen: kleine Duitse 88's. James sprong in een krater en wachtte er samen met een groep Amerikaanse infanteristen op iemand met een mortier. Op de een of andere manier waren Hervey en hij de rest van hun peloton kwijtgeraakt.

Eindelijk dook er een mortierteam op. 'Positie?' hijgde de mortierman terwijl hij met zijn wapen worstelde. Hervey stak zijn hoofd voorzichtig omhoog om te kijken. En terwijl hij dat deed, sloeg een granaat zijn halve schedel weg. Zonder één geluid te maken viel hij achterover, een verwonderde blik in zijn ogen, terwijl het bloed uit zijn mond gutste.

James greep naar hem en voelde Herveys hoofd in zijn handen inklappen, als een ei dat breekt; een eierdooier van bloed glibberde tussen zijn vingers door. 'Snel!' riep hij naar een van de infanteristen. 'Geef me je sulfa!' Amerikaanse soldaten hadden altijd een EHBO-buidel aan hun riem, met verband, blikjes sulfanilamidepoeder en dergelijke.

De infanterist schudde zijn hoofd. 'Heeft geen zin,' zei hij. 'Die gozer is er geweest. En misschien heb ik het zelf nog nodig.'

'Geef op, man!' Iets in zijn stem deed de ander zijn schouders ophalen en hem het blikje overhandigen. James sprenkelde het poeder over de hoofdwond, maar de Amerikaan had gelijk: het was tijdverspilling – Hervey overleed nog voordat James hem had kunnen verbinden. Hij veegde zijn bebloede handen af aan zijn broek.

Het lukte de mortierman om vier mortieren af te schieten – dat was alles wat hij kon doen. Vol afkeer nam James daarop afscheid van Herveys lichaam en klom weer het slagveld op.

Ze kropen in de richting van de Duitse linies en nog een aantal van hen werd geraakt, totdat een Spitfire boven hen hun hachelijke situatie zag en zo dichtbij wist te komen dat hij rechtstreeks op de geschutstelling kon schieten. Toen iemand een bevel riep, stonden ze allemaal weer op en begonnen te rennen.

James viel in een loopgraaf en realiseerde zich toen pas dat het een Duitse was. Hij klom er snel aan de andere kant weer uit en rende door. Opnieuw een loopgraaf: een Duitse soldaat die in gebukte houding van links naar rechts rende, draaide zich ineens om en gooide iets naar hem toe. Het raakte hem recht op de kin. 'Jezus!' riep James en wankelde achteruit, wrijvend over zijn gezicht. Hij had een rantsoenblik tegen zijn gezicht gekregen! Het rolde terug, de Duitse loopgraaf in en James had nog net tijd om te beseffen dat het geen blik was maar een granaat, toen het ding explodeerde en hij door de klap achterover sloeg. Hij worstelde zich meteen weer overeind, bracht zijn geweer in de aanslag en mikte op de rug van de wegrennende Duitser... maar miste.

Ze waren nu voorbij de Duitse linie. James passeerde een groep van veertig à vijftig gevangenen, die door slechts één Amerikaanse soldaat werden bewaakt. En daar was de onvermijdelijke tegenaanval: tientallen Tiger-tanks verschenen boven aan de heuvel en stroomden naar beneden, richting de oprukkende geallieerde infanterie. De gevangenen keken aandachtig toe, als toeschouwers bij een sportwedstrijd; James trok zich terug in de Duitse loopgraaf, waar hij een mortierman hielp met het uitschakelen van twee Tigers. En toen, even abrupt als ze waren verschenen, trokken de tanks zich weer terug: al schuddend en schietend verlieten ze achterwaarts het strijdtoneel.

En zo ging het de hele dag door: oprukken met een grote chaotische groep, altijd weer nieuwe slachtoffers en dan in een schuttersputje wachten tot de Duitsers waren teruggedrongen, enkel door overmacht in aantal. Zo nu en dan was er wat oponthoud. Vooral mijnenvelden zorgden voor afschuwelijke verwondingen. Hiermee werd afgerekend met behulp van een 'slang': een lange koker gevuld met explosieven, die door een tank een mijnenveld op werd geduwd en vervolgens werd beschoten, net zolang tot hij ontplofte en alle mijnen eronder met zich meenam. Het pad tussen de mijnen door werd vervolgens met een wit lint gemarkeerd.

Ze hadden ongeveer acht kilometer afgelegd, toen James merkte dat hij samen met nog ongeveer dertig anderen ongehinderd naar voren kon trekken. Maar toen zag boven hen een Spitfire hen plots voor een groep Duitsers aan. Met vlammende geweren kwam hij aangevlogen; de kogels spatten in lange strepen over de weg op hun af. De mannen doken in de greppels aan de zijkant van de weg. Toen ze weer opstonden, waren vier van hen gesneuveld. 'Ik schiet die stomme klootzak naar beneden als hij nog eens komt!' riep een korporaal. Maar ze hadden helemaal niets om een Spitfire mee neer te schieten; ze moesten maar gewoon maar bidden dat hij niet terugkwam.

Iets later zag James hoe iedereen voor hem ineens begon te trillen en te schudden met al zijn ledematen: maaiend met hun armen als marionetten en draaiend met hun lichaam alsof ze de jig stonden te dansen. Hij had inmiddels genoeg ervaring om te weten wat dat betekende: er stond ergens een Spandau-machinegeweer opgesteld en diens kogels slingerden de soldaten heen en weer, terwijl ze ter plaatse overleden – het Spandau-ballet noemden ze het. Opnieuw verschool hij zich in een greppel. Hij voelde iets nats op zijn bovenbeen. Een van de kogels bleek de extra veldfles te hebben doorboord, die hij eerder van die vrachtwagen had gepakt. Hij hield hem tegen zijn lippen en liet de laatste vloeistof in zijn mond lopen.

'Kom mee!' Een officier tikte hem op de schouder; James knikte dat hij het had begrepen. De officier stond op en samen bestormden ze de positie van het machinegeweer. De officier was het eerst: hij richtte en stortte meteen ter aarde – in zijn borst getroffen. James, achter hem, had nog net genoeg tijd om zijn geweer te richten: hij vuurde... en de Duitse mitrailleur viel voorwaarts over zijn geweer. De patroonbandlader stak daarop zijn armen in de lucht. '*Kamerad*,' riep hij. 'Ik geef me over!' James gebaarde hem bij het machinegeweer vandaan te komen. Toen deze gehoorzaamde, werd hij echter neergeschoten door iemand die James nog niet had gezien. Dit soort gebeurtenissen raakten hem al niet echt meer, hoewel ze hem er telkens aan herinnerden dat hém vroeg of laat ook zoiets onvoorspelbaars kon overkomen.

Tot zijn grote vreugde liep hij vervolgens Roberts tegen het lijf, die ondanks een granaatscherfwond aan zijn oor nog steeds aan het oprukken was. 'Ik ga echt niet terug door die kleremijnenvelden!' zei hij tegen James. 'Ik wacht gewoon tot we Cisterna hebben ingenomen en laat me dan per vrachtwagen naar huis brengen. Ik geloof niet dat het nog erg lang duurt.' Hij knikte naar het stadje dat voor hen tegen de heuvel aan lag.

Tegen de tijd dat ze Cisterna bereikten, werden daar al honderden gecapituleerde Duitsers bijeengedreven. Ondanks dat er nog steeds geweervuur uit de huizen klonk, was er met wit lint al een route door het stadje gemarkeerd, langs een paar uitgebrande tanks. Enkele vrouwen stonden in hun deuropening angstig toe te kijken, kinderen wuifden verlegen, een groepje uitgeputte soldaten zat rond een radio gehurkt. 'Waar bleven jullie toch?' zei een van hen laconiek.

Ze passeerden een officier die naar een paar Italiaanse vrouwen stond te luisteren. Zij probeerden hem iets uit te leggen; wezen druk gebarend naar het eind van de straat.

'Spreekt een van jullie soms Spaghettisch?' riep de officier.

'Ja, ik.'

'Vertel me dan eens wat dit stel hier bedoelt?'

James richtte zich tot de vrouwen: '*Buona sera, signorine. Cosa c'è?*'

'We proberen deze soldaat duidelijk te maken dat er zich in Cosima's kelder vijftien Duitsers schuilhouden,' zei een van hen.

'En waar is die kelder precies?'

De vrouw vertelde het hem, waarna James het doorgaf aan de officier. 'En hebben die Duitsers ook geweren?' wilde deze daarop weten.

James vertaalde weer, de vrouwen knikten. 'Si, veel geweren.'

Hij knikte. 'Hartelijk dank, signorine.'

'Goed werk,' zei de officier toen de vrouwen weer wegliepen. 'Hoe is je naam?'

'Gould.'

'Trek in een luizenbaantje, Gould? Wij kunnen wel een vertaler gebruiken als we eenmaal in Rome zijn.'

James schudde zijn hoofd. 'Sorry. Zodra ik in Rome ben, krijg ik het druk zat.'

Drie dagen later reden ze Rome binnen. De voorste eenheden, die hadden gerekend op fikse tegenstand, werden in plaats daarvan begroet door een opgeluchte bevolking, die geraniumbloemen in hun jeeps gooiden, hun flessen wijn en andere dingen die ze nog hadden cadeau gaven – wat in het geval van de vrouwen vaak simpelweg hun eigen lichaam was. Na enkele dagen verschenen er zelfs grote borden, op de plekken waar eens de Duitsers hun bevelen hadden opgehangen: VROUWEN VAN ROME, DENK AAN UW EERBAARHEID.

De snelheid van de opmars verraste zelfs hun eigen bevelvoerders. Vijf uitzinnige dagen lang dartelden de troepen door Rome: ze zwommen in de Tiber, genoten volop van de Romeinse gastvrijheid, bezochten de bezienswaardigheden, stuurden brieven naar huis of haalden gewoon in de zon wat slaap in.

James had voor dit alles echter geen tijd. Zijn eerste opgave was de locatie van het Duitse legerbordeel zien te vinden. Dat bleek niet moeilijk: de plaatselijke bevolking vertelde hem maar al te graag dat dit op de Via Nardones nummer 95 had gezeten. Het was een hoog stenen gebouw, vermoedelijk eens een hotel. Hij rende er de trap op en kwam in een grote ontvangstruimte. Maar de balie was verlaten en de chaos aan papieren die overal op de grond lagen, deed vermoeden dat de bewoners nogal gehaast waren vertrokken. Hij gleed uit over een bundel dunne briefjes en bukte zich om deze wat beter te bekijken. Het waren voorbedrukte bonnen, met vakjes voor de naam en nummer van de soldaat, de naam van de verpleegster die hem gezond had verklaard en de naam van het meisje. Even verderop vond hij een ingevuld exemplaar: het betreffende meisje heette Eva, haar prijs bleek twaalf lire te zijn geweest.

'Hallo?' riep hij bij de trap en luisterde. Hij dacht iemand te horen rondscharrelen en liep naar boven. Hij trof er een lange gang met genummerde kamerdeuren en aan de muur allemaal briefjes in dat onduidelijke gotische lettertype waar de Duitsers zo dol op waren.

Hij opende de eerste deur. De ruimte was helemaal leeg en zag eruit alsof hij al was doorzocht door plunderaars. Het metalen bed was omgekeerd, de matras opengesneden en overal op het karpet lag paardenhaar.

Toen hoorde hij een laag gemompel vanuit een van de kamers aan de andere kant van de gang. Dus begon hij daar één voor één deuren open te trekken. In de tweede kamer al vond hij vier meisjes, ineengedoken op een bed. Hun hoofden waren kaalgeschoren en wel zo slordig, dat ze overal bloederige korstjes hadden waar het scheermes hen had gesneden. Ze keken met een angstige blik naar hem op.

'Het is goed,' zei hij in het Italiaans. 'Ik zoek alleen iemand.'

'Alle Duitsers zijn weg,' lispelde een van de meisjes. 'Ze zijn maandag vertrokken.'

'Was hier soms ook een meisje genaamd Livia?' vroeg hij.

Het meisje schudde haar hoofd.

'Weet je dat zeker?'

'Er is een register,' zei een ander meisje. 'In het kantoor. Dat zou u eens kunnen inkijken.'

'Maar ik kan geen Duits lezen; ik zou niet weten waarnaar ik moest zoeken.'

'Ik spreek het een klein beetje,' zei ze en bracht hem naar de ruimte ernaast, waar een zwarte archiefkast op zijn kant lag. James wist hem weer rechtop te krijgen; de dossiers erin bleken verrassend genoeg nog prima op volgorde te hangen. En ze waren in ieder geval ook uitgebreid genoeg, zag James toen hij er doorheen begon te bladeren. Honderden meisjes waren door het *Wehrmachtsbordell* aan de Via Nardones gevoerd en van elk was een onberispelijk dossier bijgehouden: elk medisch onderzoek, elke klacht, elke ziekmelding was genoteerd.

'Wat betekent *Damenbinden* eigenlijk?' vroeg hij over een woord dat steeds terugkeerde.

'Maandverband. Ze hielden precies bij wanneer wij menstrueerden, zodat we niet konden doen alsof we ziek waren.'

Zoveel meisjes en vrouwen! 'Wat is er gebeurd met al diegenen die hier weg zijn gegaan? Waar zijn zij nu?'

Een schouderophalen. 'Meegenomen door de Duitsers.'

Er stond geen Livia noch een Pertini in de dossiers. 'En weet je zeker dat dit alle meisjes zijn? Kunnen er niet een paar zijn geweest van wie ze geen dossier bijhielden?'

Ze schudde haar hoofd. 'Ze hadden van iedereen een dossier.'

Zuchtend draaide hij zich al om om te gaan.

'Alstublieft...' zei het meisje.

'Ja?'

'Wij hebben hier helemaal niets te eten... en geen geld. En als we naar buiten gaan, spugen de vrouwen naar ons... en de mannen... die zijn zelfs nog erger. Kunt u ons niets geven?'

Het enige dat hij bij zich had, waren een paar honderd lire bezettingsgeld en wat pakjes kauwgom. Hij gaf haar alles.

'Dus u bent op zoek naar die Livia?' vroeg het meisje terwijl ze het kauwgompakje opende. Ze stopte een stukje in haar mond en begon er krachtig op te kauwen, waarbij ze om de paar tellen stopte om te slikken. James begreep dat ze volledig uitgehongerd was.

'Ja, dat klopt.'

'Dan heeft zij geluk,' sprak ze bedroefd.

'Alleen als ik haar vind.'

In gedachten verzonken liep hij terug langs de Tiber. Overal waar hij keek, was het feest. Soldaten dansten met Romeinse meisjes; op het Piazza Navona was een vreugdevuur gemaakt met Duitse vlaggen, documenten, achtergelaten uniformen en zelfs door Duitsers beslapen bedden. Zelfs Duitse proclamaties werden van de muren gerukt en op het vuur gegooid. Een mooi meisje rende op hem af, kuste zijn wang en rende weer weg, lachend om haar eigen durf.

De hele stad vierde feest, maar hij had Livia nog niet gevonden.

Toen hij terugkwam bij de barakken waar zijn eenheid was ingekwartierd, vertelde Roberts hem dat er iemand naar hem had gevraagd. 'Grote kerel, een officier, van het A-force, zei hij.'

'Kapitein Jeffries?'

'Dat weet ik niet, maar hij droeg een stuk of tien moffenhorloges om zijn linkerarm.'

'Ja, dat moet Jumbo geweest zijn,' zei James zacht.

Hij ging naar het hotel waar het A-force zijn tijdelijk hoofdkwartier had opgezet. 'Aha James, daar ben je dan,' zei Jumbo alsof zijn vlucht naar Anzio niet meer dan een stevige wandeling was geweest. 'Zeg eens gedag tegen mijn goede vriend Buster.'

Buster was precies Jumbo, maar dan met een gebroken neus. 'Buster hier is verantwoordelijk voor de partizanen in sector vier,' verklaarde Jumbo. 'Dat daar is zijn stukje.' Hij wees het aan op een kaart aan de muur. 'Vertel jij hem nou maar eens wat je hebt gehoord, Buster.'

'Ik heb alle partizanenleiders gevraagd naar de laatste stand van hun mankracht,' zei Buster. 'Een van hen stuurde het bericht dat zijn zootje ongeregeld er nog steeds rekruten bij krijgt. Hij vertelde jolig dat er zelfs een paar Napolitaanse prostituees bij hen zaten te wachten tot ze de Duitse linie konden oversteken.'

'Zou Livia daarbij kunnen zitten?'

'Natuurlijk zit zij erbij!' zei Jumbo vol vertrouwen. 'Hoeveel Napolitaanse prostituees zijn er nou? Hoewel... aardig wat natuurlijk,' beantwoordde hij meteen daarop zijn eigen vraag. 'Maar niet zo ver noordelijk... en geen die de Duitse linie proberen over te steken.'

'Als zij inderdaad bij Dino verblijft,' zei Buster, 'dan heeft ze het niet slecht getroffen. Hij is een prima kerel.'

'Is er een manier om haar daar vandaan te halen?' vroeg James.

Buster schudde zijn hoofd. 'Geen enkele, vrees ik. Die hele sector krioelt van de moffen.'

'Aan de andere kant,' sprak Jumbo opgewekt, 'kunnen we wél proberen jou dáár naartoe te brengen. Heb je wel eens een parachute gebruikt?'

Die avond bevatte de dagelijkse bbc-uitzending met boodschappen voor de partizanen wat intrigerend nieuw materiaal. Nadat ze Mario hadden verteld dat de koe van zijn zuster nodig moest worden gemolken en Piero dat zijn vrouw hem bedankte voor de hoed, zei de BBC-presentator op afgemeten toon: 'En tenslotte een bericht voor Livia, die bij Guiseppe logeert. Blijf alsjeblieft waar je bent: de tonijn is onderweg.'

Hoog in de bergen schreef Dino's radioman de boodschap fronsend over. Hij correspondeerde met geen enkele code die hij ooit had doorgekregen, maar hij zou hem toch maar doorgeven: misschien had het wel te maken met die lading grote vuurwapens waar ze al zolang op zaten wachten.

Zo'n vijfentwintig kilometer van het woud waarin Dino en zijn partizanen zich schuilhielden, hoorden ook de Duitsers deze BBC-uitzending. Zij hadden deze code lang geleden al gekraakt, maar het woordje 'tonijn' was een nieuw element voor ze. Ook zij vermoedden dat het ging om een geducht nieuw wapen dat bij de partizanen zou worden afgeleverd. De boodschap werd overgebracht aan de Duitse bevelvoerder, die het bevel gaf het aantal patrouilles in dit gebied onmiddellijk op te voeren.

44

De romp van de B-17 zat propvol en het was er vreselijk rumoerig. Het stond er vooral vol door de enorme stapels kisten vol geweren, munitie en voedsel, die in het bommenruim waren vastgesnoerd. Er waren geen stoelen: James en Jumbo werden tussen een paar kisten in gepropt en moesten zich vasthouden aan de singelband die langs de hele achterwand van het vliegtuig liep. James klampte verder nog zijn ransel en een kleine koffer vast. Een van de kleine bommenluiken was opengezet, zodat ze zo af en toe rivieren en meren zagen, terwijl het Italiaanse landschap onder hen door gleed, slechts verlicht door een dun reepje maan.

'Bij twee engelen stappen we eruit,' riep Jumbo boven de herrie uit. 'Het komt allemaal goed, hoor.'

James knikte en hoopte maar dat het eruitzag alsof hij er alle vertrouwen in had. Hij had nog nooit met een parachute gesprongen en uit wat Jumbo hem had verteld, had hij begrepen dat je dat het beste van zo hoog mogelijk kon doen. En twee engelen – oftewel zeshonderd meter – betekende amper genoeg tijd om je hoofdparachute te openen, laat staan om je reserve te pakken als er iets misging. Maar toen het vliegtuig overhelde en richting de bergen in het noorden stuurde, ging zijn hart als een gek tekeer – door een onrust die van meer kwam dan angst alleen. Hij hoopte met heel zijn hart dat Livia zijn boodschap had gekregen en niet al verder was getrokken.

Officieel was Jumbo de enige die werd gedropt, om zich vervolgens in verbinding te stellen met de partizanen; James was er zogenaamd enkel bij om hem te helpen met uitladen. Volgens het verslag dat de piloot later zou indienen, zou hij echter zijn evenwicht verliezen en uit het vliegtuig vallen terwijl hij een kist naar buiten duwde. Dit was, zo had Jumbo hem verzekerd, zo'n beetje de standaardmanier om mensen te transporteren, zonder die hele rompslomp van het aanvragen van een officiële vergunning.

Na twintig minuten voelde hij dat het vliegtuig de daling inzette. Jumbo stond op. 'Tijd om ons van dit zootje te ontdoen,' riep hij.

Ze sneden de singelbanden door en begonnen de kisten richting de bommenluiken te schuiven. Toen deze open zwaaiden, zagen ze op de grond een vreugdevuur flakkeren, nietig als een vuurvliegje. 'Dat is ons signaal,' riep Jumbo. 'Gooien!' En ze duwden de eerste kist naar buiten. Hij schommelde even heen en weer op de schroefwind, waarna een kaki-kleurige zijden kwal openbarstte om zijn afdaling te vertragen. James hoopte dat zijn eigen sprong ook zo eenvoudig zou zijn. Maar hij had helemaal geen tijd om daarover na te denken: samen duwden ze de kisten er één voor één uit, totdat Jumbo een stopteken gaf. Het vliegtuig maakte slagzij, maar trok meteen weer recht. 'Gooien!' riep Jumbo weer, waarna ze hun werk hervatten. Ten slotte waren alle kisten weg.

'Hoe voel je je?' riep Jumbo.

'Doodsbenauwd,' antwoordde James.

Maar Jumbo verstond blijkbaar iets heel anders, want hij knikte hem bemoedigend toe en stak beide duimen omhoog.

Met zijn koffertje tegen zijn borst geklemd stapte James naar de open deur. De heuvels onder hem leken wel heel erg ver weg. Hij bedacht hoe stom het was om jezelf zo de lucht in te slingeren. Maar toen gaf Jumbo hem een ferme douw en tuimelde hij ondersteboven het niets in. Even voelde hij paniek, maar hij herstelde zich gauw bij het voelen van de zalige ruk van de parachute, die zich vulde met lucht.

Onder hem zweefden de kisten langzaam naar beneden; toen hij omhoogkeek zag hij Jumbo zo'n zes meter rechtsboven hem. Op de grond zag hij al donkere figuren kisten van het terrein slepen waar alles neerkwam. En toen zag hij opeens een broodmager maar overbekend figuurtje naar de plek rennen waar hij zou landen. Zijn hart sprong tot boven de wolken op. 'Ik hou van je!' riep hij. 'Ik hou van je!' En omdat het in het Italiaans zo mooi klonk, riep hij het nog eens: 'Livia, ik hou van jou!'

Langzaam kwam de grond de twee engelen tegemoet – van wie de partizanen er eentje nog hoorden lachen, toen hij na zijn landing een stuk doorrolde.

En toen lag zij in zijn armen. En de zijden parachute golfde om hen heen, terwijl hij haar omhelsde en steeds maar weer herhaalde: 'Livia, het spijt me zo, het spijt me zo. Ik heb je laten gaan, maar dat zal ik nooit, nooit, nooit meer doen.'

Ze gingen zitten op een boomstam, een eind buiten het kamp.

'Ik heb wat spulletjes voor je meegenomen,' zei James en opende zijn koffer, 'van de zwarte markt in Rome. Brood van een bakkerij aan het Piazza Trilussa en... kijk.' Behoedzaam haalde hij zijn buit tevoorschijn. 'Een hele mozzarella! Die moet Rome zijn binnengekomen via de een of andere boer van het omringende platteland. Is dat bijzonder of niet?'

'We hebben wapens nodig, geen eten,' zei Livia nors.

'Als ik jou zo zie, snak je anders naar beide.' Ze was nog magerder dan de laatste keer dat hij haar zag. Hij brak de mozzarella en stak haar een stuk toe. 'Proef eens!'

Ze at een heel klein stukje. 'Niet geweldig,' klaagde ze, maar nam meteen nog een hap. 'Een beetje muf,' voegde ze eraan toe, 'en niet erg goed klaargemaakt: vrij dun en waterig. Bij lange na geen mozzarella uit Campania!'

'Het is het beste dat ik vinden kon.'

'Je had er je geld beter niet aan kunnen verspillen.' Ze nam nog een hap. 'Na de oorlog moet ik een vervangster voor Pupetta zien te vinden. Het duurt jaren eer je een fatsoenlijke melkkoe hebt, weet je dat? Deze kaas komt vast van het een of ander afgeleefd beest.'

Omdat er nog maar een klein stukje over was, brak hij dit in tweeën en proefde ook. De kaas was misschien niet zo vers en smaakvol als die van haar altijd was geweest, maar hij vulde zijn mond met de zoete romige smaak van malse weilanden vol sappig gras en kruiden.

'En erg klein,' zei Livia nog terwijl ze het laatste stukje in haar mond stak. 'Echt iets voor een Romein, om jou een ondermaatse mozzarella aan te smeren. Ik hoop dat je er niet meer dan een paar lire voor hebt betaald.'

James, die zijn hele portemonnee ervoor had omgekeerd, schudde heftig zijn hoofd.

Lange tijd zaten ze daar samen, zijn arm beschermend rond haar schouders.

'James,' zei ze ineens met een diepe zucht, 'er is iets dat ik je moet vertellen.'

'Ik weet al van Alberto: Marisa heeft me alles uitgelegd.'

'En toch ben je nu hier?' zei ze verrast. 'Ik had het je vergeven, hoor, als je niets meer met me te maken had willen hebben.'

'Tja, maar zo simpel is het tegenwoordig niet meer. Deze oorlog heeft alles veranderd. We zullen alles moeten heroverwegen; helemaal zelf moeten bepalen wat goed en fout is.'

Ze knikte. 'Hier zeggen ze dat we ons moeten bevrijden van de kleinburgerlijke huichelarij.'

'Nou,' zei hij peinzend, 'dat gaat misschien een beetje ver. Je hoeft immers niet per se kleinburgerlijk te zijn om huichelachtig te zijn. En je hoeft je niet te bevrijden van het één, om je te kunnen bevrijden van het ander.'

'Die James,' zei ze. 'Altijd rationeel.'

Er viel een lange stilte. James vroeg zich af wat er allemaal in Livia omging.

Toen zei ze: 'Toch is er nog iets dat je moet weten. Voor mij is ook alles veranderd. Doordat ik hier ben gekomen, heb meegevochten en gezien hoe alles in elkaar steekt, ben ik de dingen in een heel ander licht gaan zien. Hier ben ik in de eerste plaats communist, dan soldaat en dan pas vrouw. Nou ja... waarschijnlijk niet eens op de derde plaats: mijn vrouwzijn staat helemaal onderaan op de lijst.'

'Maar soldaat zul je niet altijd zijn.'

'Nee, maar ik denk dat ik wel communist zal blijven. En dat betekent in zekere zin ook een strijder. Want wie denk je dat alles weer recht gaat zetten, als deze oorlog eindelijk voorbij is en jullie allemaal terug zijn naar waar jullie vandaan kwamen? Iemand moet mensen als Alberto toch tegenhouden met dit land te doen wat ze willen?'

'Aha,' zei hij. 'Dus ik hoor wel dat Engeland nog steeds niets voor jou is.'

'Ik kan Italië niet in de steek laten – niet na dit alles; niet na wat de mensen hier allemaal hebben doorgemaakt. Het spijt me, James.'

'Mm, da's interessant,' zei hij. 'Want ik ga ook niet terug naar Engeland. Althans, niet langer dan nodig is om af te zwaaien en weer terug te komen.'

Ze keek hem aan, duidelijk twijfelend of hij het meende.

'Ja, ik wil in Italië blijven,' zei hij zacht. 'Mét jou, als je me nog wilt; of zonder jou als je dat niet meer wilt. Een mens kan niet kiezen waar hij wordt geboren, maar wel waar hij zijn leven wil doorbrengen – en ík wil dat hier doen.'

Er was iets mis met de voorraden die Jumbo en James hadden afgeleverd. De kisten bevatten enkel geweren en pistolen voor kleinschalige acties, terwijl de partizanen juist zaten te springen om stenguns, granaten en halfautomatische wapens, om het te kunnen opnemen tegen de overmacht van het terugtrekkende Duitse leger.

'We vragen al maanden om die wapens,' vertelde Dino, zijn gezicht duister van woede. 'Hoe kan het nu zo verkeerd zijn gegaan?'

'Gewoon een administratieve blunder,' suste Jumbo. 'Waarschijnlijk zit nu ergens anders iemand te klagen over een ongevraagde zending stens. Ik neem wel contact op met het hoofdkantoor en bestel wat je echt nodig hebt. In de tussentijd hebben we dan mooi tijd om al onze plannen uit te werken.'

De leiders van alle partizaanse strijdkrachten in het gebied werden bijeengeroepen. Jumbo kwam met een kaart en legde uit, met James als vertaler, wat er van elke sectie werd verwacht. Er werden veel vragen gesteld, maar over geen enkel punt liepen de meningen uiteen: de militaire discipline van de partizanen was perfect. Bovendien ontdekte James dat Jumbo hier erg goed in bleek te zijn. Hij bezat het talent om de naderende strijd al helemaal voor zich te zien, in een soort samenspel van bewapening en topografie: díé groep naar dát stukje hoge grond, zodat ze kunnen zorgen voor dekking voor een andere sectie, die díé rivier moet oversteken...

De enige tegenwerpingen kwamen van Dino, die er nogmaals op wees dat alle plannen vielen of stonden met het feit of zijn groep genoeg zware wapens kreeg om de Duitsers tegen te houden.

'Exact,' zei Jumbo. 'En zware wapens zúllen we hebben. Die worden hier lang voordat de Duitsers komen door een vliegtuig gedropt.'

De Duitse terugtocht viel precies samen met een hittegolf: zelfs in de heuvels was de hitte beklemmend. Veel partizanen liepen dan ook, op hun rode halsdoek na, met ontbloot bovenlijf; sommige van de vrouwen droegen een mannenonderhemd in plaats van een blouse. James vond het opvallend dat zij desondanks nooit problemen met de mannen leken te hebben. Iedereen had het veel te druk met de voorbereidingen.

Zo moesten er brandsleuven worden gegraven, waarbij James kon adviseren dankzij zijn ervaringen in Anzio. Een paar van de mannen begonnen wat te morren toen hij erop stond dat er een paar drie meter diep moesten worden, met boomstammen en zandzakken als extra versteviging van het dak. Zij konden zich gewoon niets voorstellen bij de verwoestende kracht van een Duitse '88. Ondanks het gemor, kwamen die sleuven er toch – daar zorgde Dino wel voor.

Dino zelf bleef zich echter opvreten over die levering van zware wapens. 'We kunnen de geschutstellingen wel vast graven,' zei hij tegen Jumbo, 'maar wanneer krijgen we de wapens daarvoor nou?'

'Zeer binnenkort,' verzekerde Jumbo hem. 'Het hoofdkantoor zorgt er heus wel voor dat we die ruim op tijd hebben.'

Maar heimelijk begon ook hij zich onderhand wat zorgen te maken. 'Ik hoorde iets heel raars op de radio,' vertrouwde hij James toe. 'Het schijnt dat wij zojuist zeven divisies uit Italië hebben teruggetrokken om een nieuw front op te zetten, ergens aan de Middellandse Zee.'

'Maar dat slaat toch nergens op?' zei James. 'Waarom zou je hun ineens de overhand geven, terwijl je ze bijna hebt afgemaakt?'

'Dat vroeg ík me dus ook af,' gaf Jumbo toe. 'Ik hoop alleen... nou ja, dat niet iemand heeft besloten het de Italianen eens wat lastiger te maken.'

'Waarom zouden ze dát dan doen?' vroeg James. En toen viel hem opeens iets in. 'Mm, eigenlijk weet ik het antwoord al.'

'Wat dan?'

'Jumbo, ik geloof dat we die partizanenleiders nog eens bijeen moeten roepen, om ze te vertellen waarom die zware wapens waarop ze zitten te wachten misschien nooit zullen komen.'

'Toen ik in Napels zat,' vertelde James, 'heb ik eens een document ingezien – een strikt geheim document. Op dat moment begreep ik eigenlijk niet waarom het zo vreselijk geheim was. Het was gewoon een soort prognose van de politieke situatie in Italië na de oorlog.'

Hij zweeg even om zijn gedachten op een rijtje te zetten. Dino, Jumbo en de partizaanse sectieleiders wachtten geduldig tot hij verder ging.

'In wezen kwam het erop neer, dat de partizanen de best georganiseerde en meest gedisciplineerde politieke groepering onder de Italianen waren. De schrijver van het stuk verwachtte dat de koning na de oorlog troonsafstand zou doen, waarna de communisten de macht zouden overnemen. En daar was hij niet echt blij mee: hij voorzag "een communistische superstaat van Moskou tot aan Milaan", zoals hij het omschreef.'

'Nou en?' zei Dino. 'Dat is niet bepaald geheim, hoor.'

'Dat rapport was niet slechts een prognose,' zei James. 'Het was ook een actieplan.'

Er viel een lange stilte waarin de partizanen deze boodschap probeerden te verwerken.

'Jij zegt dus dat we zijn verraden,' bracht Dino tenslotte uit.

'Ik zeg dat het sommigen erg goed zou uitkomen, als de Duitsers de omvang en de macht van de Garibaldini wat zouden terugbrengen. Wat hun aangaat, heeft de oorlog in Italië zijn doel reeds gediend: er zijn vijfentwintig Duitse divisies tegengehouden, die anders misschien pas in Frankrijk waren gestopt. Nu de oorlog bijna is gewonnen, trekken ze de geallieerde divisies zich terug uit Italië... en laten de communisten afrekenen met de Duitsers – en vice versa. Mijn bevelvoerend officier zou het een twee-vliegen-in-één-klapscenario noemen.'

'Jumbo?' zei Dino kalm. 'Kan dit waar zijn?'

Jumbo knikte. 'Ik vrees dat het akelig geloofwaardig klinkt. Als puntje bij paaltje komt, moet de legerleiding zijn oren toch naar de politiek laten hangen.'

'Je kunt die aanval dus maar beter afblazen,' zei James. 'Wat er ook nog allemaal wordt gedropt, ik durf te wedden dat die zware wapens waar jij zo om zit te springen, er niet bij zullen zitten.'

'We kunnen hem niet afblazen,' zei Dino. 'De wetenschap dat onze dood een of ander politiek doel dient, maakt voor ons geen verschil. Tot onze grote schande zijn wij degenen geweest die de fascisten in dit land hebben verwelkomd. We kunnen daarom nu niet achteroverleunen en het Duitse leger voorbij laten trekken, zonder stevig naar ze uit te halen.' Hij keek naar de andere leiders. 'Iedereen mee eens?'

Een voor een knikten ze.

James en Livia draaiden net als iedereen met de patrouilles mee. Op een nacht hoorden ze in het duister voor hen het geratel van geweervuur: een paar partizanen waren recht in armen van de Duitsers gerend. James en Livia lieten zich meteen op de grond vallen, brachten hun geweer in de aanslag en zorgden voor dekking, terwijl het grootste gedeelte van de partizanen zich terugtrok naar een betere verdedigingspositie. Het vuurgevecht was kort maar hevig.

'Je vecht goed,' gaf Livia schoorvoetend toe, toen ze weer overeind kwamen.

'Jij ook,' zei James. 'Hoewel me dat eigenlijk niet eens verbaast.'

'Ik moet zeggen, die partizanen beginnen een aardig gedegen ploegje te worden,' zei Jumbo trots, toen hij zich bij hen voegde. 'Toen we hier begonnen, konden ze nog niet eens zelf een wapen laden; nu kunnen ze míj nog het een en ander leren.'

De Duitse stoet over de bergwegen trok nu hoofdzakelijk in noordelijke richting, weg van het front. Maar omdat het daarbij eerst nog om voorraadtrucks en logistieke eenheden ging, wachtten de partizanen rustig op het verschijnen van de gevechtseenheden. Er hing een voelbare spanning in het kamp: de vertrouwde mengeling van onverschilligheid en doodsangst die aan elke strijd voorafgaat.

James nam de kans waar om Livia mee te nemen voor een boswandeling – de enige manier om wat privacy te krijgen. Ze vonden een kersenboom en begonnen gulzig te eten van het stevige zoete fruit.

Livia had nog steeds niet gereageerd op James' mededeling dat hij na de oorlog wilde terugkomen naar Italië. Hij had besloten geen druk op haar uit te oefenen. In plaats daarvan praatten ze wat over haar prille politieke overtuiging.

'Eerst moet Italië vrij zijn, dan haar volk,' doceerde Livia. 'Alle fabrieken en boerderijen moeten aan het proletariaat worden gegeven, en niet andersom.'

James stak nog maar een kers in zijn mond. Sinds ze zich bij de Garibaldini had aangesloten, sprak Livia graag in slogans. Hij vond dat nogal vermoeiend, maar onder de huidige omstandigheden ook wel begrijpelijk. 'En als het proletariaat ze nu eens niet wil?' wierp hij tegen. 'Of ze nemen de boel wel over, maar plunderen alles dan?'

'Het proletariaat steelt alleen omdat het in een onrechtvaardig systeem geen andere keus heeft,' sprak ze streng. Maar toen bedacht ze hoezeer het haarzelf ergerde als iemand haar iets afpakte. 'Natuurlijk moeten er wel leiders zijn,' gaf ze toe. 'De Partij moet de mensen richting geven.'

'En worden die partijleiders dan gekozen?'

'Democratie is een gebrekkige manier gebleken om de macht te verdelen.'

'Ja, dat heeft Hitler ook goed gezien,' bromde hij.

'Nou ja, misschien komen er wel verkiezingen,' zei ze. 'Die de communisten vervolgens winnen, dus dan maakt het niet uit.'

'Maar dan heb je dus te maken met een democratisch communisme.'

'Nou en? Wat is daar mis mee?'

'Ik dacht gewoon dat jullie daar niet in geloofden.' Hij moest echter toegeven dat hem dat echt iets voor Italië leek: zoiets zou hier best wel eens kunnen werken. 'En hoe zit het met godsdienst? Jullie gaan zeker alle kerken sluiten, net als Stalin?'

'Natuurlijk niet!' riep ze geschokt uit.

'Dus dan krijg je een soort van katholiek democratisch communisme?'

'Ja, waarom niet?'

'En als het proletariaat nu eens niets wil weten van vrouwenemancipatie?' vroeg hij onschuldig. 'Ik neem aan dat jij dan ook in díé wens mee zult gaan?'

'Als het proletariaat dát niet wil,' zei ze, 'dan kan het zichzelf voor mijn part verhangen!' Toen pas begreep ze wat hij aan het doen was. 'O, jij zit me te plagen!'

'Ik zou niet durven,' zei hij. 'Ik plaag Italiaanse meisjes nooit: daar zijn ze veel te serieus voor.'

Ze gaf een stomp tegen zijn arm. 'Au!' Hij voelde dat ze behoorlijk veel kracht had gekregen; ze was ook peziger dan hij zich herinnerde. Ze stompte nog een keer. 'Dat doet pijn, hoor!' protesteerde hij.

'En wat wou je daaraan doen?'

'Tja, dan zal ik je terug moeten stompen,' zei hij en duwde zacht tegen haar bovenarm.

'Dat was geen stomp,' zei ze. 'Dít is er eentje!' Deze klap tegen zijn andere arm was nog harder dan de vorige.

Ditmaal greep hij haar echter bij haar arm en probeerde hem op haar rug te draaien. En toen lagen ze ineens te stoeien: haar lachende ogen vlakbij de zijne, haar lachende lippen dichtbij genoeg om te worden gekust. Hij liet zijn handen onder haar hemd glijden en toen waren daar opeens haar borsten: bruin van de zon, de tepels rood als de binnenkant van een vijg – klaar om te worden gekust en zachtjes tussen zijn tanden te nemen.

'Ho, ho!' riep Livia, zich terugtrekkend. 'Ik was nog niet uitgepraat over de politiek.'

'O,' zei hij en trok zijn kleren weer recht. 'Goed dan.'

'James?'

'Ja?'

'Ik plaagde je maar!' En meteen was ze er weer, bood hem met gebogen schouders haar borsten aan en liet haar koele vingers in zijn broek glijden.

Toen ze even later allebei naakt waren en zij iets heerlijks deed, dat hij zich nog herinnerde van hun middagen in Napels, was híj het die haar stopte. 'Eigenlijk had ik nóg iets in gedachten,' mompelde hij.

Ze richtte zich op en kuste hem. 'En dat is?'

Hij trok zijn overhemd van de tak waaraan het was geëindigd en zocht in het borstzakje. 'Ik heb in Rome niet alleen kaas gekocht,' zei hij, 'maar ook een paar van deze.'

Ze keek naar het pakje condooms in zijn hand en trok één wenkbrauw omhoog. 'O... dus jij ging er maar gewoon van uit dat ik wel met je zou vrijen!'

'Daar ging ik niet van uit: dat hoopte ik,' zei hij bescheiden. Maar toen zag hij haar gezicht. 'Je zit me alweer te plagen, hè?'

'Tuurlijk!' zei ze. En ze rukte het pakje uit zijn hand en scheurde het met haar tanden open. 'Maar ik ben ook boos op je.'

'Waarom?' hijgde hij toen ze hem het condoom omdeed.

'Als je me dit meteen bij je aankomst had verteld,' zei ze terwijl ze één been over hem heen sloeg, 'hadden we niet zoveel tijd hoeven verprutsen met geklets over communisme!'

Na afloop lagen ze in elkaars armen en lieten het zweet op hun lichaam opdrogen in de schaduw van de boom. James zag iets roods op Livia's buik. Toen hij wat dichterbij kwam, bleken het gewoon een paar gevallen vruchtjes die tijdens het vrijen onder haar waren platgedrukt. Toen hij zijn hoofd boog om de geplette kers eraf te likken, begon Livia te kronkelen.

'Wat doe je daar?' vroeg ze.

'Niks,' zei hij en ging rustig verder.

'Het voelt anders niet als niks.'

'Hoe voelt het dan?'

'Mm... best lekker.'

'Dan ga ik er toch gewoon mee door!'

Hij likte net zolang tot alle stukjes fruit weg waren en keek toen op. Er lagen nog veel meer kersen om hen heen. Hij verzamelde twee handen vol. 'Zo,' zei hij, 'en wat zullen we hier eens mee gaan doen?'

Een eenzaam Duits gevechtstoestel cirkelde hoog boven hen in de eindeloze blauwe lucht. James opende soezerig zijn ogen en keek ernaar. Hij maakte zich totaal geen zorgen: ze lagen veel te goed verstopt om te worden gezien. Na enkele minuten helde de vleugel van het vliegtuig naar opzij en zweefde het weer weg.

Over een dag of twee, dacht James, kunnen we allebei wel dood zijn. Toen keek hij naar Livia, die tegen hem aan genesteld lag, met een van haar handen beschermend rond zijn ballen. De schouderbladen die uit haar rug staken, waren zo fijn en symmetrisch als vlindervleugels. Als dit alles voorbij is, dacht hij, moet zij eens goed te eten krijgen! Hij glimlachte om de tegenstrijdigheid van die twee gedachten. Hoezeer je ook verwachtte te zullen sterven, iets in je hoofd zou altijd blijven weigeren dit als vaststaand te accepteren.

Hij dacht aan hoe hij was geweest toen hij pas in Napels aankwam, nog voordat hij haar had ontmoet. Wat een onuitstaanbare kwast moet ik zijn geweest, dacht hij schamper.

'Waar denk je aan?' vroeg Livia slaperig.

'Ik lag aan Napels te denken. En jij?'

Ze kneep zacht in zijn ballen. 'Ik lag te denken dat als er geen testikels waren, er ook geen oorlog zou zijn – maar ook geen seks. Dus vroeg ik me af of God bij het uitvinden ervan wel de juiste beslissing heeft genomen. Ik had net besloten dat het dat – per saldo – waarschijnlijk toch wel is.'

'Wat een diepzinnige gedachten; veel dieper dan die van mij,' zei hij onder de indruk. Hij ging achterover liggen. 'Dit is een beetje als wonen op de Vesuvius, vind je niet?'

'In welk opzicht?'

'Wij kunnen elk moment gedood worden en weten niet wanneer.'

Ze rolde naar hem toe en duwde zich op haar ellebogen omhoog, om hem recht in de ogen te kunnen kijken. 'Inderdaad. En hoe bevalt dat?'

'Ik geloof,' zei hij, 'dat zo leven tienmaal zoveel waard is, dan welk leven waar en hoe dan ook. Zolang jij er ook maar in voorkomt, natuurlijk.'

Ze zweeg even. 'James?'

'Ja?'

'Als je me na de oorlog vraagt of ik met je wil trouwen, zal ik ja zeggen.'

Hij dacht hier even over na. 'Maar dat slaat toch nergens op?' wierp hij tegen. 'Waarom zeg je dan niet meteen ja?'

'Bijvoorbeeld omdat jij het me nog niet hebt gevraagd?'

'Livia Pertini, wil je met me trouwen?'

'Nee.'

'Maar net zei je...'

'Ik zei: "Vraag het me ná de oorlog". Het brengt ongeluk als ik nu ja zeg.'

'Hoezo?'

'Nou, om te beginnen zou ik een stukje ijzer in mijn zak moeten hebben, want het ongeluk houdt niet van ijzer; wij zouden ons hoofd moeten bedekken, zodat de kwade geesten ons geluk niet kunnen zien; en je moet nooit op een dinsdag een beslissing over je toekomstige huwelijkspartner nemen.'

'Dat laatste verzin je ter plekke.'

'Nee, echt niet.'

'Maar het is toch helemaal niet logisch om te zeggen...'

'Als je met mij wilt trouwen, James,' sprak ze dromerig, 'zul je een stuk minder moeten hechten aan logica. Trouwens, je verloven op de dag voor een groot gevecht met de Duitsers, dat is pas het noodlot tarten.'

Op de terugweg naar het kamp kwamen ze Jumbo tegen. Hij zat het enige machinegeweer van de partizanen schoon te maken. Hij schonk James een vragende blik, waarna deze allebei zijn duimen opstak.

Later ging James hem een handje helpen.

'Dus alles is weer goed tussen jou en Livia?' vroeg Jumbo.

'Beter dan goed!' Hij kon het niet helpen dat hij straalde. 'Zij wil wachten tot na de oorlog, maar dan denk ik dat wij gaan trouwen.'

'Gefeliciteerd, wat fantastisch! Ik hoop dat jullie samen heel gelukkig worden.' Jumbo werkte verder aan het geweer. Na een paar minuten zei hij: 'Ik neem aan dat je hebt gehoord van Elena's probleempje: de verloren gewaande echtgenoot?'

'Zij heeft iets in die richting losgelaten, ja,' zei James ongemakkelijk.

'Nu Rome ook eindelijk bevrijd is, kunnen we dat vast snel opgelost krijgen.'

'Vast. Hoewel eh... het kán even duren: er is vast weer een hele achterstand ontstaan.'

'Weet je wat het is?' zei Jumbo. 'Als ze met mij trouwt, kan ze niet langer de hoer spelen. Dat is immers niet bepaald wat mannen in zo iemand zoeken, hè: dat ze elke avond netjes naar huis gaat, naar haar toegewijde echtgenoot, en zijn avondeten voor hem kookt.' Hij zag James' verblufte blik. 'Ik heb altijd al een vermoeden gehad, maar het leek me gewoon beter er maar niets over te zeggen..'

'Jullie vinden vast wel een oplossing.'

'Ik denk het wel. Mm... jammer dat deze oorlog niet nog wat langer duurt,' zei Jumbo weemoedig. 'Voor jou niet, natuurlijk. Maar ík heb echt de tijd van mijn leven gehad!' Hij keek naar het machinegeweer, dat weer helemaal in elkaar zat. 'Zo, die kan weer een paar moffen aan.'

Geleidelijk aan veranderde het in noordelijke richting langsdruppelende stroompje van Duitse eenheden in een ware stortvloed. Ze verplaatsten zich hoofdzakelijk 's nachts – overdag werden ze nog steeds door geallieerde gevechtsvliegtuigen bestookt – en stroomden dan door de bergen alsof er een dam was doorgebroken. Het gegrom van de vrachtwagenmotoren en het gestamp van de marcherende laarzen echoden in het donker.

'Nog niet,' zei Dino. 'We wachten op de infanterie.'

Dus keken de partizanen vanuit hun schuilplaatsen naar de eindeloze stoet van grijze uniformen – en wachtten.

Twee dagen later meldden hun verkenners dat er een troepencolonne was gesignaleerd, die vanuit het zuiden naar boven trok.

De partizanen wachtten op het invallen van de schemering. Toen zweefde een vaag gegons door de stille lucht, als vooraankondiging van het konvooi. Even later hoorden ze mannen zingen.

'Troepen!' zei Jumbo. 'Troepen en trucks. En aardig wat ook, als ik het zo hoor.'

'Nou, veel geluk iedereen!' zei Dino. 'Wacht op mijn bevel.'

Hoe verder ze de vallei in kwamen, hoe sterker het geluid van de Duitsers werd. En toen konden ze ze zelfs zien: in het bleke licht was het alsof er een grijze lavastroom bergopwaarts dreef, recht op de wachtende partizanen af.

De eerste vrachtwagens waren de partizaanse posities bijna gepasseerd, toen Dino riep: 'Nu!' Meteen daarop begon hevig geweervuur uit de verborgen loopgraven te spuiten.

De Duitsers vlogen direct uiteen en verscholen zich waar ze maar konden. Pas toen opende de tweede partizanengroep, die zich had schuilgehouden op de bergkam achter hen, het vuur, waardoor de Duitsers niets anders konden dan zich weer terugtrekken.

Dit eerste succes was echter van korte duur: een pantserwagen begon terug te schieten en de ervaren, gedisciplineerde Duitse soldaten vormden kleine strijdeenheden. Was het begin van het gevecht al rommelig en luidruchtig geweest, nu werd het pas echt een complete chaos. Mannen renden al schietend voorbij, tot de loop van hun geweer gloeide als een kachelpook.

James zocht ongerust naar Livia, maar zag haar nergens. En opeens bleek hij zich toen midden tussen de Duitsers te bevinden. Hij vocht man tegen man en had helemaal geen tijd meer om na te denken of iemand in de gaten te houden, anders dan degenen links en rechts van hem.

Dwars door alle herrie heen hoorde hij ineens het kettingzaaggeluid dat hij in Anzio had leren kennen en vrezen: een zware Spandaumitrailleur. De Duitsers hadden de zijkanten van een MG-42-vrachtwagen even verderop in de colonne omgeklapt en schoten lukraak in het rond, waarbij ze net zo goed hun eigen mannen als partizanen neermaaiden, in een wanhopige poging de overhand terug te winnen. James dook meteen een greppel in, waar hij ook Jumbo aantrof.

'Die Spandau wordt nog een probleem,' zei deze. 'Maar ik geloof dat ik de oplossing hier ergens heb.' Hij haalde een Duitse mijn uit zijn zak. 'Het kan niet lang meer duren voor ze de loop moeten verwisselen.'

'Ik ga met je mee!' zei James en begon een nieuw magazijn in zijn wapen te stoppen.

'Niks ervan!' zei Jumbo. 'Dit kan best link worden. Jij moet op Livia passen.'

'Doe niet zo stom, man. Je hebt toch dekking nodig!'

'Doe Elena de groeten van me,' zei Jumbo en toen kroop hij over de rand van de greppel.

Met een vloek sloeg James het magazijn op zijn plek en ging achter hem aan. Hij hield zich zo laag mogelijk en schoot telkens kort naar links en naar rechts. En toen sloeg een hevige pijnscheut in zijn linkerschouder hem tegen de grond, waar hij nog net zag hoe Jumbo onder vuur werd genomen, terwijl hij de mijn richting het machinegeweer slingerde. Met een enorme flits explodeerde de vrachtwagen, waarna in de vlammenzee nog veel meer Duitse soldaten werden verteerd.

Daarna was het in tien minuten tijd bekeken. De overgebleven Duitse vrachtwagens stoven terug naar de veilige vallei of werden overmeesterd. De overwinning bleek echter een belachelijk hoge prijs te hebben gehad: de partizanen waren meer dan de helft van hun manschappen kwijt.

James ging meteen op zoek naar Livia. Hij rende van het ene lichaam naar het andere, om te kijken of ze tot de gewonden behoorde. Uiteindelijk vond hij haar op de helling van de berg, naast het levenloze lichaam van Jumbo. Hij ging naast haar zitten.

Een hele poos zaten ze daar samen te zwijgen. Toen zij uiteindelijk sprak, sloeg haar stem over van uitputting: 'Ik wil naar huis.'

Toen ze de volgende dag hun doden stonden te begraven, werd er opnieuw een vanuit de vallei naar boven trekkende colonne gesignaleerd. Ditmaal waren de uniformen echter niet grijs, maar kaki en wapperden er geallieerde vlaggen aan de antennes van de voertuigen.

James ging als tolk met Dino mee. Zijn arm zat in een mitella; de kogelwond was netjes verbonden.

Toen ze hadden uitgelegd wat er precies was gebeurd, werden ze door de bevelvoerend officier uitvoerig bedankt. 'Maar eh,' voegde hij James nog toe, 'waar heb jij eigenlijk Engels geleerd? Je spreekt het best goed, voor een spaghettivreter.'

James deed zijn mond al open om het te verklaren, toen hij zichzelf hoorde zeggen: 'Ik ben geboren in Engeland, maar getogen in Napels.'

'Ik dacht al zoiets! Maar goed, wij moesten maar eens achter die moffen aan. Bedankt voor alles!'

Toen ze de heuvel weer op liepen, met zijn lange rijen keurige kruisen, zei Dino: 'Je zei niet dat je een Engelsman was.'

'Nee,' zei James kortweg.

Dino keek hem nadenkend aan. Toen stopte hij voor een rij graven. 'Wat een kruisen, hè? Maar... er kan er altijd nog eentje bij.'

'Waar dan?' vroeg James, die niet direct begreep wat hij bedoelde.

Dino wees: 'Daarzo, aan het eind. Mooie plek om begraven te worden, toch?'

'Best aangenaam.'

'Misschien dat je daar zelf zou kunnen gaan liggen, naast je vriend Jumbo? Wat denk je ervan: "Hier rust James Gould, officier van het Engelse Leger, gaf zijn leven in een dappere samenwerkingsactie met de partizanen, enzovoort enzovoort."'

'Dino,' zei James. 'Bedoel je dat ik... vermist zou kunnen raken?'

Dino haalde iets uit zijn zak. 'Kijk,' zei hij en vouwde het open. Het was een rode partizanenhalsdoek. In een van de hoeken stond de naam 'Giacomo' geborduurd. 'Hij was een goed mens,' sprak hij kalm. 'Een van de vele goede mensen die hier zijn gesneuveld. Ik denk niet dat hij het erg zou vinden als jij deze zou krijgen. Toch bijna net zo goed als een setje identiteitspapieren? Zo eentje plus een brief van mij waarin ik je bedank voor al je hulp, zal in het Italië van na de oorlog vele deuren voor je openen.' Hij drukte de rode doek in James' handen. 'Neem haar mee naar huis, Giacomo. Breng Livia terug naar Napels.'

45

et was ruim honderd kilometer – honderd kilometers van zwaar bevochten terrein, dat reeds door twee legers was kaalgeplukt. Nergens was nog iets te eten, dus toverden ze hele maaltijden tijdens het lopen uit hun hoge hoed.

'Wat ga je vandaag voor me koken, James?'

'Vandaag...' Hij trok zijn gezicht in diepe denkrimpels, want dit is een ernstige zaak. 'Vandaag maak ik een antipasto van *noci in camicia*, walnoten in parmezaanboter.'

'En komen die walnoten uit Sorrento?'

'Vanzelfsprekend. Met een dunne schil en zo vers als maar kan – niet van die gedroogde troep waar de Engelsen aan doen.'

'En die boter, hoe maak je die?'

'Van tevoren, uiteraard, ruim van tevoren. Waarschijnlijk een paar uur voor het diner, zodat de smaken van de basilicum en de Parmezaanse kaas zich goed kunnen mengen met die van de noten.'

'Prima,' zei ze. 'Maar helaas heb ik nú al honger; komt van al dat lopen. Kun je niet even een bord pasta voor me maken?'

'Natuurlijk. Wat dacht je van *fettuccine al limone*?'

'Perfect.'

'Dan kook ik dus gewoon wat water en gooi de fettuccine daarin...'

Ze onderbrak hem: 'Bedoel je dat je die pasta niet eerst zelf hebt gemaakt?'

'Hmm... Eh, misschien toch wel, hoor. En dan rasp ik de schil van een stuk of tien citroenen...'

'Vertel me eens wat meer over die citroenen.'

'Die citroenen komen natuurlijk uit Amalfi. Ze zijn heel groot en zo bleek dat het haast wit is... en lelijk... lelijk met een dikke schil – want hoe dikker de schil, hoe zoeter het sap.'

'Zo is het maar net!'

'En dan doe ik de citroenrasp bij de boter en de room...'

'Hoeveel room?' vroeg ze. 'En hoeveel boter?'

'*Quanto basta*, zoveel als nodig is.'

Ze knikte goedkeurend. 'Goed zo! James, jij wordt misschien best nog eens een goede kok.'

'Dank je wel,' zei hij overdreven blij met dit compliment. 'En ik dien het meteen op, gewoon zoals het is... of misschien met een snufje peper. En, hoe smaakt het?'

'Heerlijk,' antwoordde ze. 'De beste *fettuccine al limone* die ik ooit heb geproefd. Echt, ik geloof niet dat ik nog ruimte heb voor de volgende gang.'

'*L'appetito viene mangiando*, de honger komt tijdens het eten.'

Inmiddels hadden ze de top van een bergkam bereikt waar ze even pauzeerden. 'Daar beneden liggen bossen,' zei ze wijzend. 'Daar moeten we naartoe. Misschien vinden we er wat paddenstoelen of vruchten.'

'Ja,' stemde hij met haar in. Maar hij zei er niet bij – waarom zou hij de pret bederven – dat die bossen vast allang uitgekamd waren door duizenden soldaten en vluchtelingen voor hen. 'Een abrikoos als toetje zou wel lekker zijn.'

'Er groeien geen lekkere abrikozen buiten de Vesuvius.'

'Ach, dat vergat ik even. Laat die abrikozen dan maar zitten. Een paar perziken dan... en een kan wijn misschien?'

Ze leunden achterover; de zon brandde warm op hun huid. Livia trok haar schoenen uit en wreef over haar pijnlijke hakken. 'Ik durf te wedden dat de huwelijksofficier zijn motorfiets mist.'

'Ik heb geen idee wat de huwelijksofficier mist.'

'Hoe bedoel je?'

'De huwelijksofficier... dat zal ondertussen wel een andere arme sukkel zijn – die waarschijnlijk op dit moment door mijn papieren zit te bladeren en het een afschuwelijke puinhoop vindt. Als in de archiefkast, een koektrommel vol steekpenningen en God weet wat hij met mijn rapporten doet, áls hij al de moeite neemt ze ooit in te kijken.'

Er volgde een lange stilte. Toen zei Livia voorzichtig: 'Maar als jij de huwelijksofficier niet meer bent...'

'Dan kan ik in het leger blijven en trouwen met wie ik wil. Ja, dat had ik ook al bedacht. Er is alleen één probleempje: ik heb nog steeds de goedkeuring van mijn bevelvoerend officier nodig. Maar ik geloof dat ik dat wel kan regelen.'

'O ja?'

'Eric zal niet blij zijn als hij ontdekt dat ik weet dat zij de communisten ertussen zitten te nemen. Dus ik denk dat als ik dreig daar een hoop heisa over te maken, hij wel zorgt dat wij krijgen wat we hebben willen. Misschien dat we zelfs die gladjanus van een camorrista-vriendje van jou achter de tralies kunnen krijgen, waar hij thuishoort.'

'Wat ben je toch sluw, James.'

'Ja, hè?' Hij ging weer liggen. 'Maar zoals Angelo altijd zegt: een hongerige maag vergeeft niets en niemand. Jouw beurt om te koken!'

'Eh... wat zou je zeggen van – even denken – pannenkoeken gevuld met mozzarella en prinsessenbonen?'

'Klinkt perfect.'

'Nou, dan hebben we eerst wat goede mozzarella nodig,' zei ze, en ze stond op en stak hem een hand toe. 'Gelukkig heb ik nog wel wat, van mijn eigen bufala, die even verderop op ons staat te wachten.'

James stond op en hand in hand liepen ze verder.

'Dan hebben we eieren nodig, voor de pannenkoeken. Gelukkig hebben we ook een voortreffelijke kip. En natuurlijk melk, ook weer van mijn bufala, en knoflook om de bonen onder te dompelen in smaak...'

EPILOOG

$\mathcal{D}$e tijd verstrijkt.
De tijd verstrijkt en terwijl de hete middagzon en de koele berg-
nachten het zwartgeblakerde landschap van de Vesuvius beurtelings
bakken en bevriezen, gebeurt er iets opmerkelijks.

Geleidelijk worden de afgekoelde lavastromen gekoloniseerd door
een korstmos, *stereocaulon vesuvianum*. Het is zo klein dat het haast
niet met het blote oog kan worden ontwaard, maar terwijl het groeit,
verandert het de lava van zwart in zilverig grijs. En waar dit korstmos
is geweest, kunnen vervolgens ook andere planten groeien: eerst bij-
voet, valeriaan en enkele mediterrane struiken, daarna ook steeneiken,
berkenbomen en tientallen abrikozensoorten.

Ondertussen werken de slakken en as, die het hele landschap als een
groezelig grijze sneeuwlaag bedekten, zich langzaam maar onverbiddelijk in de velden en wijngaarden. Ze verkruimelen en voegen zo hun
rijkdom toe aan de vettige donkere aarde, waarna ze een uniek aroma
meegeven aan tomaten, courgettes, aubergines, fruit en alle andere
landbouwproducten die hier worden verbouwd.

De tijd verstrijkt.
De tijd verstrijkt, maar de mensen vergeten niet. Elk jaar, op de dag van
de overwinning, verzamelen ze zich op de plaats die voor hen bijzonder
is: een vliegveld, een oorlogsmonument, een café bij een Franse brug, een
landingsplaats op een strand – waar zij overleefden, maar anderen niet.

Een van de plaatsen waar zij samenkomen, is een kleine osteria op
de flank van de Vesuvius, in een dorpje genaamd Fiscino. Het is een se-

lect gezelschap en u zult van dit samenzijn niets terugzien in de krant of op tv. Maar hoewel select, is de groep bepaald niet klein. Ze komen uit heel Europa en zelfs uit de Verenigde Staten: zij die tegenwoordig aan de andere kant van de oceaan wonen, grijpen elke kans aan om zo nu en dan terug te vliegen en hun familie in Napels te bezoeken.

De mannen dragen namen als Bert, Ted en Richard, de vrouwen namen als Algisa, Violetta, Silvana en Gina. Zij zijn de oorlogsbruiden: Italiaanse meisjes die met geallieerde soldaten zijn getrouwd, dankzij een vergunning die de mannen met fikse tegenzin door hun bevelvoerend officier is verleend.

Maar er zijn ook nog anderen. Zoals Angelo, de voormalig ober-kelner van Zi' Teresa, lang geleden met pensioen gegaan, samen met zijn vrouw en zestien kleinkinderen. En Eric Vincenzo, die wanneer hem wordt gevraagd wat hij tegenwoordig doet, altijd ontwijkend antwoordt, maar woonachtig is in Langley, Virginia, de thuisbasis van de CIA. En een elegante dame van middelbare leeftijd die, in weerwil van het seizoen, altijd gekleed gaat in het beste bont en wordt vergezeld door haar veel jongere echtgenoot, een industrieel miljonair die haar immer beleefd aanspreekt met *carissima*. Zij heeft slechts één oog – het ander is van glas – en haar naam luidt Elena.

Ook Marisa is er, oftewel Dottore Pertini, zoals we haar nu moeten noemen. Zij heeft al tijden een bloeiende dokterspraktijk in Boscotrecase, die erom bekendstaat dat men er bij bepaalde kwalen, waar de conventionele geneeskunde niets (meer) kan doen (zoals rugpijn, artritis of een ontrouwe echtgenoot), terechtkan voor een mengseltje dat in geen enkele apotheek verkrijgbaar is.

En ook haar zuster is er. Ook zij staat tegenwoordig bekend als Dottore Pertini, hoewel dit in haar geval betekent dat zij een universitaire graad in de politicologie heeft behaald. Dit felle plaatselijke raadslid vindt echter ook altijd nog de tijd om te koken, zeker wanneer het gaat om een maaltijd zoals deze: een feestmaal voor familie en vrienden.

En daar is ook haar echtgenoot. Hij beweegt zich traag langs de lange schragentafel die onder de bomen op het lommerrijke terras is neergezet, om te controleren of alles in orde is. Zijn stijfheid is het gevolg van een oude oorlogswond, die hem er echter niet van weerhoudt erop toe te zien dat de obers de antipasto op de juiste manier opdienen. Hij is namelijk degene die na Nino's overlijden de leiding van het restaurant en de boerderij heeft overgenomen en die ervoor heeft gezorgd dat de osteria tegenwoordig wordt bejubeld in alle belangrijke restaurantgidsen. Er wordt gezegd dat hij soms eigenhandig in de keuken bijspringt en dat zijn *fettuccine al limone* zelfs nog beter is dan die van Livia. Vandaag zal de antipasto bestaan uit *burrata*: romige mozzarellaballetjes, gewikkeld in leliebladeren en gemaakt van de melk van zijn eigen, geliefde waterbuffel, wiens geloei zo nu en dan over het hek uit het kleine weiland naast het restaurant zweeft.

Maar er hoort tevens een ritueel bij dit feestmaal, zoals dat ieder jaar sinds het einde van de oorlog is uitgevoerd. Wanneer de gasten met hun glas sprankelende prosecco naar de tafel komen, krijgen ze allereerst een kom dunne flauwe soep geserveerd. Het is niet veel meer dan pastawater met een paar bescheiden bonen en gekruid met wat schapenvet. Hij is eerlijk gezegd niet erg aangenaam van smaak. De jongere leden van de groep – allen die niet oud genoeg zijn om zich de oorlog te kunnen herinneren – trekken dan ook een vies gezicht en duwen de kom al na één of twee happen van zich af. De ouderen eten echter langzaam door, zwijgend en met een afwezige blik in de ogen, terwijl de smaak ze terugbrengt naar een andere tijd – waarin de herinneringen zich verdringen en die de tafel met nog veel meer gasten bevolkt.

Daarna, als de soepkommen zijn afgeruimd, wordt er mozzarella genuttigd, wijn ingeschonken, brood gebroken; gesprekken vangen aan, veranderen in heftige discussies en uiteindelijk weer in gewone gesprekken – de beschaving herneemt zijn gewone beloop.

Er zijn ook kinderen bij – tientallen zelfs: de periode direct na de oorlog wordt immers gekenmerkt door een tot dan toe ongekende explosie van geboorten. Sommigen van hen zijn een beetje verlegen; niet gewend aan gesprekken die in meer dan één taal worden gevoerd. Terwijl de maaltijd vordert en de volwassenen er nog geen enkele blijk van geven dat ze genoeg krijgen van al dat gepraat, laten deze jongelui zich één voor één van hun stoel glijden en verzamelen zich in kleine groepjes, om te spelen, humeurig voor zich uit te kijken of te flirten – afhankelijk van hun leeftijd en sekse.

Regelmatig worden ze teruggeroepen naar de tafel, het middelpunt van de hele bijeenkomst: voor een standje, een lekker hapje, of gewoon om mee te doen aan een van de vele toosten die overal aan de tafel worden uitgebracht en waarbij de jongeren dan hun glas heffen, om een overwinning te vieren waarvan ze niet meer weten dan wat ze er op school en in de verhalen van hun ouders over hebben gehoord.

Als ze zien hoe Livia Pertini haar hand uitsteekt en in het voorbijgaan de arm van haar echtgenoot aanraakt of wanneer ze hem zijn hoofd voor een vluchtige kus zien buigen – gewoontegetrouw, haast onbewust breekt hij zijn gesprek af en drukt zijn lippen op de hare – vertrekken zij natuurlijk quasi-walgend hun gezicht of plaatsen de een of andere bijdehante opmerking. Want ze mogen dan weinig van de oorlog weten – ze weten zelfs nog minder van de liefde. En zo hoort het ook: elke generatie moet de kans krijgen te geloven dat ze al deze dingen helemaal zelf ontdekt.

Daarbij: zij hebben wel belangrijker zaken om zich mee bezig te houden. Want kijk, daar komt alweer een nieuwe gang: de langverwachte *dolce* van abrikozen wordt triomfantelijk door de koks naar de tafel gebracht.

DANKWOORD

De meeste gebeurtenissen in dit boek hebben daadwerkelijk plaatsgevonden en heb ik dan ook gehaald uit de originele verslagen, hoewel ik bij het verwerken ervan eerder authenticiteit dan nauwkeurigheid heb nagestreefd. Ik heb met name veel gehad aan Norman Lewis' prachtige *Naples '44*, een dagboek over zijn tijd als onderofficier bij de Field Security Service. Om het meest veelzeggende voorbeeld te nemen, in zijn notitie van 5 april staat te lezen: 'Tot op heden achtentwintig onderzoeken van aanstaande bruiden voor militairen afgerond, waarvan er tweeëntwintig prostituees bleken te zijn... Ik wilde dat ik iets doen kon om deze aanvraagsters toch met onze soldaten te laten trouwen. Van de tweeëntwintig afgewezen kandidates leken de meesten vriendelijk en vrolijk en ze vervulden hun huishoudelijke taken vol ijver. Bovendien zagen ze er allemaal erg knap en verzorgd uit.'

In 1944 was Lewis onder andere getuige van de uitbarsting van de Vesuvius, waarvan veel waarnemers beweren dat deze stukken rampzaliger zou zijn verlopen zonder de reddingsoperatie van Amerikaanse en Engelse soldaten, onder leiding van luitenant-kolonel James Kincaid. Nu eiste deze uitbarsting toch nog het grootste gedeelte van de stadjes San Sebastiano en Massa op en verwoestte bijna een heel squadron van B-25-bommenwerpers op het vliegveld van Terzigno. Vandaag de dag wonen er ruim een miljoen mensen op en rond deze vulkaan. Seismologen voorspellen al tijden dat er elk moment een nieuwe uitbarsting kan komen.

Lewis beschrijft tevens 'een typisch onbesuisd A-force-plan' om in Napels aan syfilis lijdende prostituees op te pakken en naar het betrekkelijk ziektevrije Duitse grondgebied in het noorden te sturen. Dit plan, dat in Frankrijk reeds met enig succes was ingezet, werd in Italië na enkele pogingen stopgezet vanwege een gebrek aan medewerking van de betrokken vrouwen.

Veel dank aan het personeel van het Imperial War Museum in Londen, dat mij in staat heeft gesteld diverse ongepubliceerde beschrijvingen van het dagelijks leven in bezet Napels te bestuderen en me zelfs een kaart heeft geschonken, die ooit werd uitgereikt aan militairen op verlof, van de stad zoals die er vlak na de bombardementen uitzag. Zi' Teresa bestaat trouwens nog steeds: ik heb er onlangs nog een uitstekende jonge octopus gegeten, gestoofd in tomaten met pijlinktvisinkt.

De man die beweerde dat Beethoven een Belg was, deed dat oorspronkelijk in de lezing van E.M. Forster, zoals uitvoerig verhaald in zijn essay uit 1958 getiteld *A View without a Room*.

De citaten op de pagina's 162, 163, 164, 165 en 166 komen uit *Hij en zij in het huwelijk* van doctor Marie Stopes. Volgens schattingen waren er van deze leidraad voor geslachtsgemeenschap rond 1940 al meer dan een miljoen exemplaren in diverse talen verkocht.

Ik ben tevens veel dank verschuldigd aan *Lieve Francesca* van Mary Contini, met veel recepten en herinneringen aan haar opvoeding door haar grootouders in Campania; *Sophia Loren, In Her Own Words*, een omschrijving van een jeugd in Napels en Pozzuoli in oorlogstijd; en de oorlogsmemoires *The Gallery* van John Horne Burns, *From Cloak to Dagger* van Charles Macintosh en *Rome '44* van Raleigh Trevelyan. Tot mijn bronnen over de Napolitaanse kookkunst behoren Sophia Lorens *Mijn lekkerste recepten en mooiste herinneringen* en Antonio en Priscilla Carluccio's *De Italiaanse keuken*. Plus zeer veel dank aan Jamie, voor diens tip over het gebruiken van een archiefkast als oven.

De suggestie dat het CIC (dat later beter bekend zou worden als de CIA) heimelijk heeft getracht de communistische partizanen te dwarsbomen, is bekend geworden onder de naam 'Operatie Gladio'-theorie. Ik ben Blaze Douglas zeer dankbaar voor het feit dat hij deze bij mij onder de aandacht heeft gebracht.

Meerdere vrienden hebben het manuscript gelezen en becommentarieerd, waaronder Bobby Sebire en Peter Begg. Mijn bijzondere dank gaat uit naar Tim Riley, die zonder zich in te houden heeft gereageerd op mijn verzoek om een werkelijk strenge beoordeling.

Mijn literair agent, Caradoc King, heeft me tijdens een uitstekende Italiaanse lunch aangemoedigd om dit verhaal te schrijven en tijdens een andere, anderhalf jaar later, om het ook daadwerkelijk af te maken. Ik betwijfel of dit alles zonder zijn hulp zou zijn gelukt. Tevens ben ik enorm veel dank verschuldigd aan mijn uitgever bij Time Warner, Ursula Mackenzie, die me zei te schrijven wat ik maar wilde en mijn redacteur, Jo Dickinson, die werd opgezadeld met alle – soms wisselvallige – resultaten, terwijl *Dansen op de vulkaan* langzaam vorm kreeg.

Ik draag dit boek op aan mijn vader, een vertegenwoordiger van die bijzondere generatie van jonge mannen en vrouwen, die in 1939 besloten dat democratie, fatsoen en vriendelijkheid de moeite waard waren om hun leven voor te geven. Want zolang de mens verhalen vertelt, zal ook dat van hen worden verteld en herhaald, als een bron van inspiratie voor ons allen.